AF218668

## *ACCESO GRATIS* *a la Lectura en la Nube*

Para visualizar el libro electrónico en la nube de lectura envíe junto a su nombre y apellidos una fotografía del código de barras situado en la contraportada del libro y otra del ticket de compra a la dirección:

**ebooktirant@tirant.com**

En un máximo de 72 horas laborales le enviaremos el código de acceso con sus instrucciones.

La visualización del libro en **NUBE DE LECTURA** excluye los usos bibliotecarios y públicos que puedan poner el archivo electrónico a disposición de una comunidad de lectores. Se permite tan solo un uso individual y privado

# LA PROTECCIÓN DE LA SALUD EN TIEMPOS DE CRISIS

## NUEVOS RETOS DEL BIODERECHO EN UNA SOCIEDAD PLURAL

# COMITÉ CIENTÍFICO DE LA EDITORIAL TIRANT LO BLANCH

MARÍA JOSÉ AÑÓN ROIG
Catedrática de Filosofía del Derecho de la
Universidad de Valencia

ANA BELÉN CAMPUZANO LAGUILLO
Catedrática de Derecho Mercantil de la Universidad
CEU San Pablo

JORGE A. CERDIO HERRÁN
Catedrático de Teoría y Filosofía de Derecho.
Instituto Autónomo Tecnológico de México

JOSÉ RAMÓN COSSÍO DÍAZ
Ministro de la Suprema Corte de Justicia
de México

OWEN M. FISS
Catedrático emérito de Teoría del Derecho de la
Universidad de Yale (EEUU)

LUIS LÓPEZ GUERRA
Magistrado en el Tribunal Europeo de Derechos
Humanos
Catedrático de Derecho Constitucional de la
Universidad Carlos III de Madrid

ÁNGEL M. LÓPEZ Y LÓPEZ
Catedrático de Derecho Civil de la Universidad de
Sevilla

MARTA LORENTE SARIÑENA
Catedrática de Historia del Derecho de la
Universidad Autónoma de Madrid

JAVIER DE LUCAS MARTÍN
Catedrático de Filosofía del Derecho y Filosofía
Política de la Universidad de Valencia

VÍCTOR MORENO CATENA
Catedrático de Derecho Procesal de la Universidad
Carlos III de Madrid

FRANCISCO MUÑOZ CONDE
Catedrático de Derecho Penal de la Universidad
Pablo de Olavide de Sevilla

ANGELIKA NUSSBERGER
Juez del Tribunal Europeo de Derechos Humanos.
Catedrática de Derecho Internacional de la
Universidad de Colonia (Alemania)

HÉCTOR OLÁSOLO
Catedrático de Derecho Internacional Penal y
Procesal de la Universidad de Utrech
(Países Bajos)

LUCIANO PAREJO ALFONSO
Catedrático de Derecho Administrativo de la
Universidad Carlos III de Madrid

TOMÁS SALA FRANCO
Catedrático de Derecho del Trabajo y de la Seguridad
Social de la Universidad de Valencia

JOSÉ IGNACIO SANCHO GARGALLO
Magistrado de la Sala Primera (Civil) del Tribunal
Supremo de España

TOMÁS S. VIVES ANTÓN
Catedrático de Derecho Penal de la Universidad de
Valencia

RUTH ZIMMERLING
Catedrática de Ciencia Política de la Universidad de
Mainz (Alemania)

Procedimiento de selección de originales, ver página web:

http://www.tirant.net/index.php/editorial/procedimiento-de-seleccion-de-originales

# LA PROTECCIÓN DE LA SALUD EN TIEMPOS DE CRISIS

## NUEVOS RETOS DEL BIODERECHO EN UNA SOCIEDAD PLURAL

Ana Fernández-Coronado
Salvador Pérez Álvarez

(Directores)

tirant lo blanch

Valencia, 2014

Copyright ® 2014

Todos los derechos reservados. Ni la totalidad ni parte de este libro puede
reproducirse o transmitirse por ningún procedimiento electrónico o mecánico,
incluyendo fotocopia, grabación magnética, o cualquier almacenamiento de
información y sistema de recuperación sin permiso escrito de los autores
y del editor.

En caso de erratas y actualizaciones, la Editorial Tirant lo Blanch publicará
la pertinente corrección en la página web www.tirant.com (http://www.
tirant.com).

© Ana Fernández-Coronado
Salvador Pérez Álvarez y otros

© TIRANT LO BLANCH
EDITA: TIRANT LO BLANCH
C/ Artes Gráficas, 14 - 46010 - Valencia
TELFS.: 96/361 00 48 - 50
FAX: 96/369 41 51
Email:tlb@tirant.com
http://www.tirant.com
Librería virtual: http://www.tirant.es
DEPÓSITO LEGAL: V-789-2014
ISBN: 978-84-9053-048-1
IMPRIME Y MAQUETA: Tink Factoría de Color

Si tiene alguna queja o sugerencia, envíenos un mail a: *atencioncliente@tirant.com*. En caso de no
ser atendida su sugerencia, por favor, lea en *www.tirant.net/index.php/empresa/politicas-de-empresa*
nuestro Procedimiento de quejas.

# Índice

# LA PROTECCIÓN DE LA SALUD EN EL CONTEXTO DE UN ESTADO LAICO

# LA PROTECCIÓN DE LA SALUD EN LA CONSTITUCIÓN ESPAÑOLA

FERNANDO REVIRIEGO PICÓN
*Profesor Titular de Universidad*
*UNED*

JORGE ALGUACIL GONZÁLEZ-AURIOLES
*Profesor Contratado Doctor*
*Facultad de Derecho*
*UNED*

## 1. INTRODUCCIÓN; EL DERECHO A LA SALUD Y LA DEMOCRATIZACIÓN DEL PODER

La Organización Mundial de la Salud define salud como aquel estado de completo bienestar físico, mental y social, y no solamente la ausencia de afecciones o enfermedades. Parece un lugar común identificarla como uno de los bienes más preciados del ser humano, por los que éste lucha primariamente; y, en consecuencia, también entender como algo lógico y natural que la universalización en su protección haya corrido de forma paralela a la configuración de nuestra actual democracia, en cuanto régimen institucionalmente orientado a transformar las aspiraciones del pueblo en decisiones jurídicas vinculantes, como una democracia social.

Es sabido que el primer seguro social en el contexto de la industrialización moderna fue precisamente el Seguro Social de Enfermedad, creado en 1883 en Alemania; no es necesario recordar cómo el régimen de Bismarck es reconocido históricamente como antecedente de las medidas de protección social. Pero son las transformaciones a que mueve la democratización del poder acaecidas en Europa desde finales del siglo XIX las que realmente desembocan en la gestación del gran pacto social que supone la configuración del modelo más evolucionado de convivencia social, el constituido por el constitucionalismo social y democrático de Derecho[1]; la incorporación al proceso político de nuevos grupos sociales que hasta ese momento se encontraban marginados promueve una progresiva inter-

---

[1] GARCÍA-PELAYO, M., *Las transformaciones del Estado contemporáneo*, Alianza Editorial, Madrid, 1994.

vención estatal[2]. La protección de la salud se configura históricamente como un elemento inescindible de tal modelo de convivencia. En tal sentido, las grandes constituciones pioneras del Estado social han reconocido entre los derechos sociales este derecho a la salud[3].

Podemos encontrar así una íntima relación entre la universalización de medidas de protección de la salud y la progresiva democratización del poder.

Como observa Aparicio Tovar la protección de la salud se encuentra íntimamente ligada al *proceso democrático*, "por cuanto responde a la necesidad de poner en práctica la cláusula del Estado social y remover los obstáculos que impiden el acceso a los cuidados sanitarios en condiciones de igualdad, lo que es elemento fundamental para la dignidad humana"[4].

El punto de partida de la protección a la salud en nuestro país podemos encontrarlo en la Comisión de reformas Sociales de 1883; poco más de tres lustros después, en 1900, se crea el primer Seguro Social: la Ley de Accidentes de Trabajo[5]. Deberemos esperar, no obstante, a la instauración del régimen constitucional que trae causa de la Constitución de 1931 para encontrar un verdadero sistema de protección a la salud. Así, el artículo 46.2 de la Constitución de la II República dispuso que: "La República asegurará a todo trabajador las condiciones necesarias de una existencia digna. Su legislación social regulará: los casos de seguro de enfermedad, accidente, paro forzoso, vejez, invalidez y muerte (...)". Junto a ello, en virtud del artículo 43, se estableció que se "prestará asistencia a todos los enfermos".

Ahora bien, siendo cierta esa íntima relación citada entre la universalización de medidas de protección de la salud y la democratización del poder, no debemos olvidar que nuestra pretensión es analizar la protección a la salud en un régimen constitucional concreto, el articulado en nuestro país tras la Constitución de 1978, ciertamente inserta dentro de las constituciones propias del constitucionalismo del Estado social, si bien en su época más tardía[6].

---

[2]    BALAGUER CALLEJÓN, F., "El Estado social y democrático de Derecho. Significado, alcance y vinculación de la cláusula del Estado social", MONEREO PÉREZ, J.L; MOLINA NAVARRETE, C; MORENO VIDA, M.N., *Comentario a la Constitución socio-económica de España*, Comares, Granada, 2002, pág. 92.

[3]    Constitución mexicana de Quétaro de 1917, Constitución de la República de Weimar de 1919, Constitución de la II República española de 1931.

[4]    APARICIO TOVAR, J, "El derecho a la protección de la salud. El derecho a la asistencia sanitaria", MONEREO PÉREZ, J.L; MOLINA NAVARRETE, C; MORENO VIDA, M.N, *Comentario a la Constitución socio-económica de España*, cit., pág. 1557.

[5]    A título anecdótico, es interesante apuntar que ya en los inicios de nuestro constitucionalismo se presentó un proyecto de Código Sanitario en 1812.

[6]    Nuestra Constitución se inscribe en un momento histórico preciso: pertenece al ciclo del constitucionalismo racionalizado, democrático y social posterior a la II Guerra Mundial. Más pre-

Recoge así en su artículo primero esta cláusula y configura, como nos ha explicado García-Pelayo, un constitucionalismo que se define por la singular articulación de las tres cláusulas que la componen, las cláusulas del Estado social, democrático, y de Derecho[7]. No obstante, las particularidades de la protección a la salud en nuestro actual régimen constitucional, en definitiva la proyección que tiene en nuestro sistema de libertades, requiere de una aproximación al Derecho positivo y, en concreto, al específico artículo de nuestra Constitución en el que se inserta este sistema de protección, sin perjuicio de sus variadas conexiones con otros derechos, como el derecho a la vida y a la integridad física y moral, o el propio derecho a la libertad personal (la protección jurídica de la salud se proyecta pues en varios preceptos constitucionales, y no en uno sólo).

En cualquier caso: el precepto que articula de forma nuclear la protección a la salud en nuestra Constitución es el artículo 43, cuyo contenido es el siguiente: "1. Se reconoce el derecho a la protección de la salud. 2. Compete a los poderes públicos organizar y tutelar la salud pública a través de medidas preventivas y de las prestaciones y servicios necesarios. La Ley establecerá los derechos y deberes de todos al respecto. 3. Los poderes públicos fomentarán la educación sanitaria, la educación física y el deporte. Asimismo facilitarán la adecuada utilización del ocio". Un artículo que podemos poner en conexión con las previsiones contenidas en el art. 41 CE relativas a que los poderes públicos mantendrán un régimen público de Seguridad Social para todos los ciudadanos que garantice asistencia y prestaciones sociales suficientes ante situaciones de necesidad.

Examinaremos, pues, el proceso de gestación del precepto en cuestión, explicando en primer lugar la ubicación precisa que el constituyente le otorgó en nuestra Carta Magna; así, el Capítulo III del Título I, bajo la rúbrica "Principios rectores de la política social y económica". En segundo lugar, estudiaremos la peculiar naturaleza jurídica del mandato que contiene este artículo y expondremos al efecto las diversas doctrinas existentes. Una vez expuesta la peculiar naturaleza jurídica de la norma que contiene este precepto estaremos en condiciones de aproximarnos a su eficacia jurídica y a su alcance. Analizaremos aquí las diversas conexiones que tiene con otros derechos recogidos en artículos distintos de nuestra Constitución; justo porque tales conexiones pueden dotar a este precepto de garantías diversas a las que le corresponde de forma natural; y como consecuencia directa del hecho de que nos encontramos ante un sistema de protección que exige de la acción promocional del Estado y que se desarrolla con los Servicios del Sistema Nacional de Salud que serán abordados en otros de los trabajos de este volumen colectivo.

---

cisamente, a su segunda oleada: la de la transición de la dictadura a la democracia en los países del sur de Europa (Portugal, Grecia, España).

[7]   GARCÍA-PELAYO, M., *Las transformaciones del Estado contemporáneo*, cit., págs. 92-105.

## 2. TRAMITACIÓN CONSTITUYENTE

Quizá uno de los Títulos de menor sistematicidad o claridad de nuestra Constitución, dejando de lado el dedicado a la organización territorial, sea el referente a los derechos.

El Título I de la Constitución española, en efecto, lleva por título "De los derechos y deberes fundamentales" pero comprende los artículos 10 al 55 en los que podemos encontrar derechos, garantías institucionales, mandatos al legislador, etc.; no todos los artículos comprendidos en este Título son pues derechos fundamentales. De hecho, el Título comienza por el artículo 10, que en sentido propio no reconoce derechos ni deberes, sino, todo lo más, unos principios generales de interpretación en la materia. Contiene a continuación un primer capítulo que habla "de los españoles y los extranjeros" (Capítulo Primero) que pretende precisar el diferente régimen de derechos que corresponde a unos y otros, además de contemplar algunos derechos específicos de los extranjeros (como el de asilo) o de los españoles (no ser privado de la nacionalidad de origen). Y a continuación aparecen otros cuatro capítulos, dos sustantivos (Capítulo II: *Derechos y Libertades* y Capítulo III: *De los principios rectores de la política social y económica*) que enumeran, se supone, "los derechos y deberes fundamentales" a los que se refiere el Título en su conjunto) y dos adjetivos (sobre sus garantías y sobre la posibilidad de suspenderlos). El capítulo II, a su vez, se divide en dos secciones; la sección primera lleva por título "De los derechos fundamentales y de las libertades públicas", la segunda se denomina "De los derechos y deberes de los ciudadanos".

Pues bien, el artículo 43 se inserta dentro del Capítulo III, *De los principios rectores de la política social y económica*. Ciertamente, su específica ubicación delata ya una muy singular naturaleza jurídica y por consiguiente eficacia; y aunque analizaremos ambas cuestiones en los dos siguientes epígrafes, parece necesario anticipar ya que se diferencia claramente de la de los derechos ubicados en el Capítulo II: *Derechos y Libertades*. El artículo 53 CE, que establece el diferenciado sistema de garantías de los derechos contenidos en este Título, como veremos, así lo establece. E interesa anticipar esta cuestión, pues la falta de controversia en la gestación de este artículo quizá pueda explicarse, al menos parcialmente, precisamente por gozar de esta diferenciada naturaleza jurídica y garantías.

La tramitación constituyente del artículo 43 de nuestro texto constitucional, en efecto, fue ciertamente pacífica. El Anteproyecto de Constitución[8] recogió el contenido de dicho derecho, en su entonces artículo 36, de la siguiente forma: "1. Se reconoce el derecho a la protección de la salud. 2. Compete a los poderes públicos organizar y tutelar la sanidad y la higiene así como garantizar las pres-

---

8 *Boletín Oficial de las Cortes*, nº 44, 5 de enero de 1978, pág. 675.

taciones y servicios necesarios. La Ley establecerá los derechos y deberes de todos al respecto. 3. Los poderes públicos fomentan la educación física y el deporte y facilitan la adecuada utilización del ocio".

Fueron varias las enmiendas presentadas a dicho artículo; ocho al primero de sus apartados, nueve al segundo y tres al tercero[9]. Junto a las reformas propuestas se pretendió asimismo incorporar dos apartados adicionales (cuarto y quinto, con la enmienda n° 759), así como una enumeración bis al segundo de los apartados. El Informe de la Ponencia[10], en el que ahora era artículo 39, introdujo escasas modificaciones: "1. Se reconoce el derecho a la protección de la salud. 2. Compete a los poderes públicos organizar y tutelar la sanidad y la higiene a través de medidas preventivas y de las prestaciones y servicios necesarios. La Ley establecerá los derechos y deberes de todos al respecto. 3. Los poderes públicos fomentarán la educación sanitaria, la educación física, el deporte y, en general, la adecuada utilización del ocio".

Como podemos observar, ninguna se produjo en el primero de los apartados; la ponencia no modificó en nada su redacción aunque consideró que el sentido de tres de las enmiendas planteadas al mismo sí habían sido recogidas en otro de los artículos. Sí hubo modificaciones, por el contrario, en el segundo de conformidad a la propuesta de la enmienda n° 779. La necesidad de establecer medidas preventivas antecedía ahora a las prestaciones y servicios necesarios a desarrollar por los poderes públicos; la justificación de la enmienda subrayaba que "la mejor protección de la salud consiste en la prevención de la enfermedad". El tercero, junto a cosas más menores como cambios de redacción de tiempos verbales, añadió, junto a la educación física y el deporte, la educación sanitaria.

Durante su tramitación por el Congreso no se produjo modificación alguna[11]. La posterior tramitación por el Senado arrojó un solo cambio: sanidad e higiene se transformaron en salud pública[12]. La Comisión Mixta no introdujo cambio alguno[13].

La versión definitiva del artículo 43 quedó por tanto con el siguiente contenido: "1. Se reconoce el derecho a la protección de la salud. 2. Compete a los poderes públicos organizar y tutelar la salud pública a través de medidas preventivas y de las prestaciones y servicios necesarios. La Ley establecerá los derechos y deberes de todos al respecto. 3. Los poderes públicos fomentarán la educación

---

[9]  Enmiendas n° 2, 24, 46, 260, 382, 489, 587 y 759 —1°—, n° 2, 47, 260, 382, 489, 587, 759, 729 y 779 —2°— y 587, 759 y 760 —3°—.
[10]  *Boletín Oficial de las Cortes*, n° 82, 17 de abril de 1978.
[11]  *Boletín Oficial de las Cortes*, n° 135, 24 de julio de 1978.
[12]  *Boletín Oficial de las Cortes*, n° 157, 6 de octubre de 1978.
[13]  *Boletín Oficial de las Cortes*, n° 170, 28 de octubre de 1978.

sanitaria, la educación física y el deporte. Asimismo facilitarán la adecuada utilización del ocio".

Como ha señalado la doctrina, además de lo apuntado sobre su específica naturaleza jurídica y eficacia, fue la indeterminación de los términos en que se encuentra redactado el artículo 43 la que facilitó el consenso entre los partidos políticos a la hora de su redacción[14]. Por lo demás, la previsión de este derecho por el constituyente no hacía sino acoger una tendencia asumida en múltiples textos constitucionales desde tiempo atrás (sirva de ejemplo el art. 32 de la Constitución italiana de 1947[15]), presente también en el Derecho internacional (art. 25 de la Declaración Universal de Derechos Humanos de 1948, art. 12 del Pacto Internacional de Derechos Económicos, Sociales y Culturales de 1966, art. 11 de la Carta Social Europea de 1961, etc.)[16]. Más recientemente, en nuestro entorno más cercano, no debemos dejar de hacer mención al art. 35 de la Carta de Derechos Fundamentales de la Unión Europea

## 3. NATURALEZA JURÍDICA

La existencia, al menos aparente, de derechos en los dos capítulos sustantivos del Título Primero de la Constitución (Segundo y Tercero), lo que pareciera lógico por la razón del Título en el que se integran, *De los derechos y deberes fundamentales*, no nos debe hacer perder de vista el hecho de que sean dos capítulos diferentes, que obedecen a diferentes nomenclaturas: *Derechos y Libertades* y *De los principios rectores de la política social y económica*.

Cabe encontrar en el artículo 53 CE —que, como observamos anteriormente, está integrado en el Capítulo IV que lleva por título *De las garantías de las libertades y derechos fundamentales*—, la explicación de las razones de tal diferenciación.

---

[14]  A título de ejemplo, véase, BORRAJO DACRUZ, E., "Artículo 43. Protección de la salud", ALZAGA VILLAAMIL, O., (Dir.,), *Comentarios a la Constitución española de 1978*, Tomo IV, Cortes Generales-Editoriales de Derecho Reunidas, 1997, Madrid, pág. 168.

[15]  "La Repubblica tutela la salute come fondamentale diritto dell'individuo e interesse della collettività, e garantisce cure gratuite agli indigenti. Nessuno può essere obbligato a un determinato trattamento sanitario se non per disposizione di legge. La legge non può in nessun caso violare i limiti imposti dal rispetto della persona umana". Sobre este derecho, su caracterización y evolución, puede verse, entre otros trabajos, COCCONI, M., *Il diritto alla tutela della salute*, Cedam, Padova, 1998.

[16]  Un apunte sobre esta cuestión, con especial atención a pronunciamientos recientes de diferentes cortes constitucionales, puede verse en PEMÁN GAVÍN, J.M., "El derecho a la salud como derecho social. Desarrollos recientes desde la perspectiva internacional y en el Derecho comparado", *Revista de Administración Pública*, nº 179, 2009, págs. 37 y ss.

A partir de la lectura de este precepto quedaría clara la razón de la distinción; así lo entiende la doctrina mayoritaria; pero existen también posiciones alternativas que han polemizado con éstas, generando ocasionalmente ricos debates doctrinales. Haremos referencia en primer lugar a la interpretación hegemónica, luego a ciertas posiciones diversas y a los debates generados.

## 3.1. La interpretación mayoritaria

La interpretación más clásica, aceptada mayoritariamente por la doctrina, y apoyada en la literalidad del artículo 53.3 CE es clara: el Capítulo segundo reconoce derechos (cabría plantearse si sólo derechos fundamentales o, junto con derechos fundamentales, otros derechos, digamos, de menor rango, que podríamos denominar derechos constitucionales), y el Capítulo Tercero no reconoce derechos, son principios rectores de la política social y económica. Merced al artículo 53.3 CE, el reconocimiento, el respeto y la protección de estos principios "informarán la legislación positiva, la práctica judicial y la actuación de los poderes públicos" solo pudiendo "ser alegados ante la jurisdicción ordinaria de acuerdo con lo que dispongan las leyes que los desarrollen".

La utilización de la palabra derecho, pues, sería usada en forma impropia[17] en alguno de los artículos de este capítulo, entre ellos este artículo 43. Esta tesis llevó a Jiménez Campo hablar de los *derechos aparentes*, apuntando de forma más específica con relación al derecho a la protección de la salud, "indiscernible *extra legem*", pues nos encontramos, en su opinión, ante "pretensiones comunitarias que la Constitución incorpora a fin de imponer o, cuando menos, de justificar determinadas políticas públicas"[18].

En efecto, los principios rectores se dirigen primordialmente al legislador; es éste el que debe regularlos y garantizarlos, y sólo cabe alegarlos ante la jurisdicción mediante las leyes de desarrollo. A lo sumo, como observaron tempranamente De Esteban y López Guerra, pueden "aparecer como una garantía del mínimo existente, en el sentido de que el *status quo* socioeconómico, si se modifica, ha de serlo en la dirección indicada por la Constitución. Desde esta perspectiva, la Constitución trata, pues, más que de forzar un avance, evitar un retroceso en la realización del Estado social"[19].

---

[17]   Vid. ALZAGA, O., GUTIÉRREZ, I., REVIRIEGO, F., SALVADOR, M., *Derecho Político según la Constitución de 1978*, vol. II, Ramón Areces, Madrid, 2012, pág. 192.

[18]   JIMÉNEZ CAMPO, J., "Artículo 53. Protección de los derechos fundamentales", ALZAGA VILLAAMIL, O., (Dir.,), *Comentarios a la Constitución española de 1978*, Tomo IV, Cortes Generales-Editoriales de Derecho Reunidas, Madrid, 1996, págs. 520 y ss.

[19]   DE ESTEBAN, J; LÓPEZ GUERRA, L, *El régimen constitucional español*, Labor, Barcelona, 1980, págs. 346-347.

Así lo ha entendido también el Tribunal Constitucional. Es cierto que la imposibilidad de alegar directamente tales principios rectores ante la jurisdicción ordinaria, así como de recabar su tutela mediante el recurso de amparo constitucional (artículo 53.3 CE), hacen disminuir el número de pronunciamientos de este tribunal respecto a ellos. No obstante, al hilo de recursos en los que sólo de manera tangencial son alegados, ha indicado el sentido de ciertos principios rectores (SSTC 71/1982, de 30 de noviembre; 32/1983, de 28 de abril; 121/1983, de 15 de diciembre; 76/1986, de 9 de junio; 88/1986, de 1 de julio; 146/1986, de 25 de noviembre; 65/1987, de 21 de mayo, etc.). Carecen "de las notas de aplicabilidad y justiciabilidad inmediatas que caracterizan a los derechos constitucionales, aunque tienen, sin duda, el valor constitucional expresado respecto de todos los poderes públicos, también en este caso sin distinción, orientando sus respectivas actuaciones", idea recientemente reiterada al hilo de la aprobación de los nuevos Estatutos de Autonomía en la VIII y IX Legislatura (STC 247/2007, de 12 de diciembre).

Una vez confirmado el contenido de los principios rectores, el Tribunal puede aplicarlos para determinar la situación de aquellas disposiciones que por ser de dudosa constitucionalidad le hubieren sido sometidas.

Es en este extremo, como observa Cossío, donde se ponen de manifiesto los límites de la eficacia de estos principios[20]. Si bien es cierto que uno de los pilares de la democracia constitucional es la configuración del legislador como principal intérprete de la Constitución, el Tribunal Constitucional como su supremo intérprete, en el estricto campo de los principios rectores tal dualidad cambia: el principal y también supremo intérprete de los principios rectores es el legislador: el Tribunal Constitucional no puede imponer su interpretación a la previa que haya realizado el legislador. Insiste Cossío en este aspecto: "Sin entrar en el viejo y recurrente debate sobre la legitimidad del Tribunal, entendemos que, tratándose de los principios rectores, el Tribunal se encuentra en una posición de creatividad inferior respecto de, por ejemplo, los derechos fundamentales, gracias al contenido esencial de que estos últimos gozan"[21].

En último extremo, como ha observado Carmona Cuenca, nuestro orden constitucional ha realizado, en general con respecto a los derechos de prestación, una "reserva económica de lo posible". Mientras se procede a encomendar "a los poderes públicos la creación de estos presupuestos, se gradúa la vinculatoriedad de las normas constitucionales que reconocen tales derechos, retrasando su

---

[20]   COSSIO DÍAZ, J.R, *Estado social y derechos de prestación*, Centro de Estudios Constitucionales, Madrid, 1989, pág. 268.

[21]   COSSIO DÍAZ, J.R, *Estado social y derechos de prestación*, cit., págs. 268, 269.

máxima eficacia hasta el momento en que sea materialmente posible"[22]. En este sentido pueden interpretarse la cláusula del Estado social y los propios principios rectores como una cláusula y unos principios de orientación finalista, por cuanto persigue una sociedad más justa y más igualitaria; pero "no puede hacerlo (...) sino a través (de) medios, y éstos son los que determinan el verdadero contenido jurídico (...). Como observa Fernández Miranda, "la cláusula impone mandatos y fija límites, pero sustancialmente es una poderosa cláusula de habilitación para la legitimación de políticas públicas orientadas al fin propuesto"[23].

## 3.2. *Interpretaciones alternativas. Críticas y debate doctrinal*

Un sector de la doctrina ha entendido la naturaleza jurídica de los preceptos contenidos en este Capítulo III, y por consiguiente también el relativo a la protección a la salud, de forma diversa a la dominante; al identificarles con la dimensión objetiva de los derechos ha podido otorgarles, una diferente naturaleza y garantía.

Quizá la contribución más significativa en este sentido sea la ofrecida por López Pina en su "Comentario introductorio al Capítulo III del Título I" de la Constitución. La tesis central de su estudio es que los principios rectores pueden ser comprendidos como determinaciones constitucionales relevantes para identificar el aspecto objetivo de los derechos fundamentales, por más que lo sostenga con plena conciencia de que quizá no todas las disposiciones del Capítulo III admitan una interpretación de este género, y sobre todo de que la Constitución no agota en el Capítulo III del Título I las potencialidades de la dimensión objetiva de los derechos. Apoyado en la mejor doctrina alemana (Hesse, Häberle), este autor destaca que los derechos ponen a disposición de la persona ciertas posibilidades de acción que, en principio, no dependen de la Ley. Ahora bien, la Constitución no se ha contentado con abrir la interpretación de los derechos a una dimensión institucional: ha consagrado igualmente determinaciones específicas a la configuración jurídica de las instituciones en las que tales derechos desempeñan su función.

---

[22]   CARMONA CUENCA, E., *El Estado social de Derecho en la Constitución*, Consejo Económico y Social, Madrid, 2000, pág. 159.

[23]   FERNÁNDEZ-MIRANDA CAMPOAMOR, A., "El Estado social", *Revista Española de Derecho Constitucional* n° 69.
Precisamente por ello surgen dudas sobre la propia legitimidad de la última reforma constitucional acaecida en nuestra Constitución. La gestación del nuevo artículo 135 CE podría dar alas a la constitucionalización de una única opción ideológica, que por más que legítima, no puede ser la única en una sociedad plural como la que dice garantizar nuestra propia Constitución, cfr. LÓPEZ PINA, A., "Respuestas a la encuesta sobre la reforma del artículo 135 CE", *Teoría y Realidad Constitucional* n° 29

Ése es el sentido que permite comprender unitariamente el complejo Capítulo III del Título I de la Constitución[24]. En otras ocasiones, los principios rectores proyectan otras perspectivas que también la doctrina encuadra en la dimensión objetiva de los derechos fundamentales, como el llamado *deber de protección* que recae sobre los poderes públicos frente a las lesiones y amenazas que recaen sobre los bienes jurídicos tutelados por los derechos fundamentales con independencia de su origen, y por tanto también frente a la acción de los particulares. En tal sentido concibe el derecho a la salud y la protección del medio ambiente en relación con el derecho a la vida e, incluso, con el derecho a la intimidad (en el caso de la contaminación acústica)[25].

Es cierto que tal interpretación ha sido criticada, por ejemplo, por cierta doctrina alemana. Forsthoff, por ejemplo, alertó sobre las posibles consecuencias adversas de esta doctrina. Advirtió de los excesos a que podía llevar un desarrollo desmedido de la cláusula del Estado social y de la dimensión objetiva de los derechos fundamentales: se corre el riesgo con ello de ahogar la autonomía de otras ramas del Derecho y el libre desenvolvimiento del orden jurídico, en definitiva, la libertad del legislador y el propio principio de la democracia. Para Forsthoff, la constitución jurídica precisa de ciertos rasgos técnicos que aseguren la precisión y el rigor al emplearla. La desformalización de la Constitución (*Entformalisierung*) al introducir elementos materiales y sustantivos en su contenido va de la mano del desarrollo del Estado judicial, en el que el Tribunal Constitucional ocupa un papel principal; se produce con ello una transformación constitucional de gran calado[26].

Böckenförde, en su misma línea de raíz schmittiana, encuentra también reservas a la aplicación de esta doctrina: el protagonismo que concede a la jurisdicción constitucional y en general a los jueces en la protección de los derechos funda-

---

[24]   Ello es evidente, por ejemplo, cuando los arts. 40, 41 y 42 imponen condiciones a la regulación jurídica de las relaciones laborales, ciertamente articuladas en principio a partir de derechos como la propiedad privada, la libertad de empresa, el derecho al trabajo y la libertad profesional.

[25]   LÓPEZ PINA, A., "De los principios rectores de la política social y económica", ALZAGA VILLAAMIL, O., Tomo IV, Cortes Generales-Editoriales de Derecho Reunidas, 1997.

[26]   FORSTHOFF, E., "Die Umbildung des Verfassungsgesetzes", BARION, H (Ed), *Festschrift Carl Schmitt zum 70 Geburtstag, Berlin, 1959*. Por lo demás, el Estado de Derecho y el Estado social no son compatibles; lo social es un término indefinible. Los electores dejan de ser hombres libres, pues las tareas que impone el Estado social determina la elección de las políticas, Forsthoff, E., *Verfassungsprobleme des Sozialstaates*, MünsterWestfalen, Aschendorff, 1954, págs. 13, 14, cfr. También, FORSTHOFF, E., *Strukturwandlungen der modernenDemokratie*, Walter de Gruyter, Berlín, 1964, pág. 16. Este pensamiento está condensado en la obra de referencia, Forsthof, E., *Der Staat der Industriegesellschaft*, cit.

mentales puede suponer el tránsito de un Estado constitucional democrático a un Estado constitucional judicial[27].

Lo cierto es que la Constitución incorpora, merced a la cláusula del Estado social y de la denominada dimensión objetiva de los derechos fundamentales, normas que imponen tareas al legislador y que le dirigen en su actuar. La existencia de tales normas y el específico valor que encuentran en el conjunto de la Constitución, puede conducirnos a lo que cierta doctrina alemana ha denominado la *dirigierende Verfassung* (*Constitución directiva*). Esto supone un cambio de particular alcance: las denominadas directrices constitucionales (*Verfassungsdirektiven*) pueden reducir considerablemente la libertad del legislador; de forma paralela se produce una ampliación de la libertad del juzgador de la ley. Sin embargo, la legitimación que adquiere el legislador en un sistema parlamentario debe ser objeto de particular custodia. Y ello debe conducir en nuestro caso a ser particularmente celosos con la específica naturaleza jurídica que cabe atribuir a los principios rectores, que en ningún caso pueden ahogar la libertad del legislador democrático.

En cualquier caso, la tesis que defiende la doble dimensión de los derechos ha sido ampliamente respaldada por la doctrina constitucional. El Estado ya no es el enemigo potencial de la libertad, sino su defensor y protector. Ciertamente, esto supone un debilitamiento de los componentes democráticos de la Constitución pero, siempre y cuando no llegue a ahogar la libertad del legislador democrático, es necesario para asegurar el propio régimen constitucional[28]. La escuela formada en torno al gran maestro alemán de finales del siglo pasado, Hesse, defenderá esta tesis. Hollerbach replica expresamente las tesis de Forsthoff al rechazar la reducción y desnaturalización de la Constitución a una serie de técnicas jurídicas[29]. Si bien ello haría comprensibles las críticas de Forsthoff, la Constitución es mucho más que meras técnicas jurídicas de organización del poder: contiene un contenido material determinado por ciertos valores con pretensión de normatividad[30]. Y la Constitución material no se encuentra en contraposición con la Constitución

---

27   BÖCKENFÖRDE, W., "GrundrechtealsGrundsatznormen. Zurgegenwärtigen Lagezur Grundrechtsdogmatik", *Staat, Verfassung, Demokratie*, Frankfurt am Main, 1991, págs. 186 y ss.

28   HESSE, K., *Grundzüge des Verfassungsrechts der Bundesrepublik Deutschland*, CF Müller JuristischerVerlag, Heiderberg, 1991, págs. 146 y 147.

29   HOLLERBACH, A., "Auflösung der rechtsstaatlichenVerfassung? Zu Ernst ForsthoffsAbhandlung "Die Umbildung des Verfassungsgestzes" in der Festschriftfür Carl Schmitt", *Archiv des ÖffentlichesRechts*Heft 1, 1960, pág. 249.

30   HOLLERBACH, A., "Auflösung der rechtsstaatlichenVerfassung? Zu Ernst ForsthoffsAbhandlung "Die Umbildung des Verfassungsgestzes" in der Festschrift für Carl Schmitt", cit., pág. 254.

formal; ambas se complementan[31]. Häberle, discípulo también de Hesse, desarrolla su tesis precisamente a partir de la defensa de esta doble dimensión de los derechos fundamentales[32]. Wahl encuentra también en la doble dimensión de los derechos fundamentales la forma de asegurar la normatividad de la Constitución y así el asentamiento de todo el orden jurídico-alemán en los valores constitucionales[33]. La normatividad de la Constitución[34] trae causa de un largo proceso en el que ciertas decisiones del *Bundesverfassungsgericht* desempeñan gran importancia; entre ellas destaca la Lüth-Entscheidung.

La teoría sobre la doble dimensión de los derechos, en fin, no pretende más que asegurar esta eficacia de la Constitución, su fuerza normativa. Justo por ello la derivación más importante de la dimensión objetiva de los derechos fundamentales es, como observa Häberle, la configuración del nuevo constitucionalismo como constitucionalismo del Estado social. Si el Derecho Constitucional debe ser también Derecho en la realidad, y los postulados que pretende se encuentran amenazados no sólo por el Estado sino por las propias fuerzas sociales, los poderes públicos deben asegurar las condiciones materiales de la libertad de todos. Sólo así se asegura que el Derecho Constitucional determine la realidad[35].

Por lo demás, podemos apuntar también cómo cabe defender igualmente una interpretación contraria a la mayoritaria, merced a una aplicación rigurosa de los principios clásicos de la hermenéutica jurídica; así lo hace, por ejemplo, Escobar Roca[36]. La interpretación literal, la interpretación auténtica, la interpretación sistemática interna o la interpretación sistemática externa podrían mover al reconocimiento de los principios rectores como derechos. Merced a la interpretación literal, los artículos 43.1, 44.1 y 47 CE hablan de "derecho", y sabido es que en la dogmática jurídica no hay otros derechos que los subjetivos, los cuales, por definición (y si no léase el artículo 24.1 CE), son justiciables. Además, el artículo 53.3 CE reduce la no justiciabilidad a los principios, no a los derechos. Pero a su vez, siguiendo este primer criterio hermenéutico, la interpretación de la cláusula del artículo 53.3. CE "de acuerdo con" puede equivaler, literalmente, a "sin con-

---

31    Íbidem, pág. 251.
32    HÄBERLE, P., *Die Wesensgehaltgarantie des Artikel 19. As. 2.*
33    WAHL, R., "Die objektiv-rechtliche Dimension der GrundrechteiminternationalenVergleich", op. cit, pág. 747.
34    WAHL, R., "Der Vorrang der Verfassung", WAHL, R, *Verfassungstaat, Europäisierung, Internationalisierung*, Frankfurt am Main: Suhrkamp, 2003, págs. 121-160, "Der Vorrang der Verfassungund die Selbständigkeit des Rechts", *Verfassungstaat, Europäisierung, Internationalisierung*, Frankfurt am Main: Suhrkamp, 2003, págs. 161-187.
35    HÄBERLE, P, *Die Wesensgehaltgarantie des Artikel 19. As. 2*, págs. 15, 16.
36    También resulta decisiva la monografía, como prólogo de LUIGI FERRAJOLI, V. ABRAMOU-VICH, CH. COURTIS, *Los derechos sociales como derechos exigibles*, Trotta, Madrid:,2002.

tradecir", no necesariamente "mediante previas". Si asumimos una interpretación auténtica, hemos de considerar que el Informe de la Ponencia de la Comisión Constitucional del Congreso suprimió una primera redacción mucho más claramente restrictiva con la eficacia jurídica de los principios rectores. En virtud de la interpretación sistemática interna, el principio de la unidad de la Constitución, como sabemos, juega a favor de que todos los derechos sociales sean considerados derechos subjetivos. La interpretación sistemática externa nos conduce al artículo 10.2 CE, y éste impone un mandato de interpretación conforme al derecho internacional, ordenamiento que es unánime en la exigencia de justiciabilidad del contenido mínimo de los derechos sociales. Por último, una interpretación finalista mueve a considerar el principio de fuerza normativa de la Constitución y así el de todo su articulado, también el del capítulo III del Título I[37].

Este autor, por lo demás, niega la clásica crítica a la justiciabilidad de los derechos sociales por entender que ello es contrario a la libertad y en último extremo a la democracia. Si identificamos libertad con capacidad para la autonomía, ésta exige ciertamente como condición necesaria un ámbito de no interferencia... pero también algo más. Y es precisamente en este sentido en el que no cabe negar que "los derechos sociales sirven a la libertad y además sirven a la misma libertad y del mismo modo que el resto de los derechos fundamentales"; en fin, si "se acepta que tener las necesidades básicas cubiertas es condición necesaria para disponer de capacidad de autonomía, entonces todos los derechos sociales sirven a la libertad así definida"[38]. Si el objetivo último de toda Constitución es lograr la integración sociopolítica, es decir, que los ciudadanos reconozcan del orden político como legítimo, "esto sólo puede lograrse, en las condiciones actuales, si aquéllos ven satisfechas sus necesidades básicas"[39], para lo cual parece decisiva la garantía de los denominados derechos sociales contenidos en el capítulo de los principios rectores de la política social y económica.

En cualquier caso, lo cierto es que a pesar de estas consideraciones, la jurisprudencia del supremo intérprete constitucional, el Tribunal Constitucional, ha reducido la eficacia jurídica de estos principios rectores a lo ya apuntado por la doctrina mayoritaria: los principios rectores no son derechos por la sencilla razón de que así lo dispone el artículo 53.3 CE. Y aunque ello, como hemos visto, pueda ser rebatido, lo cierto es que el alcance de tales principios queda con este artículo seriamente reducido. Parece ser el legislador el máximo, que no único, garante. Y la política de derechos fundamentales, de la que ya hablara de Otto, la principal

---

[37]    ESCOBAR ROCA, G.,(Dir), *Derecho sociales y tutela antidiscriminatoria*, Aranzadi, Navarra, 2012, págs. 296-298.
[38]    ESCOBAR ROCA, G., (Dir), *Derecho sociales y tutela antidiscriminatoria*, op. cit, pág. 334.
[39]    Ibídem.

garantía para la mayor eficacia y alcance de estas prestaciones, en particular la relacionada con la protección de la salud.

## 4. OBJETO, CONTENIDO Y EFICACIA

En cualquier caso, y al margen de posibles interpretaciones alternativas, lo cierto es que el valor y la eficacia de los principios rectores es limitada; el alcance y la fuerza del derecho a la salud parece pues que ha de ser reducido. El artículo 53.3 CE es claro al respecto, y así lo ha hecho ver, como hemos apuntado anteriormente, no sólo la doctrina mayoritaria, sino el supremo intérprete constitucional, el Tribunal Constitucional. Por lo demás, el límite en la interpretación, como ha observado entre nosotros Hesse, es la literalidad del texto; y el artículo 53.3 CE parece en este sentido bastante claro. La única alternativa que parece caber en orden a otorgar distinta eficacia jurídica a los principios rectores en general y al derecho a la salud en particular es la reforma de este artículo; que como es conocido, aun cuando implique una reforma ordinaria y no agravada de la Constitución, conlleva también grandes y serias dificultades.

Ahora bien, con ser todo esto cierto, no por ello cabe desapoderar del precepto en cuestión posibilidades de desplegar protección jurídica a los particulares; y ello al menos por dos vías, que quizá puedan ser alternativas. En primer lugar, no hay que olvidar que la mayor eficacia de los principios rectores, como es conocido, está proyectada en las leyes de desarrollo de los mismos; la defensa política de la Constitución cobra, por lo que respecta a los principios rectores, su mayor expresión. Hemos de estar pues a la ley de desarrollo del derecho a la salud para poder vislumbrar el grado de desarrollo y sobre todo de garantía de este derecho. Pero en segundo extremo, habíamos anotado en la introducción a este estudio cómo el derecho a la salud presenta a su vez variadas conexiones con otros derechos que pueden gozar de una protección jurídica diversa. Tales conexiones pueden dotar al derecho a la salud de un alcance y de una eficacia diversas a las que le confiere el artículo 53.3 CE. En cualquier caso, la actual situación de crisis económica incide sobremanera en las posibilidades de aseguramiento de este derecho en particular y de los principios rectores en general. La reserva de lo económicamente posible incide con particular gravedad sobre este derecho; pero precisamente por ello su defensa en tiempos de crisis cobra una renovada importancia y necesidad.

### 4.1. El desarrollo legislativo del derecho a la salud

Las previsiones contenidas en el apartado primero del artículo 43 tienen, como se ha señalado, un contenido en buena medida indeterminado, cuya concreción "variará a tenor de la mayor o menor amplitud que se le dé a resultas del análisis del párrafo 2 del mismo artículo" por más que "cualquiera que sea dicho contenido material, es posible concluir que el texto constitucional responde a un principio de máxima amplitud en la configuración de su ámbito subjetivo"[40]. El derecho constitucional a la salud se configura de forma directa como un derecho de libertad que permite oponerse a los poderes públicos que lo alteraran o limitaran así como un derecho frente a las actuaciones no protectoras de las diferentes Administraciones, mas en este caso su ejercicio en el marco de los servicios sanitarios queda remitido por la Constitución al legislador[41]. Sin olvidar, claro está, su dimensión solidaria[42].

Su alegación ante la jurisdicción ordinaria, por tanto, deberá realizarse conforme lo que disponga la legislación de desarrollo, y aquí debemos referirnos de forma específica a la Ley 14/1986, de 25 de abril, General de Sanidad[43], norma básica en el sentido previsto en el art. 149.1.16 de la Constitución. La limitación de espacio de estas notas introductorias nos impiden entrar en detalle, ni siquiera en una mera relación, de las diferentes normas de desarrollo de este art. 43 CE, como podría ser, por ejemplo, dentro del ámbito laboral, la Ley 31/1995, de 8 de noviembre, de prevención de riesgos laborales[44].

La titularidad del derecho a la salud, del que no debemos olvidar su repercusión social[45], como dispone dicha Ley General de Sanidad, corresponde a todos los españoles y a todos los ciudadanos extranjeros que tuvieran establecida su residencia en el territorio nacional; para los no residentes, o españoles fuera del territorio, las garantías se atribuirán en función de lo establecido por las leyes o convenios internacionales. Al hilo de este punto de la titularidad, y en el curso de la actual crisis económica, tiene cierto interés apuntar que este mismo año[46]

---

[40] BORRAJO DACRUZ, E., "Artículo 43. Protección de la salud", cit., págs. 181 y ss.

[41] En este sentido vid. STS de 20 de diciembre de 1999 (Sala 3ª).

[42] Sobre esta cuestión, FERNÁNDEZ SEGADO, F., "La solidaridad como principio constitucional", *Teoría y Realidad Constitucional,* nº 30, 2012.

[43] Previo a la aprobación de la Ley del 86 resulta cita inexcusable el Real Decreto 137/1984, de 11 de enero, sobre estructuras básicas de salud y, previo a la aprobación del texto constitucional, el Real Decreto Ley 36/1978, de 16 de noviembre, sobre gestión institucional de la Seguridad Social, la salud y el empleo.

[44] Al amparo de esta ley podemos citar las SSTC 62/2007, de 27 de marzo o la 160/2007, de 2 de julio donde se cuenta con votos particulares discrepantes del Magistrado J. Rodríguez Zapata al hilo de la conexión entre el derecho a la salud y el derecho a la vida e integridad física.

[45] Desde una perspectiva iusfilosófica puede verse un desarrollo de esta cuestión en el trabajo de MARTÍNEZ DE PISÓN, J., "El derecho a la salud: un derecho social esencial", *Derechos y Libertades,* nº 14, 2006, págs. 129 y ss.

[46] Real Decreto-ley 16/2012, de 20 de abril, de medidas urgentes para garantizar la sostenibilidad del Sistema Nacional de Salud y mejorar la calidad y seguridad de sus prestaciones.

fue reformada la Ley Orgánica sobre derechos y libertades de los extranjeros en España y su integración social en orden a restringir el acceso a la asistencia sanitaria. Hasta ese momento el derecho de los extranjeros que se encontraban en España en situación irregular se producía en las mismas que condiciones que los españoles, con el solo requisito de estar inscritos en el padrón del municipio. También lo tiene reseñar aquí, aunque sólo sea tangencialmente, la regulación que del derecho a la salud han hecho los nuevos estatutos aprobados en esta última hornada y que han tenido en el Estatuto catalán el principal punto de debate por diversas cuestiones en las que no es preciso abundar ahora.

El Estado social, como hemos venido insistiendo, tiene una conexión directa e inmediata con la protección de la salud y la atención sanitaria; atención integral dentro de un modelo de descentralización política.

El Sistema Nacional de Salud, integrado por todas las estructuras y servicios públicos al servicio de la salud, como destacan los arts. 44 y 45 de la General de Sanidad, es el conjunto de los servicios de salud de la Administración del Estado y de los servicios de salud de las Comunidades Autónomas; e "integra todas las funciones y prestaciones sanitarias que, de acuerdo con lo previsto en la presente Ley, son responsabilidad de los poderes públicos para el debido cumplimiento del derecho a la protección de la salud". Como es sabido, esta Ley tuvo como objeto la regulación general de las acciones que permitían hacer efectivo el derecho a la protección de la salud.

En este sistema compete al Estado las bases y coordinación general de la sanidad, la sanidad exterior y las relaciones y acuerdos sanitarios internacionales y la legislación sobre productos farmacéuticos. Por su parte, todas las Comunidades Autónomas, han asumido competencias en materia sanitaria.

Igualdad, integración y descentralización son, por tanto, sus principios generales[47].

Debemos destacar aquí la figura del Consejo Interterritorial del Sistema Nacional de Salud, órgano de coordinación, cooperación y encuentro entre administraciones públicas sanitarias central y autonómica.

Las prestaciones del Sistema Nacional de Salud, como señala la Ley 16/2003, de 28 de mayo, de cohesión y calidad de dicho Sistema, tienen como objeto "garantizar las condiciones básicas y comunes para una atención integral, continuada y en el nivel adecuado de atención" considerándose "prestaciones de atención sanitaria del Sistema Nacional de Salud los servicios o conjunto de servicios pre-

---

[47]   Sobre este cuestión vid. FUENTETAJA PASTOR, J.A., MEDINA GONZÁLEZ, S., "La intervención administrativa en materia de Sanidad", *Parte especial del Derecho Administrativo. La intervención de la Administración en la Sociedad*, Colex, Madrid, 2012, esp. págs. 1214 y ss.

ventivos, diagnósticos, terapéuticos, rehabilitadores y de promoción y mantenimiento de la salud dirigidos a los ciudadanos".

Como se ha destacado, el principal reto del actual Sistema Nacional de Salud, no sería otro que compatibilizar la igualdad básica de las personas como usuarios de un servicio público universal con el principio de descentralización en la gestión sanitaria propio del modelo autonómico[48].

## 4.2. La conexión del derecho a la salud con otros derechos. ¿Nueva eficacia y alcance de este derecho?

Son conocidas las relaciones del derecho a la salud con el derecho a la vida y a la integridad física y moral, o el propio derecho a la libertad personal; la protección jurídica de la salud se proyecta pues en varios, y no uno sólo, preceptos constitucionales. Preceptos constitucionales que, estos sí, gozan de una naturaleza jurídica, de un alcance y de una eficacia jurídica bien diversos. Ciertamente, las estrategias para eludir la limitada eficacia jurídica en este caso del derecho a la salud pueden ser cuestionadas desde un punto de vista dogmático: parece que lo constitucionalmente correcto sería la reforma del artículo 53.3 CE y no la búsqueda de conexiones del derecho a la salud con otros derechos a los solos efectos de poder otorgarle otra eficacia jurídica que la que literalidad de la Constitución le confiere. Sin embargo, ya hemos visto cómo caben interpretaciones alternativas a las de la reducida eficacia jurídica de los principios rectores; que quizá puedan otorgar la base dogmática que justifique, siquiera parcialmente, las mencionadas conexiones entre derechos que permitan otorgar ocasionalmente una mayor eficacia jurídica al derecho a la salud.

La relación más inmediata del derecho a la salud la encontramos con el derecho a la vida y a la integridad física y moral. De hecho, como observa Escobar Roca, "cuando el tribunal no puede proteger el derecho a la salud como tal, éste es protegido a través de las normas del reconocimiento del derecho a la vida e integridad"[49], aplicando técnicas parecidas a las que ya empleó el Tribunal Europeo de Derechos Humanos para proteger, por ejemplo, el medio ambiente. El supremo intérprete constitucional se ha pronunciado en diversas resoluciones. Entiende que "el derecho a la salud o, mejor aún, el derecho a que no se dañe o perjudique la salud personal, queda comprendido en el derecho a la integridad personal del artículo 15 CE, si bien no todo supuesto de riesgo o daño para la

---

[48]  LEÓN ALONSO, M., *La protección constitucional de la salud,* La Ley, Madrid, 2010, págs. 436 y ss.

[49]  ESCOBAR ROCA, G., (Dir), *Derecho sociales y tutela antidiscriminatoria,* op. cit, pág. 1076.

salud implica una vulneración del derecho fundamental a la integridad física y moral, sino tan sólo aquel que genere un peligro grave y cierto para la misma"[50].

### 4.3. Malos, pero necesarios, tiempos para hablar de derechos

Evidentemente, el contexto de crisis que vivimos en la actualidad condiciona sobremanera la extensión de las prestaciones del Sistema Nacional de Salud.

En este sentido debemos hacer singular referencia al Real Decreto-Ley 16/2012, de 20 de abril, de medidas urgentes para garantizar la sostenibilidad del Sistema Nacional de Salud y mejorar la calidad y seguridad de sus prestaciones, mediante el que se ha procedió a una reforma estructural del sistema. Recordemos que en su exposición de motivos, tras destacar que la creación del Sistema Nacional de Salud, ha sido uno de los grandes logros de nuestro Estado del bienestar, incide en la necesidad de la búsqueda de una mayor eficacia del sistema en su conjunto[51].

Este es, sin duda, el reto pendiente en estos procelosos tiempos. Como se ha apuntado, malos tiempos, tiempos difíciles para hablar de derechos; y aún peores para discutir sobre derechos sociales[52]. Justo por ello tiene especial mérito y cobra una renovada importancia la defensa de la universalización de este derecho. Precisamente porque la defensa de la Constitución y de los valores constitucionales cobra su mayor sentido en época de crisis.

Cobra así una particular relevancia el Auto del Tribunal Constitucional (ATC 239/2012, de 12 de diciembre) en el que deja sentado que limitar el acceso a la sanidad para determinados colectivos puede afectar no solo a su salud, sino a la de toda la sociedad; también incide en la vinculación del derecho a la salud con el propio derecho a la vida y a las garantías de la dignidad de la persona. Éstos son los principales argumentos del supremo intérprete constitucional para avalar la atención sanitaria universal. En este sentido, el alto tribunal considera que el derecho a la salud, que consagra la Constitución, debe prevalecer sobre el beneficio económico vinculado al ahorro que la discriminación en la atención sanitaria supone. Como es conocido, uno de los puntos clave de la reforma sanitaria que el actual Gobierno aprobó el pasado abril fue la exclusión de la asistencia normalizada de los extranjeros en situación irregular —que se hizo efectiva el 1

---

[50]   SSTC 35/1996, de 11 de marzo, 119/2001, de 14 de mayo, 5/2002, de 14 de enero, 220/2005, de 12 de septiembre, 62/2007, de 27 de marzo y 160/2007, de 2 de julio.

[51]   Una disposición que ha sido recurrida por los Gobiernos de Canarias (Recurso 433/2013), País Vasco (Recurso 419/2013) y Cataluña (Recurso 414/2013).

[52]   DE LUCAS, J., "Los derechos sociales en tiempos difíciles (para una discusión genuinamente radical de los derecho sociales)", VVAA, *Los derechos sociales como una exigencia de la justicia,* Universidad de Alcalá-Defensor del Pueblo, Madrid, 2009, págs. 167 y ss.

de septiembre con la desactivación de sus tarjetas sanitarias—. Un punto que el gobierno del País Vasco trató de sortear con un decreto[53] que fue recurrido ante el Tribunal Constitucional por el Ejecutivo central. Para seguir garantizando la asistencia universal, el Gobierno vasco argumentó que el colectivo de los extranjeros en situación irregular es el que resulta más afectado por patologías infecciosas como el VIH, la tuberculosis, la meningitis tuberculosa, el paludismo y la hepatitis B, que presentan una prevalencia en la población inmigrante superior a la española y cuya falta de seguimiento puede dar lugar a un estado de alarma social por deterioro de la salud pública. Dejar a estas personas sin el apoyo clínico sanitario, supondría un riesgo de contagio para el resto de la población, defendía también. El Tribunal Constitucional, tras tener en cuenta la vinculación del derecho a la salud (artículo 43 CE) con el derecho a la vida (artículo 15 CE)[54], opina, en efecto, que los poderes públicos deben "garantizar a todos los ciudadanos el derecho a la protección de la salud; atiende así al argumento esbozado por las letradas del gobierno vasco que mantenían que el argumento del ahorro, en el que se basó el Gobierno central para limitar la atención sanitaria, no puede prevalecer sobre el interés general de preservar la salud. La conveniencia de evitar riesgos para el conjunto de la sociedad, y la importancia de mantener el derecho a la salud y a la integridad física de las personas no puede verse desvirtuada por la mera consideración de un eventual ahorro económico que, como indica, ni siquiera se ha concretado[55]. La resolución del Tribunal Constitucional, levantando la suspensión de la vigencia de la práctica totalidad del contenido del Decreto 114/2012, de 26 de junio[56], afecta a un caso concreto, pero su alcance puede ser más amplio. Sabido es que Andalucía, Asturias y Cataluña siguen dando a los inmigrantes irregulares tarjeta sanitaria. Y que la necesidad de asegurar la cobertura sanitaria universal es una de las grandes conquistas sociales en las que se fundamenta nuestro actual régimen constitucional.

---

[53] Decreto 114/2012, de 26 de junio, sobre régimen de las prestaciones sanitarias del sistema nacional de salud en el ámbito de la Comunidad Autónoma de Euskadi.
[54] En el sentido de lo reconocido por el Tribunal Europeo de Derechos Humanos; asunto VO contra Francia de 8 de julio de 2004.
[55] ATC 239/2012, de 12 de diciembre, FJ 5.
[56] Sólo se mantiene la suspensión de la vigencia del art. 8 apartados 1 y 2 del Decreto.

# INFLUENCIA DE LA UNIÓN EUROPEA EN LA PROTECCIÓN DE LA SALUD EN ESPAÑA

Teresa Marcos Martín
Carmen Quesada Alcalá
*Facultad de Derecho/UNED*

## INTRODUCCIÓN

El Derecho a la Salud para todos constituye una premisa indispensable en el proceso de construcción de la UE. Ésta se ha basado en el desmantelamiento de las fronteras entre los países europeos, para crear un espacio económico y social común y cohesionado, en el que los ciudadanos deberían tener garantizados unos derechos políticos y sociales comunes. Es en este contexto donde es necesario enmarcar este derecho.

Aunque la salud es competencia exclusiva de los Estados miembros, la Unión Europea tiene la responsabilidad de complementar las políticas de los mismos para mejorar la salud pública, prevenir las enfermedades y evitar los peligros para la salud humana. La asistencia sanitaria en Europa se enfrenta al gran reto de dar una respuesta de calidad y económicamente sostenible a las demandas de la población europea.

Primeramente, analizaremos el proceso de edificación de los derechos humanos en la Carta de Derechos Fundamentales. En especial, nos detendremos en el caso español y en la interpretación de los derechos relativos a la protección de la salud de la Constitución española a la luz de la Carta Europea de Derechos Fundamentales, a través del art. 10.2 CE. Finalmente, abordaremos la posible colisión entre nuestra Constitución y dicho texto europeo, en vista de las posibles interpretaciones del contenido y alcance de un determinado derecho fundamental. Igualmente, estudiaremos las mejoras que se han dado, a partir de la entrada en vigor del Tratado de Lisboa, en cuanto a los sistemas de garantía y protección de los derechos humanos, lo que afectará también al derecho a la salud.

A continuación, nos detendremos en la política de salud pública, en sus marcos limitadores y los parámetros que delimitan dicha política para, a continuación, examinar los principales programas de acción de la Unión Europea en el campo de la salud. En este último ámbito, contamos con la Estrategia de la Unión Europea 2008-2013, el Programa de Salud para el Crecimiento 2014-2020, y la Carta del Derecho a la Salud de la Ciudadanía Europea, así como con otros instrumentos de gran impacto en este tema, tales como el Reglamento sobre coordinación de los sistemas de Seguridad Social, y la Directiva relativa a la aplicación de los derechos de los pacientes en la asistencia sanitaria transfronteriza.

Como resultado del análisis de todas estas herramientas, se hace necesario concluir con un epígrafe dedicado a la influencia en el Derecho español de todos los instrumentos jurídicos desarrollados por la Unión Europea en materia del derecho a la salud.

# 1. SISTEMAS DE RECONOCIMIENTO Y PROMOCIÓN DE LOS DERECHOS FUNDAMENTALES EN EL DERECHO DE LA UNIÓN EUROPEA

## 1.1.  La Carta Europea de Derechos Fundamentales: el punto de partida

Los primeros coqueteos en relación con la protección de los derechos fundamentales en la Unión Europea tienen lugar en el seno del Tribunal de Justicia de las Comunidades Europeas, que realizaba una protección de tipo pretoriana, sin contar con un catálogo de derechos propio de la Unión[1]. Pero, tal y como ha señalado ESCOBAR HERNÁNDEZ[2], la insuficiencia de dicha protección puso de manifiesto que era necesario ligar los derechos humanos al proceso de reforma de los tratados, y más concretamente, al proceso de integración europea. De este modo, la presencia de los derechos humanos en el proceso de construcción europea ha ido aumentando en importancia. En la cúspide de este desarrollo se encuentra la Carta Europea de los Derechos Fundamentales y su integración en el Tratado de Lisboa. En este estudio, realizaremos una serie de reflexiones sobre la progresiva incorporación de los derechos humanos, en particular de aquellos

---

[1]   MANGAS MARTÍN, A; LIÑÁN NOGUERAS, D.J., *Instituciones y Derecho de la Unión Europea*, Tecnos, Madrid, 2010, págs. 122 y ss.

[2]   ESCOBAR HERNÁNDEZ, C., "Los Derechos Humanos en el Proyecto de Constitución Europea: breve nota introductoria", *Revista General de Derecho Europeo*, Iustel, nº3, 2004, págs. 1-23. Ver también: ESCOBAR HERNÁNDEZ, C., "Derechos Humanos y Unión Europea", en DÍEZ DE VELASCO VALLEJO, M. (ed.), *La Unión Europea tras la reforma*, Santander, Servicio de Publicaciones de la Universidad de Cantabria, 2000, págs. 87-104; ESCOBAR HERNÁNDEZ, C., "Unión Europea, Democracia y Derechos Humanos", en ESCOBAR HERNÁNDEZ, C. (coord.), *La Unión Europea ante el Siglo XXI: Los retos de Niza*. Actas de las XIX Jornadas de la Asociación Española de Profesores de Derecho Internacional y Relaciones Internacionales, Madrid, BOE, 2003, págs. 25-50.

que incidan en la protección de la salud, al ordenamiento jurídico de Europa, estrechamente vinculada al proceso de integración[3]. La Carta es el primer catálogo de Derechos Fundamentales con el que cuenta la Unión Europea[4]. Sin embargo, es un catálogo tal que no sólo incorpora jurisprudencia reciente, sino que incluye derechos surgidos de los Tratados o del Derecho derivado o adapta derechos de acuerdo con adelantos científicos y técnicos. En este marco, los derechos económicos, sociales y culturales, y más concretamente, el derecho a la salud, juegan un papel fundamental. Con todo, conviene tener en cuenta que ya en 1992 el Tratado de Maastricht incorpora un artículo dedicado a la Salud Pública que no existía en el Tratado anterior[5].

La Carta se divide en siete títulos, el último relativo a las disposiciones que sirven para la interpretación y aplicación de la Carta. Los seis primeros títulos regulan los derechos y principios reconocidos y salvaguardados, y se organizan en torno a un valor que les da unidad[6]. Nos interesa destacar que el Título IV, Solidaridad, incluye derechos y principios sociales: derecho a la información y consulta de los

---

[3]    ORTIZ HERRERA, S.: "Los Derechos Fundamentales en los Tratados europeos. Evolución y situación actual", *Documento de Trabajo Serie Unión Europea*, nº 34/2010, págs. 5.

[4]    RUIZ MIGUEL, C., "El largo y tortuoso camino hacia la Carta de los Derechos Fundamentales de la Unión Europea", en RUÍZ MIGUEL, C. (coord.), *Estudios sobre la Carta de los Derechos Fundamentales de la Unión Europea*, Santiago de Compostela, Servicio de Publicaciones e Intercambio Científico de la Universidad de Santiago de Compostela, 2004, págs. 13-51. Ver también: DÍAZ CREGO, M., "Los derechos fundamentales en la Unión Europea: de la Carta a la Constitución", *Revista Española de Derecho Constitucional*, nº 74, año 25, 2005, págs. 139-176.

[5]    El Tratado de Maastricht (TUE) convirtió por primera vez la salud pública en competencia oficial de la UE, aunque con sujeción a ciertas consideraciones de subsidiariedad. Disponía que la Comunidad contribuyera a la consecución de un alto nivel de protección de la salud humana fomentando la cooperación entre los Estados miembros y, si fuera necesario, apoyando la acción de los mismos. La acción de la Comunidad se encaminaría a la prevención de las enfermedades, especialmente de las más graves y ampliamente difundidas, incluida la toxicomanía, apoyando la investigación de su etiología y de su transmisión, así como la información y la educación sanitarias. Las exigencias en materia de protección de la salud constituirían un componente de las demás políticas de la Comunidad (*http://www.europarl.europa.eu/factsheets/4_10_3_es.htm*), consultado por última vez el 21 de enero de 2013.

[6]    El Título I, Dignidad, incluye la inviolabilidad de la dignidad humana, derecho a la vida e integridad, prohibición de esclavitud y trabajo forzado. El Título II, Libertades, regula el derecho a la libertad y seguridad, respeto de vida privada y familiar, protección de datos, libertad de pensamiento, conciencia y religión, libertad de expresión e información, libertad de reunión y asociación, libertad de las artes y las ciencias, derecho a la educación, libertad profesional, derecho a trabajar, libertad de empresa, derecho a la propiedad, derecho de asilo y protección en caso de devolución, expulsión y extradición. El Título III, Igualdad, recoge la igualdad ante la ley, no discriminación, diversidad cultural, religiosa y lingüística, igualdad mujeres y hombres, derechos del niño, derechos personas mayores de edad y discapacitados (Carta de los Derechos Fundamentales de la Unión Europea, DOCE C364, de 18 de diciembre de 2000). Ver también: CONSEJO DE LA UNIÓN EUROPEA: *Carta de los Derechos Fundamentales de la Unión Eu-*

trabajadores en la empresa, derecho de negociación y acción colectiva, derecho de
acceso a los servicios de empleo, protección en caso de despido injustificado, condiciones de trabajo equitativas, protección del trabajo infantil y la protección de los
jóvenes en el trabajo, la vida familiar y la vida profesional, la Seguridad Social y la
ayuda social, la protección de la salud, acceso a los servicios de interés económico
general, protección del medio ambiente y de los consumidores.

La protección de la salud aparece, así, en el marco de los derechos económicos, sociales y de solidaridad, junto con el derecho al trabajo, al medio ambiente
y otros de la misma categoría. En todo caso, partimos de la indivisibilidad de los
derechos, tanto de los civiles y políticos, como sociales y económicos y de solidaridad. Además, estos derechos, incluyendo el derecho a la salud, se aplican a cualquier persona, con independencia de su nacionalidad o lugar de residencia (con
excepción de los derechos vinculados a la ciudadanía). Sin embargo, no se otorga
competencia normativa de alcance general a la Unión para legislar en materia
de protección de derechos humanos. Con todo, existe base jurídica habilitadora
de la competencia, como en el caso de los derechos socioeconómicos, la Unión
Europea sí podría legislar.

## 1.2. El ámbito de aplicación de la Carta Europea y su proyección sobre el derecho a la salud

En todo caso, al perfilar el ámbito de aplicación de la Carta, conviene recordar una restricción importante, y es que la determinación del alcance de los
derechos reconocidos en la Carta, cuando se trata de derechos que provienen
de las tradiciones constitucionales comunes, viene limitada por la obligación de
tomar en consideración las legislaciones o prácticas nacionales, y la obligación de
interpretar conforme a la "Guía". Dicha Guía parte de la jurisprudencia del Tribunal Europeo de Derechos Humanos y de la propia jurisprudencia del Tribunal
de Justicia de la Unión Europea.

De hecho, la Carta habrá de ser aplicable por las instituciones y órganos de
la Unión Europea, así como por los Estados miembros cuando aplican el derecho
de la Unión, como examinaremos a continuación. Y, en todo caso, el Tribunal de
Justicia de la Unión Europea deberá velar por el respeto de la Carta[7].

---

*ropea: Explicaciones relativas al texto completo de la Carta*, Oficina de Publicaciones Oficiales
de las Comunidades Europeas, Luxemburgo, 2001.

[7]    Artículo 230 del TFUE (artículo 2§214 del Tratado de Lisboa y 263 en la versión consolidada): «Toda persona física o jurídica podrá interponer recurso, en las condiciones previstas en
los párrafos primero y segundo, contra los actos de los que sea destinataria o que le afecten
directa e individualmente y contra los actos reglamentarios que la afecten directamente y que

Se retoman las disposiciones innovadoras del Tratado constitucional gracias a las cuales la personas físicas podrán pedir la anulación de leyes europeas o nacionales que violen sus derechos, mediante un recurso ante las jurisdicciones de sus países, o un recurso directo ante el Tribunal de Justicia de la Unión Europea contra los actos de las instituciones europeas de los que sean destinatarias o que les afecten directa e individualmente así como contra los Reglamentos, sin que se precise la condición de ser afectados personal y directamente por estos.

En materia del derecho a la protección de la salud, esta aplicación directa por las instituciones europeas y la misión del Tribunal de velar por el respeto de la Carta puede ser de gran interés y proyección futura.

## 1.3. *Relación entre la protección de la salud como derecho procedente de las constituciones nacionales y la Carta Europea*

Como primer elemento de esta relación simbiótica, hemos de reconocer que la Carta de Derechos Fundamentales enumera y desarrolla los derechos y libertades fundamentales reconocidos especialmente por las tradiciones constitucionales comunes a los Estados miembros y por las obligaciones internacionales adquiridas por éstos al ratificar el Convenio Europeo de Derechos Humanos. En este sentido, el derecho a la protección de la salud estaría incluido en aquellos derechos que provienen de las tradiciones constitucionales comunes.

Constatamos, en principio, que las tradiciones constitucionales de los Estados miembros se encuentran en la génesis de distintos derechos recogidos en la Carta. Así, el derecho a la objeción de conciencia, el derecho a la educación, el derecho a la propiedad, el derecho a la igualdad, la protección del medio ambiente, el principio de retroactividad de la ley penal más favorable, el principio de proporcionalidad entre los delitos y penas y el principio de protección de la salud, entre otros.

Como contrapartida, ciertos derechos vendrán determinados por lo previsto en las legislaciones y prácticas nacionales. Esto es de especial relevancia para España por la importancia de los derechos sujetos a dicha previsión de legalidad interna. Entre esos derechos figuran: el derecho a contraer matrimonio, el derecho a la objeción de conciencia, la libertad de creación de centros docentes, la libertad de empresa, el derecho de información y consulta de los trabajadores en la empresa, el derecho de negociación y acción colectiva, la protección en caso de

---

no incluyan medidas de ejecución. Los actos por los que se crean los órganos y organismos de la Unión podrán prever condiciones y procedimientos específicos para los recursos presentados por personas físicas o jurídicas contra actos de dichos órganos u organismos destinados a producir efectos jurídicos frente a ellos».

despido injustificado, la seguridad social y ayuda social, la protección de la salud y el acceso a los servicios de interés económico general.

En conclusión, el derecho a la protección de la salud tal y como está consagrado en la Carta Europea de Derechos Fundamentales viene condicionado por la legislación y la práctica nacional española, y éste es un dato que conviene no olvidar.

La pregunta que cabe formularse es si el derecho a la protección de la salud puede ser restringido por disposiciones de Derecho interno o de la Unión Europea. En principio, la única limitación posible vendría dada en virtud de objetivos de interés general reconocidos por la Unión o de la necesidad de protección de los derechos y libertades de los demás, siempre que estuviera prevista por ley y con el respeto al contenido esencial del derecho, adecuándose al principio de proporcionalidad (art. 52 de la Carta Europea de Derechos Fundamentales).

Además, la Carta se convierte en un *standard minimum* de obligatorio cumplimiento en el marco de la Unión, aunque el Derecho de la Unión podrá ir más allá de lo dispuesto en la misma, porque, en definitiva, se trata de garantizar el máximo nivel de protección de los derechos humanos (art. 52.3 Carta Europea de Derechos Fundamentales).

Con todo, y en la medida en que el derecho a la protección de la salud proviene de tradiciones constitucionales de los Estados miembros, su interpretación no puede realizarse alejándose de las mismas (art. 52.4 Carta Europea de Derechos Fundamentales). Se reproduce, así, la labor jurisprudencial del Tribunal de Justicia de la Unión Europea en materia de derechos fundamentales, siempre con el fin de impedir cualquier colisión entre los estándares nacionales de protección de los derechos humanos y el estándar de la UE.

Para finalizar, las leyes y las prácticas nacionales se habrán de tomar en consideración. En este sentido, el Tratado de Lisboa reconoce una serie de derechos fundamentales, aunque realiza un reenvío a las legislaciones y prácticas nacionales para la delimitación de su contenido (art. 52.6 Carta Europea de Derechos Fundamentales).

Podemos considerar que se crea, así, una sinergia entre el sistema de protección de los derechos fundamentales de la UE y los sistemas de cada uno de los Estados miembros, lo que sería de plena aplicación al derecho que nos ocupa. La sinergia está presente, pues, en el caso de la Constitución española, y no cabe el temor de una posible contradicción entre nuestro texto constitucional y el europeo, tal y como afirmó nuestro propio Tribunal Constitucional[8], lo que se podría aplicar plenamente al derecho a la protección de la salud.

---

[8]   Nuestro Tribunal, en su Declaración 1/2004, de 13 de diciembre, constató la inexistencia de una contradicción entre la Constitución española y los artículos II-111 (actual art. 51 CEDF) y

## 1.4. Las bondades del art. 10.2 de la Constitución española y el derecho a la protección de la salud

Es obvio que los derechos fundamentales, tal y como están reconocidos en la Constitución española[9], y en el caso de la salud los artículos 15, 40 y 43, están abiertos a la dimensión internacional de los derechos humanos, lo que viene avalado por el art. 10.2 de nuestro texto constitucional[10]. Sin embargo, es de resaltar que el Tratado de Lisboa contribuye, en todo caso, a la extensión y mejor de los

---

II-112 del Tratado Constitucional europeo. Y así, contribuyó a la simbiosis de nuestro ordenamiento constitucional con el europeo. Finalmente y siguiendo a CÁMARA VILLAR, podemos afirmar que los derechos fundamentales de la Carta, ahora ya integrados en el Tratado de Lisboa, cumplen una triple función: una función "fundamentadora y legitimadora", ya que los derechos son un elemento de legitimación política y democrática del proceso de integración; una función "inspiradora y orientadora" del funcionamiento de todas las instituciones, políticas y actividades de la Unión; y una función "protectora de todas las personas". Desde esta perspectiva, no cabe la menor duda de que se produce un acercamiento del sistema constitucional europeo a los sistemas constitucionales nacionales, tanto en lo que se refiere a su técnica como a su implementación, ya que en éstos últimos los derechos cumplen las tres funciones antes mencionadas (CÁMARA VILLAR, G., "Los derechos fundamentales en el proceso histórico de construcción de la Unión Europea y su valor en el Tratado Constitucional", en *Obra Colóquio Ibérico: Constituçao Europeia. Homenagem ao Doutor Francisco Lucas Pires.* Studia Iuridica, 84. Boletim da Facultade de Direito. Ad Honorem, 2 - Coloquia, 14. Coimbra Editora, 2005, pág. 223-247).

[9]  Conforme a la Constitución española de 1978, los derechos que harían referencia al derecho a la salud son:
"Art. 15. Todos tienen derecho a la vida y a la integridad física y moral, sin que, en ningún caso, puedan ser sometidos a torturas ni a penas o tratos inhumanos o degradantes. Queda abolida la pena de muerte, salvo lo que puedan disponer las Leyes penales militares para tiempos de guerra.
Art. 40. 1. Los poderes públicos promoverán las condiciones favorables para el progreso social y económico y para una distribución de la renta regional y personal más equitativa en el marco de una política de estabilidad económica. De manera especial realizarán una política orientada al pleno empleo
2. Asimismo, los poderes públicos fomentarán una política que garantice la formación y readaptación profesionales; velarán por la seguridad e higiene en el trabajo y garantizarán el descanso necesario mediante la limitación de la jornada laboral, las vacaciones periódicas retribuidas y la promoción de centros adecuados.
Art. 43. 1. Se reconoce el derecho a la protección de la salud.
2. Compete a los poderes públicos organizar y tutelar la salud pública a través de medidas preventivas y de las prestaciones y servicios necesarios. La ley establecerá los derechos y deberes de todos al respecto. 3. Los poderes públicos fomentarán la educación sanitaria, la educación física y el deporte. Asimismo facilitarán la adecuada utilización del ocio.".
[10]  GONZÁLEZ CAMPOS, J.D., "Las normas internacionales sobre derechos humanos y los derechos fundamentales y libertades reconocidos en la Constitución española (art. 10.2 CE)", en CRUZ VILLALÓN, P.; GONZÁLEZ CAMPOS, J.D.; RODRÍGUEZ-PIÑEIRO y BRAVO FERRER, M., *Tres lecciones sobre la Constitución*, Sevilla, Megablum, 1999.

derechos fundamentales constitucionales, por lo que los mismos no pueden ser restringidos.

Tampoco la vía interpretativa del art. 10.2 CE va a aportar ninguna novedad que suponga una extralimitación en cuanto al derecho a la protección de la salud de nuestra Constitución, en consonancia con los reconocidos por la UE[11]. Más bien al contrario, nos encontramos ante la posibilidad de mejorar la seguridad jurídica a la hora de interpretar nuestro derecho a la protección de la salud.

Ya el Consejo de Estado, en su Dictamen, consideró que las disposiciones de la Carta no iban a producir "[...]colisiones o discordancias con la configuración que la Constitución hace de esos derechos y libertades, máxime teniendo en cuenta su artículo 10.2 [...]" [12].

En cambio, cuando posteriormente el Gobierno acude al Tribunal Constitucional, lo hace porque sí halla una posible fuente de contradicción entre la Carta y nuestra Constitución[13]. El Tribunal, diferenciando entre el nivel de aplicación del Derecho de la UE y el de interpretación de los derechos fundamentales de nuestra Constitución, considera que, efectivamente, la Carta puede tener un valor interpretativo en relación con el art. 10.2 CE fuera de su ámbito de aplicación, es decir, cuando las autoridades estatales no cumplen el Derecho de la Unión.

Sin embargo, la Declaración de nuestro Tribunal deja también sin resolver el problema que se puede plantear cuando se den dos interpretaciones divergentes entre la Carta y nuestro texto constitucional respecto del alcance de un derecho fundamental concreto, y esta situación se podría plantear en relación con el derecho a la protección de la salud. En todo caso, conforme al art. 93 de nuestra Constitución, primaría la interpretación de la Carta sobre la de nuestro texto constitucional. Para el Tribunal Constitucional, basándose en su propia jurisprudencia acerca del art. 10.2 CE, el denominador común a estos efectos sería la jurisprudencia del Tribunal Europeo de Derechos Humanos. Y, aclara, que dicha jurisprudencia ya se ha integrado en nuestro ordenamiento interno a través del art. 10.2 CE.

De este modo, la Carta consagra una serie de estándares mínimos en materia de derechos fundamentales, con lo que es posible desarrollar el contenido de cada derecho hasta lograr el nivel de protección asegurado por el Derecho interno, y esto sería lo deseable en materia del derecho a la protección de la salud. Igual-

---

[11]   SÁIZ ARNÁIZ, A., *La apertura constitucional al derecho internacional y europeo de los derechos humanos. El art. 10.2 de la Constitución española*, Ed. CGPJ, Madrid, 1999.

[12]   Dictamen del Consejo de Estado, de 21 de octubre de 2004 (n° de expediente 2544/2004).

[13]   Declaración del Pleno del Tribunal Constitucional 1/2004, de 13 de diciembre de 2004.

mente, conviene recordar que la Carta, integrada en el Tratado de Lisboa, le es aplicable el carácter de primacía que se concede al Derecho de la Unión[14].

### 1.5. Las vías y órganos jurisdiccionales ante los cuales los particulares pueden invocar la protección de los derechos de la Carta: el derecho a la salud

En el art. 19 del Tratado de la UE, tras reiterar la formulación clásica de que el Tribunal de Justicia garantizará el respeto del Derecho en la interpretación y aplicación de los tratados, se añade que "Los Estados miembros establecerán las vías de recurso necesarias para garantizar la tutela judicial efectiva en los ámbitos cubiertos por el Derecho de la Unión". Si no disponen de esas vías, los Estados miembros habrán de proveer a sus ciudadanos de los mecanismos procesales adecuados para hacer valer los derechos reconocidos en la Carta, dentro de los límites aplicativos e interpretativos que hemos especificado.

La primera pregunta que cabe formularse es si esto significa que se abre una nueva vía de acceso directo para los particulares ante el Tribunal de Justicia de la Unión Europea cuando las eventuales violaciones de los derechos reconocidos en la Carta provengan de los Estados. La respuesta es claramente negativa. Tampoco implica que se instauren mecanismos de recurso más o menos jerárquicos ante las instancias jurisdiccionales comunitarias para impugnar las decisiones de los tribunales en esta materia[15].

En definitiva, como asegura SÁNCHEZ-BORDONA[16], se mantiene el sistema clásico: corresponde a los órganos judiciales nacionales el conocimiento de los litigios en los que se dirima la protección de los derechos reconocidos en la Carta, cuando la fuente de su eventual vulneración sea interna, y esto es aplicable plenamente al derecho a la protección de la salud. Sólo mediante el mecanismo de reenvío prejudicial podrán aquellos órganos jurisdiccionales plantear al Tribunal de Justicia las cuestiones pertinentes sobre la interpretación de la Carta. Y si se trata de hipotéticas vulneraciones de aquellos derechos que tengan su origen en actos comunitarios, sólo en las condiciones del art. 263 del TUE será posible el acceso directo a la justicia de la Unión, en defecto de la cual podrá acudirse a los

---

[14] ROLDÁN BARBERO, J., "La Carta de Derechos Fundamentales de la UE: su estatuto constitucional"; *Revista de Derecho Comunitario Europeo*, n°16, Año 7, septiembre-diciembre 2003, págs. 944-991.

[15] SÁNCHEZ BORDONA, M., "Los jueces nacionales ante la Carta de derechos fundamentales de la Unión Europea: algunas cuestiones que suscita el Título VII de la Carta", *Noticias de la Unión Europea*, N° 291, 2009, págs. 21-30, en particular pág. 28.

[16] SÁNCHEZ BORDONA, M., "Los jueces nacionales ante ...cit., págs. 28-29.

jueces nacionales para que a su vez éstos, si lo consideran pertinente, planteen al Tribunal de Justicia de la Unión Europea por la misma vía prejudicial, la cuestión de la validez de los actos de la organización.

Como procedimiento de prevención y control, hemos de señalar que el art. 7 del TUE constituye un instrumento muy relevante para permitir la intervención de la UE en los casos de violación grave y persistente de los derechos humanos o ante el riesgo de una violación grave. El art. 7 no establece un mecanismo de denuncias individuales, sino un mecanismo político-jurídico de alcance general. El mecanismo de denuncias individuales hubiera sido relevante para el derecho que estamos abordando, la protección de la salud. En cambio, el mecanismo político-jurídico de alcance general establecido parece de improbable aplicación al mismo.

Este mecanismo de alcance general está en manos de la Comisión y del Parlamento europeo[17]. La Comisión ha puesto en marcha algunos mecanismos de seguimiento y control, haciendo hincapié en la prevención de riesgos. Este sistema se basa en cinco elementos: control periódico independiente; concertación instituciones y estados miembros; cooperación con el Comisario de Derechos Humanos del Consejo de Europa; diálogo permanente con la sociedad civil; información y educación ciudadano.

Conforme al apartado 1 del art. 7 del TUE, se establece, así, un sistema de prevención en los siguientes términos: "A propuesta motivada de un tercio de los Estados miembros, del Parlamento Europeo o de la Comisión, el Consejo, por mayoría de 4/5 de sus miembros y previa aprobación del Parlamento Europeo, podrá constatar la existencia de un riesgo claro por parte de un Estado miembro de los valores contemplados en el art. 2. Antes de proceder a esta constatación, el Consejo oirá al Estado miembro de que se trate y por el mismo procedimiento podrá dirigirle recomendaciones. El Consejo comprobará de manera periódica si los motivos que han llevado a tal constatación siguen siendo válidos".

En cuanto al procedimiento sancionador, se trata de un mecanismo complejo recogido en los párrafos 2 a 4 del art. 7 TUE, organizado en una doble fase: constatación de la existencia de una situación de violación grave y persistente de los principios y la adopción de una sanción. La constatación está en manos del Consejo Europeo, que decidirá por unanimidad, naturalmente y sin el concurso del voto del Estado imputado. La propuesta para reunir al Consejo Europeo con

---

17     El procedimiento preventivo tuvo su origen en el año 2000, cuando 14 Estados miembros de la UE quisieron impedir el acceso al gobierno de Austria de un partido de Ultraderecha. Habida cuenta de que el sistema sancionador previsto en Ámsterdam se preveía sólo para violaciones graves y persistentes de derechos humanos y no era aplicable al caso austriaco, los 14 Estados impusieron sanciones unilaterales concertadas y una congelación de las relaciones diplomáticas con Austria. Las sanciones fueron levantadas, pero se nombró un Comité de Tres Sabios, que recomendaba la introducción de un procedimiento de prevención y supervisión.

este propósito ha de ser loclaizado por un tercio de los Estados miembros, por la Comisión y previa aprobación por el Parlamento Europeo. El Estado en cuestión ha de ser invitado a presentar sus observaciones. En todo caso, la sanción es facultativa y su eventual adopción corresponde al Consejo por mayoría cualificada, pudiendo decidir la suspensión de determinados derechos derivados de la aplicación de los Tratados al Estado miembro en cuestión, incluidos los derechos de voto del representante del Gobierno de dicho Estado miembro en el Consejo.

Como conclusión, podemos asegurar que este sistema parece de difícil proyección sobre el derecho que nos ocupa, el derecho a la protección de la salud, por lo que habrá que esperar a ver cómo se desarrolla en la práctica dicho procedimiento preventivo y sancionador, para poder extraer una serie de conclusiones en torno a su aplicabilidad a la protección de la salud.

## 2. LA POLÍTICA DE SALUD PÚBLICA: MARCOS LIMITADORES Y PARÁMETROS DELIMITADORES

Hemos de partir de la base de que la salud es competencia exclusiva de los Estados miembros. Sin embargo, el Tratado de la Unión Europea dio un importante impulso al introducir en el Tratado constitutivo de la Comunidad Europea un artículo específico, el artículo 129 (artículo 152 tras la nueva numeración de Ámsterdam), sobre la salud pública. De acuerdo con esta disposición, la Unión Europea tiene la responsabilidad de complementar las políticas de los Estados para mejorar la salud pública, prevenir las enfermedades y evitar las fuentes de peligro para la salud humana.

Esta obligación incluiría la lucha contra las enfermedades más graves y difundidas, mediante el apoyo a la investigación de su etiología, su transmisión y su prevención, así como la información y la educación sanitarias y la vigilancia de las amenazas graves para la salud, la alerta en caso de tales amenazas y la lucha contra ellas.

En el Tratado de Funcionamiento de la Unión Europea, tras el Tratado de Lisboa, se incluye un Título XIV, denominado *Salud Pública*[18], que recoge un art.

---

18    Conforme al Artículo 168 (antiguo artículo 152 TCE) del Tratado de Funcionamiento de la Unión Europea,
2. La Unión fomentará la cooperación entre los Estados miembros en los ámbitos contemplados en el presente artículo y, en caso necesario, prestará apoyo a su acción. Fomentará, en particular, la cooperación entre los Estados miembros, destinada a mejorar la complementariedad de sus servicios de salud en las regiones fronterizas.
Los Estados miembros, en colaboración con la Comisión, coordinarán entre sí sus políticas y programas respectivos en los ámbitos a que se refiere el apartado 1. La Comisión, en estrecho

168 (antiguo artículo 152) bastante completo, en la misma línea que lo establecido anteriormente. Destacamos, fundamentalmente, su párrafo 1°, puesto que establece precisamente el marco de actuación de la Unión y delimita la materia de modo claro: "1. Al definirse y ejecutarse todas las políticas y acciones de la Unión se garantizará un alto nivel de protección de la salud humana. La acción de la Unión, que complementará las políticas nacionales, se encaminará a mejorar la salud pública, prevenir las enfermedades humanas y evitar las fuentes de peligro para la salud física y psíquica. Dicha acción abarcará la lucha contra las enfermedades más graves y ampliamente difundidas, apoyando la investigación de su etiología, de su transmisión y de su prevención, así como la información y la educación

---

contacto con los Estados miembros, podrá adoptar cualquier iniciativa útil para fomentar dicha coordinación, en particular iniciativas tendentes a establecer orientaciones e indicadores, organizar el intercambio de mejores prácticas y preparar los elementos necesarios para el control y la evaluación periódicos. Se informará cumplidamente al Parlamento Europeo.
3. La Unión y los Estados miembros favorecerán la cooperación con terceros países y las organizaciones internacionales competentes en materia de salud pública.
4. No obstante lo dispuesto en el apartado 5 del artículo 2 y en la letra a) del artículo 6, y de conformidad con la letra k) del apartado 2 del artículo 4, el Parlamento Europeo y el Consejo, con arreglo al procedimiento legislativo ordinario y previa consulta al Comité Económico y Social y al Comité de las Regiones, contribuirán a la consecución de los objetivos del presente artículo adoptando, para hacer frente a los problemas comunes de seguridad:
a) medidas que establezcan altos niveles de calidad y seguridad de los órganos y sustancias de origen humano, así como de la sangre y derivados de la sangre; estas medidas no impedirán a ningún Estado miembro mantener o introducir medidas de protección más estrictas;
b) medidas en los ámbitos veterinario y fitosanitario que tengan como objetivo directo la protección de la salud pública;
c) medidas que establezcan normas elevadas de calidad y seguridad de los medicamentos y productos sanitarios.
5. El Parlamento Europeo y el Consejo, con arreglo al procedimiento legislativo ordinario y previa consulta al Comité Económico y Social y al Comité de las Regiones, podrán adoptar también medidas de fomento destinadas a proteger y mejorar la salud humana y, en particular, a luchar contra las pandemias transfronterizas, medidas relativas a la vigilancia de las amenazas transfronterizas graves para la salud, a la alerta en caso de tales amenazas y a la lucha contra las mismas, así como medidas que tengan directamente como objetivo la protección de la salud pública en lo que se refiere al tabaco y al consumo excesivo de alcohol, con exclusión de toda armonización de las disposiciones legales y reglamentarias de los Estados miembros.
6. El Consejo, a propuesta de la Comisión, podrá también adoptar recomendaciones para los fines establecidos en el presente artículo.
7. La acción de la Unión en el ámbito de la salud pública respetará las responsabilidades de los Estados miembros por lo que respecta a la definición de su política de salud, así como a la organización y prestación de servicios sanitarios y atención médica. Las responsabilidades de los Estados miembros incluyen la gestión de los servicios de salud y de atención médica, así como la asignación de los recursos que se destinan a dichos servicios. Las medidas contempladas en la letra a) del apartado 4 se entenderán sin perjuicio de las disposiciones nacionales en materia de donaciones o uso médico de órganos y sangre".

sanitarias, y la vigilancia de las amenazas transfronterizas graves para la salud, la alerta en caso de tales amenazas y la lucha contra ellas.

La Unión complementará la acción de los Estados miembros dirigida a reducir los daños a la salud producidos por las drogas, incluidas la información y la prevención."

Parece claro, por tanto, que la salud pública es parte fundamental de la estrategia de la Unión Europea, como se demuestra en la trayectoria del trabajo de la Unión[19] hasta llegar a la presentación, el día 6 de octubre de 2007, del Libro Blanco titulado "Juntos por la salud: un enfoque estratégico para la UE 2008-2013"[20]. A continuación, procederemos al examen de los principales hitos logrados en dicho camino hacia una protección real del derecho a la salud.

# 3. PRINCIPALES PROGRAMAS DE ACCIÓN EN EL ÁMBITO DE LA SALUD

Todos los documentos en materia de salud en el seno de la Unión Europea parten de la misma premisa: la existencia de ámbitos en los que la sola acción de los Estados miembros no es eficaz, sino que se hace indispensable una cooperación a nivel de la Unión Europea.

En efecto, si bien los Estados miembros de la Unión Europea son los principales responsables de la política sanitaria y la prestación de atención sanitaria a sus ciudadanos y a los ciudadanos europeos en general, como ya se ha anunciado, para el supuesto de grandes amenazas para la salud y ciertas cuestiones con impacto transfronterizo, como las pandemias o el bioterrorismo, o las relacionadas con las políticas clásicas de la Unión, como la libre circulación de mercancías, servicios y personas, se precisan acciones de la Unión Europea efectivas.

## 3.1.  La estrategia de la Unión Europea 2008-2013: juntos por la salud

Como ya se ha anunciado, en el seno de la Unión Europea se ha elaborado la denominada Estrategia juntos por la salud. Este proyecto se plasma en el Libro Blanco: Juntos para la Salud[21].

---

19    Sobre este trabajo, ver: CALVETE OLIVA, A., "Estrategia de salud de la Unión Europea: salud pública para las personas europeas", *Revista Española de Salud Pública*, n° 3, mayo-junio, 2008, págs. 273-281.

20    *White Paper, Together for Health: A Strategic Approach for the EU 2008-2013*, COM(2007) 630 final, en *http://ec.europa.eu/health-eu/doc/whitepaper_en.pdf*.

21    Los libros blancos (White Papers) de la Unión Europea son documentos que contienen propuestas de acción específica en un área determinada y son publicados después de los libros verdes (Green Papers), que son sometidos a un período de consulta a escala europea. Mientras

En el desempeño del cometido de la UE en materia de salud, se parte de la necesidad de una acción intersectorial. En efecto, el artículo 152,1 del Tratado CE[22] establecía que "Al definirse y ejecutarse todas las políticas y acciones de la Comunidad se garantizará un alto nivel de protección de la salud humana. La acción de la Comunidad, que complementará las políticas nacionales, se encaminará a mejorar la salud pública, prevenir las enfermedades humanas y evitar las fuentes de peligro para la salud humana. Dicha acción abarcará la lucha contra las enfermedades más graves y ampliamente difundidas, apoyando la investigación de su etiología, de su transmisión y de su prevención, así como la información y la educación sanitarias. La Comunidad complementará la acción de los Estados miembros dirigida a reducir los daños a la salud producidos por las drogas, incluidas la información y la prevención".

Así, ese enfoque intersectorial se refleja, en primer lugar, en que en el propio texto del Tratado, la salud aparece en las disposiciones relativas al mercado interior, el medio ambiente, la protección de los consumidores, los asuntos sociales, la política de desarrollo y la investigación.

En segundo lugar, dentro de esa misma idea, la presente Estrategia refuerza la importancia de otras acciones, de las que es complemento, como la Estrategia de Lisboa para el Crecimiento y el Empleo, y la Agenda de los Ciudadano, en la que se reconoce el derecho de las personas a decidir sobre su salud y atención sanitaria.

Este mandato del Tratado se traduce asimismo en que la salud está presente de manera recurrente en otras políticas de la Unión y así ha sido plasmado en otras estrategias, concretamente las relativas al deporte, a la alimentación y al desarrollo sostenible. Así se recoge en los correspondientes Libros Blancos y otros documentos.

El contenido del Libro Blanco gira en torno a los principales desafíos a los que se enfrenta la sociedad europea contemporánea: el envejecimiento de la población, que tiene como repercusiones el cambio en los patrones patológicos y su influencia en la sostenibilidad de los sistemas sanitarios de los Estados miembros, así como las pandemias y el bioterrorismo, como potenciales amenazas para la salud, que han de tener una respuesta rápida, que tendrá detrás una necesaria coordinación con terceros países.

Por otro lado, como elemento positivo en estos desafíos, hay que tener en cuenta el rápido desarrollo de nuevas tecnologías, que revolucionan la forma en que se previenen y tratan las enfermedades.

---

que los libros verdes contienen ideas presentadas en un marco de discusión pública y debate, los libros blancos contienen una propuesta oficial de una política específica.

[22]    Esto es lo que estaba vigente en el momento de elaboración de este documento.

Para hacer frente a estos retos, el Libro Blanco propone cuatro grandes principios, en apoyo de tres objetivos estratégicos.

Una propuesta de acciones para hacer frente tanto a principios como objetivos cierra la presentación de cada uno de ellos.

Exponemos a continuación las líneas que recogen los principios. El primero, denominado "una estrategia basada en valores sanitarios compartidos", que podemos calificar como principio portal para el resto, en la medida en que enmarca las demás estrategias, parte de la necesidad de potenciación del papel de los ciudadanos a la hora de tomar decisiones sobre su salud o de reducir las desigualdades sanitarias.

Esta potenciación del papel del ciudadano se encuadra dentro de la creciente preocupación, en todas las políticas europeas, por la participación de los ciudadanos, la transparencia y, en general, el acceso a la actividad de la Unión[23].

En el ámbito que nos ocupa, esta inquietud se concreta en centrar la atención cada vez más en el paciente y en su prestación de manera individualizada, de forma que el mismo ha dejado de ser mero objeto de la atención sanitaria para convertirse en su sujeto activo. Destacamos, entre las medidas proyectadas[24], la denominada "instrucción sanitaria", que según la interpretación plasmada en el propio documento, engloba la capacidad de leer, filtrar, y comprender la información relativa a la salud para tomar decisiones con conocimiento de causa. Todo lo proyectado ha de tener en cuenta, como telón de fondo, la reducción de las desigualdades sanitarias. Para todo ello, se utilizarán los mejores conocimientos científicos disponibles, extraídos de datos e información rigurosos.

Bajo el título "la salud es el tesoro más preciado", el segundo principio pone en íntima relación la salud con la economía. Quizá por ello hace referencia al concepto de tesoro, en el más puro sentido económico. Partiendo de que la esperanza de vida saludable es un factor clave para el crecimiento económico, las dos ideas fundamentales que se transmiten son que el gasto sanitario no ha de percibirse únicamente en términos de coste, sino que se trata también de una inversión de futuro, y el hecho de que el sector sanitario de la UE es un gran proveedor de empleo y de formación.

---

[23]  Esta idea está plasmada en el Tratado de Lisboa, al proclamar el principio de transparencia y proximidad, en el párrafo segundo del artículo 1 del TUE, a tenor del cual "...las decisiones serán tomadas de la forma más próxima a los ciudadanos que sea posible.
FERNÁNDEZ DE CASADEVANTE ROMANÍ entiende que "...se trata de acercar la UE a los ciudadanos de manera que éstos no sólo sean convocados periódicamente a las urnas sino que tengan constancia real del modo en que actúa esta Organización Internacional que forma parte —lo quieran o no— de sus vidas." Vid. FERNÁNDEZ DE CASADEVANTE ROMANÍ Y OTROS, Derecho de la Unión Europea: nociones básicas, Ed. Dilex, Madrid, 2012, pág. 60.

[24]  Que tienden, con carácter general, a la participación y la capacidad de influir en el proceso de toma de decisiones, así como las competencias necesarias para el bienestar.

"La salud en todas las políticas" constituye el objeto del principio número tres. Como ya avanzamos, no solamente la salud es objeto de los proyectos europeos específicos, sino que aparece en todas las políticas.

Además de enumerar los sectores con los que se interrelaciona especialmente (política regional, de medio ambiente, la reglamentación de productos farmacéuticos y alimenticios, la sanidad en la política de desarrollo, las TIC, la protección contra la radiación, entre otras), recoge una idea, a nuestro parecer, fundamental y en la línea de actuación de las instituciones de la UE, que consiste en el desarrollo de sinergias entre sectores, para reforzarse unos a otros.

Esta acción se complementa, además, con la implicación de nuevos socios en la política sanitaria, en una doble vertiente: por un lado, se prevé el establecimiento de mecanismos de cooperación con actores como las ONG, la industria, el mundo académico y los medios de comunicación, y por otro, se amplía la idea de cooperación, como no podía ser de otro modo, a las relaciones exteriores y el comercio internacional.

Precisamente enlazando con esta idea, y respetando así una adecuada estructura, se presenta el último principio, titulado "reforzar la voz de la UE en el ámbito de la salud a nivel mundial".

Se continúa también, en la línea del principio anterior, con la idea de la interacción, que en este caso se cifra en el respaldo, por parte de la acción de la Unión, de los esfuerzos desplegados para asegurar la coherencia entre las políticas interiores y exteriores en la consecución de los objetivos sanitarios a nivel mundial. Se concreta aún más, en el seno de este principio, y en relación con la política exterior de la Unión, al considerar la salud como un elemento fundamental en la lucha contra la pobreza a través de la cooperación al desarrollo con los países de renta baja, para responder a amenazas sanitarias en países terceros y para fomentar la aplicación de acuerdos internacionales en este ámbito.

Se recogen, como puede verse, tanto medidas de solución a problemas en este ámbito como la acción, podríamos denominar de carácter positivo, en la creación de proyectos y acuerdos, especialmente de cooperación.

Aun cuando aquí se hace referencia a la coordinación con otros Organismos Internacionales (OMS y otras agencias de Naciones Unidas, Banco Mundial, OCDE, Consejo de Europa, entre otras), en otros documentos de la Comisión Europea se insiste en la necesidad de concluir acuerdos bilaterales de Asociación y Cooperación con Terceros Estados, en los que se incluirá en todo caso un capítulo dedicado a la salud, que prevea un marco general para la cooperación en salud[25].

---

[25]    *Vid.* European Commission: *Public Health: Eu in the World*, en *http://ec.europa.eu/health/ eu_world/policy/enp/index_en.htm* (visitado por última vez el día 02/ de febrero de 2013).

En perfecta correspondencia con los tres grandes desafíos presentados al comienzo, se presentan tres objetivos.

Así, si se ha partido de que la problemática de la salud viene influida en gran medida por la evolución demográfica, incluido el envejecimiento de la población. Por ello, el primer objetivo se cifra en "promover la buena salud en una Europa que envejece".

Lo primero que llama la atención son los datos que recoge, en el sentido de que, a título de ejemplo, de aquí a 2050 el número de personas de 65 años o más crecerá en un 70%, y la categoría de personas de 80 años o más lo hará en un 170%.

Si esta situación se pone en relación con los aspectos económicos, la primera consecuencia es que existe una mayor demanda de atención sanitaria y la segunda es que disminuirá la población activa, pero por otro lado, siempre según las proyecciones de la Comisión, si la población aun viviendo más años se mantiene en buena salud, la subida del gasto en atención sanitaria resultante del envejecimiento se reduciría a la mitad.

Partiendo de esta problemática y su posible solución (el envejecimiento saludable) se proponen acciones de promoción y, sobre todo, de prevención de la enfermedad a lo largo de toda la vida. Ello se concreta en acciones específicas que aborden factores como la alimentación, la promoción de la actividad física, el consumo de alcohol, drogas y tabaco, los riesgos medioambientales, los accidentes de tráfico y domésticos.

Sorprende que no se haga referencia en este apartado a los riesgos de carácter laboral, ya que, por otra parte, son objeto de diferentes actos jurídicos en el seno de la Unión Europea.

Junto a estas medidas, que tienden a prevenir el envejecimiento no saludable, se recogen otras ya específicas para la tercera edad, y que requieren una atención individualizada. Se está pensando en la promoción de la medicina geriátrica, los cuidados paliativos y un mejor conocimiento de enfermedades degenerativas como el Alzheimer.

En la misma línea de prevención y promoción, se trata, en el seno del segundo objetivo estratégico, de "proteger a los ciudadanos frente a las amenazas para la salud".

Es aquí donde aparecen los riesgos como las epidemias o el bioterrorismo, la propagación de enfermedades contagiosas, que requieren, como se decía al comienzo, una actuación efectiva de la Unión Europea, y así se resalta en este objetivo, al insistir en que estas nuevas amenazas requieren una cooperación a nivel comunitario y una coordinación entre Estados miembros y actores internacionales.

Como tercer factor de cambio en el panorama europeo de la salud aparecía el desarrollo de las nuevas tecnologías. Su impacto se trata en el tercer objetivo, bajo el epígrafe "fomentar sistemas sanitarios dinámicos y nuevas tecnologías". Se resaltan las ventajas que tiene en la sanidad la utilización de las mismas. De entre todas las citadas en este documento, nos interesa resaltar, por su especial utilidad, la sanidad electrónica, que puede ayudar a prestar una atención más centrada en la persona, a disminuir los costes y a favorecer la inter operatividad entre las fronteras nacionales, facilitando la movilidad y seguridad de los pacientes[26]. Alerta, sin embargo, este documento, de los potenciales peligros que pueden entrañar las tecnologías poco conocidas, ya que podrían generarse preocupaciones de orden ético, de manera que será preciso abordar las cuestiones relativas a la confianza y la certidumbre de los ciudadanos.

Como medidas de impulso de la inversión en los sistemas sanitarios, se ha integrado la sanidad en una serie de instrumentos relativos a la innovación, como los Programas Marco de Investigación o el Programa de Competitividad de Innovación.

Este documento distingue entre principios y objetivos, que en realidad podrán haberse reconducido todos ellos a objetivos, pues la actual distinción resulta en cierta medida artificial, especialmente porque dentro de los denominados principios se recogen también objetivos y medidas.

De hecho, del análisis de los objetivos del Libro blanco extraemos las mismas conclusiones que de los principios. De este modo, se apoyan en que el envejecimiento saludable debe contar con acciones de promoción de la salud y de prevención de la enfermedad a lo largo de toda la vida, abordando factores decisivos como la alimentación, la actividad física, el consumo de alcohol, drogas y tabaco, riesgos medioambientales y la lucha contra los accidentes de tráfico y los domésticos

Finalmente, como no podía resultar de otro modo, y con el ánimo de que lo recogido en principios y objetivos no sea un mero catálogo de necesidades y de buenas prácticas para los Estados miembros y la Unión Europea en un actuación conjunta o individual, aparecen al final del documento los "mecanismos de puesta en práctica", partiendo siempre de que han de obtenerse en todo caso resultados concretos en la mejora de la salud y, como es habitual en la política de salud, la potenciación de la cooperación.

En concreto, y con el ánimo de que los Estados miembros participen activamente en la puesta en práctica de la estrategia se crea, a nuestro entender una de las aportaciones más importantes, un nuevo mecanismo de cooperación estructurada a escala comunitaria que tendrá por misión asesorar a la Comisión y promover la cooperación entre los Estados miembros.

---

[26]   Como se verá más adelante, el tema de los pacientes transnacionales es de especial preocupación en la Unión Europea. Se ha adoptado una Directiva en esta materia.

En todas estas acciones, tal como se recuerda en todos los actos jurídicos europeos en este ámbito, ha de respetarse estrictamente el principio de subsidiariedad[27].

Se presentan, como ya adelantamos, al final de cada principio y de cada objetivo y en los que destaca la presencia de la Comisión y los Estados miembros. Unas actuaciones han de realizarse por la Comisión únicamente y otras por la Comisión en conjunción con los Estados miembros.

Pueden ser reconducidas a los siguientes: adopción de declaraciones, elaboración de sistemas de indicadores y estudios analíticos, programas de instrucción, programas de cooperación con terceros y de expansión, así como medidas de carácter específico, en los terrenos de, por ejemplo, la lucha contra el cáncer o la política anti tabaco o alcohol.

En definitiva, con esta Estrategia, que abarca hasta el 2013, año en el que nos hallamos, se sientan las bases para una acción de la Unión Europea, que debería haberse completado con políticas nacionales destinadas a la mejora de la salud pública, a la prevención de las enfermedades humanas y a evitar las fuentes de peligro para la salud humana en general.

En opinión de CALVETE[28], si la salud pública es la ciencia de organizar y dirigir los esfuerzos colectivos destinados a proteger, promover y restaurar la salud de los habitantes de una comunidad, el esfuerzo de la Unión Europea, concretado en las medidas contempladas en el Libro Blanco y otros documentos, está dirigido precisamente a cumplir ese objetivo. También según este autor, desde los primeros documentos en materia de salud hasta este Libro Blanco, se constata una línea de continuidad, tanto en los planteamientos de fondo como en los objetivos.

Enlazando con esta idea, y como demostración de que esa línea ha de continuar y así se está haciendo, para el siguiente período, se ha adoptado una nueva, sucesora en parte de la actual, y que presentamos a continuación.

## 3.2. *El programa de salud para el crecimiento 2014-2020*

En 2011 se adopta la Propuesta de Reglamento por el que se establece el nuevo Programa de Salud para el Crecimiento[29]. Con este acto jurídico se inaugura un nue-

---

[27]   Para una clara explicación del principio de subsidiariedad, *vid.* MANGAS MARTÍN, A. y LIÑÁN NOGUERAS, D. *Instituciones y Derecho de la Unión* Europea, Tecnos, Madrid, 2011, págs. 81 y ss.

[28]   *Vid.* CALVETE OLIVA, A., "Estrategia de salud de la Unión Europea...", *cit.*, págs. 274-275.

[29]   Propuesta de Reglamento del Parlamento Europeo y del Consejo, por el que se establece el Programa de Salud para el Crecimiento, tercer programa plurianual de acción de la UE en el ámbito de la salud para el período 2014-2020, COM (2011) 709 FINAL, de 9 de noviembre de 2011.

vo programa para los próximos siete años en el ámbito de la salud a nivel europeo. Esta propuesta constituye la base para el nuevo programa en materia de salud, que es, sin duda, deudor de los programas anteriores, pero que incorpora novedades.

Haciendo un breve análisis de la misma[30], se detecta en este texto una preocupación específica por la implantación de soluciones innovadores para mejorar la prestación de asistencia, y la puesta en común de recursos entre los países de la Unión Europea. Se parte de que los sistemas de salud europeos necesitan reformas que los adecúen al cambio social y demográfico (se está pensando especialmente, al igual que en el programa anterior, en el proceso de envejecimiento de la población) y ofrezcan a los países europeos instrumentos para lograr unos servicios más sostenibles y potenciar la innovación en la salud.

Se trata asimismo de mejorar la salud pública y proteger a los ciudadanos de las amenazas sanitarias que traspasan las fronteras. Aunque se hacía referencia a estos problemas (como las epidemias de gripe) en los documentos anteriores, se hace especial hincapié aquí en estos problemas transfronterizos. También como idea recurrente en este nuevo documento aparece el hecho de que las administraciones no tengan que ceder el control de sus propios sistemas de asistencia sanitaria, en el momento de abordar problemas comunes.

Como medida concreta, se prevé ya la dotación de la UE para este programa[31], que se destinará a la financiación de subvenciones y contratos públicos destinados a organismos públicos y privados, autoridades nacionales, ONG europeas y organizaciones internacionales.

Como beneficiarios directos de esta acción, se citan todas las autoridades públicas nacionales y europeas que se dedican a la asistencia sanitaria, las ONG y los grupos de interés que quieran que las políticas y los sistemas de asistencia sanitaria sean más sensibles a los desafíos demográficos y sociales y obren en consecuencia. Indirectamente, se beneficiarán todos los ciudadanos europeos, que podrán acceder a una asistencia sanitaria de más calidad y se beneficiarán de las medidas preventivas y de promoción de la salud.

Se anuncian, como se ha visto, medidas más concretas que en el programa que le precede.

### 3.3.  La Carta del Derecho a la Salud de la ciudadanía europea

En octubre de 2010 se realizan las Jornadas sobre el Derecho a Salud de la Ciudadanía de la Unión Europea, en las que participan representantes de diferen-

---

[30]    Nos limitamos a recoger de manera somera las novedades introducidas por este acto, ya que las medidas concretas están aún por desarrollar.
[31]    446 millones de euros para un período de siete años.

tes países europeos y de las Instituciones de la UE. En esta ocasión, se valoró la situación actual de la legislación europea referente a la salud, la evolución de los sistemas sanitarios y el derecho a la salud en la UE, y la necesidad de elaborar una Carta del derecho a la salud de la Ciudadanía europea que favorezca el ejercicio de este derecho a todos los ciudadanos de la Unión, permitiendo la cohesión y convergencia entre los países de la UE y reforzando las políticas del Estado del Bienestar en los países miembros. Igualmente se analizaron las amenazas de la política privatizadora en los Sistemas Públicos de Salud propugnada por los Lobbys neoliberales, así como los efectos negativos de los copagos sobre el acceso a las prestaciones y la salud de las poblaciones de la Unión.

Finalmente se aprobó la Carta del Derecho a la Salud de la Ciudadanía de la UE, y se constituyó una Comisión para el seguimiento de su difusión y la búsqueda de adhesiones en el mundo académico, entidades profesionales, sindicales y sociales, instituciones de la UE y de los países miembros y cuyo contenido sistematizamos de forma resumida. Así, se parte de que el Derecho a la Salud es un derecho básico y fundamental de toda la población de la Unión Europea, que incluye la asistencia sanitaria, la salud pública y la atención socio-sanitaria, y que debe disfrutarse de manera integral, equitativa, accesible y sostenible.

Ello implica la protección, prevención, recuperación y rehabilitación de la salud, un sistema de salud pública que promueva un medio ambiente físico y social saludable y sin riesgos, coordinado con los servicios asistenciales, la existencia de servicios de salud laboral, coordinados también con los servicios asistenciales y de salud pública, la existencia de estructuras sanitarias públicas dotadas de los recursos financieros, materiales y humanos necesarios y suficientes para ofertar unas prestaciones sanitarias homogéneas a los ciudadanos de todos los países.

Para que ese derecho pueda disfrutarse de manera equitativa, ha de destinarse a la salud un volumen de recursos económicos suficiente y homogéneo, lo que implica asignar a la misma, con carácter obligatorio, un % de PIB equivalente para mantener las estructuras y el funcionamiento del sistema.

La UE debe dotarse de una Sistema Información Sanitaria Común y homogéneo que garantice el conocimiento global de la situación de salud de sus ciudadanos y los resultados de la actuación de los diferentes servicios sanitarios. Esta información debe priorizar la identificación de los principales problemas, necesidades, condicionantes de la salud, y grupos de riesgo sanitario y social a nivel europeo y debería ser la base para elaborar un Plan de Salud Europeo en el que participen los responsables sanitarios de todos los países. La información sanitaria debe estar disponible para todos los servicios de salud y para los ciudadanos de la UE.

La UE debe establecer una estrategia de formación de personal sanitario basada en un modelo de formación común y homogéneo (tanto pre como post graduado) planificado a corto, medio y largo plazo que garantice unos recursos suficientes, una asistencia sanitaria de calidad y en condiciones de seguridad e igualdad y evite que la libre circulación de personal sanitario genere desigualdad económica y asistencial en los diferentes países. Debe, por otro lado, definir una estrategia de investigación de salud, orientada a identificar y resolver los principales problemas y necesidades de salud de los ciudadanos. Esta estrategia debe estar respaldada por unos fondos comunes accesibles a todos los investigadores que evite las desigualdades o la fuga de cerebros hacia los países más desarrollados de la UE. Ha de desarrollar una política farmacéutica fundamentada en las necesidades de salud, que responda a criterios de calidad y eficiencia, evite el gasto innecesario y garantice la sostenibilidad de los servicios sanitarios públicos.

Se debe fijar un régimen de incompatibilidades para todas las personas que intervengan en la toma de decisiones sobre medicamentos; así mismo se debe establecer la declaración de conflicto de intereses, para todas las personas cuyas decisiones afecten a la industria farmacéutica.

Finalmente, se insiste en que se debería reforzar la función de Salud Pública de la UE, con la delegación de competencias de las regiones y los estados miembros, que permita afrontar los nuevos retos de salud pública, singularmente, las pandemias.

En este documento se recogen aspectos pertenecientes tanto a la denominada vertiente individual como colectiva de la salud[32].

### 3.4. El Reglamento sobre coordinación de los sistemas de Seguridad Social

El Reglamento (CE) n.º 883/2004 del Parlamento Europeo y del Consejo, de 29 de abril de 2004, sobre la coordinación de los sistemas de seguridad social, y su reglamento de aplicación, el Reglamento (CE) n.º 987/2009 del Parlamento Europeo y del Consejo, de 16 de septiembre de 2009, por el que se adoptan las normas de aplicación, tratan de hacer efectivo el principio de igualdad de trato en las prestaciones derivadas de la acción protectora de la seguridad social entre los

---

[32]  Para la diferencia entre ambas nociones y el modo en que ambos ámbitos se han recogido en los diferentes instrumentos europeos y nacionales, *vid.* BOMBILLAR SÁENZ, F.J, en *Intervención Administrativa y régimen jurídico del medicamento en la Unión Europea*, (Tesis Doctoral), Universidad de Granada, 2010, págs. 23-24.
*http://0-hera.ugr.es.adrastea.ugr.es/tesisugr/18645781.pdf*,
en *http://www.ugr.es/~sej03266/actividad/red_medicamentos/publicaciones.htm* (visitado por última vez el 10/02/2013).

ciudadanos comunitarios europeos, sea cual sea su lugar de origen, asimilando éstas a las de los ciudadanos del país donde se presten.

Estos dos actos jurídicos han sido duramente criticados, en el sentido de que esta normativa tiene como destinatarios a los nacionales de la Unión, a sus familiares, a los apátridas y a los refugiados—, pero no quedan incluidos el resto de los trabajadores extranjeros nacionales de terceros países. De esta forma surge un nuevo trato discriminatorio para éstos y se quiebra de nuevo el principio de igualdad de trato[33].

## 3.5. *La Directiva relativa a la aplicación de los derechos de los pacientes en la asistencia sanitaria transfronteriza*

Uno de los retos a los que ha de enfrentarse la política europea en materia de salud es la dimensión cada vez más fronteriza de la prestación de la atención sanitaria.

Con este fin, se adopta en 2011 esta Directiva[34], que regula el reembolso de los gastos ocasionados al recibir tratamiento en otro Estado miembro y establece el marco para el desarrollo de la receta electrónica en la UE. También permitirá a las autoridades sanitarias nacionales colaborar de modo más estrecho e intercambiar información sobre estándares sanitarios en materia de calidad y de seguridad, y será de ayuda para los pacientes que requieran atención especializada, como, por ejemplo, diagnóstico o tratamiento de una enfermedad rara.

La normativa apoya la creación de «redes europeas de referencia» en las que participarán, con carácter voluntario, centros altamente especializados ya reconocidos en Europa en los que expertos sanitarios de toda la Unión podrán poner en común las mejores prácticas y establecer elevados niveles de calidad.

Esta Directiva no se aplicará en los siguientes casos:

– Cuidados de larga duración prestados por servicios de atención a domicilio, en residencias asistidas o en otros servicios de atención asistida.
– El acceso a órganos y su asignación para realizar un trasplante.
– Las normas de los Estados miembros relativas a la venta de medicamentos y productos sanitarios en internet.

---

[33]   Vid. FERNÁNDEZ FERNÁNDEZ, R., en *Los trabajadores extranjeros —nacionales de terceros países— desde el 1 de mayo de 2010 vuelven a estar en una situación de desigualdad con relación a los nacionales de la Unión Europea y asimilados en materia de seguridad social*. *www.migrarconderechos.es/noticias/nuevos_reglamentos_comunitarios* (Visitado por última vez el 06/02/2013).

[34]   Directiva 2011/24/UE del Parlamento Europeo y del Consejo de 9 de marzo de 2011 relativa a la aplicación de los derechos de los pacientes en la asistencia sanitaria transfronteriza.

- Tampoco afecta a los casos regulados por los Reglamentos de Seguridad Social.

Otro aspecto muy relevante que regula es la garantía de continuidad del tratamiento a través del reconocimiento de la prescripción, de manera que, una receta extendida en otro país de la UE será reconocida en el país de residencia del paciente, y viceversa. Se garantiza así el adecuado seguimiento, en el país de residencia, de la asistencia recibida en otro Estado miembro. El paciente tiene derecho a que se le dispense el medicamento prescrito siempre que esté autorizado para la venta y disponible en el país en que lo solicita.

Por otro lado, las autoridades nacionales podrán introducir un sistema de autorización previa en tres casos:

1. cuando la asistencia requiere una hospitalización de, al menos, una noche;
2. en casos muy especializados y muy caros;
3. en casos graves y específicamente relacionados con la calidad o la seguridad de la asistencia en el extranjero.

En estos tres casos, los pacientes pueden tener que pedir autorización previa a las autoridades de su país de las que dependa el reembolso.

Las autoridades sanitarias nacionales podrán denegar la autorización si el tratamiento o el prestador de servicios pueden representar un riesgo para el paciente. También puede denegarse la autorización si en el propio país puede ofrecerse una asistencia sanitaria apropiada en un plazo razonable, pero entonces los Estados miembros han de justificar el porqué de tal decisión.

En caso de denegación, los pacientes tendrán derecho a solicitar la revisión de cualquier decisión administrativa relativa a la asistencia sanitaria transfronteriza que les afecte.

En general el paciente adelantará el dinero, que después las autoridades nacionales le reembolsarán lo antes posible. El país de origen hará que el prestador de servicios del país de tratamiento tenga acceso a la historia clínica del paciente, en papel o en formato electrónico, de conformidad con las Directivas sobre protección de los datos personales. La mejor cooperación entre Estados miembros en materia de salud en línea hará posible que estos datos sean perfectamente legibles y comprensibles. Dicho de otro modo, los sistemas informáticos sanitarios «serán interoperables». Esto puede traer consigo grandes ventajas, no solo para la seguridad de los pacientes sino también para la sostenibilidad de los sistemas sanitarios.

A escala nacional, cada Estado miembro creará al menos un punto nacional de contacto que ofrecerá a los pacientes toda la información que precisen. Cada Estado velará porque sus centros de referencia participen en las «redes europeas de referencia».

Asimismo, cada Estado establecerá procedimientos administrativos para la asistencia sanitaria transfronteriza y el reembolso de los costes, lo que incluye los procedimientos de recurso y los mecanismos de cálculo de los costes.

La Comisión creará redes para fomentar en la UE la cooperación en materia de evaluación de las tecnologías sanitarias y salud en línea. Contribuirá asimismo a facilitar el reconocimiento transfronterizo de las recetas.

Esta Directiva cuenta, entre sus antecedentes, con jurisprudencia del Tribunal de Justicia de la Unión Europea; en concreto, en la sentencia recaída en el Asunto *Yvonne Wats*[35], en la que el Alto Tribunal reconoce el derecho de los pacientes a recibir asistencia sanitaria en otro Estado miembro distinto del de afiliación a la seguridad social y al reembolso de los gastos ocasionados.

# 4. LA PROTECCIÓN DE LA SALUD EN LA UNIÓN EUROPEA Y SU INFLUENCIA EN EL DERECHO ESPAÑOL

Ante la situación económica actual, todos los países de la Unión Europea están analizando y adoptando medidas que permiten optimizar sus modelos asistenciales y farmacéuticos y, en especial, el gasto farmacéutico y su peso en el gasto sanitario.

En cumplimiento de la obligación que tienen los poderes públicos de gestionar de la manera más eficiente las capacidades del sistema, España debe garantizar el mantenimiento del modelo de Sistema Nacional de Salud, configurado como el conjunto coordinado de los servicios de salud de la Administración General de Estado y los servicios de salud de las comunidades autónomas, que garantiza la protección de la salud y se sustenta con base en la financiación pública, la universalidad y la gratuidad de los servicios sanitarios.

Teniendo presente esa idea, se adopta, el pasado año, el Real Decreto-Ley 16/2012, de 20 de abril, de medidas urgentes para garantizar la sostenibilidad del Sistema Nacional de Salud y mejorar la calidad y seguridad de sus prestaciones[36].

Las medidas recogidas en esta norma tienen como objetivo fundamental afrontar una reforma estructural del Sistema Nacional de Salud dotándolo de solvencia, viabilidad y reforzando las medidas de cohesión para hacerlo sostenible en el tiempo. Se hace preciso, en el actual contexto socioeconómico, que dichas medidas se materialicen en un instrumento normativo de efecto inmediato que dé respuesta, sin demora, a las demandas internas de mejora de la equidad que exige

---

[35]    Asunto C-372/04, *Yvonne Wats, The Queen/Bedford Primary Care Trust, Secretary of State for Health*, de 16 de mayo de 2006.

[36]    BOE núm. 98 de 24 de abril de 2012.

la ciudadanía, de eficiencia que exige el Tribunal de Cuentas y de seguridad que exige el sector sanitario, y a las externas de transparencia y viabilidad que exige la Unión Europea.

Es precisamente la idea de dar cumplimiento a las exigencias del Derecho de la Unión Europea la razón última de la adopción de este acto.

En efecto, lo primero que se recoge en este Decreto es la existencia de un Dictamen Motivado de la Comisión Europea[37] dirigido al Reino de España por su negativa a expedir la tarjeta sanitaria europea a personas residentes en España con derecho a recibir asistencia sanitaria con arreglo a la normativa de algunas comunidades autónoma. Según este Decreto, este acto jurídico ha puesto de manifiesto la fragilidad del mecanismo de reconocimiento del derecho a la protección de la salud en España. Consideramos que, efectivamente, el hecho de que la Comisión, en su labor de guardiana del Derecho de la UE, haya detectado que en España exista esa situación y lo estime tan relevante que emprenda la primera fase de un recurso por incumplimiento es un dato ciertamente revelador de la debilidad del sistema, al menos en ese aspecto particular.

Hemos presentado, en el epígrafe anterior, el Reglamento 883/2004[38], sobre coordinación de los sistemas de seguridad social. Este es el primer acto jurídico de la Unión Europea, que es norma de derecho obligatorio en España y en todos los ordenamientos jurídicos de los Estados miembros[39], que invoca el Decreto, ya que entre sus objetivos está, como prioritario además, el hacer efectivo el principio de igualdad de trato en las prestaciones a todos los ciudadanos europeos.

Para lograr este fin, el Real Decreto prevé una serie de medidas, que consisten, entre otras, en lo que presentamos a continuación. En primer lugar, se prevé la adopción de medidas que permitan gestionar mejor la realidad asistencial en España donde coexiste un entramado jurídico-administrativo que reduce la transparencia y dificulta la ejecución, disminuyendo, en consecuencia, la eficiencia en

---

[37]    Un Dictamen Motivado de la Comisión es un acto de esta Institución en el marco de un recurso por incumplimiento, regulado en los artículos 258 a 260 del Tratado de Funcionamiento de la UE. En los recursos por incumplimiento existen dos fases, una pre-contenciosa, ante la Comisión y otra, jurisdiccional, ante el Tribunal de Justicia. La primera se inicia mediante una carta de emplazamiento dirigida al Estado miembro. Posteriormente, si la situación se mantiene, la Comisión emite un Dictamen Motivado, siempre después de haber ofrecido al Estado la posibilidad de presentar sus observaciones. Si el Estado no se atuviere a este dictamen en el plazo determinado por la Comisión, ésta podrá recurrir al Tribunal de Justicia.
Para una completa exposición del sistema jurisdiccional de la Unión Europea, vid. PALACIO GONZÁLEZ, J., Derecho Procesal y del Contencioso Comunitario, Aranzadi, Madrid, 2000.

[38]    Reglamento (CE) n°. 883/2004, del Parlamento y del Consejo, de 29 de abril de 2004, cit.

[39]    Para una adecuada comprensión de la recepción del Derecho de la Unión Europea en nuestro ordenamiento jurídico, vid. MANGAS MARTÍN, A. y LIÑÁN NOGUERAS, D., Instituciones y Derecho de la Unión Europea, Tecnos, Madrid, 2011, págs. 467 y ss.

su aplicación. Esta situación tiene que ser reconducida hacia la homogeneidad entre los servicios de salud, así como hacia la claridad, transparencia e información a la ciudadanía para que pueda conocer con exactitud el alcance de la cobertura de sus derechos.

En cuanto a las medidas relacionadas con la prestación farmacéutica, se prevé que las decisiones de financiación estén presididas por los criterios de evidencia científica de coste-efectividad y por la evaluación económica, con consideración del impacto presupuestario, en la que se tenga en cuenta un esquema de precio asociado al valor real que el medicamento o producto sanitario aporta al sistema.

Se contemplan, por otro lado, acciones destinadas a corregir determinadas situaciones estructurales en relación con los recursos humanos. Así, los fondos destinados a financiar los recursos humanos en los servicios de salud suponen la partida más importante de sus presupuestos. La diversidad de normas reguladoras, la complejidad organizativa de titulaciones, categorías y situaciones laborales de los trabajadores en servicios de salud ha ido generando, según el texto de la norma, una gran variabilidad interpretativa de las normas reguladoras, que se demuestran como verdaderas barreras para el desarrollo de los planes de eficiencia y ordenación que las comunidades autónomas están desarrollando en el marco económico de crisis actual y para la libertad de movimientos de los trabajadores entre servicios de salud.

Se presenta así como una verdadera urgencia definir homogéneamente para todo el Sistema Nacional de Salud la regulación actual de aspectos vinculados a las categorías profesionales, los criterios generales reguladores del sistema retributivo o de la acción social.

Estas modificaciones son especialmente necesarias en un contexto de crisis económica para racionalizar el gasto público.

Hemos hecho referencia en apartados anteriores a la Directiva 2011/24, cuyo contenido es en parte coincidente con este Decreto analizado. El plazo de transposición de esta norma finaliza el 25 de octubre de 2013. A partir de entonces forma parte, como es sabido, de nuestro ordenamiento jurídico[40]. Las dos normas son, por tanto, complemento para lograr el fin último de ambas, que es la igualdad en el tratamiento de los pacientes europeos y, más en general, el paliar las desigualdades entre pacientes.

Resulta, por tanto, muy positiva la adopción de este Real Decreto, que denota la apertura de nuestro legislador a las normas elaboradas por las Instituciones de la Unión Europea.

---

[40]     El efecto de la Directiva en los ordenamientos jurídicos de los Estados miembros, y su aplicación al ordenamiento español se explica de forma detallada en FERNÁNDEZ DE CASADEVANTE ROMANÍ, y otros, *Derecho de la Unión Europea...*, págs. 204 y sig., *cit.*

En otro orden de cosas, existen, en el acervo de la Unión Europea, otros actos jurídicos obligatorios, que tratan temas de carácter más específico, como la Directiva 2004/23/CE relativa al establecimiento de normas de calidad y de seguridad para la donación, la obtención, la evaluación, el procesamiento, la preservación, el almacenamiento y la distribución de células y tejidos humanos[41].

La transposición de esta directiva se produjo a través del Real Decreto 1301/2006, de 10 de noviembre, por el que se establecen las normas de calidad y seguridad para la donación, la obtención, la evaluación, el procesamiento, la preservación, el almacenamiento y la distribución de células y tejidos humanos y se aprueban las normas de coordinación y funcionamiento para su uso en humanos.

## CONCLUSIONES

En el hito histórico que ha supuesto la Carta de Derechos Fundamentales de la Unión Europea, la protección de la salud aparece en el marco de los derechos económicos, sociales y de solidaridad, junto con el derecho al trabajo, al medio ambiente y otros de la misma categoría. En todo caso, este derecho será de aplicación a cualquier persona, con independencia de su nacionalidad o lugar de residencia. Sin embargo, no se otorga competencia normativa de alcance general a la Unión para legislar en materia de protección de derechos humanos. Con todo, si existe base jurídica habilitadora de la competencia, como en el caso de los derechos socioeconómicos, la Unión Europea sí podría legislar.

En efecto, comenzamos este trabajo anunciando que la salud forma parte de las materias reservadas a los Estados miembros, y que la Unión ha de complementarlas con el ánimo de lograr objetivos comunes frente a amenazas globales. A nuestro parecer, con los instrumentos expuestos, la Unión logra cubrir esas necesidades de forma parcial, por lo que exponemos a continuación. En efecto, siempre según nuestro criterio, los documentos elaborados para dar cobertura a las estrategias en materia de salud son ambiciosos y coherentes, y se detecta con facilidad que han tenido en cuenta las experiencias del trabajo de las instituciones comunitarias

Sin embargo, al poner en relación estos proyectos con los actos jurídicos obligatorios, se comprueba que únicamente ciertos ámbitos han sido incorporados al acervo europeo. Se necesita, por tanto, una mayor actividad de las instituciones

---

[41] Directiva 2004/23, del Parlamento Europeo y del Consejo, de 31 de marzo de 2004, relativa al establecimiento de normas de calidad y de seguridad para la donación, la obtención, la evaluación, el procesamiento, la preservación, el almacenamiento y la distribución de células y tejidos humanos

legislativas de la Unión para traducir lo proyectado en normas de obligada transposición y cumplimiento para las autoridades nacionales de nuestros Estados.

Destacamos, en sentido positivo, la tendencia, en el seno de la Unión Europea, de impregnar del tema de la salud sus principales políticas. Es ciertamente omnipresente preocupación por la salud en la elaboración de las principales políticas de la Unión.

Aparecen de modo recurrente, en todos los textos, aspectos muy positivos, como la necesidad de información a nivel europeo en todo lo relacionado con la salud, la necesidad de cooperación con otros Organismos Internacionales, de cuyas prácticas, además, la Unión es deudora en gran medida, y los beneficios que en este ámbito proporcionan las nuevas tecnologías.

En cuanto a la influencia del Derecho de la Unión en el Derecho español, hemos de constatar que la Carta tan solo consagra una serie de estándares mínimos en materia de derechos fundamentales, es posible desarrollar el contenido de cada derecho hasta lograr el nivel de protección asegurado por el Derecho interno, y esto sería lo deseable en materia del derecho a la protección de la salud. En todo caso, y aun cuando en España se ha dado cumplimiento a una importante parte de las normas de la Unión, se debería desarrollar una política más activa para, al menos, acercarse más al objetivo último, que es el garantizar a los ciudadanos una asistencia sanitaria pública, gratuita y universal.

La garantía de dicho derecho a los ciudadanos merece ser objeto de atención prioritario, si tenemos en cuenta que con el Tratado de Lisboa se mantiene el sistema clásico de invocación de los derechos por los particulares, de tal manera que corresponde a los órganos judiciales nacionales el conocimiento de los litigios en los que se dirima la protección de los derechos reconocidos en la Carta, cuando la fuente de su eventual vulneración sea interna, y esto es aplicable plenamente al derecho a la protección de la salud.

En consecuencia, seguiremos atentos al desarrollo de esta política de protección de la salud, tanto en nuestro Estado, como en el seno de la Unión, para comprobar cómo se concilia la protección de dicho derecho básico con la actual situación económica y social.

# EL DERECHO DE LIBERTAD DE CONCIENCIA Y SU INCIDENCIA EN EL ÁMBITO DE LA SALUD: MARCO GENERAL

José Mª Contreras Mazarío
*Catedrático de Derecho Eclesiástico del Estado*
*Universidad Pablo de Olavide*

## 1. CONSIDERACIONES GENERALES

El avance de la medicina, la biología y la tecnología, en definitiva los avances científicos, permiten disponer de elementos, datos y conocimientos sobre el hombre, los orígenes del hombre y de la vida diaria y cotidiana de las personas hasta ahora insospechados. Ello hace necesario que el Derecho intervenga sobre las mismas como una realidad social nueva a la que debe ordenar, sobre todo a fin de que dicha realidad sea coherente con los principios de democracia, igualdad, justicia, pluralismo, solidaridad y tolerancia presentes en los Estados de Derecho. No se trata, por tanto, de que el Derecho limite la investigación. No debe el Derecho, a nuestro entender, convertirse —como en etapas y épocas pasadas, y que creíamos ya superadas— en brazo de las ideologías, de la moral o de la ética privadas, perseguidor de los avances científicos, ni tampoco caer en la tentación de dirigismo o instrumento de intervención restrictiva respecto a la libertad de investigación. En este sentido, resultan significativas las palabras de Bernat SORIA cuando afirma que "*(...) lo que los ciudadanos, cristianos, judíos o cualquiera que sea o no sea su religión, estamos en condiciones de discutir y de compartir no es la ética cristiana, musulmana o atea, sino una ética no confesional que nos ayude a convivir con la pluralidad*"[1].

Ahora bien, esta realidad no puede quedar al margen del mundo jurídico, ya que la misma no resulta *per se* inmaculada, sino cada vez con más frecuencia entra

---

[1] SORIA, B. y JUAN, V.: "Células madre, embriones y clonación: ¿el nacimiento de un nuevo paradigma?", en *El País*, miércoles 16 de enero de 2002, pág. 22. Estos autores ponen de manifiesto como se ha tratado, sin embargo, de un proceso evolutivo: "*El gran descubrimiento europeo es la aceptación de la pluralidad y la tolerancia como fórmula de convivencia. Después de siglos de luchas donde elementos religiosos, nacionales o económicos se convirtieron en irreconciliables, los europeos hemos descubierto que la fórmula no es quemar, gasear, fusilar o marginar a quien piensa de forma distinta, sino aceptar la pluralidad como elemento central en nuestra sociedad*".

y seguirá entrando en colisión o en conflicto con alguno o algunos de los principios antes mencionados, y de manera muy directa con los derechos humanos, e incluso con conceptos tales como "persona" o "ser humano", "intimidad", "discriminación", "dignidad", "libertad de conciencia", etc. De ahí que —como ha puesto de manifiesto PARDO— *"el reto —por una parte sugestivo pero al mismo tiempo inaplazable— del mundo jurídico es seguir de cerca y aprehender ese conocimiento genómico así como sus aplicaciones e integrarlos normativamente en la sociedad, sin dilación alguna"*[2]. En definitiva, debe constituirse en un instrumento esencialmente preventivo con el que hacer frente a posibles riesgos y peligros que la utilización del conocimiento aportado por la investigación biomédica conlleva.

Por nuestra parte, en el presente trabajo se va a abordar, por un lado, el marco general relativo al modelo de relación del Estado con el fenómeno religioso (II), y en especial a los principios constitucionales informadores de la materia religiosa, con especial mención de la libertad de conciencia. Y, por otro, las conexiones de este derecho con otros dos derechos íntimamente relacionados con la materia en cuestión como son el derecho a la vida (III) y el derecho a la intimidad (IV).

## 2. MODELO POLÍTICO DE RELACIÓN ESTADO-FENÓMENO RELIGIOSO Y DERECHO DE LIBERTAD DE CONCIENCIA

1. La entrada en vigor de la Constitución de 1978[3] ha supuesto un profundo proceso de renovación del ordenamiento jurídico para acomodarlo a la nueva configuración de España como Estado social y democrático de Derecho (art. 1.1). El mismo, y con el fin de superar etapas anteriores[4], ha sido considerado —y así se puso de manifiesto a lo largo de todo el *iter* de los trabajos parlamentarios de las Cortes constituyentes— como un texto consensuado[5], abierto[6] y posibilista[7].

---

2    PARDO: "La investigación genética al servicio del hombre: reflexiones de un jurista", en *Derecho y Genoma Humano*, 1994/1, pág. 26.

3    Constitución española, de 27 de diciembre de 1978 (*B.O.E.* núm. 311, de 29 de diciembre de 1978). En adelante, CE.

4    Sobre la historia del constitucionalismo español y la libertad religiosa, vid. por todos MARTÍNEZ DE PISÓN CAVERO, J.: *Constitución y libertad religiosa en España*, Ed. Dykinson, Madrid 2000, págs. 87-203; SUÁREZ PERTIERRA, G.: *Libertad religiosa y confesionalidad en el ordenamiento jurídico español*, Ed. Eset, Vitoria 1978.

5    Sobre el consenso en el proceso de elaboración de la CE, vid. THRELFALL, M. (ed.): *Consensus politics in Spain: insides perspectives*, Intellect, Bristol 2000.

6    A este respecto, vid. HERNÁNDEZ GIL, A.: "Dictamen de la Comisión mixta Congreso-Senado", en *Constitución española*, vol. IV, Madrid, 1992, págs. 4944-4945.

7    En este sentido, vid. PORTERO, L.: "Constitución y política familiar", en *El hecho religioso en la nueva Constitución española*, Salamanca, 1979, pág. 289.

En este contexto, y por lo que a nuestra materia se refiere, una de las labores más importantes ha ido dirigida a identificar y definir los principios constitucionales del Derecho eclesiástico español. En efecto, junto al reconocimiento y tutela de la libertad ideológica, religiosa y de culto (art. 16.1), se garantiza asimismo la igualdad de todos ante la ley, sin discriminación alguna por motivos religiosos (art. 14), al tiempo que se establece que *"ninguna religión* [tenga] *carácter estatal"* (art. 16.3). Todo ello bajo una práctica que se ha elevado a la consideración de "principio de actuación" como fue el "consenso", con lo que se rompe la tradición —al menos en esta materia— de la imposición de una parte frente a otra de españoles, y que dio lugar a lo que se ha denominado "las dos Españas"[8]. Como dijera DE LOS RIOS, con ocasión de la Constitución de 1931, *"era esta la hora de promulgar nuestro "Edicto de Nantes", nuestro edicto de paz religiosa"*; poniéndose de esta manera en evidencia lo manifestado por ZAPATERO, para quien *"en esto* (por la cuestión religiosa durante la II[a] República), *como en tantas otras cosas, don Fernando estuvo más en sintonía con la España de hoy que con la que le tocó vivir"*[9]. Así pues, de los artículos mencionados pueden deducirse como principios informadores específicos de la "cuestión religiosa" los siguientes: la libertad de conciencia, la igualdad en materia de convicciones y la laicidad del Estado, y como técnica de relación: la cooperación con las confesiones y comunidades religiosas[10]. Junto a los principios ya reseñados se debe hacer mención igualmente de otros cuatro de igual o mayor importancia, como son la participación, el pluralismo, la personalización y la tolerancia[11].

---

[8]    Cfr. JIMÉNEZ CAMPOS, J.: "Crisis política y transición al pluralismo en España (1975-1978)", en *La Constitución española de 1978*, 2ª ed., Ed. Civitas, Madrid 1981, págs. 45-94; PRIETO SANCHÍS, L.: "Las relaciones Iglesia-Estado a la luz de la nueva Constitución: problemas fundamentales", en *La Constitución española...*, *op. cit.*, págs. 319-374.

[9]    ZAPATERO, V.: "El Edicto de Nantes de Fernando de los Ríos", en LLAMAZARES, D. (Ed.): *Estado y Religión. Proceso de secularización y laicidad. Homenaje a Don Fernando de los Ríos*, Universidad Carlos III Madrid/Boletín Oficial del Estado, pág. 28.

[10]    En relación al *iter* constitucional en materia religiosa, vid. LLAMAZARES, D. y SUÁREZ PERTIERRA, G.: "El fenómeno religioso en la nueva Constitución de 1978", en *Revista de la Facultad de Derecho de la Universidad Complutense*, n° 61 (1979), págs. 7-34.

[11]    Sobre estos principios, vid. LLAMAZARES, D.: *El derecho de la libertad de conciencia*, vol. I, Ed. Civitas, Madrid 1997, págs. 224-270; VILADRICH, P.J.: "Los principios informadores del Derecho eclesiástico español", en AA.VV.: *Derecho eclesiástico del Estado español*, 2ª ed., EUNSA, Pamplona 1983, págs. 169-261. A estos cuatro principios, algunos autores señalan o añaden un quinto como puede ser, por ejemplo, la democracia (GOTI, J.: *Sistema de Derecho eclesiástico...*, vol. I, *op. cit.*, págs. 51-52).

Todos ellos constituyen un modelo de Estado que, basado en la neutralidad, tiene como prisma de actuación el derecho de libertad de conciencia de sus ciudadanos en un intento por alcanzar los valores de libertad, justicia, igualdad y pluralismo (art. 1.1 CE)[12], en favor de la consecución de la dignidad humana y del pleno desarrollo de su personalidad (art. 10.1 CE), para lo cual se entiende imprescindible realizarlo en un plano de participación y cooperación con los individuos y los grupos donde éstos se integran (art. 16.3 CE).

## 2.1. La libertad de conciencia

El artículo 16 de la CE se protege —a nuestro entender— no sólo la libertad y los intereses estricta y exclusivamente religiosos, sino también la libertad de los que optan por convicciones o creencias no religiosas. Del tenor del precepto se deduce un concepto que vendría referido al ámbito de garantía del derecho en cuestión. Se reconoce, pues, en este artículo lo que se puede calificar como de "concepto negativo" del derecho a la libertad de conciencia, es decir, la garantía por parte del Estado a toda persona de un ámbito de inmunidad de coacción en su ejercicio y manifestaciones. O lo que es lo mismo, ante el reconocimiento de un derecho subjetivo que tiene por objeto garantizar a las personas la libertad de conciencia de toda injerencia por parte de los poderes públicos y de terceros, tanto en su plano interno como externo, en público o en privado, individual o colectivamente, mediante la práctica, la enseñanza, el culto o la observancia de las propias creencias o convicciones adoptadas y profesadas, sean éstas religiosas o no religiosas.

Junto a ello, la libertad de conciencia representa una concreción del valor "libertad" (art. 1.1 CE) (concepto axiológico) y un principio informador del sistema político español en materia religiosa. Por lo que la misma debe ser analizada tanto como principio informador del sistema jurídico español en la materia, como un derecho fundamental[13].

---

[12]   Art. 1.1 CE: "*España se constituye en un Estado social y democrático de Derecho, que propugna como valores superiores de su ordenamiento jurídico la libertad, la justicia, la igualdad y el pluralismo político*". Sobre los valores superiores, vid. PAREJO, L.: *Constitución y valores del ordenamiento*, Madrid 1990; PECES-BARBA, G.: *Los valores superiores*, Ed. Tecnos, Madrid 1986; idem: "Los valores superiores", en *Jornadas de estudio sobre el Título Preliminar de la Constitución*, Ministerio de Justicia, Madrid 1990, págs. 1-24.

[13]   A este respecto, vid. LLAMAZARES, D.: *El derecho de la libertad de conciencia...*, vol. I, *op. cit.*, págs. 232-234; VILADRICH, P.J.: "Los principios informadores del Derecho eclesiástico español", en AA.VV.: *Derecho eclesiástico...*, *op. cit.*, pág. 193.

## 2.1.1. La libertad de conciencia como principio informador

La consideración de la libertad de conciencia desde un punto de vista axiológico (art. 1.1 CE) supone, además de un objetivo ético[14], una triple dimensión jurídica[15]: fundamentadora, orientadora y crítica[16]. Desde el plano de la fundamentación, la libertad de conciencia es considerada como un *"núcleo básico e informador de todo el sistema jurídico"* [17]; por su parte, desde la perspectiva orientadora la misma conduce al ordenamiento a la consecución de *"unas metas o fines predeterminados que hacen ilegítima cualquier disposición normativa que persiga fines distintos o que obstaculice la consecución de aquélla"*[18]; y, por último, desde el plano crítico supone su consideración como *"criterio o parámetro de valoración para justipreciar hechos o conductas"*[19].

En consecuencia, la libertad de conciencia, desde el punto de vista axiológico, se vincula al término y al concepto de "Estado de Derecho"[20], y con él su inclusión como parte del contenido de la dignidad humana definida a través del artículo 10.1 de la CE[21]. Sin embargo, no se agota aquí el alcance de la libertad como valor superior del ordenamiento jurídico, sino que su consideración normativo-jurídica supone una verdadera sujeción para los poderes públicos en el ejercicio de sus respectivas competencias[22]. Más concretamente, la libertad de conciencia —en tanto que formando parte del valor libertad— se configura como *"una garantía constitucional de legalidad de las funciones ejecutivas"*, así como

---

14    Ello no debe identificarse con la adopción de posiciones iusnaturalistas, sino que reflejan una concreta "moralidad legalizada" así como una "moralidad crítica" En este sentido, vid. PECES-BARBA, G.: *Los valores superiores, op. cit.*, págs. 51 y 52.

15    Vid. en relación al principio de libertad, SSTC 41/1982, de 2 de julio; 159/1986, de 16 de diciembre; 115/1987, de 7 de julio; 265/1988, de 22 de diciembre, y 20/1990, de 15 de febrero.

16    Respecto de esta triple dimensión, vid. PÉREZ-LUÑO, A.E.: *Derechos humanos..., op. cit.*, pág. 287.

17    En esta línea, vid. PECES-BARBA, G.: *Los valores superiores*, Ed. Tecnos, Madrid 1986, pág. 17.

18    A este respecto, vid. ESTEBAN, J. de: *El régimen..., op. cit.*, pág. 134; SÁNCHEZ AGESTA, L.: *Edición comentada de la Constitución*, Centro de Estudios Constitucionales, Madrid 1976, pág. 21.

19    PÉREZ-LUÑO, A.E: *Derechos humanos..., op. cit.*, págs. 287 y 288.

20    A este respecto, vid. DÍAZ, E.: *Estado de Derecho..., op. cit.*

21    Art. 10.1 CE: *"La dignidad de la persona, los derechos inviolables que le son inherentes, el libre desarrollo de la personalidad, el respeto a la ley y a los derechos de los demás son fundamento del orden público y de la paz social"*.

22    A favor de dicha consideración vid. GARCÍA DE ENTERRÍA, E.: *La Constitución como norma jurídica y el Tribunal constitucional*, Ed. Cívitas, Madrid 1981, págs. 95 y ss.; PECES-BARBA, G.: *Los valores superiores, op. cit.*, págs. 76, 88 y ss.; PÉREZ-LUÑO, A.E.: *Derechos humanos..., op. cit.*, págs. 287 y ss. En contra, vid. SÁNCHEZ AGESTA, L.: *Sistema político..., op. cit.*, pág. 86.

*"una forma de imperativo de justicia en la creación del Derecho"*[23]. En definitiva, debe ser considerado como un valor total que identifica y da sentido al sistema político, jurídico y social instaurado por la Constitución[24].

Todo ello configura a la libertad de conciencia en su conexión con el artículo 1.1 de la CE en un principio superior del ordenamiento que determina la actitud del Estado y de los poderes públicos hacia el fenómeno religioso, en especial en sus relaciones con los ciudadanos y los grupos filosóficos y religiosos[25]. La libertad de conciencia adquiere de este modo, en el orden constitucional y por lo que al sistema político en materia religiosa se refiere, la consideración de principio informador básico del sistema jurídico español[26], determinante del modelo de relación Estado-fenómeno religioso[27].

Partiendo de esta consideración, VILADRICH afirmó que la libertad religiosa constituye *"un principio de configuración social y cívica porque contiene una idea o definición de Estado español"*[28]. Desde esta perspectiva, la libertad de conciencia representa un *standard* de conducta dirigido a un postulado de justicia[29] que vincula en su acción a los poderes públicos, los cuales se ven obligados a ponderar las circunstancias reales de cada momento y para cada caso[30]. Todo ello supone que la asunción por parte del Estado de la libertad de conciencia como principio informador del sistema político en materia religiosa conlleve un doble contenido: negativo, el primero, y positivo, el segundo. Así, desde el primero de los caracteres definidores del Estado, el aspecto negativo, la libertad de conciencia supone una determinada actitud de los poderes públicos respecto a la libertad de conciencia, que se traduce en una incompetencia por parte de aquellos en materia religiosa, tanto en orden a imponerse mediante coacción o sustitución a los individuos,

---

[23]　En contra, vid. JIMÉNEZ CAMPOS, J.: "La igualdad jurídica como límite frente al legislador", en *Revista de Estudios de Derecho Constitucional*, nº 9 (1979), pág. 79.

[24]　En esta línea, PECES-BARBA afirma que *"uno de los rasgos de los valores superiores del artículo 1.1 es que constituyen el todo, mientras que otros principios constitucionales sólo reflejan aspectos o parcelas que se proyectan sobre el ordenamiento jurídico"* (*Los valores superiores, op. cit.*, págs. 39 y 43).

[25]　Cfr. LLAMAZARES, D. y SUÁREZ PERTIERRA, G.: "El fenómeno religioso en la nueva Constitución española. Bases de su tratamiento jurídico", en *Revista de la Facultad de Derecho de la Universidad Complutense*, nº 61 (1980), págs. 7-34.

[26]　Cfr. FERNÁNDEZ CORONADO, A.: "Libertad de conciencia", en *Enciclopedia Jurídica Básica*, tomo III, Madrid 1995, págs. 4022-4026.

[27]　Cfr. LLAMAZARES, D.: *El derecho de la libertad de conciencia*, vol. I, *op. cit.*, págs. 227-234.

[28]　VILADRICH, P.J.: "Los principios informadores...", *op. cit.*, pág. 193.

[29]　En esta línea, vid. DWORKIN, R.: *Los derechos en serio*, 2ª ed. (trad. de M. Guastavino), Ed. Ariel, Barcelona 1989.

[30]　Cfr. ALEXY, R.: *Teoría de los derechos fundamentales*, (trad. de E. Garzón Valdéz), Centro de Estudios Constitucionales, Madrid 1997; ATIENZA, M. y RUIZ MANERO, J.: *Las piezas del Derecho. Teoría de los enunciados jurídicos*, Ed. Ariel, Barcelona 1996.

como en orden a coexistir o concurrir con estos últimos en tanto que posibles cotitulares del acto de fe o en la práctica de la fe religiosa, las creencias o las convicciones ideológicas o religiosas[31].

Dicho posicionamiento tiene como consecuencia inmediata una absoluta incompetencia por parte de los poderes públicos a la hora de realizar una posible declaración de confesionalidad, incluso de carácter sociológico, ya que la misma supondría un acto de concurrencia con los ciudadanos españoles en la adopción de sus propias ideas, creencias o convicciones ideológicas o religiosas incompatible con el principio de libertad de conciencia[32]. E igual solución es aplicable respecto de otras formas de resolver el acto de fe como pueden ser las de contenido negativo (ateísmo), agnóstico o indiferente, ya que también en estas situaciones el Estado estaría coaccionando, sustituyendo o concurriendo con aquellos en tanto que titular del acto de fe, toda vez que dichas opciones significan necesariamente plantearse la competencia ante dicho contenido y resolverla mediante un acto de aspecto, en este caso, negativo[33]. Por consiguiente, la adopción de la libertad de conciencia como principio definidor del Estado español prohíbe a éste, además de cualquier coacción y sustitución, toda concurrencia o coexistencia junto a sus ciudadanos en calidad de sujeto activo de actos o actitudes de tipo ideológico o religioso. El Estado se define en nuestro actual sistema político sólo como Estado, cuya función no es otra que la garantía del derecho fundamental de las personas a la libertad de conciencia y de convicciones[34].

Una segunda consecuencia de carácter igualmente negativo estriba en el hecho de que los poderes públicos no puedan obligar a nadie, en cualesquiera de las modalidades en que estas se produzcan, a declarar sobre su fe, su religión, sus creencias o sus convicciones ideológicas o religiosas[35]. Si dicho contenido representa la regla general, debe precisarse —no obstante— que la tutela de la presente facultad no puede entenderse como absolutamente incompatible con la práctica de que respecto de determinada materias (enseñanza de la religión o

---

[31]    Cfr. HERVADA, J.: "Pensamientos sobre sociedad plural y dimensión religiosa", en *Ius Canonicum*, vol. XIX, n° 38 (1979), pág. 74; REINA, V. y A.: *Lecciones de Derecho eclesiástico español*, P.P.U., Barcelona 1983, págs. 312-314; VILADRICH, P.J.: "Ateísmo y libertad religiosa en la Constitución española de 1978", en *Ius Canonicum*, vol. XXII, n° 43 (1982), págs. 54-55. (también en *Revista de Derecho Público*, n° 90 (1983), págs. 65-121).

[32]    Cfr. LLAMAZARES, D. y SUÁREZ PERTIERRA, G.: "El fenómeno religioso...", *op. cit.*, págs. 24 y sigs.; SUÁREZ PERTIERRA, G.: "Libertad religiosa y orden público", en *Revista de Derecho Público*, n° 66 (1977), págs. 201-216.

[33]    Cfr. HERVADA, J.: "Pensamientos sobre sociedad plural...", *op. cit.*, págs. 75 y ss.; VILADRICH, P.J.: "Ateísmo y libertad religiosa...", *op. cit.*, págs. 55 y ss.

[34]    Cfr. FERNÁNDEZ CORONADO, A.: "Sistema de relación Estado-confesiones religiosas", en *Enciclopedia Jurídica Básica*, tomo IV, Madrid 1995, págs. 6243-6247.

[35]    Art. 16.2 CE: "*Nadie podrá ser obligado a declarar sobre su ideología, religión o creencias*".

asistencia religiosa, entre otras) los poderes públicos puedan preguntar sobre las ideas, creencias, convicciones o religión profesadas, aunque ello tan sólo podrá justificarse a fin de facilitar el ejercicio de sus derechos fundamentales[36], y sin que se pueda establecer o producir discriminación alguna ni por la manifestación efectuada, ni por la ausencia de la misma[37].

Junto a ello, se debe señalar que no todo comportamiento de los poderes públicos debe ser de carácter abstencionista ante la libertad de conciencia, con lo que cabe hacer referencia igualmente a un aspecto positivo de la misma. A este respecto, la Constitución de 1978 encomienda a los poderes públicos una función positiva, que se concreta —por un lado— en una acción dirigida a la remoción de obstáculos y —por el otro— en una actividad promocional de la libertad[38]. Dicha función se debe traducir en la existencia de una actividad jurídica reguladora del ejercicio social del derecho fundamental a la libertad de conciencia y de convicciones con el fin de garantizar las condiciones sociales objetivas para que el mencionado derecho fundamental quede no sólo reconocido y tutelado, sino además promovido[39]. Por consiguiente, cabe señalar que el Estado español no encuentra tan sólo en la libertad de conciencia un principio limitativo de actuación, sino por el contrario un valor de la máxima extensión de la libertad, admitiendo nuestro sistema constitucional en materia de libertad de conciencia la aplicación del axioma: "máxima libertad posible, mínima restricción necesaria". Acción directa del Estado que se concreta en el llamado "Estado asistencial", el cual consiste no sólo en obligar a hacer, sino que el mismo hace, lo que se manifiesta —por lo que a la presente temática se refiere— en dos campos de actuación directos, a saber:

---

[36]   Vid. STJCE de 27 de octubre de 1976, caso Prais (*Reçueil de jurisprudance...*, *op. cit.*, 1976, págs. 1589 y ss. Un comentario sobre esta sentencia, vid. CONTRERAS MAZARÍO, J.M.: *La libertad y la igualdad religiosas en las relaciones de trabajo*, Ministerio de Justicia, Documentación jurídica, n° 71, Madrid 1991, págs. 109-110; MARTÍNEZ-TORRÓN, J.: "Las objeciones de conciencia en el derecho internacional", en *Quaderni di Diritto e Politica ecclesiastica*, 1989/2, págs. 171 y ss.

[37]   Cfr. LIST, J.: "La garantía constitucional y la aplicación práctica del derecho individual de libertad religiosa, así como de la libertad de las Iglesias al amparo de la Ley Fundamental en la República Federal de Alemania", en *Constitución y relaciones Iglesia-Estado en la actualidad*, Salamanca 1978, págs. 38-51; ROCA, M.J.: *La declaración de la propia confesión o creencias en el Derecho español*, Santiago de Compostela 1992.

[38]   Vid. art. 9.2 CE.

[39]   Cfr. BENEYTO, J.M.: "Comentario al artículo 16", en *Constitución española de 1978. Comentarios a las leyes políticas*, tomo II, EDERSA, Madrid 1984, págs. 346 y ss.

en la libre formación de la conciencia[40] y en el libre desarrollo de la personalidad humana[41].

## 2.1.2. La libertad de conciencia como derecho fundamental

El artículo 16 de la CE garantiza el derecho a la libertad ideológica, religiosa y de culto, como un derecho fundamental que debe ponerse en relación con el artículo 9.2 también del texto constitucional; conexión que permite deducir una doble conceptualización sobre el referido derecho: negativa o formal, la primera, y positiva o sustantiva, la segunda. En consecuencia, la libertad de conciencia entra a formar parte del acervo que integra la dignidad humana y es elemento imprescindible para el pleno desarrollo de su personalidad (art. 10.1 CE), con lo que *"se constituye —según* VILADRICH— *en un elemento de la definición constitucional de persona"*[42].

a.- Por lo que respecta a su **aspecto negativo**, cabe señalar que la libertad de conciencia surge en su génesis como la "primera de las libertades" frente a la cosmovisión monista que hasta entonces imponían los monarcas o príncipes (principio de *"cuis regio, eius religio"*)[43]. Desde este plano, la libertad de conciencia supone un ámbito de inmunidad frente a la coacción de los poderes públicos que debe estar protegido contra toda injerencia ilegítima que pueda venir desde el propio poder o por parte de los particulares. Este concepto negativo de la libertad de conciencia es el reconocido en el artículo 16 de la CE, y que se concreta en su configuración como un derecho subjetivo de naturaleza fundamental que supone el reconocimiento de un ámbito de autonomía de los individuos y de los grupos en los que éstos se integran[44] y, por tanto, como un derecho frente al Estado y frente a terceros, de manera que se reconoce la facultad a toda persona a actuar en este campo con plena inmunidad de coacción por parte de los poderes públicos y de cualesquiera otra persona o grupo social. El presente derecho queda así enmarcado en una esfera negativa, externa y estática, traducida en un *non facere* del

---

40    Cfr. MARTÍN SÁNCHEZ, I.: *El derecho a la formación de la conciencia y su tutela penal*, Madrid 2000; PUENTE ALCUBILLA, V.: *La libre formación de la conciencia del menor*, Tesis doctoral, mecanografiada, Madrid 1999.

41    Cfr. BELLINI, P.: "Libertà dell'uomo e fattore religioso nei sistemi ideologici contemporanei", en *Teoria e prassi della libertà religiosa*, Il Mulino, Bolonia 1975, págs. 133 y ss.; CARDIA, C.: "Società moderna e diriti di libertà", en *ibid*, págs. 82 y ss.

42    VILADRICH, P.J.: "Principios…", *op. cit.*, págs. 251-252.

43    Paz de Augsburgo y la Paz Westfalia. Cfr. MARIÑO, F.: "La 'protección internacional' de los derechos humanos desde la Paz de Westfalia hasta la revolución francesa", en *Historia de los derechos fundamentales. Tomo II: siglo XVIII*, vol. III, Madrid 2001, págs. 401-437.

44    STC 24/1982, de 13 de mayo, fundamento jurídico 1.

Estado, de terceros y de los propios titulares del derecho[45]. Los poderes públicos se deben limitar, en consecuencia, a vigilar que nadie invada o viole el legítimo ámbito de ejercicio de cada persona o de cada grupo respecto de sus prácticas religiosas, ideológicas, filosóficas o de culto, respondiendo a favor de éstas si se producen tales violaciones. Desde esta perspectiva, PAVAN ha configurado a la libertad de convicción como *"zonas reservadas o como esferas dentro de las que cada uno puede libremente respirar según el ritmo que le es congénito (...), excluida toda injerencia de terceros, y especialmente la injerencia directa de los poderes públicos"* [46]. Por tanto, podemos afirmar que con el art. 16 de la CE se protege no sólo la libertad y los intereses religiosos, sino también la libertad de la no profesión religiosa (art. 2.1.a LOLR). Se está en presencia, por tanto, de un derecho subjetivo que tiene por objeto la libertad de conciencia y convicción de cada individuo y de los grupos en los que se integra en la realización de los actos ideológicos, religiosos o filosóficos de las creencias, convicciones o religión profesada.

Partiendo de lo anterior, podemos señalar que el derecho de libertad de conciencia queda configurado en nuestra Constitución bajo tres categorías, que afectan de manera directa a su naturaleza jurídica, a saber: como derecho de autonomía, la primera; b) como derecho subjetivo, la segunda, y c) como derecho fundamental, la tercera[47].

a.1.- La configuración como **derecho de autonomía** otorga a la libertad de conciencia una *facultas agendi* en favor de los individuos que conlleva el reconocimiento de una autorización para exigir de los demás una determinada conducta, esencialmente de carácter negativo o abstencionista[48]. Desde esta perspectiva interna, el presente derecho se proyecta únicamente en el plano individual, lo que plantea serias dificultades relacionadas con su relevancia desde el plano colectivo.

En este marco, puede afirmarse que la libertad de conciencia supone, desde el plano individual, el reconocimiento a toda persona de una *facultas agendi* que se concreta en la tutela y garantía de un ámbito de inmunidad de coacción, tanto por parte de los poderes públicos como respecto de terceros[49]. Ello ha llevado a configurar a este derecho como un derecho frente al Estado; siendo ésta su génesis y, para muchos autores, su única configuración. Desde la misma, el reco-

---

45   Cfr. SERRANO POSTIGO, C.: "La libertad religiosa y minoría de edad en el ordenamiento jurídico español", en *Estudios de Derecho canónico y Derecho eclesiástico en homenaje al Prof. Maldonado*, Universidad Complutense, Madrid 1983, pág. 811.

46   PAVAN, P.: *Libertad religiosa y poderes públicos*, Ed. Península, Madrid 1967, pág. 20.

47   Vid. CONTRERAS MAZARIO, J.M.: 1994, págs.

48   Cfr. CONDOMINES, F.A. y POU DE AVILÉS, J.M.: voz "Derecho", en *Nueva Enciclopedia Jurídica*, vol. I, pág. 28.

49   Vid. STC 2/1982, de 29 de enero, fundamento jurídico 5.

nocimiento del derecho a la libertad de conciencia conlleva, desde el plano de los sujetos pasivos, el deber bien de hacer lo que se les ordena, bien de omitir lo que se les prohíbe. Ahora bien, los mismos tienen efectos distintos dependiendo del sujeto pasivo sobre el que se proyectan. Así, para el Estado y los poderes públicos la plasmación de todo ello se concreta en el principio de neutralidad y, con él, la separación entre el Estado y cualesquiera grupos religiosos, ideológicos o filosóficos[50], lo que supone para los poderes públicos una actitud de autocontrol cuando puedan vulnerar el ámbito de autonomía individual, además de establecer las reglas e instituciones para que la libertad pueda ejercerse y adoptar mecanismos de control de la actuación de terceros que puedan vulnerar dicho ámbito contra la voluntad de su titular[51].

Mientras que para los particulares[52], entre los que se encuentran los propios grupos, el respeto de la libertad de conciencia supone aceptar que el pluralismo y la diversidad de cosmovisiones ideológicas es elemento esencial del Estado democrático, y por lo tanto la prohibición de invadir la esfera privada, así como los ámbitos de autodeterminación de la persona en contra de su voluntad[53], y ello a pesar del derecho de los grupos ideológicamente caracterizados a propagar, difundir o enseñar las ideas, creencias, convicciones o religión que les informan[54]. En efecto, el TC ha precisado que *"mientras que [los particulares] tienen un deber general negativo de abstenerse de cualquier actuación que vulnere la Constitución [y por ende los derechos y libertades fundamentales] (...), los titulares de los poderes públicos tienen además un deber general positivo de realizar sus funciones de acuerdo con la Constitución, es decir, (...) un deber positivo de acatamiento entendido como respeto a la misma"*[55].

---

[50]    En este sentido, NINO ha afirmado que *"siendo valiosa la libre elección individual de planes de vida y la adopción de ideales de excelencia humana, el Estado (y los demás individuos) no deben interferir en esa elección o adopción, limitándose a diseñar instituciones que faciliten la persecución individual de esos planes de vida y la satisfacción de los ideales de virtud que cada uno sustente e impidiendo la interferencia mutua en el curso de tal persecución"* (cit. *Ética y derechos humanos. Un ensayo de fundamentación*, Ed. Ariel, Barcelona 1989, págs. 204-205).

[51]    Cfr. MARTÍNEZ DE PISÓN CAVERO, J.: *Constitución y libertad religiosa en España, op. cit.*, págs. 286 y ss.

[52]    Sobre los derechos fundamentales y los particulares, vid. BILBAO UBILLOS, J.M.: *La eficacia de los derechos fundamentales frente a particulares: análisis de la jurisprudencia del Tribunal Constitucional*, Centro de Estudios Políticos y Constitucionales, Madrid 1997; GARCÍA TORRES, J. y JIMÉNEZ BLANCO, A.: *Derechos fundamentales y relaciones entre particulares*, Madrid 1986.

[53]    MARTÍNEZ DE PISÓN, J.: *Constitución..., op. cit.*, pág. 289.

[54]    A este respecto, vid. OTADUY, J.: "Las empresas ideológicas: aproximación al concepto y supuestos a los que se extiende", en *Anuario de Derecho Eclesiástico del Estado*, vol. II (1986), págs. 311-332.

[55]    STC 101/1983, de 18 de noviembre, fundamento jurídico 3.

Desde el plano colectivo, y aunque no cabe la menor duda que el derecho de libertad de conciencia y religiosa tiene también un contenido cuyos titulares lo son los grupos, la duda surge respecto de la conciencia en su plano más íntimo, así como desde el punto de vista de su libre formación[56]. Pues bien, en relación al primero de los ámbitos reseñados, esto es, el plano interno de la conciencia no cabe atribuir dicho ámbito al plano colectivo, resultando —en consecuencia— incompatible la posibilidad de su reconocimiento a este nivel. Ello lógicamente impide igualmente que se pueda hablar de un posible derecho a la libre formación de la conciencia por parte de los grupos, ya que —a nuestro entender— cuando de lo que se trata es de garantizar el ámbito interno de la conciencia sólo puede predicarse de las personas físicas, siendo la propia persona la que da carta de naturaleza al grupo. Por consiguiente, en ese ámbito íntimo de la conciencia, ajeno al control del Estado y del Derecho (salvo en los modelos monistas, totalitarios o confesionales), sólo puede suponer un ámbito de autonomía y libertad respecto de las personas, pero no así respecto de los grupos, los cuales no podrán reclamar para sí un ámbito de libertad en tal sentido.

Cuestión distinta es la garantía de un derecho en favor de los grupos ideológicamente caracterizados de autodeterminación, ya que en este caso resulta lógico pensar que todo grupo necesita no sólo el reconocimiento de un derecho a dotarse de su propio "ideario", sino también de autorregularse y autoorganizarse[57].

a.2.- A tenor de su concepción como **derecho subjetivo**, la libertad de conciencia es considerada como una facultad que no puede ser limitada indiscriminadamente y que debe ser tutelada por los poderes públicos a través de los correspondientes mecanismos jurídicos previstos al efecto. Por consiguiente, se está ante un derecho que no sólo permite a sus titulares el ejercicio, con plena autonomía de coacción, del derecho a la libertad de conciencia, sino que además supone el reconocimiento asimismo a favor de sus titulares del poder de poner en marcha cuando consideren vulnerado dicho derecho los mecanismos jurídicos idóneos para su restablecimiento[58], con la consiguiente obligación para los poderes públicos de establecer dichos mecanismos de tutela[59]. A este respecto, y de conformidad con el artículo 53,2 de la CE, el presente derecho goza de la máxima protección que nuestro sistema constitucional establece, ya que junto a la protección ordinaria ante los tribunales de justicia, se han establecido otros

---

[56]   Sobre la libre formación de la conciencia como derecho, vid. MARTÍN SÁNCHEZ, I.: *El derecho a la formación de la conciencia y su tutela penal*, Madrid 2000; PUENTE ALCUBILLA, V.: *La libre formación de la conciencia del menor*, Tesis doctoral, mecanografiada, Madrid 1999.

[57]   Cfr. LLAMAZARES, D.: *Derecho de la libertad de conciencia...*, *op. cit.*, pág. 37.

[58]   Vid. STC 103/1983, de 22 de noviembre, fundamento jurídico 5.

[59]   A este respecto, vid. SERRANO ALBERCA, J.M.: "Las garantías jurisdiccionales como derecho fundamental", en *Anuario de Derechos Humanos*, vol. 3 (1985), págs. 435-494.

dos mecanismos de protección, como son el establecimiento de un procedimiento basado en los principios de preferencia y sumariedad[60], el primero, y el recurso de amparo ante el TC[61], el segundo.

a.3.- Junto a las dos acepciones anteriores, cabe señalar igualmente que la libertad de conciencia es conceptuada como un **derecho de carácter fundamental**[62], lo que hace que se le otorguen unos caracteres específicos que permiten diferenciarla de las demás categorías de derechos y libertades. En este sentido, cabe precisar que se ha intentado desde distintas posiciones y a efectos de concreción del ámbito material de los mismos utilizar distintos criterios que permitieran determinar caso por caso cuándo un derecho puede o no ser calificado de fundamental, al tiempo que los mismos les otorgan carta de naturaleza.

Sin desconocer los esfuerzos doctrinales que al efecto se han realizado[63], en este momento únicamente se hará referencia a aquellos caracteres que han sido utilizados por nuestro TC para incluir a determinados derechos dentro de la categoría de fundamentales o le ha permitido excluir a otros de la misma. A este respecto, cabe señalar que uno de los criterios mayoritariamente aceptados para calificar qué derechos debían estar encuadrados dentro de la categoría de fundamentales era el establecido en el artículo 53.2 de la CE, según el cual sólo eran contenido del recurso de amparo los derechos y libertades *"reconocidos en el artículo 14 y la Sección primera del Capítulo II"*, así como *"la objeción de conciencia reconocida en el artículo 30"*.

Sin embargo, este criterio no ha sido acogido con carácter general y único por el TC, quien con ocasión del desarrollo legislativo de la objeción de conciencia al servicio militar ha precisado que *"se trata de un derecho constitucional reconocido por la Norma suprema en su artículo 30.2, protegido, sí, por el recurso de amparo (artículo 53.2), pero cuya relación con el artículo 16 (libertad ideológica) no autoriza ni permite calificarlo de fundamental"*[64].

---

[60]   Vid. a este respecto, Ley 62/1978, de 26 de diciembre, de Protección Jurisdiccional de los Derechos Fundamentales de la Persona (*B.O.E.* núm. 3, de 3 de enero de 1979).

[61]   Vid. art. 161.b) de la CE y Ley Orgánica 2/1979, de 3 de octubre, del Tribunal Constitucional (*B.O.E.* n° 239, de 5 de octubre), en especial arts. 41 a 58.

[62]   STC 24/1982, de 13 de mayo, fundamento jurídico 1.

[63]   En este sentido, vid. CRUZ VILLALÓN, P.: "Formación y evolución de los derechos fundamentales", en *Revista Española de Derecho Constitucional*, n° 25 (1989), págs. 35-62; MARTÍN-RETORTILLO, L. y DE OTTO, I.: *Derechos fundamentales y Constitución*, Madrid 1988; PECES-BARBA, G.: *Curso de derechos fundamentales*, Euderma, Madrid 1991; id.: *Derecho y derechos fundamentales*, Centro de Estudios Constitucionales, Madrid 1993; PRIETO SANCHÍS, L. y GASCÓN, M.: "Los derechos fundamentales, la objeción de conciencia y el Tribunal Constitucional", en *Anuario de Derechos Humanos*, n° 5 (1988-1989), págs. 97-120.

[64]   STC 160/1987, de 27 de octubre, fundamento jurídico 3.

El segundo de los criterios utilizados es la referencia al artículo 81 de la CE, y más concretamente de la Ley Orgánica como forma de producción normativa de los derechos fundamentales[65]. No obstante, debe señalarse que en dicho precepto se hace referencia no sólo a este tipo de derechos, sino también a las libertades públicas, lo que puede llegar a plantear la cuestión de una posible distinción conceptual de ambas categorías jurídicas. Sin embargo, debe precisarse que su posible distinción no tiene consecuencias jurídicas que deban o puedan ser resaltadas, por cuanto el ámbito material al que hace referencia el artículo 81 respecto de la Ley Orgánica sólo afecta a los derechos y libertades incluidos en la Sección Primera del Capítulo II del Título Primero de la CE, dentro de cuyo ámbito aparece incluida la libertad de conciencia, lo que supone como consecuencia más directa que la misma deba ser regulada, y de hecho así se ha realizado respecto de la libertad religiosa, por Ley Orgánica[66], "*que en todo caso deberá respetar su contenido esencial*" (art. 53.1 CE). No sucede lo mismo en relación con el derecho a la objeción de conciencia al servicio militar, el cual al estar situado en el Capítulo III del Título I de la CE no se ha entendido como integrante del contenido de los denominados derechos y libertades fundamentales y, por consiguiente, el instrumento de desarrollo legislativo no se ha entendido que fuera a través de Ley Orgánica, sino por medio de Ley ordinaria[67].

Un tercer criterio a sumar a los dos anteriores es el referido a la irrenunciabilidad de este tipo de derechos como posición jurídica indiscutible, así como su privación tanto respecto del derecho mismo como en relación a su ejercicio[68]. Así lo ha entendido de manera categórica el TC, al afirmar que "*la celebración de un contrato no implica en modo alguno la privación para una de las partes, el trabajador, de los derechos que la Constitución le reconoce como ciudadano*"[69]. Tampoco puede suponer su renuncia de antemano a ejercer en un determinado sentido cualquier derecho o libertad fundamental, ni la exigencia de su adhesión a la cosmovisión del mundo de la empresa o su compromiso de uniformarse con una determinada ideología en la ejecución de la prestación laboral[70]. En consecuencia, cualquier disposición, cláusula, pacto y decisión en tal sentido deberá

---

[65]   Art. 81.1 CE: "*Son leyes orgánicas las relativas al desarrollo de los derechos fundamentales y de las libertades públicas, las que aprueben los Estatutos de Autonomía y el régimen electoral general y las demás previstas en la Constitución*". El subrayado es mío.

[66]   Ley Orgánica 7/1980, de 5 de julio, de Libertad Religiosa (*B.O.E.* de 24 de julio de 1980).

[67]   Vid. a este respecto, STC 160/1987, fundamento jurídico 8.

[68]   Cfr. STC 76/1980, de 16 de abril, fundamento jurídico 7.

[69]   Cfr. STC 88/1985, de 19 de julio, fundamento jurídico 2, párrafo 1. En esta misma línea jurisprudencial, vid. STC 120/1983, de 15 de diciembre, fundamento jurídico 1.

[70]   Cfr. SSTC 5/1981, de 13 de febrero, voto particular presentado por el Magistrado D. Tomás y Valiente al motivo primero de la sentencia, y 76/1990, de 16 de abril, fundamento jurídico 7.

reputarse nula e inexistente al constituir un supuesto de renuncia a derechos indisponibles[71].

Sin embargo, junto a dicha temática se han suscitado dos cuestiones paralelas como son la relativa a la renuncia en el ejercicio del derecho, la primera, y el no ejercicio temporal del derecho, la segunda. Por lo que se refiere a la primera, cabe señalar que el propio TC ha contribuido a crear el estado de confusión existente, toda vez que ha reconocido la posibilidad de que temporalmente se pueda renunciar al ejercicio de un derecho, incluso cuando éste sea de carácter fundamental. En este sentido, y con ocasión de la posibilidad o no de establecer en los convenios colectivos cláusulas a favor de la renuncia al ejercicio del derecho de huelga, el TC ha declarado que *"la genuina renuncia es siempre un acto definitivo e irrevocable y que una cosa es la renuncia al derecho y otra el compromiso de no ejercerlo* [renuncia a su ejercicio] *a cambio de determinadas compensaciones"*[72]. No obstante, y a pesar de lo expresado por el TC, entendemos que los derechos y el ejercicio de los mismos son irrenunciables, salvo en todo caso cuando nos encontremos ante los llamados "derechos patrimoniales", categoría en la que —a nuestro juicio— no cabe incluir a la libertad de conciencia, toda vez que por su propia estructura el presente derecho resulta desprovisto del poder de disposición.

Una solución distinta puede adoptarse en relación con la segunda de las cuestiones suscitadas, ya que puede resultar admisible que temporalmente, y a causa de un vínculo derivado de la relación concreta en la que están en juego otros valores constitucionales, los derechos experimenten constricciones. En este sentido, y referido a la libertad de expresión, el TC ha señalado que *"la libertad de expresión, como cualquier otro derecho fundamental* [y, por tanto, extensible igualmente a la libertad de conciencia], *no es, sin embargo, un derecho ilimitado,*

---

71    Sobre la libertad religiosa y las relaciones laborales, vid. CASTRO JOVER, A.: "Libertad religiosa y descanso semanal", en *Anuario de Derecho eclesiástico del Estado*, vol. VI (1990), págs. 299-309; CONTRERAS MAZARIO, J.M.: *La libertad y la igualdad religiosas en las relaciones de trabajo*, Documentación Jurídica nº 70, Ministerio de Justicia, Madrid 1991; FERNÁNDEZ-CORONADO, A.: "Objeción de conciencia y descanso semanal", en *La objeción de conciencia. Actas del VI Congreso Internacional de Derecho eclesiástico del Estado*, Generalitat Valenciana, Valencia 1993; MOTILLA DE LA CALLE, A.: *Derecho laboral y seguridad social de los miembros de órdenes y congregaciones religiosas*, Servicio Publicaciones de la Universidad de Alcalá de Henares, Alcalá de Henares 2000; MURILLO, M.: "Tratamiento jurídico-comunitario de algunas cuestiones de Derecho Eclesiástico: derecho laboral", en *La armonización legislativa de la Unión Europea*, vol. II, Ed. Dykinson, Madrid 2000, págs. 147-164.

72    STC de 8 de abril de 1981, fundamento jurídico 4.

*estando sujeto a límites que el artículo 20.4* [y en el caso de la libertad de conciencia el artículo 16.1] *de la propia Constitución establece"*[73].

Finalmente, y el cuarto elemento configurador de la naturaleza de derecho fundamental, viene determinado por el reconocimiento de una eficacia *erga omnes* de este tipo de derechos. En este sentido, el Tribunal Constitucional ha manifestado que *"del carácter de la CE como norma suprema del ordenamiento derivaba, tanto para ciudadanos como poderes públicos, la sujeción y vinculación inmediata a ella desde su entrada en vigor"*[74], rechazando que se trate de una declaración meramente programática o un simple catálogo de principios de no inmediato cumplimiento, en tanto no fueran desarrollados legislativamente.

b.- Junto al concepto negativo que se acaba de enunciar, cabe definir asimismo, por mandato del artículo 9.2 de la CE, un **concepto positivo de la libertad de conciencia**, que lo transforma en un derecho de crédito en virtud del cual sus titulares pueden exigir un determinado comportamiento o que se les facilite determinadas prestaciones por parte de los poderes públicos. Ello supone, como consecuencia más inmediata, que el presente derecho se transforma, en contraposición a la acepción anteriormente señalada, en un derecho subjetivo de carácter fundamental que conlleva un ámbito de *agere lícere*, identificable con un *facere*, es decir, en una vertiente positiva, interna y dinámica, resumida tanto en el espacio libre de actuación individual o colectiva del derecho como en el compromiso constitucional del Estado de actuar en orden a que dicho derecho sea real y efectivo[75], lo que —en definitiva— significa una libertad en el Estado o una *facultas exigendi*[76].

Desde esta segunda perspectiva conceptual, la libertad de conciencia se concibe no sólo como una simple facultad de exteriorización de las ideas, creencias o convicciones ideológicas o religiosas, sino más propiamente como una facultad de formación de la conciencia, de modo que la actividad de los poderes públicos consistiría en una doble manifestación de garantía, que no se agota en la tutela de la inmunidad de coacción para los individuos y las confesiones, sino que alcanza la creación de condiciones sociales necesarias más favorables para la plena eficacia del derecho fundamental en cuestión y al pleno desarrollo de los valores humanos, tanto en el plano individual como en el colectivo. Esa doble garantía puede ser negativa, la primera, y positiva, la segunda. Negativamente, y la la que

---

[73]  STC 88/1985, de 19 de julio, fundamento jurídico 2. En este mismo sentido, vid. SSTC 120/1983, de 15 de diciembre, fundamento jurídico 2, y 19/1985, de 13 de febrero, fundamento jurídico 1.

[74]  STC 88/1985, de 19 de julio, fundamento jurídico 2.

[75]  SERRANO POSTIGO, C.: "Libertad religiosa...", *op. cit.*, págs. 811 y 813-814.

[76]  Vid. a este respecto, PASINI, D.: "Reflessioni sul problema della libertà negativa e positiva", en *Problemi di Filosofia della Politica*, Ed. Jovene, Nápoles 1977, págs. 99 y ss.

sólo parece aceptar una parte de la doctrina para la libertad de conciencia, la garantía positiva de los poderes públicos se concretaría únicamente en la remoción de todos aquellos obstáculos que impidan o dificulten el ejercicio real y efectivo del derecho a la libertad de conciencia. Desde este posicionamiento, los poderes públicos a lo único que estarían obligados en materia de libertad de conciencia es a hacer desaparecer las diferencias arbitrarias existentes entre los ciudadanos, lo que da lugar al establecimiento y reconocimiento de la no discriminación (art. 14 CE) y de la igualdad de oportunidades (art. 23.2 CE). En definitiva, ello permitiría y legitimaría políticas de discriminación a la inversa o positiva[77], pero no el paso de derechos formales a derechos materiales.

Por nuestra parte, junto al precitado contenido —que entendemos forma parte de las garantías positivas que deben adoptar los poderes públicos— debe estar presente igualmente el aspecto positivo de la función promocional[78], y que no es otro que la obligación de los poderes públicos de favorecer, establecer y adoptar todas aquellas condiciones que resulten necesarias para que el ejercicio del derecho de libertad de conciencia y de igualdad religiosa y de convicciones resulte real y efectivo, así como instar a la realización de conductas de cumplimiento por parte de las personas que deben velar y adoptar dichas medidas[79]. Desde esta perspectiva, es el propio Estado el que toma la iniciativa de establecer y adoptar acciones y sanciones positivas[80], que lleva a cabo a través de la legislación y la administración con la adopción de "normas de organización"[81],

---

[77]  Sobre esta materia, vid. ASIS ROIG, R.: "Sobre la discriminación positiva: especial referencia al Derecho europeo", en *La protección de las personas y grupos vulnerables en el Derecho europeo*, Ministerio de Trabajo y Asuntos Sociales, Madrid 2001, págs. 27-51; PÉREZ-LUÑO, A.E.: "Dimensiones de la igualdad material", en *Anuario de Derechos Humanos*, vol. 3 (1985), págs. 253-285.

[78]  Este tipo de garantía surge con el llamado "Estado social y asistencial" (vid. GARCÍA PELAYO, M.: *Las transformaciones del Estado contemporáneo*, Alianza Universitaria, Madrid 1977; GARRORENA, A.: *El Estado español como Estado social y democrático de Derecho*, Ed. Tecnos, Madrid 1984) y para la aplicación y ejercicio de los derechos económicos, sociales y culturales (vid. BOVEN. T.C. van: "Criterios distintivos de los derechos humanos", en *Las dimensiones internacionales de los derechos humanos*, UNESCO, págs. 87 y ss.; MARTÍ DE VESES, C.: "Normas internacionales y derechos económico-sociales", en *Anuario de Derechos Humanos*, vol. 2 (1983), págs. 275-316; id.: "Derechos económicos, sociales y culturales en el Derecho internacional", en *ibid.*, vol. 3 (1985), págs. 175-220).

[79]  Cfr. BOBBIO, N.: "Sulla funcioni promozionale del Diritto", en *Rivista trimestrale di Diritto e Procedura civile*, vol. XXIII (1969), págs. 1312-1329.

[80]  Sobre las sanciones de carácter positivo, vid. BOBBIO, N.: "Sulle sanzioni positive", en *Studi dedicati ad Antonio Raselli*, Ed. Giuffrè, Milán 1971, págs. 229-249.

[81]  En relación con este tipo de normas, vid. BOBBIO, N.: "Dell'uso della grandi dicotomie nella Teoria del Diritto", en *Rivista internazionale di Filosofia del Diritto*, vol. XLVII (1979), págs. 187-204; idem: *Dalla struttura...*, *op. cit.*, págs. 23 y ss.

con la finalidad de conseguir la plenitud de los derechos de libertad y de igualdad reconocidos[82], y en nuestro caso en favor de la plenitud del principio de igualdad en la libertad de conciencia, por un lado, y del derecho a la libertad de conciencia, por el otro.

Este posicionamiento no supone una transformación en la naturaleza del derecho a la libertad de conciencia, que sigue siendo esencialmente la de un derecho subjetivo, ni convierte al mismo en un derecho fundamental de carácter prestacional. Tampoco supone —como muy bien ha señalado PÉREZ LUÑO— *"un debilitamiento de las garantías de la libertad individual, inherentes al concepto clásico de Estado de Derecho, sino que [significa] su aplicación a las formaciones sociales en las que el ciudadano desarrolla su personalidad"*[83]. En efecto, con la función promocional en su aspecto positivo los derechos fundamentales —dentro de los cuales se encuadra la libertad de conciencia— dejan de ser considerados como una autolimitación del poder soberano del Estado (derechos frente al Estado) para devenir en límites que el principio democrático de la soberanía popular impone a los órganos que de ella dependen, así como al propio ordenamiento que pasa a configurarse como *"ordinamento a funzione promozionale"*[84].

En consecuencia, el papel de los derechos fundamentales y las libertades públicas deja de ser el de meros límites a la actuación estatal para transformarse en instrumentos jurídicos de control de su actividad positiva (derechos en el Estado), que debe estar orientada a facilitar la participación de los individuos y los grupos en el ejercicio real y efectivo de sus derechos[85], y por lo que a nuestro ámbito se refiere del derecho a la libertad de conciencia. Como ha señalado PECES-BARBA, *"aquí lo que se promueve es directamente el desarrollo de la personalidad por medio del ejercicio de un derecho subjetivo que genere un derecho de exigir una determinada conducta positiva del Estado"*[86]. Es, por tanto, esta configuración

[82] Sobre las acciones positivas del Estado español, vid. CAZORLA, J.M.; RUIZ-RICO, J.J. y BONACHELA, M.: *Fundamentos sociales del Estado y la Constitución*, Granada 1983, págs. 508 y ss.

[83] PÉREZ-LUÑO, A.: *Derechos humanos, Estado de Derecho y Constitución*, Ed. Tecnos, Madrid 1984, pág. 229. En esta línea, vid. MORTATI, C.: "Articolo 1", en *Commentario della Costituzione...*, págs. 45-46.

[84] A este respecto, vid. GRASTRA, J.F.: "Conclusions", en TREVES, R. y GRASTRA, J.F. (eds.): *Norms and Actions, National repport on Sociology of Law*, Martinus Nijhoff, La Haya 1968, págs. 289-292; LUMIA, G.: "Controllo sociale e sanzione giuridica", en *Studi in onore di Gioachino Scaduto*, CEDAM, Padua 1967, págs. 12-13; REHBINDER, M.: "Le funzioni sociali del Diritto", en *Quaderni di sociologia*, vol. XXII (1973), págs. 103-123.

[85] Cfr. GÓMEZ REINO, E.: "Las libertades públicas en la Constitución", en AA.VV.: *Lecturas a la Constitución española de 1978*, vol. I, Madrid 1978, págs. 31-67.

[86] PECES-BARBA, G.: *La Constitución española*, Torres Editor, Valencia, págs. 25-26.

positiva del derecho a la libertad de conciencia la que da carta de naturaleza a la función promocional de los poderes públicos en el presente ámbito, la cual se concreta en el reconocimiento de un contenido positivo de este derecho, así como en la adopción de aquellas medidas que resulten necesarias para la plena satisfacción del mismo, por un lado, y el mantenimiento de aquellas relaciones de cooperación con los grupos en los que los individuos se integran a fin de que el ejercicio y práctica de sus creencias o convicciones, religiosas o no religiosas, se puedan realizar en un plano de igualdad y de conformidad con sus propias señas de identidad, por el otro. Ahora bien, dicha función no debe suponer ni debe ser identificada con la posibilidad de que los poderes públicos puedan llevar a cabo una valoración positiva de lo religioso en cuanto tal[87], ya que dicha interpretación resultaría contraria a los principios constitucionales, y en concreto al principio de laicidad.

De todo lo antedicho, y a la hora de dar una definición de la libertad de conciencia, es necesario acudir a la realizada en su día por SERRANO POSTIGO, para quien la libertad religiosa debía configurarse como *"un derecho, en suma, a la par positivo y negativo, que no consiste únicamente en la inmunidad de coacción erga omnes, sino también y fundamentalmente, en un bien asegurado al sujeto por el ordenamiento jurídico a través de un doble deber: uno negativo, impuesto a sí mismo y a terceros, y otro positivo en orden a la efectividad del mismo"*[88]. Una duplicidad de deberes que se convierten para el Estado en el establecimiento de una doble garantía respecto a la libertad de convicción: una negativa, de protección y tutela y, otra positiva, de promoción. Doble contenido y doble garantía de los que el TC se ha hecho eco con su propia definición dada al respecto en su sentencia 24/1982, de 13 de mayo, en la cual definía la libertad religiosa como *"un derecho subjetivo de carácter fundamental que se concreta en un ámbito de libertad y en el reconocimiento de una esfera de agere licere del individuo"*[89]. Se acogen de este modo las dos acepciones hasta ahora analizadas, y que podríamos concretar en los siguientes elementos: negativa, externa y estática, la primera o abstencionista, y positiva, interna y dinámica, la segunda o sustantiva.

---

[87]   A favor de esta interpretación, vid. GIRALDEZ, para quien el fundamento de la asistencia religiosa está en la valoración positiva que el Estado realiza de lo religioso en sí mismo considerado [cit. "Consideraciones sobre la reforma del régimen jurídico de la asistencia religiosa a las Fuerzas Armadas", en *Ius Canonicum*, vol. XXII, nº 43 (1982), pág. 169].

[88]   SERRANO POSTIGO, C.: 1983, pág. 814.

[89]   Fundamento jurídico 1.

## 2.2. El principio de igualdad en materia de creencias y convicciones

El artículo 14 de la CE garantiza la igualdad ante la ley[90], entendida ésta tanto "en la ley" como "de la ley"[91], al tiempo que acoge su aspecto negativo de no discriminación[92]. La igualdad se configura, por tanto, además de como un derecho subjetivo de naturaleza fundamental[93], en un elemento que viene a completar y profundizar los derechos de libertad[94], por lo que se puede afirmar que el principio de la igualdad deviene en el adjetivo de la libertad[95], y en concreto de la libertad de conciencia, convirtiéndola en "*el adjetivo de la capacidad jurídica y de obrar de todos los individuos, en tanto que titulares del mencionado derecho fundamental*"[96]. Desde esta perspectiva, la igualdad se constituye en un principio genérico que tiene como correlato, también genérico, la prohibición de toda discriminación[97], entendiendo por tal aquella actitud que pretenda justificarse

---

[90]   Vid. con relación al mismo, SSTC 22/1981, de 2 de julio, fundamento jurídico 3; 15/1982, de 23 de abril, fundamento jurídico 7; 24/1982, de 13 de mayo, fundamento jurídico 1; 49/1982, de 14 de julio, fundamento jurídico 5; 66/1982, de 12 de noviembre, fundamento jurídico 3; 101/1983, de 18 de noviembre, fundamento jurídico 4; 43/1984, de 26 de marzo, fundamento jurídico 3; 63/1984, de 21 de mayo, fundamento jurídico 4; 19/1985, de 13 de febrero, fundamento jurídico 3; 47/1985, de 27 de marzo, fundamento jurídico 4; 166/1985, de 9 de diciembre; 29/1987, de 8 de junio, fundamentos jurídicos 4 y 5; 62/1987, de 20 de mayo, fundamento jurídico 2; 109/1988, de 8 de junio, fundamentos jurídicos 1 y 2; 144/1988, de 12 de julio, fundamento jurídico 1; 208/1989, de 14 de diciembre, fundamento jurídico 6; 47/1990, de 20 de marzo, fundamentos jurídicos 6 y 7; 119/1990, de 21 de junio, fundamento jurídico 6; 68/1991, de 8 de abril, fundamento jurídico 4; 214/1991, de 11 de noviembre, fundamentos jurídicos 1, 3, 6 y 8; 59/1992, de 23 de abril, fundamento jurídico 3; 214/1992, de 1 de diciembre, fundamento jurídico 2; 110/1993, de 25 de marzo, fundamento jurídico 4; 340/1993, de 16 de noviembre, fundamento jurídico 4; 66/1994, de 28 de febrero, fundamento jurídico 4; y 321/1994, de 28 de diciembre, fundamento jurídico 3.

[91]   Cfr. STC 103/1983, de 22 de noviembre (*B.J.C.* nº 32 (1983), págs. 1529 y ss.), fundamento jurídico 5.

[92]   Art. 14: "*Los españoles son iguales ante la ley, sin que pueda prevalecer discriminación alguna por razón de nacimiento, raza, sexo, <u>religión</u>, opinión o cualquier otra condición o circunstancia personal o social*". El subrayado es mío.

[93]   Cfr. OLLERO, A.: "Principio de igualdad y teoría del Derecho. Apuntes sobre la jurisprudencia relativa al artículo 14 de la Constitución", en *Anuario de Derechos Humanos*, nº IV (1987), págs. 173 y ss.; SUÁREZ PERTIERRA, G.: "Artículo 14. Igualdad ante la ley", en *Constitución española de 1978. Comentarios a las leyes políticas, op. cit.*, págs. 277 y ss.; id. y AMERIGO, F.: "Artículo 14. Igualdad ante la ley", en *Comentarios a las leyes políticas. Constitución española de 1978*, EDERSA, Madrid 1997, págs. 251-266.

[94]   Cfr. PECES-BARBA, G.: *Los valores superiores, op. cit.*, págs. 148-162.

[95]   Cfr. LLAMAZARES, D.: "Actitud de la España democrática ante la Iglesia", en *Iglesia católica y regímenes autoritarios y democráticos*, EDERSA, Madrid 1987, pág. 148.

[96]   LLAMAZARES, D.: *Derecho de la libertad de conciencia...*, vol. I, *op. cit.*, págs. 246-254.

[97]   Cfr. PECES-BARBA, G.: *La Constitución española de 1978: un estudio de Derecho y Política*, Fernando Torres Editor, Valencia 1981, págs. 38-39; SUÁREZ PERTIERRA, G.: "Artículo 14.

en una razón que como la ideológica o la religiosa suponga, en la hipótesis de aceptarla, la quiebra de la condición de persona, en tanto que titular originario y paritario de los derechos fundamentales[98].

En este sentido, el Tribunal Constitucional ha precisado que *"el artículo 14 de la Constitución, al consagrar el principio llamado de "igualdad ante la ley", ha impuesto un límite a la potestad del legislador y ha otorgado un derecho subjetivo (...)[99]. Consiste el primero en que las normas legales no creen entre los ciudadanos situaciones desiguales o discriminatorias* [igualdad en la ley[100]], *y consiste el segundo en el poder de poner en marcha los mecanismos jurídicos idóneos para restablecer la igualdad rota. También ha sido dicho que la igualdad ante la ley consiste en que cuando los supuestos de hecho sean iguales, las consecuencias jurídicas que se extraigan de tales supuestos de hecho han de ser asimismo iguales* [igualdad de la ley[101]]. *Y que deben considerarse iguales los supuestos de hecho cuando la introducción en uno de ellos de un elemento o factor que permita diferenciarlo de otro haya de considerarse a falta de un elemento racional —y sea por ende arbitraria— por no ser tal factor diferencial necesario para la protección de bienes y derechos, buscada por el legislador. De esta suerte, dos situaciones consideradas como supuestos de hecho normativos son igualdad si el elemento diferenciador debe considerarse carente de la suficiente relevancia y fundamento racional"*[102].

De todo ello se puede deducir que la garantía del principio de igualdad en materia de convicciones supone la ausencia de todo trato jurídico diverso de los ciudadanos en función de su ideología, creencia, convicción o religión, así como gozar de un igual disfrute del derecho fundamental de libertad de pensamiento, de conciencia, de religión y de convicciones[103]. Sin embargo, dicho trato no debe

---

Igualdad ante la ley", en *Constitución española de 1978. Comentarios a las leyes políticas, op. cit.*, págs. 284 y ss.; id. y AMERIGO, F.: "Artículo 14...", *op. cit.*, págs. 251-266; VILADRICH, P.J.: "Ateísmo y libertad religiosa...", *op. cit.*, págs. 68-69.

98   Cfr. ESPÓSITO, F.: "Eguaglianza e giustizia nell'art. 3 della Costituzione", en *La Costituzione italiana*, CEDAM, Padua 1954, págs. 30 y ss.; JIMÉNEZ CAMPOS, J.: "La igualdad jurídica como límite frente al legislador", en *Revista de Estudios de Derecho Constitucional*, n° 9 (1979), págs. 79 y ss.; PALADIN, L.: *Il principio costituzionale d'eguaglianza*, Giuffrè, Milán 1965, págs. 153 y ss.; ROSSANO, C.: *L'eguaglianza giuridica nell'ordinamento costituzionale*, Nápoles 1966, págs. 142-143.

99   Vid. en este sentido, STC 76/1983, de 5 de agosto, fto. jco. 2.A.

100   Cfr. JIMÉNEZ CAMPOS, J.: "La igualdad jurídica...", *op. cit.*, págs. 71-114.

101   *Ibid*, págs. 71-114.

102   STC 103/1983, de 22 de noviembre, fundamento jurídico 5. Vid. también SSTC 109/1988, de 8 de junio, fundamento jurídico 1; 176/1993, fundamento jurídico 2; y 90/1995, fundamento jurídico. 4.b), y Auto de 22 de febrero de 1999, fundamento jurídico 2.

103   Cfr. STC 24/1982, de 13 de mayo, fundamento jurídico 1.

entenderse como uniformidad[104], sino como proporcionalidad cualitativa[105], lo que supone no la existencia de un tratamiento legal igual, con abstracción de cualquier elemento diferenciador de relevancia jurídica, sino en función de las circunstancias que concurran en cada supuesto concreto en relación con el cual se invoca[106]. Por tanto, es posible dar a los individuos un tratamiento diverso que puede incluso venir exigido, en un Estado social y democrático de Derecho, por la efectividad de los valores que la Constitución consagra con carácter de superiores del ordenamiento jurídico, como son la justicia y la libertad (cfr. art. 1.1 CE). Desde esta perspectiva, se ha señalado por TORRES DEL MORAL que "*si entendemos que ambos elementos, social y democrático, entroncan en la igualdad hasta donde se una en plenitud y efectividad con la libertad: ni un paso más allá a costa de la libertad, ni un paso más acá a costa de la igualdad*"[107].

Junto a ello, el artículo 14 CE establece, además, una serie de supuestos de discriminaciones que pueden considerarse como típicas[108], entre las cuales se encuentra la distinción de trato jurídico por razón religiosa[109], prohibiéndose toda desigualdad de trato legal que sea injustificada por no ser razonable[110]. En esta línea, el Tribunal Europeo de Derechos Humanos ha afirmado que "*la existencia de tal justificación debe apreciarse en relación a la finalidad y efectos de la medida considerada, debiendo darse una relación razonable de proporcionalidad*

---

[104]    Cfr. STC de 2 de julio de 1981, fundamento jurídico 3.
[105]    Cfr. BATTAGLIA, F.: *Libertà religiosa ed eguaglianza nelle Dichiarazione francesi dei diritti dal 1789 al 1795*, Bolonia 1946; ESPÓSITO, C.: "Eguaglianza e giustizia nell'art. 3 della Costituzione", en *La Costituzione italiana saggi*, CEDAM, Padua 1954; FINNOCHIARO, F.: *Uguaglianza giuridica e fattore religioso*, Giuffrè, Milán 1958; PALADIN, L.: *Il principio costituzionale d'eguaglianza*, Giuffrè, Milán 1965; idem: voz "Eguaglianza (Diritto costituzionale)", en *Enciclopedia del Diritto*, vol. XIV; ROMAGNOLI, U.: "Il principio d'eguaglianza sostanziale", en *Comentario alla Costituzione. Principii fondamentali*, Bolonia 1975, págs. 178 y ss.
[106]    Cfr. STC de 10 de julio de 1981, fundamento jurídico 5.
          Desde el punto de vista doctrinal, vid. JIMÉNEZ CAMPOS, J.: "La igualdad jurídica...", *op. cit.*, págs. 71-114; SUÁREZ PERTIERRA, G.: "Artículo 14...", *op. cit.*, págs. 277-293; id. y AMERIGO, F.: "Artículo 14...", *op. cit.*, págs. 251-266.
[107]    TORRES DEL MORAL, A.: *Principios de Derecho Constitucional español*, Servicio de Publicaciones de la Universidad Complutense, Madrid 1998, pág. 50.
[108]    Cfr. STC 103/1983, de 22 de noviembre, fundamento jurídico 5.
[109]    Para GONZÁLEZ DEL VALLE la igualdad no debería ser considerada como principio informador del Derecho eclesiástico, sino que debe serlo la no discriminación por motivos religiosos. En este sentido, vid. GONZÁLEZ DEL VALLE, J.M.: *Derecho eclesiástico...*, *op. cit.*, págs. 164-169.
[110]    Cfr. STC de 10 de noviembre de 1981 (*B.J.C.*, nº 7 (1981), págs. 513 y ss.), fundamento jurídico 3, y voto particular formulado por el Magistrado D. Luis DÍEZ PICAZO, *op. cit.*, págs. 515-516.

*entre los medios empleados y la finalidad perseguida*"[111]. Por consiguiente, sólo puede aducirse la quiebra del principio de igualdad jurídica cuando, dándose los requisitos previos de una igualdad de situaciones de hecho entre los sujetos afectados por la norma, se produzca un tratamiento diferenciado de los mismos en razón a una conducta arbitraria o no justificada basada en razones de creencias o convicciones ideológicas o religiosas[112]. Partiendo de lo anterior, cabe definir la discriminación religiosa como la prohibición de cualquier acción de distinción por motivos religiosos, de creencias o convicciones que suponga un menoscabo o extinción en la titularidad y en el ejercicio del único y mismo derecho de libertad de conciencia y de convicciones y del resto de los derechos fundamentales[113]. Ahora bien, la prohibición de discriminación no puede identificarse con la total prescripción de los elementos distintos que puedan afectar a los sujetos[114], ya que *"el ordenamiento constitucional* [lo que] *prohíbe* —como pone de manifiesto SUÁREZ PERTIERRA— [es], *en efecto, la discriminación, pero no la diferenciación entre situaciones objetivamente distintas. Y la diferenciación se distingue de*

---

[111]    SSTEDH de 27 de junio de 1968 y de 27 de octubre de 1975, en *Tribunal Europeo de Derechos Humanos. Veinticinco años de jurisprudencia (1959-1983)*, Congreso de los Diputados, Madrid 1984, págs. 67 y sigs. y 271 y ss., respectivamente.

[112]    Cfr. SSTC de 10 de julio y 30 de marzo de 1981.

[113]    En esta línea, resulta esclarecedor la definición dada en el art. 2.2 de la Declaración sobre la Eliminación de todas las Formas de Intolerancia y Discriminación fundadas en la Religión o las Convicciones, según el cual *"A los efectos de la presente Declaración, se entiende por "intolerancia y discriminación basadas en la religión o las convicciones" toda distinción, exclusión, restricción o preferencia fundada en la religión o en las convicciones y cuyo fin o efecto sea la abolición o el menoscabo del reconocimiento, el goce o el ejercicio en pie de igualdad de los derechos humanos y las libertades fundamentales"*.
Similar redacción se contiene en el art. 1º de la Convención sobre la Discriminación Racial, según la cual *"1. En la presente Convención la expresión "discriminación racial" denotará toda distinción, exclusión, restricción o preferencia basada en motivos de raza, color, linaje u origen nacional o étnico que tenga por objeto o por resultado anular o menoscabar el reconocimiento, goce o ejercicio, en condiciones de igualdad, de los derechos humanos y libertades fundamentales en las esferas política, económica, social, cultural o en cualquier otra esfera de la vida pública"*.
Desde el punto de vista doctrinal, RECASENS SICHES la definió como *"toda distinción perjudicial a pretexto de hechos no imputables al individuo y que deben ser irrelevantes desde el punto de vista socio-jurídico o a pretexto de pertenecer a categorías colectivas genéricas"* (cit. *Tratado general de Filosofía del Derecho*, Ed. Porrua, México 1975, pág. 591). Para un concepto de discriminación religiosa, vid. VILADRICH, P.J.: "Ateísmo y libertad religiosa…", *op. cit.*, pág. 72.

[114]    Cfr. JIMÉNEZ CAMPOS, J.: "La igualdad jurídica…", *op. cit.*, págs. 80 y ss.; SUÁREZ PERTIERRA, G.: "Artículo 14", *op. cit.*, págs. 286 y ss.; id. y AMERIGO, F.: "Artículo 14…", *op. cit.*, págs. 251-266; VIANA TOME, A.: "La igualdad constitucional en el régimen jurídico español sobre confesiones religiosas", en *Anuario de Derecho Eclesiástico del Estado*, vol. III (1987), págs. 375-403.

*la discriminación precisamente porque la primera se fundamenta en unos motivos de carácter subjetivo que no existen en la segunda*"[115].

En consecuencia, cabe afirmar que la tutela del principio de igualdad en materia de convicciones no implica necesariamente que todos los españoles hayan de profesar o mantener las mismas creencias o convicciones religiosas o ideológicas, ni que deba tratarse a todos los ciudadanos de igual manera por lo que a sus ideas, creencias, convicciones o religión se refiere[116]. Su configuración como principio supone más bien que la titularidad, en igualdad de calidad y de trato ante (en y de) la ley, del derecho de libertad de conciencia forma parte del común acervo y radical patrimonio jurídico del ciudadano español[117]. En este sentido, la igualdad religiosa ante la ley significa, en palabras de VILADRICH, *"ser iguales titulares del mismo derecho de libertad religiosa"*[118], a lo que LLAMAZARES extendería al derecho de libertad de conciencia[119], o SOUTO al de ideas y creencias[120]. A modo de conclusión se puede afirmar que la igualdad jurídica del artículo 14 de la CE se caracteriza por ser una "igualdad formal" y "relativa" basada en el principio de "proporcionalidad" que se plasma en el correlato negativo de la "no discriminación", en contraposición con una "igualdad material" y "absoluta"[121].

Es preciso destacar, finalmente, que no se agota en el contenido hasta ahora reseñado el alcance del principio de igualdad, resultando necesario conectar el mencionado artículo 14 de la CE (al igual que hacíamos respecto de la libertad) con el artículo 9.2 de la misma[122]. Dicho precepto viene a completar y profundizar el principio de igualdad jurídica al proponer el paso de su aspecto formal al de su aspecto sustancial[123], el cual se manifiesta en un doble contenido: como acción tutelar o defensiva del principio de igualdad[124], el primero, y como

---

[115]    SUÁREZ PERTIERRA, G.: "Artículo 14", *op. cit.*, pág. 286.

[116]    Cfr. RUFFINI, F.: *Corso di Diritto eclesiástico italiano. La libertà come diritto pubblico subjetivo*, Turín 1924, págs. 424 y ss.

[117]    Cfr. LLAMAZARES, D.: *Derecho de la libertad de conciencia*, vol. I, *op. cit.*, págs. 246-254; VILADRICH, P.J.: "Principios informadores...", *op. cit.*, págs. 283-284.

[118]    VILADRICH, P.J.: "Ateísmo y libertad religiosa...", *op. cit.*, págs. 72 y ss.

[119]    LLAMAZARES, D.: *Derecho de la libertad de conciencia*, vol. I, *op. cit.*, págs. 250-254.

[120]    SOUTO, J.A.: *Derecho eclesiástico del Estado. El derecho de la libertad de ideas y creencias*, 2ª ed. revisada, Marcial Pons, Madrid 1993, págs. 75-82.

[121]    Respecto a la diferencia de estos términos, vid. FINNOCHIARO, F.: *Ugluaglianza giuridica...*, *op. cit.*, págs. 41 y ss.

[122]    Cfr. TORRES DEL MORAL, A.: *Principios de Derecho Constitucional...*, *op. cit.* pág. 51.

[123]    Cfr. BATTAGLIA, F.: *Libertà ed eguaglianza...*, *op. cit.*, págs. 29-44.

[124]    Cfr. MORTATI, C.: "Il lavoro nella Costituzione", en *Diritto del lavoro*, 1954, pág. 153; ROMAGNOLI, V.: "Il principio d'eguaglianza...", *op. cit.*, págs. 165-166.

ejercicio de las acciones necesarias para imponer efectivamente la igualdad[125], el segundo. Este doble contenido supone, a su vez, dos actuaciones de naturaleza distinta por parte de los poderes públicos: una negativa y otra positiva. La actividad positiva exige una intervención de los poderes públicos dirigida a la promoción de las condiciones necesarias para que la igualdad de los individuos y de los grupos donde se integran sea real y efectiva[126]. Mientras que negativamente, dicha actuación se ejercerá a través de un proceso de remoción de aquellos obstáculos que impidan o dificulten la plenitud de la igualdad[127]. Ambas funciones son parte integrante de una misma garantía positiva en la protección de la igualdad, y ambas pueden y deben ser ejercidas por los poderes públicos. Ello ha dado lugar a actividades a través de las cuales el Estado se ha planteado la superación de desigualdades o desventajas de grupos o colectivos concretos presentes en la propia situación de la sociedad adoptando para ello medidas de discriminación positiva[128], que sin embargo no pueden entenderse como vetadas por el ordenamiento jurídico al entenderse contrarias al propio principio de igualdad formal. En consecuencia, y siguiendo a PECES-BARBA, se puede afirmar que *"la igualdad de los derechos no es sólo exclusión de discriminación no justificada (igualdad ante la ley), sino atribución y disfrute igual de los derechos y libertades reconocidos por el ordenamiento. La igualdad jurídica significa que todos los ciudadanos son destinatarios del derecho y tienen capacidad jurídica (frente a las sociedades esclavistas). La igualdad de los derechos es el maximun y la igualdad jurídica el minimun; la igualdad ante la ley ocupa un lugar intermedio"*[129].

---

125    Cfr. BASSO: "Per uno sviluppo democratico dell'ordinamento costituzionale italiano", en *Studi per il ventesimo aniversario dell'Assemblea Costituente*, tomo IV, págs. 11 y sigs.; BELLINI, P.: "Libertà dell'uomo e fattore religioso...", *op. cit.*, págs. 133 y ss.; BOBBIO, N.: *Política e cultura*, *op. cit.*, págs. 172 y ss.; CARDIA, C.: "Società moderna e diritto di libertà", *op. cit.*, págs. 81 y ss.; ROMAGNOLI, V.: "Il principio d'eguaglianza...", *op. cit.*, págs. 116 y ss.

126    Cfr. CARDIA, C.: "Società moderna...", *op. cit.*, págs. 80-81; SUÁREZ PERTIERRA, G.: "Artículo 14", *op. cit.*, págs. 293-294; idem y AMERIGO, F.: "Artículo 14...", *op. cit.*, págs. 251-266.

127    Cfr. FINNOCHIARO, F.: *Ugluaglianza giuridica...*, *op. cit.*, págs. 47-48; SÁNCHEZ AGESTA, L.: *Sistema político de la Constitución española de 1978*, Editora Nacional, Madrid 1980, págs. 83 y ss.; SUÁREZ PERTIERRA, G.: "Artículo 14", *op. cit.*, págs. 294 y ss.; id. y AMERIGO, F.: "Artículo 14...", *op. cit.*, págs. 251-266; VILADRICH, P.J.: Ateismo y libertad religiosa...", *op. cit.*, págs. 68 y ss.

128    BOBBIO señala que *"(...) la igualdad entendida como igualación en los diferentes es un ideal permanente y perenne de los hombres que viven en sociedad. Cada superación de esta o aquella discriminación representa una etapa de progreso"* (cit. en *Igualdad y Libertad*, *op. cit.*, pág. 93).

129    PECES-BARBA, G.: "Estudio introductorio", en BOBBIO, N.: *Igualdad y Libertad*, Pensamiento Contemporáneo, Barcelona 1993, pág. 47.

## 2.3. El principio de laicidad

El tercero de los principios informadores de nuestro sistema político en materia religiosa es la laicidad[130], el cual supone —a pesar de toda ausencia de referencia expresa en el texto constitucional y, por tanto, dando lugar a lo que se ha denominado *laicidad por omisión*[131]— para el Estado español que las ideas, las

---

[130]    Art. 16.3 CE: "*Ninguna confesión tendrá carácter estatal*".
Sobre las posibles críticas a la fórmula utilizada, vid. CONTRERAS MAZARIO, J.M.: *La asistencia religiosa...*, tomo II, *op. cit.*, págs. 793-801; GONZÁLEZ DEL VALLE, J.M.: *Derecho eclesiástico...*, *op. cit.*, págs. 155-156; LLAMAZARES, D.: *El Derecho a la libertad de conciencia. I...*, *op. cit.*, págs. 260 y ss.
Respecto al proceso constituyente en esta materia, vid. GARCIMARTIN MONTERO, C.: "La laicidad en las Cortes Constituyentes", en *Ius Canonicum*, vol. XXXVI (1996), págs. 594 y ss.; SERRANO POSTIGO, C.: "Los acuerdos del Estado con las confesiones no católicas", en *Anuario de Derecho eclesiástico del Estado*, vol. IV (1988), págs. 96-98.
Sobre las distintas posiciones doctrinales en relación con el artículo 16.3 de la CE y el principio informador protegido, cabe diferenciar tres grupos. El primer grupo está constituido por todos aquellos autores que entienden que el principio tutelado es el de no confesionalidad o el de aconfesionalidad. Bien situando las relaciones entre el Estado y las confesiones religiosas desde la perspectiva del hecho social amparado por un derecho, de forma que "*el Estado aconfesional no hace un juicio de verdad religiosa, no es un punto de partida la verdad de una confesión determinada, sino el hecho social de su existencia en cuanto grupo protegido y amparado por un derecho humano*" (HERVADA, J.: "Pensamientos sobre sociedad plural y dimensión religiosa", en *Ius Canonicum*, vol. XIX, nº 38 (1979), págs. 74-75). Bien calificando el art. 16.3 como "*la posición del Estado español en cuyo sistema jurídico-político supremo no hay una religión o religiones —respectivamente Iglesia o Iglesias— especialmente reconocidas por el Estado*" (CORRAL, C.: "El sistema constitucional y el régimen de acuerdos específicos", en *Los Acuerdos entre la Iglesia y España*, Madrid 1980, págs. 112-113); aunque ello no debe identificarse con el desconocimiento del fenómeno religioso, sino por el contrario su "*valoración positiva de esta connatural dimensión trascendente*" (LOMBARDIA, P. y FORNES, J.: "El derecho...", *op. cit.*, pág. 327). Para el segundo grupo, el art. 16.3 se limita a reflejar "*la sola estatalidad de la naturaleza que ha de tener la regulación del factor religioso por parte del Estado que, en tal manera, sólo pretende ser Estado al servicio de la radical y previa esfera de racionalidad y conciencia personales de cada ciudadano*" (VILADRICH, P.J.: "Ateísmo y libertad religiosa...", *op. cit.*, pág. 59). Por último, el tercer grupo estaría compuesto por aquellos autores que entienden que el principio que subyace en el art. 16.3 es el de laicidad, el cual implica "neutralidad, no valoración positiva ni negativa de lo religioso en cuanto tal. Lo religioso y las actividades religiosas no son objetivos ni fines estatales, ni pueden serlo. Para el Estado es lo mismo que sus ciudadanos sean creyentes o no creyentes, que pertenezcan a una confesión religiosa o a otra, o a una comunidad filosófica. Lo único que el Estado no sólo está legitimado, sino obligado a valorar positivamente, como uno de los derechos fundamentales de la persona, es el derecho de libertad religiosas de sus ciudadanos" (LLAMAZARES, D. y SUÁREZ PERTIERRA, G.: "En el fenómeno religioso...", *op. cit.*, págs. 10-11).

[131]    Desde este planteamiento, MOLANO considera un acierto la ausencia de una declaración expresa de laicidad en nuestra Constitución (cit. en "La laicidad del Estado en la Constitución española", en *Anuario de Derecho eclesiástico del Estado*, vol. II (1986), págs. 244-245. En una línea parecida, HERVADA entiende la laicidad como lo opuesto a eclesiasticidad, entendida por

creencias o las convicciones ideológicas o religiosas en sí mismas consideradas no pueden entrar a formar parte de su propia naturaleza[132]. Junto a ello, debe precisarse asimismo que, en cuanto que Estado laico, obliga a los poderes públicos a realizar una doble actividad[133]: positiva, la primera, y negativa, la segunda. Desde su aspecto positivo, los poderes públicos se comprometen a estar al servicio de la dignidad humana y del libre desarrollo de la personalidad de sus ciudadanos (cfr. art. 10.1 CE)[134]; mientras que en su aspecto negativo, conlleva a la absoluta incompetencia del Estado, como ente radicalmente no totalitario, ante la cuestión del acto de fe, tanto desde la perspectiva positiva como de la negativa[135].

---

tanto como *"la ausencia en el Estado de factores de organización de lo religioso: el Estado no organiza lo religioso de los ciudadanos. Si por laicidad entendemos lo que acabamos de decir, es obvio que el Estado tiene una laicidad inherente a él, ya que e él no le corresponde organizar la vida religiosa de sus ciudadanos. En tal sentido, al Estado no le corresponde hacer una oferta de servicios religiosos, que es propio de las iglesias y comunidades religiosas. Le compete, en cambio, intervenir en la articulación de esa oferta con las organizaciones propias de la comunidad política o civil, v. gr., la escuela, la organización sanitaria y las estructuras militares"* (cit. en "Bases críticas para la construcción del Derecho eclesiástico", en *Anuario de Derecho eclesiástico del Estado*, vol. III (1987), pág. 35).

[132]   Cfr. BRIONES, I.: "La laicidad en la jurisprudencia francesa", en *Ius Canonicum*, vol. XXXIV, nº 71 (1996), págs. 259-281; CALVO ALVÁREZ, J.: *Orden público y factor religioso en la Constitución española*, EUNSA, Pamplona 1983, págs. 230-235; DALLA TORRE, D.: *Il rimato della coscienza. Laicità e libertà nell'esperienza giuridica contemporánea*, Roma 1992; D'ONORIO, J.B. (Dir.): *La Laïcité u defi de la modernité*, París 1990; FERNÁNDEZ CORONADO, A.: "Laicidad", en *Enciclopedia Jurídica Básica*, tomo III, Madrid 1995, págs. 3913-3915; GARCÍA GÁRATE, A.: "El largo y tortuoso camino hacia la laicidad (A propósito de la STC 177/1996, de 11 de noviembre)", en MARTÍNEZ-TORRÓN, J. (ed.): *La libertad religiosa y de conciencia...*, *op. cit.*, págs. 487-496; LLAMAZARES, D.: *Derecho de la libertad de conciencia*, vol. I, *op. cit.*, págs. 260-266; MARTÍ, J.: "El concepto de laicidad y su evolución en el Derecho francés", en *Revista española de Derecho canónico*, nº 50 (1993), págs. 251-278; MOLANO, E.: "La laicidad del Estado en la Constitución española", en *Anuario de Derecho eclesiástico del Estado*, vol. II (1986), págs. 239-256; REINA, V. y A.: *Lecciones de Derecho eclesiástico...*, *op. cit.*, págs. 314 y ss.; ROCA, M.J.: "La neutralidad del Estado: fundamento doctrinal y actual delimitación en la jurisprudencia", en *Revista española de Derecho constitucional*, nº 48 (1996), págs. 251-272; SARACENI, G.: "Laico: travalgaita semántica di un termine", en *Il principio di laicità nello Stato democratico*, Mesina 1996, págs. 49 y ss.; VILADRICH, P.J.: "Ateismo y libertad religiosa...", *op. cit.*, págs. 60 y ss.

[133]   Cfr. CORRAL, C.: "Competencia-incompetencia del Estado en materia eclesiástica", en *Etudes de Droit et d'Histoire. Melanges Mgr. H. Wagnon*, Lovaina 1976, págs. 97-123.

[134]   Cfr. SOUTO PAZ, J.A.: *Derecho eclesiástico...*, *op. cit.*, pág. 86; VILADRICH, P.J.: "Principios informadores...", *op. cit.*, págs. 268-269.

[135]   En este sentido, SOUTO defiende que *"el hecho de que el Estado opte por no sumir las creencias de un grupo religioso, declarándose, por lo tanto, aconfesional, no implica que éste deba asumir una actitud agnóstica o atea, pues la incompetencia del Estado ante el hecho religioso comprende tanto la aptitud para sumir creencias religiosas como para negar esas creencias y, por tanto, implica una definición sobre esas mismas creencias. Un Estado agnóstico, ateo o indiferente es un Estado que profesa el agnosticismo, el ateísmo o el indiferentismo y, por*

Así pues, el principio de laicidad supone la prohibición para el Estado español de convertirse en protector de dogmas, creencias o convicciones religiosas concretas sean cuales fueran éstas, al tiempo que le queda vetado cualquier intento de poner la vida pública bajo el signo de una o de varias concepciones religiosas específicas, así como de asumir una fe, un credo, una creencia o una convicción como única; y ello aunque aquélla fuera la profesada por la mayoría de los ciudadanos o de una parte de la sociedad, ya que cualquiera de dichas actitudes supondría una violación tanto del "principio de igualdad en la libertad de conciencia"[136], como del de laicidad[137]. Dentro de este mismo contexto, se debe señalar que la laicidad impide *"toda posible confusión entre los fines u objetivos religiosos y los fines u objetivos estatales"*, al tiempo que veda toda posibilidad de que *"los valores o intereses religiosos puedan erigirse en parámetros para medir la legitimidad o justicia de las normas o de los actos de los poderes públicos"*[138].

Partiendo de este contenido, se ha señalado que la laicidad incluye un doble elemento: neutralidad y separación entre el Estado y las confesiones religiosas[139].

---

*tanto, vendrá a ser un Estado confesional, agnóstico o ateo"* (cit. en *Derecho eclesiástico…, op. cit.*, págs. 85-86). A favor, vid. MANARANCHE, A.: "Laïcisation, laïcisme, laïcité", en *Catholicisme: hier, auhourd'hui, demain*, tomo IV (1963), col. 1646. En contra, vid. MEJAN, F.: "La laicidad del Estado en derecho positivo y de hecho", en *La Laicidad*, Taurus, Madrid 1963, pág. 134.

[136]  Terminología empleada por LLAMAZARES en su libro: *Derecho de la libertad de conciencia*, vol. I, *op. cit.*, págs. 260-266.

[137]  En este mismo sentido, ESCRIVA-IVARS señala que *"el principio de laicidad, a su vez, impide la confesionalidad, en otras palabras, impide que el Estado pueda asumir una confesión religiosa como propia y, por otra, cualquier resurgir del sistema de asumir como privilegiada por el Estado una iglesia o confesión religiosa"* (cit. en "Le enseñanza de la religión y moral católicas en el sistema educativo español", en *Anuario de Derecho eclesiástico del Estado*, vol. IV (1988), pág. 222). Una posición distinta con la afirmada es la mantenida por BERNÁRDEZ, para quien la laicidad es perfectamente compatible con la confesionalidad, toda vez que *"la confesionalidad sociológica en cuanto mera constatación fáctica del predominio de una confesión en el seno de una sociedad, especialmente cuando los criterios de valoración de la vida civil están presentes o arraigados en el orden civil, no implica de suyo un compromiso o vinculación para el Estado. La laicidad, pues, sería compatible con la pura declaración de confesionalidad sociológica de un país de acuerdo con sus propias estructuras sociales"* (cit. en *La cuestión religiosa en la Constitución…, op. cit.*, pág. 43).

[138]  Cfr. STC 24/1982, de 13 de mayo, fundamento jurídico 1.

[139]  En relación al principio de laicidad, vid. SSTC 1/1981, de 26 de enero, fundamentos jurídicos 6 y 10; 5/1981, de 13 de febrero, fundamento jurídico 9; 22/1981, de 2 de julio, fundamento jurídico 3; 24/1982, de 13 de mayo, fundamento jurídico 1; 66/1982, de 12 de noviembre, fundamentos jurídicos 3 y 4; 101/1983, de 18 de noviembre, fundamentos jurídicos 4 y 5; 43/1984, de 26 de marzo, fundamento jurídico 3; 63/1984, de 21 de mayo, fundamento jurídico 4; 19/1985, de 13 de febrero, fundamentos jurídicos 2, 3 y 4; 70/1985, de 31 de mayo, fundamento jurídico 6; 166/1985, de 9 de diciembre; 29/1987, de 6 de marzo, fundamentos jurídicos 4 y 5; 62/1987, de 20 de mayo, fundamento jurídico 2; 109/1988, de 8 de junio, fundamento

La neutralidad se convierte en un precipitado no sólo del principio de igualdad de trato, tanto entre las distintas comunidades religiosas o filosóficas como a nivel individual entre creyentes y no creyentes, sino también de imparcialidad respecto a las convicciones o creencias, religiosas o no, de los ciudadanos[140]. Ello ha llevado a distinguir diferentes lecturas según nos refiramos a pluralismo religioso o al ideológico, de tal manera que *"el Estado no sólo puede, sino que está obligado a defender y a promocionar determinados valores políticos; [mientras que] en aras de la igualdad entre sus ciudadanos, no puede hacer nada de eso en cuanto a los valores religiosos en cuanto tales"*[141]. Sin embargo, la distinción entre uno y otro pluralismo no nos parece tan clara, ya que —como ha señalado MARTÍNEZ-TORRÓN— *"la neutralidad determina que el Estado proteja la existencia de un "libre mercado de ideas y religiones", renunciando a un intervencionismo dirigido a modificar el panorama sociológico real con la pretensión de construir un arquetípico pluralístico. La intervención estatal no puede ir más allá de lo que demanda la protección del "consumidor" en el ámbito religioso (a semejanza de lo que ocurre en el ámbito económico): es decir, una actuación positiva encaminada a evitar la formación de monopolios que impidan la vitalidad de pequeños grupos, y también a eliminar, en lo posible, el riesgo de fraude por parte de los grupos pseudo-religiosos"*[142].

Ahora bien, dicha consideración del factor religioso como un valor positivo del bien común de la sociedad española[143], no puede identificarse con lo religioso en sí mismo considerado[144], sino que debe proyectarse en el reconocimiento, tutela y promoción del derecho fundamental a la libertad de pensamiento, de conciencia, religiosa y de convicciones de los individuos y las comunidades reli-

---

jurídico 1; 208/1989, de 14 de diciembre, fundamento jurídico 6; 68/1991, de 8 de abril, fundamento jurídico 4; 214/1992, de 1 de diciembre, fundamentos jurídicos 1 y 2; 110/1993, de 25 de marzo, fundamento jurídico 4; 340/1993, de 16 de noviembre, fundamento jurídico 4; 66/1994, de 28 de febrero, fundamentos jurídicos 2 y 4; 321/1994, de 28 de noviembre, fundamento jurídico 3; 106/1996, de 12 de junio; 166/1996, de 28 de octubre, fundamento jurídico 4; 177/1996, de 11 de noviembre, fundamentos jurídicos 1 y 9; y AATC 616/1984, de 31 de octubre, fundamento jurídico 3; 359/1985, de 29 de mayo, fundamento jurídico 3; 180/1986, de 21 de febrero, fundamento jurídico 2; y 480/1989, de 2 de octubre, fundamento jurídico 3.

[140]  Cfr. CUBILLAS RECIO, L.M.: *Proyecto Docente...*, *op. cit.*, pág. 212.

[141]  LLAMAZARES, D.: *Derecho de la libertad de conciencia. I...*, *op. cit.*, pág. 262.

[142]  MARTÍNEZ-TORRÓN, J.: *Religión, Derecho y Sociedad...*, *op. cit.*, pág. 187.

[143]  Cfr. CALVO ÁLVAREZ, J.: *Orden público...*, *op. cit.*, pág. 232; CORRAL, C.: "El sistema constitucional y el régimen de acuerdos específicos", en *Los Acuerdos entre la Iglesia y España*, Madrid 1980, pág. 114; PÉREZ LLANTADA, J.: "La dialéctica Iglesia-Estado ante el momento constitucional", en *Lecturas a la Constitución española*, vol. II, Madrid 1978, pág. 141; ROCA, M.J.: "Neutralidad del Estado...", *op. cit.*, págs. 251-272; VILADRICH, P.J.: "Ateísmo y libertad religiosa...", *op. cit.*, pág. 62.

[144]  Cfr. HERVADA, J.: "Pensamientos sobre la sociedad plural...", *op. cit.*, pág. 74.

giosas donde aquellos se integran[145]. Ello lleva a sostener a LLAMAZARES que *"el principio de laicidad se caracteriza por ser una exigencia insoslayable de la igualdad y de la libertad de conciencia. No es posible la plena libertad de conciencia en condiciones de igualdad sin laicidad"*[146].

## 2.4. *La cooperación con las confesiones religiosas*

Un cuarto principio informador, aceptado mayoritariamente por la doctrina[147] y por la jurisprudencia[148], se encuentra en la cooperación del Estado con las confesiones religiosas[149]. Debe precisarse, no obstante, que —a nuestro entender— las presentes relaciones de cooperación actúan en nuestro sistema más como una técnica instrumental a través de la cual se hace efectivo el derecho a la libertad de conciencia y de convicciones[150], que como un verdadero principio informador del sistema. Y ello no sólo como una opción que se reconoce a los poderes públicos, sino como un mandato imperativo que éstos deben cumplir[151]. Aunque el mantenimiento de estas relaciones de cooperación con las confesiones no resulta, en principio, incompatible con el principio de laicidad del Estado[152], sí puede llegar a suponer una importante matización de la neutralidad confesional

---

[145]   Cfr. LLAMAZARES, D.: *Derecho de la libertad...*, vol. I, *op. cit.*, págs. 260-266; SOUTO, J.A.: *Derecho eclesiástico...*, *op. cit.*, págs. 90 y ss.

[146]   *Ibid*, pág. 260.

[147]   Desde el punto de vista doctrinal, vid. GONZÁLEZ DEL VALLE, J.M.: *Derecho eclesiástico del Estado*, 4ª ed., Universidad de Oviedo, Oviedo 1997, págs. 138-139; VILADRICH, P.J.: "Los principios informadores del Derecho eclesiástico...", *op. cit.*, págs. 169-259.

[148]   Por parte de la jurisprudencia, vid. respecto de las mismas, SSTC 66/1982, de 12 de noviembre, fundamento jurídico 2; 93/1983, de 8 de noviembre, fundamento jurídico 5; 109/1988, de 8 de junio, fundamento jurídico 2; 265/1988, de 22 de diciembre, fundamento jurídico 4; 340/1993, de 16 de noviembre, fundamento jurídico 4.

[149]   Art. 16.3 CE: "(...) *Los poderes públicos tendrán en cuenta las creencias de la sociedad española y mantendrán las consiguientes relaciones de cooperación con la Iglesia Católica y las demás confesiones*".

[150]   A favor de esta interpretación, vid. CONTRERAS MAZARIO, J.M.: *La asistencia religiosa...*, *op. cit.*, págs. 812-825; FERNÁNDEZ-CORONADO, A.: "Principio de igualdad y técnica de cooperación", en *La Ley*, 1983-2, págs. 76-81; LLAMAZARES, D.: "El principio de cooperación del Estado con las confesiones religiosas: fundamento, alcance y límites", en *Revista del Centro de Estudios Constitucionales*, nº 3 (1988), págs. 199-231 (y en *Anuario de Derecho Eclesiástico*, V (1989), págs. 69-101); SERRANO POSTIGO, C.: "Los Acuerdos del Estado español...", *op. cit.*, págs. 102-103.

[151]   Cfr. ECHEVERRÍA, L. de: "La nueva Constitución española ante el hecho religioso", en *El hecho religioso en la nueva Constitución española*, Instituto San Raimundo de Peñafort, Salamanca 1980, pág. 66.

[152]   Cfr. FERRER, J.: "Laicidad del Estado y cooperación con las confesiones", en *Anuario de Derecho eclesiástico del Estado*, vol. III (1987), págs. 237-248.

del Estado español, más aún con la referencia expresa que la Constitución española realiza de la Iglesia católica[153].

En efecto, se debe precisar que las presentes relaciones con las confesiones religiosas, y en concreto en lo que afecta a sus actividades, aquéllas no pueden identificarse ni con un acto de valoración directa y positiva de los intereses religiosos en cuanto tales[154], ya que su aceptación resultaría incompatible con la configuración del Estado laico. De todo lo expuesto cabe deducir un concepto negativo de "cooperación"[155], en el sentido de que "cooperar" no puede significar nunca la unión de las confesiones religiosas y los poderes públicos para la consecución de determinados fines u objetivos comunes[156], por lo que la única tarea

---

[153]   Esta referencia ha sido justificada por AMOROS, quien alega que *"no se trata de un privilegio, sino de una mera referencia de carácter histórico a lo que ha sido la realidad española, que implica, por una parte, que el Estado continuará manteniendo relaciones de cooperación con la Iglesia Católica y, por otra, que el Estado establecerá relaciones con otras confesiones utilizando la experiencia obtenida previamente en sus relación con la Iglesia Católica"* (cit. en AMOROS, J.J.: *L libertad religiosa en la Constitución española de 1978*, Ed. Tecnos, Madrid 1984). Una posición similar es la de FERRER, quien la justifica en base a la necesidad de continuar con un *proceso de desconfesionalización* que evite caer en un laicismo agresivo (en "Laicidad del Estado...", *op. cit.*, pág. 245). Una tercera posición a favor la encontramos en BERNÁRDEZ, el cual justifica dicha mención en base a razones de realismo sociológico y jurídico (en *La cuestión religiosa en la Constitución española*, Real Academia Sevillana de Legislación y Jurisprudencia, Sevilla 2000, pág. 75).

[154]   Cfr. LLAMAZARES, D.: "El principio de cooperación...", *op. cit.*, págs. 199-231.

[155]   VILADRICH ha distinguido tres posiciones doctrinales respecto a la interpretación que puede darse a este principio (en "Principios informadores del Derecho...", *op. cit.*, págs. 209-214). El primer grupo estará integrado por aquellos autores que, como el propio VILADRICH, parten de la consideración de la libertad religiosa como principio inspirador, y calificando al modelo de relación entre el Estado y las confesiones religiosas como un modelo de Estado de libertad religiosa, el principio de cooperación resulta congruente con la laicidad. Esta es la posición mantenida, entre otros, por MOLANO ("La laicidad del Estado en la Constitución española", en *Anuario de Derecho eclesiástico del Estado*, vol. II (1986), pág. 256) y por FERRER ("Laicidad del Estado y cooperación con las confesiones", en *Anuario de Derecho eclesiástico del Estado*, vol. III (1987), pág. 237). Para un segundo grupo de autores, el principio de cooperación supone una clara discriminación entre creyentes y no creyentes, y muy especialmente por lo que respecta a los sujetos colectivos de las libertades en materia religiosa (IBAN, I.C.: "Grupos confesionales atípicos en el Derecho eclesiástico español vigente", en *Estudios de Derecho canónico y Derecho eclesiástico...*, *op. cit.*, págs. 296-303). Por último, la tercera posición es la de aquellos autores que alertan sobre los posibles riesgos y peligros que implica la ambigüedad del texto constitucional. Así, LLAMAZARES y SUÁREZ PERTIERRA señalan que *"si el principio de cooperación constituye un límite obligado a la desconfesionalización del Estado español, el mandato especial de cooperación con la Iglesia católica, dependiente de la asunción por el Estado de un substrato sociológico, limita aún más la no confesionalidad y arriesga la implantación de un régimen privilegiado lesivo para la igualdad y, por ese camino, de la libertad religiosa"* (cit. en "El fenómeno religioso en la nueva Constitución...", *op. cit.*, pág. 33).

[156]   Cfr. CONTRERAS MAZARIO, J.M.: *La asistencia religiosa...*, vol. II, *op. cit.*, págs. 812-825.

que el Estado español puede valorar positivamente, desde el punto de vista de la cooperación, es la protección y promoción de la igualdad en la titularidad y en el ejercicio de la libertad de conciencia y de convicciones de sus ciudadanos[157], así como del establecimiento del estatuto jurídico de las confesiones y comunidades religiosas en el sistema jurídico español[158]. Por consiguiente, la cooperación se nos presenta como una proyección del artículo 9.2 de la CE dirigida a la consecución del mencionado derecho en tanto que derecho fundamental de todos e igual para todos, y no tanto *"la constitucionalización del común entendimiento, bilateral o plurilateral, que han de tener las relaciones entre los poderes públicos y las confesiones en orden a la elaboración de su "status" jurídico específico y a la regulación de su contribución al bien común ciudadano"*[159].

## 2.5. Modelo político-constitucional del Estado español en materia de libertad de conciencia

Analizado el alcance y contenido de los distintos principios constitucionales específicos que informan nuestro ordenamiento en materia de libertad de con-

---

[157]   Cfr. FERNÁNDEZ-CORONADO, A.: "Principio de igualdad...", *op. cit.*, págs. 80-81.

[158]   Cfr. LLAMAZARES, D.: "El principio de cooperación...", *op. cit.*, págs. 229-231. Desde el plano del establecimiento del estatuto jurídico de las confesiones, para SOUTO el principio de cooperación se reconduce a *"a) el deber de los poderes públicos de abrir cauces de comunicación con las confesiones religiosas; b) el deber de prestar la colaboración oportuna a las confesiones religiosas —en cuanto factor social— para que puedan cumplir sus propios fines; c) el deber de procurar una normativa jurídica pactada con cada confesión acorde a sus características y fines propios. Estas relaciones, elevadas al rango constitucional, serán de cooperación (...). La cooperación, por tanto, abarca los siguientes aspectos: a) la participación de cada confesión en la elaboración de su status jurídico en el Derecho del Estado (...); b) la posibilidad de establecer conciertos Estado-confesión en relación con aquellas actividades que contribuyen al bien común y revistan la naturaleza de función social, dirigida o promovida por cada confesión"* (cit. en *Derecho eclesiástico...*, *op. cit.*, págs. 93-94).

[159]   VILADRICH, P.J.: "El principio de cooperación entre el Estado y las confesiones religiosas en la Constitución española de 1978", en *Il Diritto ecclesiastico*, n° 3-4 (1987), págs. 1153-1170. Parece seguir esta misma posición SOUTO PAZ, J.A.: *Derecho eclesiástico...*, *op. cit.*, pág. 268. La bilateralidad ha sido defendida por BERNÁRDEZ, para quien *"por una parte, es la forma más adecuada para que dos entidades independientes entre sí se relacionen y, por otra, porque a través de la misma es más sencillo tener en cuenta las peculiaridades y características específicas de cada grupo religioso, lo que ayuda a poder ajustarse en mayor medida a sus necesidades y aspiraciones"* (cit. en *La cuestión religiosa en la Constitución...*, *op. cit.*, pág. 55). Para una posición de duda en la consecución del mencionado equilibrio, vid. MARTÍNEZ-TORRÓN, J.: *Religión, Derecho y Sociedad...*, *op. cit.*, pág. 194). Para una posición que justifica la discriminación a favor de la Iglesia católica, vid. VÁZQUEZ GARCÍA-PEÑUELA, J.M.: "El objeto del Derecho eclesiástico del Estado y las confesiones religiosas", en *Ius Canonicum*, vol. XXXIV (1994), pág. 289.

ciencia, así como los criterios de relación existentes entre ellos, cabe precisar que la Constitución española ha optado por el establecimiento de un sistema político que adopta la fórmula de la laicidad, bajo los principios básicos de libertad de conciencia e igualdad en materia de convicciones. El modelo español puede ser insertado, pues, entre los sistemas de neutralidad, y dentro de éste entre los calificados de Estado laico[160].

Junto a ello, pero en relación con los principios enunciados, cabe igualmente establecer una serie de principios generales que caracterizan e informan asimismo nuestro sistema, y que pueden concretarse en los siguientes. En primer lugar, se debe señalar que por lo que respecta al derecho fundamental a la libertad de conciencia, como respecto a las relaciones del Estado con las confesiones religiosas, ambas realidades aparecen informadas por la adopción del **principio de personalización**. A este respecto, baste con señalar que de conformidad con el artículo 10.1 de la CE la persona es considerada como fundamento del orden y de la paz social considerada como radical libertad[161]. El artículo 10.1 de la CE se convierte de este modo, en palabras del TC, en *"germen o núcleo de unos derechos que le son inherentes a la persona"*[162], al tiempo que ésta pasa a configurarse, por tanto, en nuestro Derecho constitucional, y por lo que a los derechos fundamentales se refiere, como sujeto activo o titular originario de los mismos, configurándose a los grupos, y en nuestro caso a las iglesias, confesiones y comunidades religiosas, como sujetos derivados y en la medida que los derechos son ejercidos por las personas de manera colectiva. En este sentido, LOMBARDIA y FORNES han puesto de manifiesto que *«la dignidad de la persona (art. 10.1) constituye, por tanto, la radical fundamentación de todo orden jurídico. Las exigencias de justicia insertas en la naturaleza humana ('los derechos inviolables que le son inherentes', al decir del artículo 10.1 del texto constitucional) proporcionan el 'contenido'; los*

---

[160]    Cfr. FERNÁNDEZ CORONADO, A.: "Sistema de relación Estado-confesiones religiosas", en *Enciclopedia Jurídica Básica*, tomo IV, *op. cit.*, págs. 6243-6247.

[161]    Cfr. SUÁREZ PERTIERRA, G.: "Derecho y libertades fundamentales. Comentario introductorio al Capítulo II", en ALZAGA, O. (ed.): *Comentarios a la Leyes políticas. Constitución española de 1978*, tomo II, EDERSA, Madrid 1984, págs. 263-274; id. y AMERIGO, F.: "Derechos y libertades fundamentales. Comentario introductorio al Capítulo II", en *Comentarios a las leyes políticas. Constitución española de 1978*, tomo II, EDERSA, Madrid 1997, págs. 241-247. Para PAREJO, *"(...) puede decirse sin temor a error que en el artículo 10.1 se encuentra la clave misma, el suelo axiológico y, por tanto, el criterio que otorga legitimidad, sentido y estructura a la totalidad del orden material constitucional (su parte dogmática)"* (cit. "Constitución y valores del ordenamiento", en *Estudios sobre la Constitución español. Estudios en homenaje al profesor Eduardo García de Enterría*, vol. I, Ed. Cívitas, Madrid 1991, págs. 109).

[162]    STC 53/1985, de 11 de abril, fundamento jurídico 8.

*preceptos legales positivos o las normas consuetudinarias serán los cauces apropiados para determinar ese 'contenido'»*[163].

En consecuencia, no debe sorprender la consideración de que la Constitución diseña como relaciones originarias las que vinculan al Estado con sus ciudadanos, en tanto que titulares del derecho fundamental a la libertad de conciencia[164], como condicionantes de las que pueden y deben existir entre los poderes públicos y las distintas comunidades ideológicas o religiosas, cuyas organizaciones sociales se convierten en instrumento al servicio de la persona[165] y su libertad en igualdad[166]. Este posicionamiento de nuestro texto constitucional supone —como ha señalado LLAMAZARES— *"que la persona individual y sus derechos inviolables nucleados en torno a posibilitar su desarrollo en libertad, es la razón de ser última de la organización social que cumple así su razón instrumental"*[167].

Junto a este contenido, el artículo 10.1 acoge asimismo un personalismo social, o lo que es lo mismo *"la base y fundamento del orden político y de la paz social no está constituida únicamente por la dignidad de la persona, sino por la igual dignidad de todas las personas y, por tanto, por el respeto a los derechos de los demás. También a su libertad de conciencia, religiosa o no, y al libre desarrollo de su personalidad"*[168]. Puede afirmarse, en consecuencia, que se trata de una libertad igual para todos, que debe ser ejercida respetando los derechos de los demás. La persona, pues, a la que se refiere el artículo 10.1 no es un ser que vive aisladamente, sino que es una persona que asume en su propia identidad la dimensión social, de tal manera que una persona sólo puede alcanzar su pleno desarrollo en convivencia con el otro, con los otros[169].

En segundo lugar, y con el fin de que el principio de libertad de conciencia se cumpla en su totalidad, es necesario el reconocimiento y garantía del valor del

---

[163]   LOMBARDIA, P. y FORNES, J.: "El derecho...", *op. cit.*, pág. 330.

[164]   Para TIRAPU las confesiones religiosas son también titulares de este derecho y no en la medida en que representen la integración de las personas. En este sentido, el citado autor precisa que *"no es el acuerdo de quienes integran las confesiones lo que determina su estructura jurídica y, por tanto, tienen una evidente dimensión institucional"* (cit. "Interpretaciones de la Constitución y libertad religiosa", en *Anuario de Derecho eclesiástico del Estado*, vol. V (1989), págs. 117-118.

[165]   Sobre el tránsito de una visión institucionalista a otra personalista en las relaciones entre el Estado y las confesiones religiosas, vid. NAVARRO VALLS, R.: "Los Estados...", *op. cit.*, págs. 19-23.

[166]   Cfr. MARTÍNEZ BLANCO, A.: *Derecho eclesiástico del Estado*, vol. I, Ed. Tecnos, Madrid 1994, págs. 156-157.

[167]   LLAMAZARES, D.: *Derecho eclesiástico del Estado. El derecho de la libertad de conciencia*, Serv. Publicaciones de la Facultad de Derecho de la Universidad Complutense, Madrid 1991, pág. 228.

[168]   LLAMAZARES, D.: *Derecho de la libertad de conciencia. I...*, *op. cit.*, pág. 225.

[169]   Cfr. JORDÁN VILLACAMPA, M.L.: "El derecho de libertad religiosa...", *op. cit.*, pág. 49.

pluralismo (art. 1.1 CE), ya que no hay libertad sino existe posibilidad de elección y para que ésta exista es necesario que el sujeto pueda tener ante sí y elegir diferentes opciones, creencias, ideas, convicciones y cosmovisiones. Desde esta perspectiva, cabe señalar —siguiendo a LLAMAZARES— que *"el pluralismo se presenta como un valor positivo desde el punto de vista de la realización de la persona como radical libertad: como resultado del respeto que exige la libertad de conciencia personal (de todas las personas) y como el único marco adecuado para la realización, desarrollo y formación de la persona en libertad. Sólo se puede elegir si hay varias alternativas a la vista; sólo es posible la formación libre en la libertad si antes de elegir es posible la previa contemplación imparcial de distintas opciones; sólo se aprende a ser libre siendo libres y ejerciendo la libertad; sólo es posible la autorrealización como radial libertad a golpe de elecciones que, en definitiva, son el hilo conductor de la vida misma"*[170].

Por consiguiente, la presencia del pluralismo ideológico se convierte y transforma en el único marco adecuado para la plena realización, desarrollo y formación de la persona en libertad[171], de tal manera que no sólo deba existir una pluralidad de opciones para poder ser realmente libres, sino que nuestro modelo político exige la existencia de una pluralidad de opciones a fin de que aprendamos y podamos ser verdaderamente libres[172]. Por consiguiente, una sociedad será pluralista si concurren diversas cosmovisiones del mundo y de la vida, como puede ser las religiones, las ideologías y las culturas, de tal forma que las mismas se integran e interrelacionan de manera más o menos pacífica. Ahora bien, con relación al pluralismo religioso debe precisarse que la función del Estado debe ser una posición de escrupuloso respeto, o en palabras de SOUTO deberá *"proteger y garantizar el pluralismo religioso, de tal manera que puedan coexistir confesiones y creencias diversas, sin situaciones de privilegio ni trabas innecesarias, salvo las establecidas legalmente"*[173]. Se opta de este modo a favor de una función del Estado de carácter exclusivamente protector, reservando una posible función pro-

---

[170]  LLAMAZARES, D.: *Derecho eclesiástico del Estado...*, op. cit., pág. 228.

[171]  Cfr. SORIANO, R.: "Del pluralismo confesional al pluralismo religioso íntegro: los límites al principio de igualdad religiosa", en *Revista de las Cortes Generales*, nº 7 (1986), págs. 95-157.

[172]  A este respecto, MURRAY ha precisado que *"(...) una sociedad que no se caracterice por el pluralismo ideológico (una categoría que es capaz de abarcar elementos tan inherentes a una sociedad evolucionada como son la libertad, la justicia, la ley, la unidad, la paz, la moralidad y la religión) no es una sociedad libre, ya que el pluralismo conforma la propia identidad nacional de cualquier sociedad democrática"* (cit. en "Apéndice de recopilación de textos" de BEDELL, G.; SANDON, L.; WELLBORN, C.: *Religión in América*, Macmillan Publishing, Nueva York 1992, págs. 487-498.

[173]  SOUTO PAZ, J.A.: *Derecho eclesiástico...*, op. cit., pág. 86.

mocional para el pluralismo ideológico[174]. No obstante, no estamos tan seguros que su misión no sea la propia consecución del pluralismo religioso y sobre todo su defensa, superando, por tanto, la del *"pluralismo como marco que permite el ejercicio de la libertad"*[175].

En tercer lugar, y como génesis de la libertad de conciencia, la misma conlleva el elemento inherente de la **tolerancia**. Ahora bien, esta última no debe ser entendida en su sentido clásico de admitir al que está en el error[176], sino en sentido horizontal, esto es, como elemento de comportamiento social y cívico de convivencia[177]. Desde este planteamiento, la tolerancia puede ser entendida como la condición de posibilidad de la mera coexistencia pacífica en una sociedad democrática, de tal manera que se está en disposición de diálogo con el otro, lo que supone que no se trata de dos monólogos, sino de ponerse en el lugar del otro e intentar comprenderlo[178]. La tolerancia se convierte, de esta manera, en el punto de equilibrio de las libertades, de modo que no resulta de la resolución de un conflicto normativo, sino como prevención del conflicto mismo. En este sentido se ha afirmado que *"la tolerancia como disposición y capacidad de convivencia, de vivir en relación con los otros y no fuera de esa relación, se realiza efectivamente en el diálogo, en el respeto que salva las distancias sin confundir las diferencias y en la búsqueda de una verdad para todos que nadie posee"*[179]. Así entendida, la

---

[174]    Vid. a este respecto, BERNÁRDEZ CANTÓN, A.: *La cuestión religiosa en la Constitución...*, *op. cit.*, págs. 46-47; HERVADA, J.: "Bases críticas para la construcción del Derecho...", *op. cit.*, pág. 32; LLAMAZARES, D.: *Derechos de la libertad de conciencia. I...*, *op. cit.*, pág. 258; NAVARRO VALLS, R.: "Los Estados...", *op. cit.*, pág. 34; SOUTO PAZ, J.A.: *Derecho eclesiástico...*, *op. cit.* pág. 86.

[175]    Sobre esta posición doctrinal, vid. IBAN, C.; PRIETO SANCHÍS, L.; MOTILLA DE LA CALLE, A.: *Derecho eclesiástico*, McGraw-Hill, Madrid 1997, pág. 27.

[176]    Esta posición es la mantenida por GONZÁLEZ DEL VALLE respecto al derecho a la objeción de conciencia. Vid. GONZÁLEZ DEL VALLE, J.M.: *Derecho eclesiástico...*, *op. cit.*, págs. 174-175.

[177]    Cfr. CUBILLAS RECIO, L.M.: "Sobre la tolerancia", en *Estudios jurídicos en homenaje al Profesor Vidal Guitarte*, vol. I, Servicio Publicaciones de la Diputación de Castellón, Valencia 1999, págs. 279 y ss.

[178]    Según BELLAMY (vid, "Toleration, Liberalism and Democracy: A comment on Leader and Garzón Valdés", en *Ratio Juris*, vol. 10, nº 1 (1997), págs. , 56 y ss.), en un contexto democrático la tolerancia puede definirse como una virtud inherente: tanto a la naturaleza del debate democrático, como a la convivencia pacífica en dicho contexto de persona que están llamadas a convivir juntas y a perseguir intereses comunes pesa a que tengan diferentes creencias y valores; se trata, por otra parte, de una necesidad de la que participa el principio de justicia inherente a todo sistema democrático, concretamente a través del imperativo de conceder soluciones acordes a la necesidad de reconciliar los múltiples valores y principios por los que se guían los ciudadanos (cit. en CELADOR, O.: *Proyecto Docente...*, *op. cit.*, pág. 135).

[179]    BADA PANILLO, J.R.: "La tolerancia, entre el fanatismo y la indiferencia", en *Cultura de la tolerancia*, Seminario de Investigación para la Paz, Zaragoza 1996, pág. 36.

tolerancia se configuraría como una norma fundamental de convivencia al servicio de los valores protegidos en el artículo 10.1 de la CE, y de modo especial del orden y la paz sociales, las cuales permiten el ejercicio de los derechos de unos sin perjuicio de los derechos de los otros[180]. O en palabras de LLAMAZARES, *"es la actitud de respeto de las mayorías hacia las minorías, ideológicas, religiosas o culturales, en general, que o son seculares (gitanos y judíos) o nuevas como consecuencia del fenómeno creciente de la emigración (árabes, especialmente magrebíes) a los que habría que añadir a los latinoamericanos; aunque en ese caso con muchas más raíces comunes"*[181].

La tolerancia se configura, por tanto, como un valor, que *"aparece al lado de esos dos valores fundamentales que son la libertad y la igualdad. Pero mientras se puede decir que el valor de la libertad tiene que ser compensado con el de la igualdad y, por tanto, es prioritario el derecho a la igualdad sobre el derecho a*

---

[180]  Se está en presencia del concepto volteriano de tolerancia, de tal forma que para la pluralidad religiosa establecida en la Francia del siglo XVII, la misma implicaba un mecanismo de garantía suficiente para que no se produjesen discriminaciones por motivos religiosos. Así señala que *"(...) tenemos judíos en Burdeos, en Metz, en Alsacia; tenemos luteranos, molinistas, jansenistas; ¿no podemos tolerar y contener a los calvinistas, poco más o menos en las mismas condiciones que los católicos son tolerados en Londres? Cuantas más sectas haya, menos peligrosa es cada una; la multiplicidad las debilita; todas son reprimidas por leyes justas que prohíben las asambleas, siempre tumultuosas, las injurias, las sediciones, y que están siempre en vigor por la fuerza coactiva"*. Y más tarde afirma que *"es una pasión muy terrible el orgullo que quiere forzar a los hombres a pensar como nosotros; pero ¿no es una gran locura creer que se los trae a nuestros dogmas haciéndoles que se revelen continuamente por las calumnias más atroces, persiguiéndoles, llevándoles a galeras, a la horca, al potro y a la hoguera?; (...) ¿No es la más peligrosa de las perversiones, la de aborrecer al prójimo por sus creencias? ¿No es evidente que sería mucho más razonable adorar el santo ombligo, el sagrado prepucio de nuestro señor Jesucristo, y la leche y el vestido de la Virgen María, que detestar y perseguir a nuestros hermanos?"*. Por este motivo, VOLTAIRE reclamó tolerancia para los tolerantes: *"(...) sin duda los hugonotes se embriagaron con el fanatismo y se mancharon con la sangre, como nosotros; pero ¿es la generación actual tan bárbara como sus padres? El tiempo, la razón que tanto ha progresado, los buenos libros, la dulzura de la sociedad, ¿no han penetrado en los que guían el espíritu de los pueblos? Y ¿no notamos que caso toda la faz de Europa ha cambiado desde hace cincuenta años?"*. Para conseguir dicho objetivo propone seguir los ejemplos de otros Estados europeos: *"El furor que inspiran el espíritu dogmático y el abuso de la religión cristiana, mal entendida, ha derramado tanta sangre y producido tantos desastres en Alemania, en Inglaterra y aún en Holanda, como en Francia; sin embargo, hoy la diferencia de religión no causa ningún trastorno en esos Estados: el judío, el católico, el griego y el calvinista, el anabaptista, el sociniano, el momnonita, el moravo y tantos otros, viven como hermanos en esas comarcas y contribuyen al bien de la sociedad"* (cit. en *Tratado de la Tolerancia*, Ed. Crítica, Barcelona 1984, págs. 7, 25, 33 y ss., respectivamente).

[181]  LLAMAZARES, D.: *Derecho de la libertad de conciencia. I..., op. cit.*, pág. 259. Vid. A este respecto, DE LUCAS, J.: "La tolerancia como respuesta a las demandas de las minorías culturales", en *Derechos y Libertades*, nº 5 (1995), págs. 155-172.

*la libertad; la tolerancia no entra en el conflicto de las prioridades, pero sí puede entrar en el juego de la compensación, siempre que ésta no sea referida a un valor distinto de la propia tolerancia. Sólo se da desde partes diferenciadas*"[182].

Finalmente, y dentro asimismo de una valoración positiva del factor ideológico-religioso, debe precisarse que la misma se produce no de los intereses religiosos en cuanto tales, sino del derecho fundamental de los ciudadanos a la libertad de conciencia[183], lo que tiene como correlato más importante el **principio de participación** de los individuos y los grupos religiosos o filosóficos. Un principio de participación que viene establecido en el artículo 9.2 de la CE, cuya redacción y en especial la ubicación dada a la cooperación, esto es a continuación de la función promocional de los poderes públicos, supone —según CELADOR— que "la participación deba ser considerada como una auténtica *conditio sine qua non* para la consecución de dicha función"[184]. Una participación que no debe ser entendida sólo en sentido negativo o pasivo de los ciudadanos, sino que —como ha puesto de manifiesto LLAMAZARES— "*se trata de una participación activa*"[185], lo que supone no sólo situar a los ciudadanos, sino también a las instituciones u organizaciones sociales, incluidas las religiosas[186], en las tomas de decisiones, al menos en aquellas materias o cuestiones que puedan afectarles directamente[187]. Ello lleva a FERRARI a señalar que la participación implica, en cierta medida, que la legislación del Estado pueda ser influenciada por los grupos sociales, sobre todo en aquello que sea de actuación de los grupos referidos[188].

---

[182]   CUBILLAS RECIO, L.M.: *Proyecto Docente...*, *op. cit.*, págs. 202-203.
[183]   Cfr. LLAMAZARES, D.: *Derecho de la libertad de conciencia*, vol. I, *op. cit.*, págs. 260-266 y 270-271; MARZOA, A.: "No confesionalidad e indiferentismo en materia religiosa (Dos término nos implicados)", en *Anuario de Derecho eclesiástico del Estado*, vol. V (1989), págs. 103-107.
[184]   CELADOR, O.: *Proyecto Docente...*, *op. cit.*, pág. 125.
[185]   LLAMAZARES, D.: *Derecho de la libertad de conciencia. I...*, *op. cit.*, pág. 255.
[186]   En esta línea, TORRES DEL MORAL afirma que "*(...) la participación institucional, es decir la de los sindicatos, colegios o asociaciones, incluiría en su ámbito a las asociaciones religiosas, en la medida en que la participación institucional es aquella que se entiende que se realiza a través de los sindicatos, asociaciones empresariales, colegios profesionales, organizaciones de consumidores y usuarios y demás instituciones constitucional o legalmente reconocidas*" (cit. en *Principios de Derecho constitucional...*, *op. cit.*, pág. 374).
[187]   Para MOTILLA resulta "*(...) innato a un sistema pluralista el reconocimiento a las organizaciones que se integran en el mismo del derecho a participar en las decisiones de los órganos políticos que les atañen, pues esto significa la traslación a éstos de los derechos predicados para los individuos en las democracias liberales*" (cit. en "Notas sobre problemas fundamentales...", *op. cit.*, pág. 217).
[188]   FERRARI, S.: "The New Wine and the Old Cask. Tolerance, Religion and the Law in Contemporany Europe", en *Ratio Juris*, vol. 10, nº 1 (1997), pág. 56.

Ahora bien, ello no puede llegar a implicar, en ningún caso, la expropiación de la potestad legislativa del Estado[189]. En este contexto resultan significativas las palabras de LLAMAZARES cuando afirma que *"(...) descartada cualquier tipificación de los acuerdos que implique convertir a las Iglesias en colegisladores de hecho (la llamada ley pactada) y que supondría un atentado no sólo contra la laicidad del Estado sino también contra su propia soberanía, sólo queda una solución: entender la cooperación del Estado con las confesiones religiosas en la elaboración de la voluntad legislativa del Estado como una aplicación a éstas del principio de participación, que entraña para él la obligación de escucharlas antes de tomar decisiones legislativas que puedan afectar a la libertad de conciencia de sus ciudadanos, especialmente los que tienen creencias religiosas"*[190].

En efecto, algunos de los contenidos esenciales del derecho a la libertad de conciencia y religiosa puede hacer necesario el entendimiento y la colaboración entre los poderes públicos y los grupos religiosos en aras a su satisfacción real y efectiva. No obstante, debe precisarse que dicha cooperación no debe ni puede entenderse como exigencia de la existencia previa de una norma de carácter pacticio ni para el reconocimiento, ni para el ejercicio real y efectivo del derecho en cuestión. Por el contrario, la existencia de una regulación especial pacticia se realizará en la medida en que sea requisito de la efectividad del presente derecho fundamental, empleándose la norma pacticia no como *conditio legislatoris* para el reconocimiento, ejercicio y tutela del derecho, sino como una técnica más para la aplicación del mismo. En consecuencia, la única cooperación de la que —a nuestro entender— habla el artículo 16.3 de la CE, obligada para los poderes públicos, es la que reclame y exija la *"promoción de las condiciones para que la libertad e igualdad del individuo y de los grupos en que se integra sean reales y efectivas,* [así como] *la remoción de los obstáculos que dificulten [la] plenitud"* del derecho a la libertad de conciencia y de convicciones. Estableciéndose una relación estrecha entre relaciones de cooperación y garantía positiva o función promocional.

En consecuencia, la justicia de la que habla el artículo 1.1 de la CE se concibe como la igualdad en la libertad, esto es, la personalidad y dignidad de la persona humana está en su libertad, pero le corresponde por igual y de manera originaria

---

[189]    Desde una perspectiva más institucional, IBAN señala que *"los acuerdos a los que se refiere el artículo 7 de la Ley Orgánica de Libertad Religiosa responden al siguiente planteamiento: "antes de legislar en materia de confesiones es conveniente oir a la confesión afectada, y ello se formalizará en los acuerdos""* (cit. en *Curso de Derecho eclesiástico..., op. cit.*, pág. 156).

[190]    LLAMAZARES, D.: *Derecho de la libertad de conciencia. I..., op. cit.*, pág. 296. Cfr. LLA-MAZARES, D.: "El principio de cooperación del Estado con las confesiones religiosas: fundamento, alcance y límites", en *Anuario de Derecho Eclesiástico del Estado*, vol. V (1989), págs. 69-101.

a todas las personas (principio de personalización)[191]. Una libertad que sólo es posible si el sujeto tiene a su alcance y en su formación la posibilidad de elección entre varias opciones ideológico-religiosas (principio del pluralismo), así como operar en las decisiones de su propia vida y de la sociedad en la que vive (principio de participación) de conformidad con las opciones ideológicas, las creencias o las convicciones adoptadas. Al servicio de este objetivo se deben entender e interpretar el resto de los principios informadores del sistema jurídico, como son los de laicidad y cooperación. En esta misma línea, LLAMAZARES ha afirmado que "(...) no es posible tener una idea cabal ni de la libertad de conciencia y de su relación con la igualdad sin tener a la vista el principio personalista, ni de la laicidad y de su relación con el principio de cooperación sin tener a la vista los principios de la tolerancia y el pluralismo. Recuérdese que el sistema de Derecho de la libertad de conciencia es un subsistema, no un sistema autónomo y menos un sistema cerrado"[192].

Todo ello, sin olvidar que los mismos se integran dentro de un sistema o modelo de democracia, la cual se configura no sólo en elemento de referencia para el pleno y real ejercicio de los derechos fundamentales, sino que los propios derechos fundamentales, y entre ellos el derecho a la libertad de conciencia, se constituyen, a su vez, en elemento constitutivo del propio concepto de democracia, así como del Estado de Derecho[193].

## 3. DERECHO A LA VIDA Y LIBERTAD DE CONCIENCIA

Establecido el modelo de relación del Estado con el fenómeno religioso, así como los principios constitucionales informadores del sistema político en materia religiosa, es preciso en este trabajo marco entrar —aunque sea de una manera breve— en el análisis de las relaciones o conexiones entre libertad de conciencia y biomedicina[194]. Dos cuestiones quedan de una u otra manera afectadas por la relación entre libertad de conciencia, derecho a la vida y la salud, esas dos cues-

---

[191]  Cfr. LLAMAZARES, D.: *Derecho eclesiástico del Estado español*, 2ª ed., Servicio Publicaciones de la Facultad de Derecho de la Universidad Complutense, Madrid 1991, pág. 283.

[192]  LLAMAZARES, D.: *Derecho de la libertad de conciencia. I...*, *op. cit.*, págs. 223-224.

[193]  Cfr. DÍAZ, E.: *Estado de Derecho y sociedad democrática*, *op. cit.*

[194]  Cfr. CAMARERO, M.: "Bioética y Derecho eclesiástico: unas breves reflexiones", en *Estudios en homenaje al Profesor Martínez Valls*, vol. I, Universidad de Alicante, Alicante 2001, págs. 77-86; DALLA TORRE, G.: "Bioética e diritto ecclesiastico", en *Bioetica e Diritto*, Saggi, Turín 1993, págs. 5 y ss.; SOUTO PAZ, J.A.: "Objeción de conciencia y bioderecho", en *Estudios en homenaje al Profesor Martínez Valls*, vol. II, *op. cit.*, págs. 687-698; VEGA GURIERREZ, A.M.: "Bioética y Derecho: razón ética versus razón técnica", en *Secularización y laicidad en la experiencia democrática moderna*, San Sebastián 1996, págs. 202-223.

tiones están relacionadas con la reproducción humana y las nuevas técnicas de reproducción asistida[195], la primera, y con el derecho a la vida y la temática de la eutanasia[196], la segunda.

## 3.1. Derechos reproductivos y libertad de conciencia

Se trata en el primero de los casos, de un tema directamente relacionado con la familia y las incidencias que, sin duda, dichas técnicas pueden tener sobre la misma: paternidad, madre de alquiler, familia natural o biológica, operaciones de cambio de sexo, etc.[197]. Todo ello nos sitúa ante una nueva regulación de la sexualidad en la que se debe dar respuesta a las relaciones entre lo biológico y lo cultural, entre lo individual y la sociedad, entre el sexo y el género, entre lo privado y lo público y/o entre sexualidad y procreación. Y ello conectado o enfrentado con derechos humanos tan importantes como el derecho a la vida, a la salud, a la libertad de conciencia, a la intimidad, a la investigación, etc., dando lugar a lo que se ha denominado "derechos reproductivos", tanto desde la perspectiva de la planificación familiar y, por ende, del control de la natalidad, como del derecho a la reproducción: v. gr., quién tiene derecho a estos tratamientos, quién debe

---

[195]     Cfr. BRIONES, I.: "La objeción de conciencia a la fecundación in vitro", en *Las objeciones de conciencia*, Valencia 1991, págs. 379-388; CARCABA, M.: *Los problemas jurídicos planteados por las nuevas técnicas de procreación humana*, Ed. Bosch, Barcelona 1995; DURAND, J.P.: "Implications canoniques des debats actuels sur la procrèation", en *Revue de Droit Canonique*, núm. 45/2 81995), págs. 284-298; GARCÍA CANTERO, G.: "Reflexiones sobre la objeción de conciencia en la procreación asistida", en *Las objeciones de conciencia, op. cit.*, págs. 370 y ss.; GÓMEZ SÁNCHEZ, Y.: *El derecho a la reproducción humana*, Madrid 1994; MARTÍNEZ CALCERRADA, L.: *La nueva inseminación artificial. Estudios de la Ley de 22 de noviembre de 1988*, Madrid 1989; NAVARRO VALLS, R.: *Matrimonio y Derecho*, ed. Tecnos, Madrid 1994, en especial págs. 117 y sigs.; POMPEDDA, M.F.: "Procreazione matrimoniale e diritto matrimoniale canonico", en *Progresso biomedico e diritto matrimoniale canonico*, Padua 1991, págs. 147-165; ROCA TRIAS, E.: *La incidencia de la inseminación-fecundación artificial en los derechos fundamentales y su protección jurisdiccional en la filiación a finales del siglo XX*, Ed. Trivium, Vitoria 1988; VEGA, A.: "Ética, legalidad y familia en las técnicas de reproducción humana asistida", en *Ius Canonicum*, vol. XXXV (1995), págs. 673-728; VILADRICH, P.J.: "Las motivaciones de la Ley de reproducción asistida y el espíritu de los derechos humanos", en *Las objeciones de conciencia, op. cit.*, págs. 137-145; ZARRALUQUI, L.: "Pruebas genéticas y matrimonio", en *El Derecho ante el Proyecto de Genoma Humano*, vol. I, Universidad de Deusto-BBV, Madrid 1994, págs. 415 y ss.

[196]     Cfr. PORTERO, L.: "Eutanasia y objeción de conciencia", en *Las objeciones de conciencia, op. cit.*, págs. 147-203; VEGA GUTIÉRREZ, A. M.: "El derecho a la vida o el retroceso en la civilización", en *Ius Canonicum*, vol. XXXVI (1996), págs. 715-743.

[197]     Sobre algunas de estas cuestiones y su incidencia en el Derecho de familia, vid. NAVARRO VALLS, R.: *Derecho y Familia*, Ed. Tecnos, Madrid.

pagarlos o cuánto tiempo conservar los embriones[198]. Centrando las cuestiones en la normativa reguladora de las técnicas de reproducción asistida, cabe precisar que no existen dos leyes idénticas ni tan siquiera próximas[199]. Así, en Alemania, Hungría, Turquía y Polonia sólo es posible la reproducción asistida para matrimonios legales, mientras que en Austria, en Australia y en Dinamarca se permiten estos tratamientos en parejas de hecho con un mínimo de dos años de convivencia; en Francia, las parejas de hecho necesitan autorización o consentimiento del alcalde; y en el Reino Unido y en España tienen acceso a estas técnicas mujeres solas o en pareja. Por lo que respecta al diagnóstico embrionario, el mismo se permite en Bélgica, España, Reino Unido y Suecia, mientras que en Francia no está reglamentado, y en Alemania, Dinamarca y Suiza está prohibido. En cuanto a la donación de óvulos, el principio del "anonimato" resulta de carácter obligatorio en Noruega y en España, mientras que en Dinamarca se considera que el niño tiene derecho a saber quién es su padre biológico[200]; y ésta resulta prohibida en Alemania y Austria. Por lo que se refiere a la donación de embriones resulta posible en Alemania, Dinamarca, Israel y Francia[201], y prohibida en Austria y Jordania[202]. Y respecto al tiempo de su conservación congelados, cabe señalar que en Australia, España, Finlandia e Israel se conservan 10 años; en Argentina, Francia, Reino Unido y Suiza se conservan 5 años; en Dinamarca y Suecia, 2 años; y en Estados Unidos y Japón se mantienen mientras que esté vivo el donante[203]. A ello debe añadirse la problemática de la revocación del consentimiento por parte de alguno de los donantes, en cuyo caso —como regla general— deben ser destruidos. Así lo ha entendido el Tribunal Europeo de Derechos Humanos en el caso Evans contra Reino Unido, de 7 de marzo de 2006, confirmado por la Gran Sala en sentencia de 10 de abril de 2007[204].

---

[198]    Para un estudio más en profundidad, vid. VIDAL MARTÍNEZ, J (coord.): *Derechos reproductivos y técnicas de reproducción asistida*, Ed. Comares, Granada 1998. Un comentario de esta obra en ELÓSEGUI, M.: "Los derechos reproductivos. Un nuevo concepto jurídico procedente del mundo legal anglosajón (A propósito de un libro)", en *Anuario de Derecho eclesiástico del Estado*, vol. XVI (2000), págs. 687-696.

[199]    A este respecto, vid. GARCÍA RUIZ, Y.: *Reproducción humana asistida. Derecho conciencia y libertad*, Ed. Comares, Grana 2004, especialmente págs. 51-187.

[200]    VIDAL MARTÍNEZ, J.: "La figura del anonimato del donante en la LTRA, el Registro Nacional de Donantes, Gametos y Preembiones", en *Derechos reproductivos...*, *op. cit.*, págs. 101-103.

[201]    No obstante, en este país deberá ser autorizada por un juez.

[202]    A este respecto, vid. VIDAL MARTÍNEZ, J.: "La donación de gametos y embriones", en *Derechos reproductivos...*, *op. cit.*, págs. 83 y ss.

[203]    Respecto de esta cuestión, vid. HERRANZ, G.: "La destrucción de embriones congelados", en *Persona y Bioética*, n° 1 (1997), págs. 58-66.

[204]    Un interesante comentario a la misma en LAMM, E.: "La custodia de embriones en la jurisprudencia de Tribunal de Derechos Humanos. A propósito del caso Evans contra el Reino Unido", en Revista catalana de Dret public, n° 36 (2008), págs. 195-220.

A lo expuesto deben añadirse todas aquellas cuestiones que la presente problemática puede suscitar en su relación con el propio concepto de persona humana[205], así como su conexión con la manipulación genética, los embriones y gametos, las células madres, la clonación y los derechos a la vida, a la integridad y a la salud[206]. Así, y haciendo referencia al tema de la clonación, cabe precisar que se está en presencia de una forma de reproducción artificial, la cual se obtiene sin la aportación de los dos gametos y, por lo tanto, ante una reproducción asexual y ágama[207]. En la clonación la fecundación propiamente dicha es sustituida por la fusión de una célula somática o de un núcleo tomado de una célula somática del sujeto que se quiera clonar con un óvalo desnucleado (privado del genoma de origen materno)[208]. O bien el uso de los llamados métodos de transferencia nuclear, los cuales permitirían la paternidad de dos individuos del mismo sexo. La utilización de cualquiera de las dos técnicas de reproducción asistida reseñadas supone una modificación de las relaciones fundamentales de la persona humana como

---

[205]  En relación a esta cuestión, vid. AGAZZI, E.: (coord.): *Bioética e persona*, Angeli, Milán 1993; ANDORNO, R.: "¿Persona-substancia o persona-conciencia?", en *Persona y Bioética*, n° 1 (1997), págs. 83 y ss.; CHOZA, J.: "El descubrimiento de la dignidad humana", en *Bioética, psiquiatría y Derechos Humanos*, I.M. & C., Madrid 1995; D'AGOSTINO, F.: "La bioetica, le biotecnologie e il problema dell'identitá della persona", en *Bioetica nella prospettiva della filosofia del diritto*, Giappichelli Editore, Turín 1996; idem: "Bioetica e diritto", en *Medicina e Morale*, vol. 4 (1993), págs. 675 y ss.; DEL BARCO, J.L.: "Bioética y dignidad humana", en *Bioética. Consideraciones filosófico-teológicas sobre un tema actual*, Madrid 1992, págs. 9 y ss.; HOYOS CASTAÑEDA, I.M.: "De nuevo sobre el concepto de persona. El reto ante el debate bioético y biojurídico actual", en *Persona y Derecho. Estudios en homenaje al Prof. Javier Hervada (II)*, n° 41 (1999), págs. 319-335; GONZÁLEZ PÉREZ, J.: *La dignidad de la persona*, Ed. Civitas, Madrid 1986; MELENDO, T.: "La dignidad de la persona", en POLAINO LORENTE, A. (ed.): *Manual de bioética general*, 3ª ed., Madrid 1997, págs. 59 y ss.; PALAZZANI, L.: "El concepto de persona en el debate bioético y biojurídico actual", en *Medicina y Etica*, n° 1 (1997), págs. 21 y ss.; POSSENTI, V.: "La bioetica alla ricerca dei principi: la persona", en *Humana Iura de derechos humanos*, vol. 3 (1993), págs. 143 y ss.; SPAEMANN, R.: "Sobre el concepto de dignidad humana", en *Persona y Derecho, n° XIX (1988).

[206]  En este sentido, vid. Declaración Universal, de 11 de noviembre de 1997, sobre el Genoma Humano y los Derechos Humanos. Desde el punto de vista doctrinal, vid. SPAEMANN, R.: "¿No existe el derecho a la vida? (Controversia en torno a la protección del niño no nacido)", en *Persona y Bioética*, n° 3 (1998), págs. 1 y ss.

[207]  Cfr. LACADENA, J.R.: "La clonación: aspectos científicos y éticos", en *Anales de la Real Academia de Farmacia*, n° 63 (1997), págs. 277 y ss.

[208]  Vid. a este respecto, el Protocolo adicional al Convenio Europeo para la Protección de los Derechos Humanos y la Dignidad Humana en relación con la aplicación de la Biología y la Medicina sobre la Prohibición de Clonar Seres Humanos, abierto a la firma en París el 7 de enero de 1998, y las Resoluciones del Parlamento Europeo, de 16 de marzo de 1989, sobre Problemas éticos y jurídicos de la manipulación genética y de la fecundación artificial humana, y de 12 de marzo 1997, sobre la clonación.

la filiación, la consanguinidad, el parentesco y la paternidad o maternidad[209]; al tiempo que nos sitúan ante el problema mismo de la producción humana de seres iguales, y aunque se discute la identidad de la persona, tanto desde el punto de vista ontológico como psicológico, ello no impedirá que en algunos supuestos se pueda estar en presencia de un claro ataque a la dignidad humana, al suponer un atentado a la unicidad biológica del ser humano[210], y contraria al principio de igualdad, al permitir una selección eugenésica y racista de los seres humanos[211], además de la existencia de claros deseos de omnipotencia[212]: conservación de reservas de órganos y tejidos[213], utilización para el estudio celular de importancia para los trasplantes[214], réplica de individuos dotados de una inteligencia, un ingenio o una belleza excepcionales[215]; reproducción de familiares difuntos, selección de individuos por determinadas características: selección del sexo del hijo, por los ojos, etc.; materializar el deseo del perpetuante; selección genética de las personas: selección de hijos sanos, etc. O bien su utilización por razones "compasivas".

Cualquiera de los casos reseñados puede devenir en una exacerbación de la eugenesia[216]o selección racista de la especie humana, por lo que se ha reclamado la necesidad de un nuevo derecho humano, a saber: el derecho a la individualidad genética, cuyo contenido se concretaría en los derechos a la unicidad e irrepetibilidad individual, a poseer un propio y original patrimonio genético y a expresarlo sin interferencias que puedan perjudicar su integridad o disminuir su originalidad[217]. Desde este planteamiento, cabe señalar que las técnicas de clonación humana han sido prohibidas por la mayoría de los países de la Unión

---

[209]  Sobre algunas de estas cuestiones, vid. LOMBARDI VALLAURI, L.: "Filiazione artificiale e principio famiglia", en *Persona y Derecho. Estudios en homenaje al Prof. Javier Hervada (II)*, nº 41 (1999), págs. 337-352.

[210]  En esta línea, APARISI afirma que "*el reconocimiento y garantía de la dignidad de todo miembro de la especie humana implica, a su vez, el respeto a su unicidad e irrepetibilidad genética*" (cit. en "Manipulación genética, dignidad y derechos humanos", en *Persona y Derecho. Estudios en homenaje al Prof. Javier Hervada (II)*, nº 41 (1999), pág. 314.

[211]  La violación del principio de igualdad es defendida en la Res. del PE, de 12 de marzo de 1997, sobre la clonación.

[212]  Sobre las múltiples razones posibles, vid. SGRECCIA, E.: "La clonazione", en *Medicina e Morale*, 1997/2, págs. 232-234.

[213]  Cfr. ALLMERS, H.: "Ethics of cloning", en *Lancet*, nº 349 (1997), págs. 1401 y ss.

[214]  Cfr. KOLBERG, R.: "Human embryo cloning reported", en *Science*, nº 262 (1993), págs. 652-653.

[215]  HIDALGO, S.N.: "Clonación o reproducción en serie de seres humanos, ¿una alternativa del siglo XXI?", en *Revista de Derecho y Genoma Humano*, 1996/4, págs. 46-64.

[216]  Para una crítica de la eugenesia, vid. DEL AMO, A.: "Eugenesia", en LÓPEZ MORATALLA, N. (ed.): *Deontología biológica*, Facultad de Ciencias de la Universidad de Navarra, Pamplona 1987; GALTON, F.: *Herencia y eugenesia*, Alianza, Madrid 1988.

[217]  Cit. en APARISI, A.: "Manipulación genética...", *op. cit.*, pág. 314.

Europea (Alemania, España, Italia, Portugal, Reino Unido), así como en Estados Unidos[218].

Ello, sin embargo, puede representar un choque frontal con la investigación, dando lugar a un debate que está en la calle como es la distinción entre la clonación humana y la clonación terapéutica, o investigación sobre embriones humanos. Y a este respecto no se puede olvidar tampoco que la "individualidad" de una persona tiene su origen en elementos familiares, sociales y culturales. Así, SO-RIA y JUAN han puesto de manifiesto como *"quienes defienden que el embrión de unas pocas células es un ser humano, porque en su interior ya se encuentra el programa genético que determinará su desarrollo posterior, tendrán que buscar otra línea argumental, ya que después de Dolly sabemos que dicho programa se encuentra en cualquier célula adulta. Tampoco puede argumentarse que cualquier ser humano es único e irrepetible gracias a dicho programa genético: hace tiempo que se sabe que los gemelos univitelinos poseen la misma dotación genética y no por eso comparten el mismo pasaporte[219].*

*Lo que hace único e irrepetible a cada ser humano es su propia individualidad, producto no sólo de su programa genético, sino también de la influencia materna primero, y familiar y social después, y de sus propias decisiones a lo largo de su vida. Hacer que la humanidad de un ser descanse en su programa genético ahora que estamos en condiciones de disponer de la secuencia de bases que constituye el genoma de cada individuo sería tanto como afirmar, siguiendo a Agustín de Hipona, que esa secuencia escrita sobre un papel es "un ser humano en potencia""[220].*

Ello viene a justificar que la posición mantenida por los legisladores tenga una respuesta de mayor pluralismo en relación a las investigaciones sobre embriones humanos, de tal manera que mientras en Alemania e Italia dichas investigaciones están prohibidas, en el Reino Unido y Francia las mismas han sido autorizadas[221];

---

[218] Sobre las distintas normativas, vid. GARCÍA MIRANDA, C.Mª.: "La regulación jurídica de la clonación de seres humanos", en *Cuadernos de Bioética*, nº 30 (1997), págs. 913-918.

[219] Un claro ejemplo se ha observado en los gemelos monocigóticos que, en ocasiones, presentan diferencias visiblemente apreciables. Vid. SOUTULLO, D.: *Biología, cultura y ética. Crítica de la sociobiología humana*, Talera Ediciones, Madrid 2005, págs. 35-36.

[220] SORIA, B. y JUAN, V.: "Células madre, embriones y clonación…", *op. cit.*, pág. 22. Sobre las teorías surgidas en torno a la relación entre la genética y la cultura, vid. GARCÍA RUIZ, Y.: "Incidencia de la religión y la cultura en la genética", en SALCEDO BELTRÁN, C.: *Investigación, genética y Derecho*, Tirant lo Blanch, Valencia 2008, págs. 11-35; PARSONS, E.: "Culture and Genetics: Is Genetics is Society or Society in Genetics?", en *Culture, Kinship and Genes. Towards Cross-Cultural Genetics*, Ed. Angus Clark and Evelyn Parson, Mew York 1997, págs. 245-260.

[221] Para un estudio detallado, vid. PÉREZ ALVAREZ, S.: *La libertad ideológica ante los orígenes de la vida y la clonación en el marco de la U.E.*, Ed. Comares, Granada 2009, especialmente págs. 123-223.

y en Holanda, Suecia y España han legalizado la clonación terapéutica de células humanas[222]. Por su parte, el Grupo de Ciencias de la Vida de la Comisión Europea ha recomendado la autorización para el empleo de embriones congelados para la investigación, que se exploren los mecanismos que subyacen en los procesos de clonación terapéutica y que se financien estas investigaciones en células madre.

## 3.2. Derecho a la vida y libertad de conciencia

Por lo que respecta a la segunda de las temáticas referidas, esto es, la vida (incluida la cuestión de la eutanasia[223]) y el derecho de libertad de concien-

---

[222] Vid. art. 33.2 de la Ley 14/2007, de 3 de julio, de Investigación Biomédica. A este respecto, vid. TOMAS-VALIENTE LANUZA, C.: "Los nuevos perfiles de la licitud administrativa y penal de las técnicas genéticas (a propósito de la Ley 14/2006, sobre Técnicas de Reproducción Humana Asistida, y la Ley 14/2007, de Investigación Biomédica", en SALCEDO, C.: *Investigación, Genética y Derecho, op. cit.*, págs. 267-302.

[223] Siguiendo a ALEGRE MARTÍNEZ, cabe señalar que "*La doctrina suele distinguir entre eutanasia liberado, eugenésica y económica. La primera supone la muerte tranquila y sin dolor, practicada con el fin de liberar al sujeto de padecimientos supuestamente intolerables y sin remedio. La eutanasia eliminadora o eugenésica pretendería la mejora de la especie mediante la eliminación de los "menos aptos". Por medio de la eutanasia económica se persigue mejorar el nivel de vida social haciendo desaparecer a quienes por su invalidez o inutilidad representan una carga social. En la actualidad, [y por lo que a nosotros nos interesa en este momento,] la discusión se centra en la posible licitud constitucional del primero de los tres tipos. La eutanasia liberadora puede ser activa o pasiva. Es decir: puede consistir en la acción de adelantar directamente la muerte, o en dejar que la muerte se produzca sin continuar por tiempo indefinido manteniendo artificialmente una vida humana terminal. En este último caso, la eutanasia liberadora pasiva, se suele hablar de ortotanasia o eutanasia impropia.*
*(...) Por otra parte, la eutanasia liberadora activa puede ser, a su vez, consentida o no consentida, en función de la actitud de la víctima. Cuando no existe consentimiento estaríamos ante un supuesto más de homicidio. El problema se plantea con la eutanasia activa y consentida y, concretamente, cuando es el paciente quien pide al médico que acorte su vida*" (en *La dignidad de la persona..., op. cit.*, págs. 84-85, nota 112).
Sobre la cuestión desde el punto de vista doctrinal, vid. BECCHI, P.: "La morte dolce. Alla ricerca di un approcio etico", en *Cenobio*, 4/XLII (1993); BERISTAIN, A.: *Eutanasia, dignidad y muerte (y otros trabajos)*, Depalma, Buenos Aires 1991; GAFO, J.: *La eutanasia y el arte de morir*, Universidad Pontificia de Comillas, Madrid 1990; HUMPHRY, D. y WICKETT, A.: *El derecho a morir. Comprender la eutanasia*, Tusquets, Barcelona 1989; MARTÍN GÓMEZ, M. Y ALONSO TEJUCA, J.L.: *Aproximación jurídica al problema de la eutanasia*, La Ley, Madrid 1992; MUÑAGORRI LAGUIA, I.: *Eutanasia y Derecho Penal*, Centro de Estudios Judiciales, Madrid 1994; PAREJO GUZMÁN, M.J.: "Problemática jurídica actual de la eutanasia en el ordenamiento jurídico español", en *Revista general de Derecho penal (iustel)*, n° 4 (2005); VALLE MUÑIZ, J.M.: "La ausencia de responsabilidad penal en determinados supuestos de eutanasia", en *Cuadernos Jurídicos*, n° 25 (1994), págs. 12 y ss.

cia[224], la cuestión se encuentra aún en una fase embrionaria y de debate doctrinal, político, ético-moral[225] y social[226], con un escaso o nulo desarrollo jurídico en España[227] y con una incipiente legislación en Derecho comparado[228].

---

[224]  Cfr. BON, H.: *La muerte y sus problemas*, Fax, Madrid 1950; FROMM, E. y ZUBIRAN, S. (ed.): *El ser humano y su dignidad ante la muerte*, Instituto Nacional de la Nutrición Salvador Zubirán, México 1989.

[225]  En relación con el debate ético-moral de la cuestión, vid. HERVADA, J.: "Los transplantes de órganos y el derecho a disponer del propio cuerpo", en *Persona y Derecho*, vol. II (1975), págs. 197-253; ROJO SANZ, J.M.: "Fundamentos antropológico-jurídicos de la defensa de la vida humana", en *ibid*, nº 21 (1989), págs. 206-219; ROMÁN FLECHA, J. y MÚGICA, J.M.: *La pregunta moral ante la eutanasia*, Universidad Pontificia, Salamanca 1985.

[226]  Este respecto, vid. MARCOS DEL CANO, A.M.: *La eutanasia. Estudio filosófico-jurídico*, Marcial Pons-UNED, Madrid.

[227]  En España, a nivel general del Estado, la eutanasia no está reconocida; y aunque el suicidio ya no resulta penalizado, si lo es la ayuda. De hecho, la regulación jurídica se circunscribe a la existencia de un impreciso y ambiguo apartado 4, del artículo 143, del Código Penal. A este respecto, vid. PAREJO GUZMÁN, M.J.: "Problemática jurídica actual de la eutanasia...", *op. cit.*; id.: "Consideraciones acerca de la eutanasia: la disponibilidad de la propia vida", en *Il Diritto eclesiástico*, fasc. 2-3 (2005), págs. 667-693; id.: "Disponibilidad de la vida y eutanasia en el ordenamiento jurídico español", en *Rivista Internazionale di Filosofia del Diritto*, nº 3 (2008), págs. 425-455; VALLE MUÑIZ, J.M.: "Relevancia jurídico-penal de la eutanasia", en *Cuadernos de Política Criminal*, 1989; VEGA VEGA, C.L. y VILLALAIN BLANCO, D.: "Sobre la eutanasia: actitud de los sanitarios hacia la información y el tratamiento del paciente", en *Cuadernos de Política Criminal*, nº 47 (1992).
A nivel autonómico, cabe señalar que su reconocimiento tampoco se ha producido, aunque si se ha abierto la vía a la elección de tratamiento y a los tratamientos paliativos. Las Comunidades Autónomas que tienen hasta el momento Leyes autonómicas en esta materia son: Andalucía, Aragón, Cantabria, Castilla-León Cataluña, Extremadura, Galicia, Islas Baleares, La Rioja, Madrid, Navarra, País Vasco y Valencia. Sobre esta cuestión, vid. PAREJO, M.J.: "Problemática jurídica actual de la eutanasia...", *op. cit.*; id.: "Disponibilidad de la vida y eutanasia...", *op. cit.*, págs. 425-455; SILVA RUIZ, P.F.: "El derecho a morir con dignidad y el testamento vital", en *Boletín de información del Ministerio de Justicia*, nº 1651.

[228]  En Australia, el Territorio del Norte aprobó la Ley, de 25 de mayo de 1995, sobre los Derechos de los Enfermos Terminales, en la que se legalizaba la eutanasia resolutiva activa directa; Ley que fue derogada, el 25 de marzo de 1997, por el Parlamento de Australia (la votación fue de 38 a 33). En Canadá, el suicidio no está tipificado penalmente, pero en él no puede intervenir un médico. En Estados Unidos, el Estado de Oregón tiene aprobada la medida de 16 de noviembre de 1994 (Acta de la Muerte con Dignidad), por la que se legalizó la eutanasia bajo condiciones, mientras que la Novena Corte de Circuito de Apelaciones, en sentencia de 7 de marzo de 1996, declaró inconstitucional una Ley de Washington por la que se penalizaba al médico que ayudara a enfermos terminales y lo mismo hizo la Segunda Corte del Circuito de Apelaciones respecto de una Ley de Nueva York, en sentencia de 3 de abril de 1996. En Holanda, la cuestión está regulada por la Ley de 1 de abril de 2002 y en Bélgica por la Ley de 22 de septiembre de 2002. En ambas se exige que el paciente tenga que acreditar su voluntad de morir.

La temática, desde el plano material señalado, se circunscribe entonces a un problema de ponderación entre bienes jurídicos[229], a saber: dignidad humana, derecho a la vida y autodeterminación o autonomía de la voluntad[230]. Desde esta perspectiva no cabe duda que el derecho a la libertad de conciencia supone no sólo el derecho a adoptar unas creencias o convicciones ante el mundo y la vida, sino también el comportarse de conformidad con las mismas. Ahora bien, ¿ello supone que la facultad de vivir de acuerdo con las propias creencias o convicciones deba ser configurada como un bien jurídico absoluto?, y de no ser así ¿para qué sirve la vida si no puede vivirse de conformidad a cómo queremos vivirla?, o bien ¿a poder vivirla de manera digna si es así como entendemos que debemos o queremos vivir? En definitiva, ¿se puede hablar de un derecho de disponibilidad de la vida fundado en el derecho a comportarnos de conformidad con las creencias y convicciones profesadas? y ¿podemos incluso involucrar a terceros en ese derecho de disposición?

La solución a todas estas cuestiones no puede venir de la opción de un bien sobre otro[231], ni tan siquiera del derecho a la vida, en tanto que fundamento de los demás derechos o *prius lógico* que está en la base de todos los demás derechos[232]. Desde esta perspectiva, y refiriéndose a un supuesto de huelga de hambre en un recinto penitenciario, se ha puesto de manifiesto por parte del TC, que "*el derecho a la vida tiene un contenido de protección positiva que impide configurarlo como un derecho de libertad que incluya el derecho a la propia muerte*"[233], pero al mismo tiempo ello no le impide reconocer al propio TC que "*siendo la*

---

[229]   MARCOS DEL CANO, A.M. y DE CASTRO CID, B.: "Eutanasia y debate sobre la jerarquía de los valores jurídicos", en *Persona y Derecho. Estudios en homenaje al Prof. Javier Hervada (II)*, nº 41 (1999), págs. 353-378.

[230]   A este respecto, vid. PAREJO GUZMÁN, Mª. J.: *La eutanasia ¿un derecho?*, Ed. Thomson-Aranzadi, Pamplona 2005.

[231]   Nos encontramos, según RUIZ MIGUEL, "*ante un conflicto intrapersonal de valores*" (cit. en "Autonomía individual y derecho a la propia vida (Un análisis filosófico-jurídico)", en *Revista del Centro de Estudios Constitucionales*, nº 14 (1993), págs. 135 y ss.).

[232]   En este sentido, la Audiencia Provincial de Bilbao, en su sentencia de 28 de febrero de 1990, considera que "*el derecho a la vida tiene un doble significado, físico o moral; es la proyección de un valor superior del ordenamiento jurídico o constitucional y constituye el derecho fundamental esencial y troncal*" (cit. en *La Ley*, 1990/3, pág. 587). Ello es consecuencia de lo que el Tribunal Constitucional había ya afirmado con anterioridad en su sentencia 53/1985, según la cual la vida "*es el derecho fundamental, esencial y troncal en cuanto es el supuesto ontológico sin el que los restantes derechos no tendrían existencia posible*". Ver también STEDH de 27 de septiembre de 1995, asunto McCann y otros contra Reino Unido.
En relación al derecho a la vida como presupuestos de los demás derechos, vid. GÓMEZ SÁNCHEZ, Y.: *El derecho a la reproducción humana*, Marcial Pons, Madrid 1994.

[233]   STC 120/1990, de 27 de junio, fundamento jurídico 7. Vid. también STS 137/1990, de 19 de julio, y 11/1991, de 17 de enero.

*vida un bien de la persona que se integra en el círculo de su libertad, pueda aqué-lla fácticamente disponer sobre su propia muerte, pero esa disposición constituye una manifestación de agere licere, en cuanto que la privación de la vida propia o la aceptación de la propia muerte es un acto que la ley no prohíbe y no, en ningún modo, un derecho subjetivo que implique la posibilidad de movilizar el apoyo del poder público para vencer la resistencia que se oponga a la voluntad de morir, ni, mucho menos, un derecho subjetivo de carácter fundamental en el que esa posibilidad se extienda incluso frente a la resistencia del legislador, que no puede reducir el contenido esencial del derecho"*[234].

Pero cuando se trata de la posible intervención de los poderes públicos al respecto, el alto Tribunal citado considera que *"no es lo mismo usar de la libertad para conseguir fines lícitos que hacerlo con objetivos no amparados por la ley, y, en tal sentido, una cosa es la decisión de quien asume el riesgo de morir en un acto de voluntad que sólo a él le afecta, en cuyo caso podría sostenerse la ilicitud de la asistencia médica obligatoria o de cualquier otro impedimento a la realización de esa voluntad, y cosa bien distinta es la decisión de quienes, hallándose en el seno de una relación especial penitenciaria arriesgan su vida con el fin de conseguir que la Administración deje de ejercer o ejerza de forma distinta potestades que le confiere el ordenamiento jurídico; pues, en este caso, la negativa a recibir asistencia médica sitúa al Estado, en forma arbitraria, ante el injusto de modificar una decisión que es legítima mientras que no sea judicialmente anulada, o contemplar pasivamente la muerte de personas que están bajo su custodia y cuya vida está legalmente obligado a preservar y proteger"*[235].

Todo ello permite concluir al Tribunal que, *"desde la perspectiva del derecho a la vida, la asistencia médica obligatoria autorizada por la resolución judicial recurrida no vulnera dicho derecho fundamental, porque en éste no se incluye el derecho a prescindir de la propia vida, ni es constitucionalmente exigible a la Administración penitenciaria que se abstenga de prestar una asistencia médica que, precisamente, va dirigida a salvaguardar el bien de la vida que el artículo 15 de la Constitución protege"*[236]. Pero sin olvidar que la sentencia *"se limita a autorizar la intervención médica mínima indispensable para conseguir el fin constitucional que la justifica, permitiéndola tan sólo en el momento en que, según la ciencia médica, corra "riesgo serio" la vida del recluso (...) prohibiendo que se suministre alimentación bucal en contra de la voluntad consciente del interno"*[237].

---

[234]   *Ibídem.*
[235]   *Ibídem.*
[236]   *Ibídem.* En esta misma línea, vid Decisión de la Comisión de 9 de mayo de 1984, asunto X contra Alemania, y STEDH en el asunto Keenan contra Reino Unido.
[237]   *Ibídem.*

Ahora bien, no queda más que plantearse si dicho posicionamiento puede extenderse a los centros médicos y a la función esencial que a éstos corresponde: la salvaguarda de salud de los enfermos. En esencia la respuesta entendemos que podría ser la misma, por lo que la única duda que cabría suscitarse es respecto de aquellos supuestos en que los que la persona se encuentra en una situación tal que sólo quiere que no se le prolongue artificialmente la vida o en aquellos casos en que la muerte sea irreparable y soliciten la ayuda de terceros para morir; en definitiva, la salvaguarda de vivir de forma digna[238]. A este respecto, una primera cuestión que debe resolverse es si el hecho de la relación de sujeción especial de los sujetos frente a la Administración es motivo suficiente para limitar legítimamente sus derechos fundamentales, y en este caso el derecho a la libertad de conciencia, ya que el propio Tribunal Constitucional ha manifestado que "no sería lícita si se tratara de ciudadanos libres o incluso de internos que se encuentren en situaciones distintas"[239], pero sí lo ha entendido justificado respecto de la administración penitenciaria.

Sin embargo, dicha solución ha sido cuestionada tanto desde la perspectiva de la dignidad humana[240], al entenderla como un trato degradante[241], como desde la posibilidad de extenderla a otros centros públicos, y en especial a los hospitalarios. Así parece que puede deducirse del voto particular del Magistrado Miguel RODRÍGUEZ PIÑERO, para quien "*la obligación de la Administración Penitenciaria de velar por la vida y la salud de los internos no puede ser entendida como justificativa del establecimiento de un límite adicional a los derechos fundamentales del penado, el cual, en relación a su vida y salud y como enfermo,*

---

[238]     En contra de la utilización de este concepto, vid. MARCOS DEL CANO, A.M.: "L'utilizació de la dignitat humana en el debat sobre l'eutànasia", en CASADO, M. y SARRIBLE, G. (ed.): *La mort en les ciéncies socials*, Universitat de Barcelona, Barcelona 1995, págs. 149-161; VARANI: "L'eutanasia nell'ordinamento giuridico italiano in el nuovo codice di deontologia medica", en *Diritto e Società*, 1990/1, pág. 162.

[239]     STC 120/1990, fundamento jurídico 7.

[240]     Sin embargo, ALEGRE MARTÍNEZ encuentra en el propio concepto de dignidad humana el fundamento para rechazar dicha pretensión: "*(...) la dignidad opera como límite al derecho de disposición sobre la propia vida, y ello se traduce en un DEBER GENÉRICO DE CONSERVARLA*" (sic), en *La dignidad de la persona como fundamento del ordenamiento constitucional español*, Universidad de León, León 1996, pág. 83.

[241]     Así se han expresados los Juzgados de Vigilancia Penitenciaria de Valladolid, de Zaragoza, nº 1 de Madrid y de Cáceres, en los Autos de 9 de enero de 1990, de 25 de enero de 1990, de 25 de enero de 1990 y de 4 de junio de 1990, respectivamente; y las Audiencias Provinciales de Zamora y de Cáceres, en los Autos de 10 de marzo de 1990 y de 2 de julio de 1990, respectivamente. Desde el punto de vista doctrinal, vid. ATIENZA, M.: *Tras la justicia. Una introducción al Derecho y al razonamiento jurídico*, Ariel, Barcelona 1993, págs. 96-116; GONZÁLEZ PÉREZ, J.: *La dignidad de la persona*, Ed. Civitas, Madrid 1986, pág. 99; JUANATEY DORADO, C.: *Derecho, suicidio, eutanasia*, Ministerio de Justicia, Madrid 1994, págs. 359 y ss.

*goza de los mismos derechos y libertades que cualquier otro ciudadano, y por ello ha de reconocérsele el mismo grado de voluntariedad en relación con la asistencia médica y sanitaria*"[242].

Respecto de la segunda de las cuestiones mencionadas, esto es, la salvaguarda de una determinada y mínima "calidad de vida", o con los conceptos de "vida" o de "humano" que entendemos coherente con nuestras creencias o convicciones personales, se pueden distinguir dos posiciones: la primera sería la de aquellos que entienden que resulta legítima la acción directa para ocasionar la muerte al enfermo que se encuentre en circunstancias terminales[243], mientras que la segunda es la de aquellos otros autores que entienden que la única posibilidad que se puede derivar de tal situación es la de suprimir todo tratamiento inútil. A este respecto, estamos de acuerdo con PAREJO GUZMÁN cuando afirma[244] que "por lo que se refiere a la compleja realidad que se encuentra detrás de la expresión "derecho a la vida", cabe afirmar que el reconocimiento del "derecho a la vida" por la CE tiene, ante todo, un valor de dejar sentada la voluntad del constituyente del rango que se reconoce a este derecho, como derecho fundamental, correspondiéndole, asimismo, un rango especial entre los demás derechos fundamentales, en cuanto que en su dimensión objetiva es presupuesto de los demás derechos de esa naturaleza". Ahora bien, esta consideración no puede llevar a la conclusión de que estamos ante un derecho de carácter absoluto, sino que como ocurre con el resto de los derechos, este es un derecho que tiene sus límites, de tal modo que al igual que el derecho a la vida no puede suponer un derecho a morir, tampoco puede suponer "una obligación o deber de vivir", más aún cuando esa vida puede ser calificada de "artificial".

Ahora bien, en un paso más de este posicionamiento nos llevaría a plantearnos si esa "no obligación de vivir" puede llevar consigo el no castigo de una persona que nos ayude a morir, o lo que es lo mismo si el suicidio asistido es o no contrario con el derecho a la vida. A este respecto, el Tribunal Europeo de Derechos Humanos ha tenido ocasión de pronunciarse en el asunto Pretty contra Reino Unido, de 29 de abril de 2002, y ha afirmado que "*no es posible deducir del artículo 2 del Convenio un derecho a morir, ni de la mano de un tercero ni*

---

242    Voto particular a la sentencia nº 120/1990, de 27 de junio, apartado 2.
243    Esta situación ha sido expuesta por PECES-BARBA del modo siguiente: "*la vida es una existencia casi vegetativa, sin poder ejercerla, y dependiendo exclusivamente de una ayudas médicas que no pueden recuperar la salud, y que mantienen sin esperanza las constantes vitales, muchas veces a costa de sufrimientos increíbles en el paciente, y en su entorno familiar*" (cit. en "Reflexión moral sobre la eutanasia", en *ABC*, 16 de septiembre de 1995, pág. 5).
244    PAREJO GUZMÁN, M.J.: *La Eutanasia ¿un Derecho?*, Ed. Aranzadi, Navarra 2005, pág. 52.

*con la ayuda de una autoridad pública*"[245], y que tampoco el artículo 3 del Convenio *"impone al Estado demandado ninguna obligación positiva de aceptar el compromiso de no perseguir judicialmente al marido de la demandada si éste ayudara a su esposa a suicidarse ni de crear un marco legal para cualquier otra forma de suicidio asistido"*[246]. Por todo ello, el Tribunal Europeo llega a la conclusión de que *"la naturaleza general de la prohibición del suicidio asistido no es desproporcionada"*[247] y, por tanto, que *"la injerencia enjuiciada puede considerarse justificada y necesaria en una sociedad democrática para la protección de los derechos de los demás"*[248].

Junto a ello, cabe señalar que comienza a abrirse camino, sobre todo en el ámbito jurisprudencial, la consideración de que debe protegerse la libertad del individuo, aunque ello pueda ir en detrimento de la propia vida humana. En efecto, el Magistrado Jesús LEGUINA, en su voto particular a la sentencia núm. 120/1990, ha precisado que *"no estando en juego derechos fundamentales de terceras personas, ni bienes o valores constitucionales que sean necesarios preservar a toda costa, ninguna relación de supremacía especial puede justificar una coacción como la que ahora* [la penitenciaria] *se denuncia que, aun cuando dirigida a cuidar la salud o a salvar la vida de quienes la soportan, afectan al núcleo esencial de la libertad personal y de la autonomía de la voluntad del individuo, consistente en tomar por sí solo las decisiones que mejor convengan a uno mismo, sin daño o menoscabo de los demás"*[249].

Por todo lo cual, y partiendo de la afirmación realizada por el Tribunal Constitucional respecto al derecho a la vida en el sentido de que *"no puede ser confundido con un pretendido derecho a morir o a decidir sobre la propia muerte"*[250], sin embargo nos mostramos próximos a la posición mantenida por el Magistrado Jesús LEGUINA cuando afirma que *"ello no significa que no se tenga derecho —*

---

[245]   Fundamento jurídico 40. Ver en esta misma línea, la sentencia del Tribunal Supremo de Canadá en el asunto Rodríguez contra Fiscal general de Canadá.
[246]   Fundamento jurídico 56.
[247]   Fundamento jurídico 76.
[248]   Fundamento jurídico 78.
[249]   Voto particular a la sentencia nº 120/1990, págs. 728-729.
[250]   SSTC 120/1990, de 27 de junio; 137/1990, de 19 de julio, y 11/1991, de 17 de enero. Sobre estas sentencias, vid. DÍAZ RIPOLLES, J.L.: "La huelga de hambre en el ámbito penitenciario", en *Cuadernos de Política Criminal*, nº 39 (1987); LUZÓN PEÑA, D.M.: *Estado de necesidad e intervención médica (o funcional o de terceros) en casos de huelga de hambre, intentos de suicidio y autolesión: algunas tesis*, La Ley, 1988; OLLERO TARRASA, A.: *Derecho a la vida y derecho a la muerte*, Rial-Universidad de Navarra, Pamplona 1994; id.: "Derecho a la vida, ¿Derecho a la muerte? La libre autodeterminación personal y las imprecisas fronteras del derecho", en GARCÍA SAN MIGUEL, L. (coord.): *El libre desarrollo de la personalidad...*, *op. cit.*, págs. 89 y ss.

*sea cual sea la circunstancia en la que uno se encuentre y estando en el pleno uso de las facultades mentales— a que nadie que no sea uno mismo decida e imponga coactivamente lo que haya de hacerse para conservar su salud, seguir viviendo o escapar al peligro de la muerte; ni excluye el derecho a rechazar la ayuda o la asistencia sanitaria que ni se desea ni se ha solicitado"*[251].

El presente posicionamiento resulta escasa aplicación tanto en el tema relacionado con las transfusiones de sangre en contra de la voluntad del paciente[252], como respecto a la cuestión de la eutanasia, sobre todo pasiva. Respecto a la primera, cabe señalar que se ha considerado que *"si el paciente es mayor de edad, y adopta su decisión libremente, si no se trata de un menor, ni de un incapacitado, el Juez no tiene obligación ineludible de conceder autorización para realizar transfusiones, que entrañan un evidente riesgo y que admiten métodos y soluciones alternativas. (...) Es erróneo el planteamiento de hacer prevalecer en todo caso el derecho a la vida sin ningún tipo de limitaciones, debiendo tenerse en cuenta la libertad del individuo y sus límites éticos respetándose las creencias religiosas y la dignidad de la persona"*[253]. Mientras que en relación a la segunda se debe traer a colación la sentencia del TEDH, en el asunto Pretty contra Reino Unido, en la que se sostiene que *"en materia médica, el rechazo a aceptar un tratamiento concreto puede, de forma ineludible, conducir a un final fatal, pero la imposición de un tratamiento médico sin la aprobación del paciente si es adulto y sano mentalmente se considera un ataque a la integridad física del interesado que afecta a los derechos protegidos por el artículo 8.1 del Convenio. Como admite la jurisprudencia interna, una persona puede reivindicar el derecho a ejercer su elección de morir rechazando un tratamiento que pudiera prolongar su vida"*[254].

Aunque no es esta la posición mayoritaria en la doctrina española, sino la de entender que la presente argumentación supone una quiebra del derecho a la

---

[251]   Voto particular a la sentencia nº 120/1990, págs. 728-729.

[252]   Sobre esta cuestión, vid. BUENO ARUS, F.R.: "El rechazo del tratamiento en el ámbito hospitalario", en *Actualidad Penal*, nº 31 (1991); FERNÁNDEZ BERMEJO, M.: "Autonomía personal y tratamiento médico: límites constitucionales de la intervención del Estado (I) y (II)", en *Actualidad Jurídica Aranzadi*, nº 132 y 133 (1994).

[253]   Auto del Tribunal Superior de Justicia de Madrid, de 23 de diciembre de 1992. En la misma línea, STS de Castilla-La Mancha y de Extremadura, de 15 de abril de 1991 y de 4 de marzo de 1992, respectivamente. En la segunda de las sentencias se considera que esta *"(...) práctica (la de rechazar la transfusión de sangre por motivos religiosos) (...) no puede calificarse como contraria a la seguridad pública, ni al orden público, ni a la salud o a la moral pública, ni a la protección de los derechos y libertades de los demás"* (fto. jco. 2º). Todas ellas parecen citadas en ROMEO CASABONA, C.M.: *El Derecho y la bioética ante los límites de la vida humana*, Centro de Estudios Ramón Areces, Madrid 1995, pág. 452.

[254]   STEDH de 29 de abril de 2002, fundamento jurídico 63.

vida[255], si es la que va adoptándose en la mayoría de las normas tanto estatales como autonómicas en la materia, sobre la base del reconocimiento del derecho del paciente a la autodeterminación, o lo que es lo mismo el derecho del paciente a decidir sobre su propio tratamiento y de que éste, atendiendo a su libre decisión, otorgue o no su reconocimiento[256].

## 4. DERECHO A LA INTIMIDAD Y A LA CONFIDENCIALIDAD

Uno de los contenidos del derecho fundamental a la libertad de conciencia es el derecho de toda persona a manifestar por cualquier medio sus propias creencias, convicciones o religión, así como la ausencia de las mismas, lo que conlleva el derecho a no ser obligado a declarar sobre las ideas, creencias, convicciones o religión profesada y, por lo tanto, la no injerencia en el ámbito de la conciencia, pero también su extensión lógica a la vida privada y familiar, dentro de cuyo ámbito se ha incluido el relativo a la salud, con lo que ello tiene de trascendencia en los campos de la medicina y la biotecnología[257]. A este respecto, el TJUE, en su sentencia de 5 de octubre de 1994[258], ha manifestado que *"(...) el derecho al respeto de la vida privada* [que comprende el derecho a mantener secreto el estado de salud[259]] *exige respetar la negativa del interesado en toda su extensión. Dado que el recurrente se había negado expresamente a someterse a una prueba de detección del SIDA, el mencionado derecho se oponía a que la administración realizara cualquier tipo de prueba que permitiera sospechar o comprobar la existencia de dicha enfermedad, cuya revelación había rehusado aquél. Ahora bien, de*

---

255   Sobre esta temática, vid. MARTÍNEZ-PUJALTE, A.L.: "Libertad de conciencia y tratamiento médico", en *Persona y Derecho. Estudios en homenaje al Prof. Javier Hervada (II)*, nº 41 (1999), págs. 379-415; NAVARRO VALLS, R.; MARTÍNEZ-TORRÓN, J.: *Las objeciones de conciencia en el Derecho español y comparado*, McGraw-Hill, Madrid 1997, págs. 120-121.

256   Cfr. PAREJO GUZMÁN, M.J.: "Rivendicazione dell'autonomia del malato: l'esercizio del diritto alla libera disposizione", en *Statto, Chiesa e pluralismo confessionale (www.statoechiese. it)*.

257   Cfr. BLÁQUEZ RUIZ, J.: *Derechos Humanos y Proyecto Genoma*, Ed. Comares, Granada 1999; MENDIZÁBAL, R. de: "Dimensión constitucional del genoma humano y su incidencia en el derecho a la intimidad", en *Derecho y Genoma Humano*, 1995/2, págs. 26 y sigs.; PARDO: "La investigación genética al servicio del hombre: reflexiones de un jurista", en la Revista *Derecho y Genoma humano*, 1994/1, págs. 26 y ss.; ROMEO CASABONA, C.M. y CASTELLANO ARROYO, M.: "La intimidad del paciente desde la perspectiva del secreto médico y del acceso a la historia clínica", en *D.S.* nº 1 (1993), págs. 5-11; ROMEO CASABONA, C.: "Límites penales de las manipulaciones genéticas", en *El Derecho ante el Proyecto Genoma Humano*, vol. III, 1994, págs. 181 y ss.

258   *Recopilación de Jurisprudencia...*, 1994, vol. I, pág. I-4737.

259   Fundamento jurídico 17.

*las comprobaciones efectuadas (...) se sigue que el análisis linfocitario de que se trata proporcionó al médico asesor indicios suficientes para llegar a la conclusión de que era posible que el candidato fuera portador del virus del SIDA"*[260].
Se comprueba de este modo como el Tribunal de Justicia se muestra a favor de una protección amplia del derecho en cuestión, incluso respecto de aquellos ámbitos en los que se alega que el conocimiento de dichas realidades puede suponer un elemento de juicio o de valoración presuntamente necesario y, por lo tanto, justificada su indagación, como era en este caso el ámbito laboral[261]. Sin embargo, para el TJUE, y a efectos laborales, deben resultar intrascendentes todos aquellos elementos que nada tengan que ver con la actividad a desarrollar por el trabajador, dentro de los cuales deben situarse en la mayoría de las ocasiones las ideas, creencias, convicciones o religión profesada, así como su vida privada[262]. Solución que la entendemos extensible a otros ámbitos próximos, como puede ser la posibilidad abierta, por ejemplo, en el Reino Unido de realizar por parte de las compañías aseguradoras los llamados "test genéticos"[263], el debate en relación al proyecto de genoma humano[264], en la creación de bancos o bibliotecas genéticas[265], con las prácticas genéticas con embriones humanos[266], o con la problemática de la clonación[267], tanto de seres humanos como de células madre[268].

---

[260]   Fundamento jurídico 23.

[261]   Un comentario de esta sentencia, CONTRERAS MAZARIO, J.M.: "Derecho a la intimidad, pruebas biomédicas y relaciones laborales", en *Derechos y Libertades*, nº 9 (2000), págs. 189-223. Vid. respecto al ámbito general de las relaciones laborales, FERNÁNDEZ RODRÍGUEZ, J.J.: *Pruebas genéticas en el Derecho del Trabajo*, Madrid 1999.

[262]   Cfr. AA.VV.: *Genética y derecho a la intimidad*, UNAM, México 1995; FIGUEOA YAÑEZ, G.: "El derecho a la intimidad, reserva o secreto", en *revisra de Derecho y Genoma Humanos*, nº 11 (1999), págs. 57-70; MALEM SEÑA, J.F.: "Privacidad y mapa genético", en *Derecho y Genoma Humano*, 1995/2, págs. 125-146; ROMEO CASABONA, C.: *Los genes y sus leyes. El derecho ante el genoma humano*, Ed. Comares, Granada 2002, especialmente págs. 66-86.

[263]   Cfr. HENDGES, Y.: "El genoma humano y el contrato de seguro", en *Derecho y Genoma Humano*, 1991/11, págs. 229-251; MENÉNDEZ, A.: "El genoma humano y el contrato de seguro", en *El Derecho ante el Proyecto de Genoma Humano*, Fundación BBV, Bilbao 1994; YANES, P.: "Seguros de personas e información genética", en *Derecho y Genoma Humano*, 1994/1, págs. 191-200, y 1995/2, págs. 167-182.

[264]   Cfr. CAVOUKIAN, A.: "La confidencialidad en la genética: la necesidad del derecho a la intimidad y el derecho a "no saber", en *Derecho y Genoma Humano*, 1995/2, págs. 55-69; SALA FRANCO, T.: "El Proyecto del Genoma y las relaciones laborales", en *Derecho y Genoma Humano*, 1995/2, págs. 147-156.

[265]   Cfr. MALEM SEÑA, J.F.: "Privacidad...", *op. cit.*, págs. 138-142.

[266]   Vid. en España: Ley 42/1988, de 28 de diciembre, de donación y utilización de embriones y fetos humanos o de sus células, tejidos u órganos (*B.O.E.* núm. 314, de 31 de diciembre de 1988); en Alemania: Ley de 13 de diciembre de 1990, sobre Protección de Embriones (*Código de Leyes sobre Genética*, Universidad de Deusto, Bilbao 1999, págs. 79 y ss.); en Francia: Ley núm. 94-653, de 29 de julio de 1994, relativa al respeto del cuerpo humano (*ibid*, págs. 233

En definitiva, y respecto de todos estos ámbitos, se puede afirmar que tanto la información como la autorización previa por parte de la persona interesada, así como la confidencialidad de los resultados obtenidos, resultan requisitos necesarios y de cumplimiento absoluto, ya que de lo contrario se pone en riesgo no sólo los derechos fundamentales mencionados, sino incluso el propio desarrollo de la persona y su dignidad. A estos efectos, resulta relevante y exigible lo establecido en la Convención Europea, de 4 de abril de 1997, sobre los Derechos Humanos y la Dignidad del Ser Humano con respecto a las Aplicaciones de la Biología y de la Medicina, y en concreto su artículo 5 en el que se dispone que *"no podrá llevarse a cabo intervención alguna sobre una persona en materia de salud sin su consentimiento informado y libre"*[269]. Y lo mismo sucede en materia de investigación[270] o extracción de órganos y de tejidos de donantes vivos con fines de trasplante[271]. Cuestiones todas ellas que dan lugar a importantes debates no sólo de naturaleza científica o ética, sino también jurídica. A este respecto, baste con hacer referencia únicamente a algunas de ellas: en primer lugar, la problemática de las donaciones de órganos y el peligro de su tráfico ilegal, lo que ha dado lugar a que se planteen soluciones dirigidas al previo consentimiento del donante, pero también a la necesidad de la existencia de lazos de afectividad estables y duraderos entre el donante y el receptor, lo que sin lugar a dudas supondría un duro revés al modelo actual de trasplantes de órganos, al menos en España; igualmente, y en segundo lugar, se discute la posibilidad de autorizar la implantación de un embrión, en el marco de un proceso de fecundación *in vitro*, tras el fallecimiento del padre o donante, proponiéndose soluciones dirigidas al previo consentimiento en vida; y la tercera y última cuestión hace referencia a los posibles supuestos de autorización de in-

---

y ss.); en Suecia: Ley núm. 115, de 14 de marzo de 1991, relativa a las medidas con fines de investigación o de tratamiento en relación con los embriones (*ibid*, págs. 435 y ss.).

[267] Cfr. ALLMERS, H.: "Ethics of cloning", en *Lancet*, n° 349 (1997), págs. 1401 y sigs.; GARCÍA MIRANDA, C. Mª.: "La regulación jurídica de la clonación de seres humanos", en *Cuadernos de Bioética*, n° 30 (1997), págs. 913-918; HIDALGO, S.N.: "Clonación o reproducción en serie de seres humanos, ¿una ternática del siglo XXI?", en *Revista de Derecho y Genoma Humano*, 1996/4, págs. 46-64; KOLBERG, R.: "Human embryo cloning reported", en *Science*, n° 262 (1993), págs. 652-653; LACADENA, J.R.: "La clonación: aspectos científicos y éticos", en *Anales de la Real Academia de Farmacia*, n° 63 (1997), págs. 277 y ss.; SGRECCIA, E.: "La clonazione", en *Medicina e Morale*, 1997/2, págs. 232-234.

[268] En relación con esta problemática resulta de gran interés el artículo de Bernat SORIA y Verónica JUAN titulado "Células madre, embriones y clonación: ¿el nacimiento de un nuevo paradigma?", en *El País*, miércoles 16 de enero de 2002, pág. 22.

[269] Vid. asimismo los arts. 8 y 9 de esta Convención.

[270] Vid. art. 17 de la Convención.

[271] Vid. arts. 19.2 de la Convención.

vestigaciones genéticas sobre personas fallecidas, así como de la relevancia de que exista consentimiento u oposición expresa al respecto[272].

En todos estos ámbitos debe ser, además, respetado en todo momento el derecho a la libertad, a la intimidad y a la vida privada de las personas[273], tanto en su aspecto positivo como negativo de información, así como el principio de confidencialidad de los datos obtenidos en pruebas biomédicas y su posible automatización[274]. En relación con estas cuestiones resulta plenamente aplicable lo establecido en el Convenio Europeo sobre la Protección de las Personas, de 28 de enero de 1981, y en concreto en su artículo 6 en el que se dispone que "*los datos de carácter personal que revelen el origen racial, la opiniones políticas, las convicciones religiosas, así como los datos de carácter personal relativos a la salud o a la vida sexual, no podrán tratarse automáticamente a menos que el derecho interno prevea garantías apropiadas. La misma norma regirá en el caso de datos de carácter personal referentes a condenas penales*".

Este mismo supuesto ha sido abordado de manera directa, aunque desde una perspectiva distinta, por la Unión Europea en la Directiva 95/46/CE, de 24 de octubre de 1995, relativa a la Protección de las Personas Físicas en lo que respecta al Tratamiento de Datos Personales y a la Libre Circulación de estos datos[275], la cual aunque parte del principio de libertad de circulación en materia de datos personales, garantiza al mismo tiempo el derecho a la intimidad en lo que respecta a aquéllos[276], así como el principio del consentimiento informado[277] y de confidencialidad. Pero lo que sin duda resulta más significativo es el hecho de que en la propia Directiva aparezcan una serie de datos personales que no pueden ser objeto de la actividad de tratamiento automatizado como son todos aquellos "*que revelen el origen racial o étnico, las opiniones políticas, las convicciones religiosas o filosóficas, la pertenencia a sindicatos, así como el tratamiento a los datos relativos a la salud o a la sexualidad*" (art. 8.1).

En esta materia se ha producido además un salto cualitativo al haberse incluido dentro del Tratado de Ámsterdam el artículo 286, de conformidad al cual "*(a) partir del 1 de enero de 1999, los actos comunitarios relativos a la protección de las personas respecto del tratamiento de datos personales y a la libre circulación de dichos datos serán de aplicación a las distintas instituciones y organismos esta-*

---

[272]    Piénsese, a este respecto, la posibilidad o no de extracción de ADN *post mortem* a efectos de paternidad.
[273]    Vid. art. 10 de la Convención.
[274]    A este respecto resulta relevante el Convenio Europeo, de 28 de enero de 1981, sobre la Protección de las Personas con respecto al Tratamiento de Datos Personales, y en concreto su art. 6.
[275]    D.O.C.E. nº L 281, de 23 de noviembre de 1995.
[276]    Art. 1 Directiva 95/46/CE.
[277]    Art. 2.h) Directiva 95/46/CE.

*blecidos por el presente Tratado o sobre la base del mismo"*. Ello supone no sólo una vinculación por parte de todas las instituciones y organismos comunitarios a favor del respeto y protección de datos personales por lo que respecta a su tratamiento automatizado y a la libre circulación de los mismos, sino que la presente cuestión aparezca *"constitucionalizada"* dentro del sistema jurídico-comunitario.

Dentro de la Legislación española se debe hacer referencia al artículo 18 de la CE[278] y a la Ley Orgánica 5/1992, de 29 de octubre, de Regulación del Tratamiento Automatizado de los Datos de carácter personal[279], y en concreto de los artículos 7 a 11. De la lectura de ambas normas, cabe deducir que el respeto a la intimidad supone la garantía de un doble contenido: la libertad de acción, como facultad para decidir la realización o no de determinados actos, una decisión que se tomará de conformidad con las propias creencias, ideas o convicciones religiosas o filosóficas profesadas, y comportarse en coherencia con la decisión tomada o con las propias ideas, creencias o convicciones, aunque no de manera absoluta, la primera, y la libertad de conocimiento, referida a la determinación de qué, quién y con qué ocasión pueden conocerse informaciones que conciernen a una persona[280], además de su vertiente negativa que se concreta en un derecho a no declarar[281], en un "derecho a no saber" o en un "derecho al desconocimiento"[282]. Todo ello da lugar a lo que en la doctrina alemana se ha denominado "autodeterminación informativa"[283].

## 5. CONSIDERACIONES FINALES

A modo de conclusión, cabe afirmar que la cuestión de la biomedicina y de la genética se plantea desde el respeto a los derechos humanos y el principio de no discriminación no sólo en el ámbito de la salud, sino que la misma puede

---

[278]   Art. 18 CE: *"1. Se garantiza el derecho al honor, a la intimidad personal y familiar y a la propia imagen. (...).*
*4. La ley limitará el uso de la informática para garantizar el honor y la intimidad personal y familiar de los ciudadanos y el pleno ejercicio de sus derechos".*

[279]   B.O.E. núm. 262, de 31 de octubre de 1992.

[280]   Cfr PÉREZ-LUÑO, A.E.: "Intimidad y protección de datos personales: del habeas corpus al habeas data", en *Estudios sobre el derecho a la intimidad*, Madrid 1992, págs. 38-39.

[281]   Cfr. ROCA, M.J.: *La declaración de la propia religión o creencias en el Derecho español*, Santiago de Compostela 1992; id: "La declaración de pertenencia jurídica a una confesión en el Derecho alemán: Proyección y análisis comparativo con el Derecho español", en *Anuario de Derecho Eclesiástico del Estado*, vol. VIII (1992), págs. 75-96.

[282]   Cfr. TAUPITZ, J.: "El Derecho a no saber en la legislación alemana", en *Derecho y Genoma Humano*, 1998/8, págs. 105-115, y 1998/9, págs. 163-197.

[283]   Cfr. LUCAS MURILLO, P.: *El derecho a la autodeterminación informativa*, Madrid 1990.

proyectarse a otros planos o ámbitos[284] como puede ser el propio desarrollo de la personalidad del ser humano, cuando no la propia dignidad humana[285]. Por ello en esta materia entendemos necesario escapar de toda ideología que pretenda organizar o estructurar las sociedades bajo modelos de meritocracia[286], aunque éstas sean —y porque son— democráticas. Por consiguiente, respecto al presente objeto no entendemos suficiente una posición de los poderes públicos de mera garantía negativa o de no injerencia, sino que —por el contrario— creemos necesarias políticas de actuación que se concreten en medidas de garantía positiva que alcancen incluso a terceros particulares o al ámbito *inter privatos*[287], aunque en este último supuesto la actividad sólo pueda ser de respeto y no de actividad.

Se abren de esta manera nuevas dimensiones en las relaciones entre biomedicina y libertad de conciencia que apenas han sido abordadas[288]. Aunque se trata de materias que por su naturaleza y complejidad pueden requerir de una investigación multidisciplinar, toda vez que cuestiones tales como posibles conflictos entre los derechos a la vida y a la libertad de elección (autonomía de la voluntad)[289], a la libertad de investigación y a la intimidad de las personas y de las familias, a la salud y al consentimiento informado, entre otros, precisan de respuestas equilibradas donde el principio de laicidad del Estado adquiere una gran relevancia, ya que dependiendo de cuál sea el posicionamiento adoptado tendrán su proyección

---

[284]    Cfr. NIELSEN, L. y NESPOR, S.T.: *Genetic Test. Screening and use of Genetic Data by Public Authorities in Criminal Justice, Social Security and Alien and Foreigner*, 1993.

[285]    Cfr. ALEGRE MARTÍNEZ, M.A.: *La dignidad de la persona como fundamento del ordenamiento constitucional*, Universidad de León, León 1996.

[286]    Cfr. LUJAN, J.L.: *Ingeniería genética, ideología y eugenesia*, 1991, págs. 146 y ss.

[287]    Cfr. TUGENDHAT, E.: *Justicia y Derechos Humanos*, 1992, págs. 24 y ss.

[288]    En la doctrina eclesiasticista española pueden destacarse a nivel general los trabajos de CAMARERO, M.: "Bioética y Derecho eclesiástico…", en *Estudios en homenaje al Profesor Martínez Valls*, vol. II, *op. cit.*, págs. 77-86; GOTI, J.: "Bioética y Moral Católica", en *VI Curso de Verano*, San Sebastián 1988, págs. 21-49; MARTÍNEZ-TORRÓN, J.: "Las objeciones de conciencia y los intereses generales", en *Las objeciones de conciencia, op. cit.*, págs. 257-271; SOUTO PAZ, J.A.: "Objeción de conciencia y bioderecho", en *Estudios en homenaje al Profesor Martínez Valls*, vol. II, *op. cit.*, págs. 687-698; VEGA GUTIÉRREZ, A.M.: "Bioética y Derecho…", *op. cit.*, págs. 203-223.

[289]    Por lo que afecta al Derecho de Familia y la reproducción asistida, vid. BRIONES, I.: "La objeción de conciencia a la fecundación *in vitro*", *op. cit.*, págs. 379-388; CAMARERO, V.: "La manipulación genética y su incidencia en el derecho matrimonial canónico", en *Escritos en honor de Javier Hervada, op. cit.*, págs. 719-724; GARCÍA CANTERO, G.: "Reflexiones sobre la objeción en la procreación asistida", *op. cit.*, págs. 370 y ss.; NAVARRO, R.: *Matrimonio y Derecho*, Ed. Tecnos, Madrid 1994; VILADRICH, P.J.: "Las motivaciones de la Ley de reproducción asistida…", *op. cit.*, págs. 137-145.
A este respecto, vid. RUIZ MIGUEL, A.: "Autonomía individual y derecho a la propia vida", en *Jueces para la democracia*, nº 16-17 (1992).

lógica en otros sectores del Derecho, entre los que destaca el Penal[290], y más concretamente en relación a su tipificación como conducta o no antijurídica.

La laicidad se pone, pues, en directa relación con los cánones que inspiran el fin de la integración política del modelo de la democracia liberal y pluralista, así como presupuesto necesario para la realización de la convivencia pacífica de las múltiples instancias —religiosas, éticas, culturales, políticas— existentes en las complejas sociedades modernas. La laicidad pasa a ser, por tanto, sinónimo de neutralidad, imparcialidad, equidistancia, y el Estado laico sinónimo de Estado que no se hace portador de contenidos axiológicamente exclusivos, sino que se concibe y actúa como punto de referencia de ideologías y culturas diversas sin asumir ninguna como propia, pero garantizando las condiciones institucionales para su diálogo.

Debemos, no obstante, preguntarnos, si, en la cuestión bioética, el Estado puede aspirar al rol de mediador neutral entre los dos universos ético-jurídicos que ocupan el espacio de las posibles respuestas, esto es, la ética de la sacralidad de la vida y la ética de la calidad de la vida[291]?[292] Aunque la respuesta no resulta sencilla y sobre todo inocua, nos mostramos de acuerdo con quienes afirman que la neutralidad, y por ende la laicidad, es un imposible jurídico cuando se está en presencia de un conflicto trágico[293]. Ahora bien, el derecho debe tomar partido y esa toma de posición debe hacerse a favor de la laicidad y del Estado laico en cuanto equidistancia y neutralidad de los poderes públicos con respecto de las diversas opciones de valor, de manera tal que permita la coexistencia pacífica de todos los contenidos éticos. En consecuencia, desde el plano de la laicidad el Estado debe, en primer lugar, reconocer igual dignidad a todas las "doctrinas comprensivas" (éticas, religiosas, filosóficas, políticas) y debe consentir hablar a

---

[290]   Respecto de este sector, vid. CABELLO MOHEDANO, A.; GARCÍA GIL, J.M.; ANIQUEIRA TÚNEZ: *Entre los límites personales y penales de la eutanasia*, Universidad de Cádiz, Cádiz 1990; GILBERNAT, E.: "Eutanasia y Derecho Penal", en *Estudios de Derechos Penal*, 3ª ed., 1990; MUÑAGORRI LAGUIA, I.: *Eutanasia y Derecho Penal*, Ministerio de Justicia e Interior, Madrid 1994.

[291]   Para un análisis más profundo de las dos bioéticas, vid. ENGELHARDT, H.T.: "Bioetica: laica y religiosa", en *Bioetica*, nº 2 (1993), págs. 346 y ss.; FORNERO, G.: *Bioetica cattolica e bioética laica*, Bruno Mondadori, Milán 2005; HABERMAS, J.-RATZINGER, J.: *Ragione e fede in dialogo*, Marsilio, Venecia 2005.

[292]   Cfr. DALLA TORRE, G.: "Laicità dello Stato e questione bioética", en *Il principio di laicità nello Stato democrático*, Rubettino Editore, Catanzaro 1996, pág. 297; id.: *Bioetica e diritto. Saggi*, Giappichelli, Turín 1993.

[293]   Cfr. CALABRESI, G.: *Il dono dello spiritto maligno. Gli ideali, le convinzoni, i modi di pensare nei loro rapporti con il diritto*, Giufre Ed., Milán 1996; id. y BOBBIT, P.: *Scelte tragiche*, Giuffrè Ed., Milán 1986; TRIPODINA, CH.: "Iglesia católica y Estado laico frente a la cuestión bioética", págs. 53 y ss.

todas, asumiendo y manteniendo así el aspecto de lugar destinado a la confrontación y también al conflicto de la pluralidad de instancias; en segundo lugar, debe garantizar el acceso en la ley positiva solamente a las doctrinas capaces de aceptar las reglas procesales de la discusión, de la confrontación y de la deliberación para llegar a la formación de la decisión política y, en tercer lugar, debe hacer que las leyes que superen el examen del procedimiento democrático de formación de la ley no tengan en sí contenidos lesivos de los derechos y libertades fundamentales y de otras disposiciones constitucionales.

Por extensión y a fin de hacer efectiva la garantía de la libertad de conciencia y religiosa (art. 16 CE), se debe reconocer y tutelar el derecho de las entidades religiosas y filosóficas a intervenir en el debate político público sobre los temas concernientes a la cuestión bioética[294]. Y este derecho también supone el derecho de intentar persuadir y convertir a los otros miembros de la sociedad a los propios valores dentro siempre del límite del orden público y del respeto al pacto constitucional[295].

De todo lo anterior se puede afirmar que, como regla axiológica, ningún dogma absoluto puede, en cuanto tal, convertirse en ley, porque esto sería contrario al principio de laicidad del Estado y a la libertad de conciencia que tutela, lo que no es óbice para que un dogma pueda diluirse en el cuerpo social y convertirse en el modo de sentir y de pensar de un pueblo y de sus representantes. Ahora bien, ello no impide que, como en el supuesto de cualquier otra ley, pueda declararse inconstitucional si la misma se sale de los límites trazados por la Constitución, y en particular del límite de la racionalidad[296]: del cual forman parte los derechos y libertades fundamentales en general, y la libertad de conciencia en particular, así como los principios constitucionales informadores de la materia religiosa en general, y el principio de laicidad del Estado en particular.

---

[294]    Cfr. DE SIERVO, U.: "Problemi della laicità nel diritto pubblico", en DELLA TORRE, G. (dir.): *Ripensare la laicità. Il problema della laicità nell'esperienza giuridica contemporánea*, Giappichelli Ed., Turín 1993, pág. 142 y sigs. Para algunos autores, el presente derecho se extiende también al derecho de buscar conformar las opciones democráticas, y en particular las leyes del parlamento a la doctrina moral cristiana, recordándoles expresamente el deber de su respeto tanto a los ciudadanos católicos en el momento de las elecciones o las consultas de referedum, como directamente a sus representantes en el parlamento (vid. RATZONGER, J.: "L'Europe nella crisi delle culture", en *Chiesa cristiane, pluralismo religioso e democracia liberale in Europa*, Il Mulino, Bolonia 2006, págs. 293 y ss.; id.: "Scambio reciproco per un'etica comune", en *Ragione e fede in dialogo, op. cit.*, págs. 72 y ss.).

[295]    Cfr. DOGLIANI, M.: "Dio e Cesare: quali lmiti riconoscono per è prima di tutto per l'altro", en *Chiesa cristiane, pluralismo religioso e democracia liberale in Europa, op. cit.*, págs. 138 y ss.

[296]    Cfr. TRIPODINA, C.: "Studio sui possibili rpofili di incostituzionalità della Legge 40/2004, racante "Norme in materia di procreazione medicalmente assistita", en *Diritto pubblico*, n° 2 (2004), págs. 501-548.

# LA CONCIENCIA COMO FUNDAMENTO DE LA PRESTACIÓN DE SERVICIOS SANITARIOS EN UNA SOCIEDAD PLURAL

ANA FERNÁNDEZ-CORONADO
*Catedrática de Derecho Eclesiástico del Estado*
*Universidad Complutense de Madrid*

## 1. INTRODUCCIÓN

El término *bioética* significa una aplicación de la ética a las ciencias de la vida. Esta aplicación exige una reflexión moral sobre la vida humana, con la pretensión de buscar una solución moralmente correcta al conflicto que se genera entre la dignidad humana y los avances médicos y tecnológicos que inciden sobre ella.

Partiendo de este presupuesto, se puede decir que en el punto de mira de la bioética se encuentra el estudio del comportamiento humano a la luz de los valores y principios morales, cuando se proyecta sobre la vida y el cuidado de la salud, a fin de obtener unos resultados que conduzcan al adecuado tratamiento de ese comportamiento en sus múltiples aspectos. En consecuencia, la bioética tiene un contenido interdisciplinar, donde se implican ciencias muy distintas, como la biología, la filosofía, el derecho, la medicina, la teología etc. De entre todos estos contenidos científicos, este trabajo tendrá un enfoque centrado, lógicamente, en la perspectiva del derecho.

La primera afirmación que hay que hacer desde este ámbito de estudio, es la existencia de un claro nexo entre bioética y derecho, al ser éste, precisamente, el encargado de reglamentar jurídicamente los distintos aspectos de aquella desde un criterio de justicia. Pero, además, también se puede afirmar que esta reglamentación jurídica se realiza sobre la base de los principios generales de cada ordenamiento que, como es sabido, son los encargados de informar los contenidos de la legislación concreta y que, dando un paso más en esta serie de afirmaciones, no son ajenos a los principios bioéticos fundamentales establecidos con carácter general o universal, pues casi siempre se inspiran en ellos.

En definitiva, el papel del derecho con respecto de la bioética no consiste en imponer valores de forma más o menos coactiva, sino en establecer un sistema regulador racional y justo de carácter público y objetivo, donde se tienen en cuenta los diversos elementos implicados en la relación bioética para su protección y desarrollo.

Dentro de esta línea jurídica, corresponde al estudioso del Derecho eclesiástico del Estado la tarea de analizar la conexión entre la bioética y el objeto de esta rama del saber jurídico, conformado por la tutela y promoción del Derecho de libertad de conciencia.

La importancia de este cometido estriba en que es, precisamente, esta libertad la que incide en la tutela y desarrollo de la esencia misma de la persona humana, su dignidad y los derechos fundamentales que le son inherentes, dejando al margen la imposición de otros valores ajenos a este objetivo.

Esta será, entonces, la perspectiva metodológica de análisis en este estudio.

## 2. BIOÉTICA: PRIMERAS ACEPCIONES Y EVOLUCIÓN HISTÓRICA

Aunque la acuñación concreta del término *bioética* es de la segunda mitad del siglo XX, algunos autores han remontado sus orígenes al juramento hipocrático[1], especie de Código deontológico que recogía las obligaciones éticas básicas que el médico debía de observar en el ejercicio de su profesión, que se proyectaban en una doble dirección: hacia el enfermo, de un lado, y hacia sus maestros y familiares, de otro[2]. El juramento hipocrático constituyó una especie de paradigma para la cultura occidental, si bien otras grandes culturas (árabe, judía, china o india) contaron tempranamente con documentos similares en su contenido. Todos ellos, tenían un mero valor religioso o moral, careciendo de obligatoriedad jurídica. Eran códigos deontológicos. Se ha señalado por la doctrina cuatro puntos comunes como contenido esencial de todos ellos: *primum non nocere*, o sea, ante todo o lo primero, no hacer daño; carácter sagrado de la vida humana; obligación del médico de aliviar el sufrimiento del enfermo; y, por último, carácter confidencial y respetuoso de la relación médico-paciente[3].

---

[1]  Formulado por Hipócrates en el siglo V (a.c.), fue actualizado por la Declaración de Ginebra de la Asamblea Médica Mundial de 1948. Concibe la medicina como una especie de sacerdocio, en el que el médico es una especie de mediador entre dioses y hombres. Este carácter sagrado de la relación médico-enfermo, excluye en buena parte, la responsabilidad médica de carácter jurídico. Vid LEMA AÑÓN, C. *Bionomía, bioética y derechos fundamentales*. En J. J. TAMAYO (editor.) *Bioética y Religión*. Madrid, 2007, págs. 29-55, vid. págs. 37-38.

[2]  Vid. GAFO, F. *Historia de una nueva disciplina: la Bioética*. En C. ROMEO CASABONA (coord.). *Derecho biomédico y bioética*. Granada 1998, págs. 87-111, vid. págs. 87-88. Para una opinión en contra, vid. SÁBADA, J. *Principios de ética laica*, Barcelona 2003, pág. 33.

[3]  Vid. por todos GAFO, J. *Los códigos médicos*. En GAFO, J. (editor.) *Dilemas éticos de la medicina actual*, Madrid 1986, págs. 19-20 y la bibliografía allí citada.

Este contenido esencial contemplaba una relación médico-paciente, analizada desde la perspectiva del médico y en su fondo subyacía un reconocimiento implícito de la superioridad de éste sobre aquel, que llevaba a una especie de paternalismo en la relación. Se trataba, pues, de una relación asimétrica, con una clara desigualdad entre los dos polos afectados. Este planteamiento se mantiene hasta la Edad Moderna.

Su quiebra en el aspecto religioso comienza con la Reforma Protestante, con sus tesis sobre el libre examen de la conciencia y la crítica de los valores jerárquicos, decantándose por una defensa de los derechos de la persona y una mayor libertad en la toma de decisiones por el sujeto individual, en contraposición con la doctrina católica[4]. Posteriormente, se abre paso la tolerancia y la libertad religiosa y moral y, finalmente, el pluralismo y la libertad de conciencia en materia religiosa, política y social[5]. Sin embargo, la autonomía de la gestión por el individuo de su propio cuerpo no se alcanza hasta finales del siglo XX[6].

Es cierto, por otra parte, que la evolución de la sociedad ha conducido en las últimas décadas, a una globalización en todos los órdenes que ha fomentado un fuerte multiculturalismo, como consecuencia directa de la inmigración. Esta nueva realidad social aporta un nuevo elemento de contraste en el análisis bioético y dificulta, ciertamente, la consecución de soluciones particularizadas. Sin embargo, ello no tiene porqué implicar el abandono de una ética fundamentada en la dignidad humana y sus derechos inherentes. Muy al contrario, los derechos humanos que sustentan esa dignidad, devienen en protagonistas imprescindibles para el correcto desarrollo integral de los individuos. De este modo, esta configuración de la bioética podrá seguir existiendo sobre la base de su consideración como una ética de mínimos, gestionada en un contexto internacional y solidario[7].

En conclusión, se puede decir que la evolución histórica producida en materia bioética, de la que este resumen es un pequeño ejemplo, transcurre en paralelo a la propia evolución ideológica que se genera a partir de la modernidad y que va consiguiendo, paulatinamente, el tránsito desde el paternalismo en la relación entre el médico y el paciente, hacia una relación simétrica entre ambos, carac-

---

[4]    Para un sucinto análisis sobre la secularización de la bioética y la contraposición entre bioética laica y bioética religiosa, vid. I. MARTÍN SÁNCHEZ (coordinador.) *Bioética, religión y salud.* Madrid 2005, cap. I, págs. 1-9 y la bibliografía allí citada.

[5]    Sobre la historia de la libertad de conciencia en Europa y el proceso de secularización, vid. A. FERNÁNDEZ-CORONADO, (directora), *El derecho de libertad de conciencia en el marco de la Unión Europea: pluralismo y minorías.* Madrid, 2002, págs. 39-66.

[6]    Vid. SÁNCHEZ GONZÁLEZ, M. *La bioética que se puede enseñar.* En VV. AA. *Bioética, Religión y Derecho.* Madrid 2005, págs. 113-122.

[7]    En este sentido se ha pronunciado la Declaración Universal de Bioética y Derechos Humanos, adoptada por la Conferencia General de la Unesco de octubre de 2005.

terizada por una libertad de elección del sujeto paciente en todos los asuntos concernientes a su persona, como atributo de su propia dignidad y la exigencia de su consentimiento, entendido como decisión consciente emitida sobre la base del conocimiento, como presupuesto necesario para la licitud de la actuación médica.

## 2.1. Bioética religiosa o institucionalizada

La bioética estuvo ligada durante siglos a una moral religiosa, debido a que la gestión moral de algunas cuestiones relativas al cuerpo humano, tales como sexualidad, reproducción, dolor, muerte, experimentación etc., se consideraban patrimonio de las religiones, que imponían una especie de código moral de comportamiento en la materia[8]. La razón no era otra que la negación de una dignidad humana autónoma, fundada en la propia persona como ser racional y libre, admitiendo, únicamente, una dignidad heterónoma que tenía su último respaldo en la divinidad. Se partía, en definitiva, de una visión creacionista de la naturaleza, aunque sin negar una cierta racionalidad, al considerar la conciencia como el órgano que reconoce unos valores morales objetivamente existentes[9].

Esta ética religiosa tenía, entonces, un diseño institucionalizado, y era una ética de máximos[10], pues proponía un modelo completo de realización individual incompatible con lo que hoy entendemos como la esencia de la dignidad humana autónoma. Es decir, bloqueaba el libre razonamiento del individuo sobre sus propios valores, al cercenarle la posibilidad de una reflexión objetiva sobre los mismos. De este modo, la existencia de un juicio moral previo, impuesto por la normativa religiosa como el correcto, condicionaba la libertad de decisión personal.

Es cierto, por otra parte, que tal normativa era de adscripción voluntaria, no obligatoria, como es propio de toda doctrina religiosa, pero la ausencia de un pluralismo de opciones o valores en materia bioética, favorecía esta dimensión institucionalizada, por la inexistencia de opciones heterogéneas válidas, como presupuesto para una libertad de actuación[11].

---

[8] Vid. FERRER, J. J. Quod omnes tangit, ad omnibus tractari debet: una "questio disputata" de epistemología moral en la teología católica. En GAFO, J. (editor.), Bioética y religiones: el final de la vida. Madrid 2000, pág. 127.

[9] Vid. DALLA TORRE, G. Laicitá dello Stato e questione bioética. En VV. AA. Il principio de laicità dello Stato democratico. Mesina 1996, págs. 287-288.

[10] Vid. CORTINA, A. Ética aplicada y democracia radical, Madrid 2001, págs. 202 y ss.

[11] Para una visión general sobre bioética religiosa actual, vid. GARCÍA GARCÍA, R. La laicidad en el ámbito de la salud El papel de las confesiones religiosas. En ISIDORO MARTÍN SÁNCHEZ (coordinador), Libertad religiosa y derecho sanitario. Madrid 2007, págs. 13-47. Vid. págs. 27 y ss.; BOROBIA, J. LLUCH, M. MURILLO, J.I, y TERRASA, E. (editores.), ¿Ética sin religión? (VI Simposio Internacional sobre fe cristiana y cultura contemporánea) Pamplona 2007.

## 2.2. Bioética laica o personalizada

La irrupción del movimiento secularizador en el mundo occidental fruto de la *modernidad*, afectó, como es lógico, a estos planteamientos éticos tradicionales. La secularización produjo la quiebra del valor unificador de las religiones, al promover y alentar la aparición de nuevos valores filosóficos e ideológicos ajenos a la fe, en cuya base subyacía el reconocimiento de la persona humana como ser digno, autónomo, racional y libre, sujeto de derechos y obligaciones y capaz de tomar sus propias decisiones, sin subordinaciones o tutelas de ningún género y sin admitir ningún tipo de autoridad sobre él. El hombre se convierte, entonces, en la formulación kantiana en un fin en sí mismo. Se produce, así, una concepción de la ética *etsi Deus non daretur*[12], donde la conciencia, en contraposición con lo señalado en la ética religiosa, deviene en órgano productor de valores morales y no en mero reconocedor de los ya existentes.

El efecto inmediato de esta perspectiva fue un cambio en el referente bioético, desde los valores religiosos a los derechos de la persona. La bioética comenzó a adquirir, así, una dimensión laica.

El empuje de la bioética laica produjo una cierta influencia en los planteamientos de la bioética religiosa que se hizo eco, de algún modo, del pensamiento racionalista, presentándose como una ética racional abierta a todos. En este sentido, la llamada bioética religiosa o institucionalizada, pasó a adquirir algún tinte personalizado, al defender la sujeción de la actuación moral a criterios objetivos a los que se puede llegar a través de la razón, siempre desde la premisa del respeto y protección del ser humano, pero rechazando la sumisión exclusiva al criterio subjetivo de la voluntad individual que propugna la bioética laica[13]. Se basaba, así, en una concepción creacionista de la naturaleza que, sin negar la racionalidad[14], la subordinaba a aquella.

---

Para una visión general sobre bioética religiosa actual, vid. GARCÍA GARCÍA, R. *La laicidad en el ámbito de la salud El papel de las confesiones religiosas*. En ISIDORO MARTÍN SÁNCHEZ (Coordinador), *Libertad religiosa y derecho sanitario*. Madrid 2007, págs. 13-47. Vid. págs. 27 y ss.; BOROBIA, J. LLUCH, M. MURILLO, J.I, y TERRASA, E. (editores.), *¿Ética sin religión?* VI Simposio Internacional sobre fe cristiana y cultura contemporánea. Pamplona 2007.

12    Ibídem. *La frontiere della vita. Etica, Bioética e Diritto.* Roma 1997, págs. 113-114.
13    Llamada también *bioética personalista.* Vid. PALAZZANI, L. *Bioethiche: teorie filosofiche a confronto.* En *La Bioética. Profiti culturali, politici e giuridici.* (a cura di G. DALLA TORRE El. Palazzani). Roma 1997, págs. 32 y ss.; Vid. MARTÍN SÁNCHEZ, I. *op. cit.* págs. 7-9; Así mismo TOMÁS Y GARRIDO, G. (editores.) *La bioética: un compromiso existencial y científico. I. Fundamentación y reflexiones.* Murcia 2005, donde se recoge una amplia perspectiva de esta postura.
14    Vid. DALLA TORRE, G. *Laicitá dello Stato...op. cit.* págs. 287.

La bioética laica, por el contrario, es una ética pluralista, pues admite una diversidad de planteamientos dentro de la legitimidad y permite a las personas adoptar libremente de entre todos ellos, aquellos con los que se identifiquen, siempre con el límite de los derechos de los demás. En definitiva, el pluralismo permite aplicar al caso particular, por voluntad del individuo y con el límite de los derechos de los demás, unos u otros valores, principios o normas muy esenciales, aceptados universalmente.

Es importante precisar, en todo caso, que este pluralismo ético no tiene por-qué identificarse con el relativismo, puesto que hay unos valores irrenunciables, tales como la búsqueda de la libertad, la autonomía de la persona, la dignidad, la equidad etc., que constituyen la base para la construcción del comportamiento justo y eficaz en esta materia[15].

Esta bioética laica es, además, una ética minimalista, en el sentido de que huye de un control total de la conducta del individuo, estableciendo lo que debe hacer o no hacer, para centrarse solo en aquellos aspectos que favorezcan su libre actuación, dentro del límite irrenunciable de lo que se viene a llamar orden público constitucional. Pretende, en conclusión, dejar en manos de la libertad del individuo las cuestiones que afectan a la esfera íntima de su conciencia sobre la base de la tolerancia[16]. Su cometido esencial es la protección de los derechos humanos vinculados a la propia dignidad de la persona, que es, precisamente, lo que conduce al tratamiento del tema desde un enfoque laico.

# 3. EL PAPEL DE LOS DERECHOS HUMANOS EN LA REGULACIÓN DE LA BIOÉTICA

## 3.1. Derechos humanos básicos en materia de bioética

La razón de ser de este planteamiento estriba en que la protección completa de la persona individual solo es posible mediante el reconocimiento de sus derechos fundamentales. El respeto a estos derechos constituye el punto de partida para el análisis de todas las actividades en el campo de la bioética, pues estos derechos forman el mínimo común denominador que une ética y derecho[17]. Esta

---

15    Vid. *Manifesto di bioética laica* (C. Flamigni, A. Massarenti, M. Mori, A. Petroni). En *Il sole 24Ore,* 9 giugno 1996.

16    *Vid.* RUSCONI, G. E. *Laicità e Bioética. En Il Mulino,* anno LI, n°.402, págs. 668-678.

17    Vid. ROCA TRÍAS, E. *La función del derecho para la protección de la persona ante la biome-dicina y la biotecnología.* En C. ROMEO CASABONA (coordinador), *op. cit.* págs. 165-185, vid. págs. 167.

ética de los derechos humanos es, entonces, una ética irrenunciable, pues la renuncia a la misma equivaldría a renunciar a la propia existencia.

El reconocimiento de los derechos humanos tiene su referente universal clásico en la Declaración de la ONU de 1948, que en su art. 1 marca el presupuesto inexcusable de los mismos: *"Todos los seres humanos nacen iguales en dignidad y derechos y, dotados como están de razón y conciencia, deben comportarse fraternalmente los unos con los otros"*. En esta definición básica se encuentran, a mi juicio, las exigencias esenciales para la consideración de la persona: dignidad humana, como valor unido a la vida, igual para todos los hombres; reconocimiento igualitario de los derechos humanos como inherentes a la persona; y establecimiento de la razón y la conciencia como herramientas supremas de un comportamiento humano solidario.

Partiendo de estas premisas, creo que el respeto a los derechos humanos en su proyección sobre la bioética deberá ser tenido en cuenta en un doble sentido esencial. De un lado, como límite de las actuaciones médicas y biotecnológicas sobre las personas, para impedir toda lesión de su vida digna. De otro, como fundamento que posibilite, también, esas actuaciones, cuando así lo exija el libre desarrollo de la personalidad.

Se trata, en suma, de convertir a los derechos humanos en criterio regulador de la evolución biológica y biotecnológica, garantizando y nivelando el respeto al derecho a una vida humana digna, ligado indefectiblemente en este ámbito al derecho a la igual libertad de las personas para formar sus propias convicciones y actuar en consecuencia, esto es, al derecho a la libertad de conciencia. Todo ello, como no podría ser de otra manera en una sociedad democrática, dentro de los límites del orden público constitucional.

Derecho a una vida digna y derecho a la libertad de conciencia devienen, así, en principios generales básicos, con carácter de informadores, en materia bioética.

### 3.1.1. Derecho a la vida y dignidad humana

Es el derecho fundamental por excelencia, pues, como ha señalado el Tribunal Constitucional, constituye *"el supuesto ontológico sin el que los restantes derechos no tendrían existencia posible"*[18].

El derecho a la vida va unido de forma indisoluble a la dignidad humana, considerada como base o núcleo de los demás derechos fundamentales, en tanto que dimensión prevalente de la personalidad. Como también ha señalado el

---

[18]    Vid. Sentencia del tribunal Constitucional (STC) 53/ 1985 de 11 de abril, Fundamento Jurídico nº. 3.

Tribunal Constitucional, la dignidad humana es *"un valor espiritual y moral inherente a la persona, que se manifiesta singularmente en la autodeterminación consciente y responsable de la propia vida y que lleva consigo la pretensión del respeto por parte de los demás"* [19]. El derecho a la vida es, entonces, el derecho a vivir dignamente. Así lo señala igualmente el Alto Tribunal, cuando afirma que: *"Indisolublemente relacionado con el derecho a la vida en su dimensión humana, se encuentra el valor jurídico fundamental de la dignidad de la persona...germen o núcleo de unos derechos que le son inherentes... que...dentro del sistema constitucional son considerados como el punto de arranque, como el prius lógico y ontológico para la existencia y especificación de los demás derechos..."* [20]. No es posible, entonces, separar dignidad humana y persona, pues la dignidad es la autoafirmación de la propia autonomía de la persona. Se produce, así, una especie de identificación entre dignidad humana y libre desarrollo de la personalidad, en tanto que la propia dignidad equivale a la autodeterminación personal [21].

De este modo, la dignidad humana implica la consideración de la persona como ser independiente dotado de racionalidad, y aporta a la vida los valores de libertad y justicia que son, precisamente, los que la hacen digna. Como consecuencia de ello, el derecho a la vida no es un derecho ilimitado, sino que se integra en el círculo de libertad de la persona, que podrá decidir sobre ella en base a su dignidad [22]. Se trata, entonces, de un sustrato invulnerable e inalterable, que ha de permanecer a salvo de las posibles limitaciones que se impongan en el disfrute de los derechos individuales.

Los derechos inherentes a la dignidad humana tienen una singular presencia en el campo de la bioética, pues la salud de la persona va unida al derecho a la vida y al concepto de dignidad, en tanto que elementos básicos necesarios para lograr el libre desarrollo de la personalidad. Todos estos derechos son derechos humanos de primera generación y encuentran su complemento en el campo de la bioética en el art. 15. 1.b) del Pacto Internacional de Derechos Económicos,

---

[19]     Vid. Fundamento Jurídico nº. 8. Otras sentencias del Tribunal relativas al tema son la 120/1990 de 27 de junio, sobre el derecho a la muerte y la 57/1994 de 14 de julio sobre esterilización de deficientes psíquicos. Un análisis detenido de las mismas se puede ver en MORA, J. *La dignidad de la persona humana en la jurisprudencia constitucional española*. En *Cuadernos de Bioética*, 2(2000), págs. 203-222.

[20]     *Vid.* STC 53/1985 de 11 de abril, cit. Fundamento Jurídico nº. 8.

[21]     *Vid.* SERNA, P. *La dignidad humana en la Constitución Europea*. En (E. ALVAREZ CONDE Y V. GARRIDO MAYOL directores.) *Comentarios a la Constitución Europea*. Valencia 2004. Libro II, págs. 192-239.

[22]     La Declaración de la ONU, en su art. 3 liga la vida con la libertad y la seguridad de las personas, igual que hace el art. 9 del Pacto Internacional de derechos Civiles y Políticos, de 1968 La seguridad implica la certeza de los derechos establecidos y va indefectiblemente unida a la libertad, la justicia y la dignidad humana.

Sociales y Culturales de 1968, que reconoce el derecho de toda persona a gozar de los beneficios del progreso científico y de sus aplicaciones.

Derecho a la vida e igual dignidad humana, con sus componentes de autonomía e igualdad (justicia) son, en consecuencia, dos principios primarios esenciales para la investigación sobre las personas, pues constituyen el fundamento y, a la vez, el límite de la libertad de investigación, determinando en cada momento la adecuación entre los derechos de la persona vinculados a su libre desarrollo y la experimentación científica. Por esta razón, cualquier investigación médica o tecnológica debe de partir inexcusablemente de ellos.

## 3.1.2. Derecho de libertad de conciencia

D. LLAMAZARES define la conciencia como *"la percepción de la propia identidad de la singularidad personal, de las similitudes y de las diferencias con los demás, determinantes de las relaciones de la persona con "los otros" y con "lo otro", así como la capacidad para la elección entre distintas alternativas y de la referencia a la misma instancia de decisión de cuanto hace, le hacen o, simplemente, le acontece*[23]. Este autoconocimiento de la persona comienza, según dice la definición, con el descubrimiento de la propia identidad, que constituye el núcleo más íntimo de la persona. Es lo que la hace sentirse ella misma y la posibilita a actuar en consonancia con su esencia. La identidad personal es, entonces, el núcleo de la conciencia[24].

Este autoconocimiento o descubrimiento de la propia identidad como ser humano único y diverso se realiza a partir de las ideas y creencias que el individuo siente como propias y que constituyen sus convicciones personales.

Para que este proceso sea posible, se requieren dos presupuestos previos inexcusables: a) El pluralismo, pues solo se puede elegir en libertad si se puede optar entre las distintas alternativas posibles, ofertadas de modo imparcial, y b) La tutela jurídica de ese ámbito de autodeterminación, mediante la inmunidad de coacción, para evitar cualquier ataque externo. El resultado de este proceso será la libertad de conciencia.

La libertad de conciencia está integrada, entonces, por las convicciones personales, tanto las formadas al margen de la propia voluntad, porque le vienen dadas a la persona, al ser elementos constitutivos de su propia identidad, a los que no puede renunciar (raza, color, familia etc.), pues son condición necesaria de su

---

[23]    Vid. LLAMAZARES FERNÁNDEZ, D. y LLAMAZARES CALZADILLA, M. C. *Derecho de la Libertad de Conciencia*. Vol. II *Conciencia, identidad personal y* solidaridad. 4ª ed. Pamplona 2011, pág. 17.

[24]    Vid. Ibídem, págs. 17-23.

propia autoestima[25], como las elegidas libremente al ser percibidas como propias. Consta, así, de algo que le viene dado a la persona y de algo libremente elegido por ella en ejercicio de su autonomía[26]. Esta libertad de conciencia, cuyo núcleo es la identidad personal, alcanza su protección jurídica mediante el derecho de libertad de conciencia.

### 3.2. *Derechos humanos y principios de bioética clásica*

El derecho a la vida y el derecho a la libertad de conciencia constituyeron el fundamento de la bioética moderna, y el desarrollo de estos dos derechos básicos, produjo como consecuencia la aparición de nuevas generaciones de derechos fundamentales que han resultado esenciales para la evolución de la bioética en el momento actual.

Como ya se ha dicho, la bioética constituye una especificación dentro de la ética general, que pretende encontrar el equilibrio moral entre los avances de la biomedicina y la biotecnología, cada vez más presentes en la sociedad actual, y la protección de los individuos sobre los que se proyectan o aplican estos avances. Esta búsqueda solo es posible en el seno de una sociedad pluralista y democrática, dentro de la ética que deriva de un Estado social y democrático de derecho, garantizado por el orden público, que constituye el mínimo común ético que no puede ser transgredido, y dentro del contexto de un ordenamiento jurídico que asuma y permita desarrollar legalmente, con el apoyo de la mayoría, los valores y derechos fundamentales presentes en su Norma Suprema[27].

Sin embargo, aunque es cierto que los derechos humanos fundamentales tienen una consideración de referentes morales universales, al constituir la vinculación mínima entre individuos de diferentes comunidades morales[28], su aplicación, sin más, a los problemas éticos planteados como consecuencia del desarrollo biomédico y biotecnológico no es siempre fácil, dando lugar, incluso, a planteamientos no coincidentes en los distintos códigos morales, sobre la base de interpretaciones distintas[29].

---

[25]   Vid. LLAMAZARES, D. y LLAMAZARESCALZADILLA, M. C. *Derecho de libertad de conciencia*. Vol. I *Conciencia, tolerancia y laicidad*. 4ª. Edición. Pamplona 2011, págs. 21-23.

[26]   Vid. STC 53/1985 de 11 de abril. Fundamento Jurídico 8.

[27]   Vid. MARTÍN MATEO, R. *Bioética y Derecho*. Barcelona 1987, pág. 163.

[28]   Vid. CASADO, M. *Los derechos humanos como marco para el bioderecho y la bioética*. En C. ROMEO CASABONA (coordinador.) *Derecho biomédico y bioética*, cit., págs. 113-135, vid. págs. 114 y ss.

[29]   Vid. GONZÁLEZ R. ARNAIZ, G. *Bioética: una reflexión desde la filosofía moral*. En R. JUNQUERA DE ESTÉFANI (coordinador.) *Algunas cuestiones de bioética y su regulación jurídica*, Sevilla 2004, págs. 23-60. Vid. págs. 35-37 y la bibliografía allí contenida.

Para solucionar estos posibles conflictos, en los inicios de la moderna bioética se establecieron una serie de principios generales, con el fin de facilitar la formulación, interpretación y aplicación de las normas éticas inherentes a la investigación biotecnológica. Es la llamada ética de los principios. La formulación esencial en esta materia fue, sin duda, el *Informe Belmont*[30] de 1979, que constituyó el espaldarazo definitivo a las tesis del *principialismo*, defensoras de la formulación de unos principios generales en materia de bioética, que actuasen como principios éticos guía, es decir, como orientaciones generales para la protección de los sujetos humanos en experimentos biomédicos. Estos principios éticos básicos eran: autonomía, beneficencia y justicia. Fueron completados y matizados poco después por T. BEAUCHAMPS y J. CHILDRESS [31], que añadieron un cuarto principio: la no maleficencia.

Se trata de principios deontológicos que tenían como modelo el respeto a los derechos humanos reconocidos universalmente en las Declaraciones Internacionales, especialmente, en la Declaración de la ONU de 1948, y sus Pactos subsiguientes, que han servido de referente incontestable para otras formulaciones jurídicas de carácter internacional y constitucional.

Su contenido pretendía el respeto a los derechos humanos básicos, o de primera generación, conectados directamente con el derecho a la vida, a la libertad y a la igualdad y no discriminación, vinculados todos ellos al valor de la dignidad humana.

En este sentido, se puede afirmar que el principio de autonomía no es otra cosa que el respeto al derecho de libertad, el de justicia se corresponde con el derecho de igualdad y en el fondo de los principios de beneficencia y no maleficencia, subyace el respeto al derecho a una vida digna y a la integridad física y moral. En definitiva, se trata en todos ellos de reconocer a las personas el derecho a la vida, presupuesto base de todos los derechos, y a su igual libertad para vivir esa vida con la dignidad a ella inherente, en todo aquello relacionado con la experimentación científica, esencialmente la médica y tecnológica, que puedan afectarles.

Sin embargo, el engarce de estos cuatro principios bioéticos en los derechos humanos se contempló, en este primer momento, más desde la óptica de los derechos de los profesionales, que desde la de los derechos del paciente como persona humana, quizás porque los derechos humanos no habían desarrollado aún su potencial despliegue como derechos esenciales personalistas.

---

[30]  *"Principios y guías éticos para la protección de los sujetos humanos de investigación"*. Elaborado por la *Comisión Nacional para la protección de los sujetos humanos de investigación biomédica y del comportamiento U.S.A.* (18 de abril de 1979).

[31]  *Principles of Biomedical Ethics*. 1ª. ed. Nueva York-Oxford 1983. La 4º edición, publicada en 1994 está traducida al español.

Y es que los derechos humanos, aunque permanentes, no son estáticos. Tienen una vertiente dinámica, pues evolucionan y se amplían. No es que sean mutables y se sustituyan por otros, sino que los ya reconocidos jurídicamente, requieren, a su vez, la admisión de otros nuevos, en los que se despliegan.

De este modo, como todos sabemos, los primeros catálogos de derechos civiles y políticos (derechos fundamentales de primera generación), se ampliaron con los derechos económicos, sociales y culturales (derechos fundamentales de segunda generación), cuando los primeros resultaron insuficientes para el libre desarrollo de la persona. Este libre desarrollo, a medida que sigue evolucionando, demanda el reconocimiento de nuevos derechos. Son los llamados derechos humanos de tercera o cuarta generación, que vienen exigidos, no solo por la necesidad dar carta de naturaleza a nuevos valores esenciales, sino también como derechos de defensa, ante la aparición de factores amenazadores, de los derechos ya consolidados. Algunos de estos derechos inciden directamente en el campo de la bioética, en tanto que nacen para proteger las consecuencias que los avances en el terreno de las ciencias experimentales pueden producir en la persona humana.

En definitiva, los derechos humanos crecen y progresan a la par que el desarrollo científico, y hacen surgir, a su vez, nuevos principios bioéticos que tienen su base en ellos. Esta evolución se percibe, claramente, en las Declaraciones de Derechos y en los Códigos Internacionales en materia de bioética, así como en el Derecho español vigente en ellos inspirado.

### 3.3. *Disposiciones jurídicas y declarativas en materia de bioética*

### 3.3.1. Ámbito internacional

En la órbita de la bioética clásica, los derechos humanos básicos reconocidos en la *Declaración de la ONU* de 1948 son, como ya señalé anteriormente, el derecho a la vida, a la igualdad, a la libertad, a la salud y al bienestar[32].

El *Pacto Internacional de derechos Civiles y Políticos* de 1966 establece, además, la prohibición expresa de someter a las personas, sin su libre consentimiento, a experimentos médicos o científicos[33], y el *Pacto Internacional de derechos Económicos, Sociales y Culturales*, de la misma fecha, incide en el derecho de las personas al disfrute, al más alto nivel posible, de la salud física y mental, instando a los Estados a la adopción de medidas para hacer efectivo tal derecho, mediante la plena utilización de los conocimientos técnicos y científicos[34].

---

[32]     Artículos 1, 2, 3, 5, 12, 18 y 25.
[33]     Artículo 7.
[34]     Artículo 11.

Por lo que se refiere a las *Declaraciones de la Asamblea Médica Mundial*, cabe decir que, hasta la *Declaración de Ámsterdam* de 1994, las Declaraciones recogen una serie de principios claramente identificables con los señalados en el *Informe Belmont*, en la línea clásica de la superioridad del médico sobre el enfermo, sin indagar, salvo el inexcusable consentimiento informado, en los contenidos de la dignidad humana y su libre desarrollo, como supuestos inherentes a la propia vida del sujeto en su calidad de paciente[35].

La *Declaración de Ámsterdam*[36], fue la que inició realmente el avance en esta dirección, incluyendo nuevos valores relacionados con la privacidad, confidencialidad, información etc.

El resultado fue el establecimiento de una relación más simétrica entre paciente e investigador, que supuso un paso adelante con respecto a las primeras Declaraciones. En este sentido, la *Declaración de Ámsterdam* se puede considerar como puente entre aquellas y los *Convenios Relativos a los Derechos Humanos y la Biomedicina* que establecen los nuevos principios de la bioética.

Entre estos nuevos Convenios, por su trascendencia en las regulaciones estatales posteriores, cabe citar el *Convenio para la protección de los derechos humanos y la dignidad del ser humano con respecto a las aplicaciones de la biología y la medicina*[37], que garantiza la dignidad y los derechos fundamentales, frente a los peligros de una práctica inadecuada de la biología y la medicina, estableciendo la primacía del interés y el bienestar del ser humano sobre el interés de la sociedad o la ciencia[38]. Es, también, contenido esencial del Convenio, la prohibición de toda discriminación a causa del patrimonio genético, delimitando, expresamente, las intervenciones que se pueden realizar con el genoma humano y prohibiendo la clonación reproductiva de seres humanos[39].

---

[35]  La más relevante en el ámbito de la bioética clásica es la *Declaración de Helsinki*. Adoptada por la 18ª Asamblea Médica Mundial en 1964. Ha sido enmendada por Asambleas posteriores, con el fin de adaptarla a las nuevas exigencias demandadas por la realidad social. Ver puntos 10, 8, 16 y 17. 20, 22 y 23, en relación con el 24, 25 y 26 y 21 y 15, respectivamente.

[36]  Fruto de unas Jornadas sobre derecho de los pacientes organizadas por la Oficina Regional para Europa de la OMS en 1994. Un interesante análisis de la misma desde la perspectiva que aquí interesa se puede ver en TARODO, S. *Libertad de conciencia y derechos del usuario de los servicios sanitarios*. Servicio Editorial de la Universidad del País Vasco, 2005, pág. 99-101.

[37]  Conocido como *Convenio de Oviedo*, por haber sido firmado en esta ciudad española el 18 de abril de 1997, realizado por los Estados miembros del Consejo de Europa, la Comunidad Europea y otros Estados adheridos al mismo. Toma como referente los trabajos de la Asamblea Parlamentaria del Consejo de Europa y, en concreto, la Recomendación 1160 (1991) sobre la elaboración de un Convenio de Bioética.

[38]  Artículos 1, 2, 3, 5 a 9 y 10.

[39]  Vid. art. 1 del *Protocolo Adicional al Convenio para la protección de los derechos humanos y la dignidad humana en relación con la aplicación de la biología y la medicina sobre la prohibición de clonar seres humanos.*

En un sentido análogo, la *Declaración Universal sobre el Genoma Humano y los Derechos Humanos* considera al genoma humano como base del reconocimiento de la dignidad humana intrínseca, que exige el respeto del carácter único de cada uno y su diversidad[40].

Cabe destacar, asimismo, la referencia en estas normas al derecho a la intimidad y a la privacidad, pues el desarrollo biotecnológico hace preciso, con frecuencia, utilizar información sobre las personas que afecta directamente a estos derechos y puede producir una tensión entre el derecho a la salud en su vertiente de derecho social y el derecho de control de los ciudadanos sobre los datos que consideran íntimos.

A este respecto, el Convenio establece dos derechos distintos: a) El derecho del paciente a conocer toda la información sobre su propia salud, que en su vertiente negativa recoge el derecho a no ser informado y 2) El derecho del paciente a controlar la información sobre su salud, por entender que forma parte de su privacidad[41]. En parecidos términos se pronuncia la *Declaración Universal sobre el Genoma Humano*[42].

También la *Declaración Internacional sobre Datos Genéticos Humanos de la UNESCO* de 2003, ha tratado con detenimiento la cuestión relativa a la privacidad y confidencialidad, al recomendar vivamente a los Estados el proteger la privacidad y la confidencialidad de los datos genéticos y proteómicos humanos, aún cuando se trate de datos disociados de la identidad de una persona[43].

Siguiendo con este elenco normativo, y ya en el ámbito del derecho Comunitario, la *Carta de los Derechos Fundamentales de la Unión Europea*[44] define a la dignidad humana como un valor inviolable, inherente e inescindible del derecho a la vida y al de la integridad de la persona y la considera como soporte de los mismos, en tanto que sin este valor, ambos derechos pierden su esencia como tales. La Carta se hace eco, también, dentro del derecho a la integridad psicofísica, del especial respeto: al consentimiento libre e informado; a la prohibición de prácticas eugenésicas, en particular las que tienen por finalidad la selección de las personas para mejorar la raza; a la prohibición de traficar con fin lucrativo con el cuerpo humano; y, finalmente, a la prohibición de la clonación reproductiva de seres humanos. Además, recoge el derecho de igualdad y no discriminación por

---

[40]    Aprobado por la Conferencia General de la UNESCO de 11 de noviembre de 1997. Vid. artículos. 1 y 2.
[41]    Vid. Capítulo III, art. 10.
[42]    Vid. art. 5.c).
[43]    Vid. artículos 10 y 14.
[44]    Con valor jurídico desde el Tratado de Lisboa de 1 de diciembre de 2009, art. 6.1.

razón de las características genéticas y la orientación sexual, cuestiones, ambas, directamente implicadas en el derecho a la identidad de la persona[45].

Todas estas normas son un claro ejemplo de la admisión de nuevos derechos fundamentales en los textos internacionales, que refuerzan el respeto de los clásicos y tratan de ampliarlos para adecuarlos a las pautas marcadas por el desarrollo científico.

### 3.3.2. Ámbito español

El art. 43 CE establece el derecho a la protección de la salud por parte de los poderes públicos, mediante la adopción de las medidas necesarias para su garantía. La constitucionalización de este derecho adquiere una dimensión especial al conectarlo con un elenco de derechos fundamentales recogidos en el propio texto constitucional (derecho a la vida y a la integridad física y moral, a la libertad de conciencia, al honor, a la intimidad personal y familiar y a la propia imagen), que tienen su fundamento en la dignidad humana y en su libre desarrollo, a tenor del art. 10.1 CE. Pues la salud de la persona va unida al derecho a la vida y al concepto de dignidad.

La consecuencia es que el objeto de protección de la salud del art. 43 CE se amplía y se matiza, de modo que los derechos de los pacientes, además de ser una consecuencia de ese derecho social, son una exigencia de los derechos y libertades inherentes a su condición de personas dignas.

La normativa postconstitucional española evoluciona en este sentido. Citando, únicamente, la más significativa en la materia[46], cabe decir que la *Ley General de Sanidad* de 1986 introduce ya la idea de participación activa y conjunta médico-paciente en las decisiones, propia de la ética de responsabilidad. La *Ley Básica de Autonomía del Paciente* de 14 de noviembre de 2002, sigue avanzando en esta materia, al señalar en su art. 2 como primer principio básico que la dignidad humana, el respeto a la autonomía de la voluntad de las personas y la intimidad[47] orientarán toda la actividad clínica, y recoge, así mismo, el derecho de instrucciones previas del paciente sobre cuidados y tratamiento de su salud y sobre el destino de su cuerpo u órganos, una vez fallecido (art. 11). También la *Ley de Investigación Biomédica* de 3 de julio de 2007 establece en su art. 2 una

---

[45]    Título 1, artículos 1, 3.2, y Título 20 y 21.

[46]    Son importantes, así mismo, en relación al tema, la Ley de 26 de mayo de 2006 sobre Técnicas de Reproducción Humana Asistida (BOE de 27 de mayo de 2006); Ley Orgánica de 3 de marzo de 2010 sobre Salud Sexual y Reproductiva (BOE de 4 de marzo de 2010); Ley de 26 de julio de 2006 sobre Garantías y Uso Racional de Medicamentos y Productos Sanitarios (BOE de 27 de julio de 2006)

[47]    Vid. en relación, capítulos segundo y tercero de la misma norma.

serie de principios y garantías en la línea de los nuevos principios y derechos en materia bioética, con referencia expresa a los principios de responsabilidad y de precaución, tanto en el Preámbulo, donde resalta la necesidad de equilibrio y prudencia en temas de investigación biomédica al afectar de modo directo a la identidad del ser humano, como en los art. 2.f, que establece la actuación conforme a este principio para prevenir y evitar riesgos para la vida y la salud, y 14.2, relativo a la proporcionalidad entre riesgos y beneficios en la investigación.

La conclusión que se puede obtener de todo este desarrollo normativo, es la aparición de nuevos intereses protegibles, tales como identidad humana, identidad genética, integridad psicofísica, intimidad, imagen, privacidad, confidencialidad, seguridad, diversidad... que se integran en la dignidad humana y son necesarios para el libre desarrollo de la persona y que se transforman en nuevos derechos, cuyo respeto habrá que hacer compatible con la libertad de investigación.

### 3.4. Nuevos derechos en materia de bioética

Con este marco general analizado, se puede afirmar que los derechos humanos en materia de bioética directamente enraizados en el derecho de libertad de conciencia, adquieren una nueva dimensión que hace obligado el analizar los contenidos de los mismos desde la perspectiva de derechos directamente implicados con el libre desarrollo de la personalidad y la dignidad humana.

Estos nuevos derechos tienen su raíz en el núcleo de la libertad de conciencia, esto es, en la identidad personal, donde se incluye la identidad genética, y ofrecen una nueva proyección del derecho a la integridad física y a la integridad moral.

### 3.4.1. Derecho a la identidad genética

Una parte esencial de la identidad humana es la identidad genética, que determina la configuración identificativa característica de cada individuo[48]. Se trata de un derecho íntimamente conectado con la dignidad humana que deberá ser protegido en su relación con la bioética. No hay que olvidar que el código genético de cada persona contiene los datos sobre los rasgos más elementales que constituyen el *prius* de la personalidad del ser humano individualmente considerado.

Sin embargo, el derecho a la identidad genética y los derechos humanos conectados con este campo, no pueden ser interpretados como un muro infranquea-

---

[48]    Vid. art. 3 de la *Declaración Internacional sobre los datos genéticos humanos*. Aprobada por la Asamblea General de la UNESCO.

ble para la investigación científica[49], pues no hay que olvidar que la libertad de investigación también es un derecho-libertad. Proviene de la libertad de expresión y es necesaria para el progreso científico que, a su vez, repercute en la propia dignidad humana. Esto habrá que tenerlo en cuenta, utilizando las cautelas necesarias.

En consecuencia, la libertad de investigación genética deberá tener por objeto directo la mejora da la salud de los individuos y el alivio del sufrimiento, y habrá de buscar el equilibrio con el respeto de los derechos inherentes a la dignidad personal. El límite a esta libertad estará en la degradación del propio ser humano, esto es, en el paso de su consideración como sujeto de derechos inalienables, a convertirse en un mero objeto de experimentación científica para lograr unos resultados absolutamente contradictorios con su propia esencia como persona digna.

No obstante, también hay que señalar que no es posible reducir la identidad de la persona a sus características genéticas, aunque estas constituyan su base o esencia. La identidad de la persona, aparece conformada, además, por la influencia de múltiples factores de muy variada índole (afectivos, culturales, psíquicos, sociales, espirituales, etc.)[50] que afectan a la persona, que los valora y los va concretando en ideas, opiniones, creencias y sentimientos. Todo ello completará en última instancia esa identidad personal, y esto se producirá cuando sean incorporados libremente por el propio individuo a sus propias convicciones.

### 3.4.2. Derecho a la integridad psicofísica

La identidad personal, como fuente o base del libre desarrollo de la personalidad comprende dos derechos: derecho a la integridad física y derecho a la integridad moral, que D. LLAMAZARES, denomina como *integridad de la corporeidad e integridad de la intimidad*[51]. Ambos derechos tratan de proteger los elementos que componen la integridad de la personalidad humana en el sentido de *incolumidad personal*[52], constituida por los derechos a la integridad física, a

---

[49]	Vid. DE CASTRO, B. *Biotecnología y derechos humanos: presente y futuro*. En N. MARTÍNEZ MORÁN (coordinador). *Biotecnología, Derecho y Dignidad Humana*. Granada 2003, págs. 67-82, vid. págs. 80 y ss.

[50]	Como ha señalado el art. 3 de la Declaración Internacional sobre Datos Genéticos Humanos de la UNESCO de 2003: "*Cada individuo posee una configuración genética característica. Sin embargo, la identidad de una persona no debería reducirse a sus rasgos genéticos, pues en ella influyen complejos factores educativos, ambientales y personales, así como los lazos afectivos, sociales, espirituales y culturales de esa persona con otros seres humanos y conlleva además una dimensión de libertad*".

[51]	Vid. *Derecho de la libertad de conciencia...op. cit.* págs. 24.

[52]	Es el sentido recogido en la Constitución Alemana (*Unversehrheit*).Vid. RODRÍGUEZ MOURULLO, G. *op. cit.* págs. 289.

la salud física y mental, al bienestar corporal y psíquico, y a la propia apariencia personal[53]. El objeto de protección es, en consecuencia, la inviolabilidad de la persona contra los ataques a su cuerpo o su espíritu.

El derecho a la integridad física se separa, de este modo, de su acepción penal clásica de integridad corporal[54], en el sentido de cuerpo físicamente completo sin ausencia de ningún miembro u órgano, acepción que no expresa con precisión la idea de integridad física como derecho integrante de la propia identidad personal. Su significado pasa a referirse, más bien, a la ausencia de cualquier acción sobre el cuerpo de la persona que atente contra sus derechos fundamentales como tal. Su tratamiento jurídico suele ir unido a la integridad moral, pues parece lógico pensar que todo atentado contra la integridad física del individuo implica, a su vez, un atentado contra su dignidad, su honor, su imagen y su intimidad[55].

En consecuencia, ligado al derecho a la integridad física, se encuentra el derecho a la propia imagen. La propia imagen ha sido definida como la representación gráfica de la figura humana, mediante un procedimiento mecánico o técnico de reproducción[56]. Pero, el fundamento del derecho a la propia imagen hay que buscarlo en el momento previo a esa exteriorización. Está vinculado con el derecho al propio cuerpo y a su integridad física, y debe ser entendido con la doble acepción de: derecho de disposición sobre el propio cuerpo como instrumento de exteriorización de uno mismo; y derecho de disposición sobre la reproducción de la propia imagen, onda expansiva del anterior[57]. Por este motivo, el objeto de protección del derecho a la propia imagen será lo que se ha denominado como la percepción exterior de los atributos de la personalidad[58], fuertemente conectados con el honor, la propia estima y la intimidad, que son prolongación del derecho a la propia identidad de la persona[59].

Del mismo modo que la integridad física tiene siempre, según se ha visto, una dimensión psíquica, no ocurre lo mismo con el derecho a la integridad moral, que puede ser independiente de todo componente físico.

---

53    Ibídem.
54    Vid. RODRÍGUEZ DEVESA, J. M. *Derecho penal. Parte Especial*. Madrid 1980, pág. 128.
55    A este respecto, el Código Penal español vigente, en sus arts. 173 a 177 considera las torturas como delitos contra la integridad moral, con independencia de los daños físicos causados, que serán castigados además, en el caso de que se produjesen.
56    Vid. Sentencia del Tribunal Supremo de 19 de octubre de 1992, cit. por O' CALLAGHAN, X. *Jurisprudencia reciente sobre los derechos al honor, intimidad e imagen*. En A. C. 1995-1 I, págs. 27.
57    Vid. LLAMAZARES, D. *Derecho de la libertad de conciencia...op. cit.* págs. 28-29.
58    Vid. DÍEZ PICAZO L. y GULLÓN BALLESTEROS, F. *Sistemas de derecho civil*, vol. I (1994), págs. 336.
59    Vid. LLAMAZARES, D. *op. cit.* págs. 29.

D. Llamazares, señala que este derecho es *la conciencia de la dignidad personal*, esto es, la percepción que el sujeto tiene de sí mismo como persona, como radical libertad de quien es dueño de sus propias decisiones[60]. Ello supone el derecho de la persona a no ser sometida contra su voluntad a tratamientos susceptibles de perturbar de algún modo su voluntad, ideas, pensamientos o sentimientos y está directamente conectado con el derecho a la intimidad.

La intimidad está constituida por un núcleo intangible de la conciencia individual, que está bajo el absoluto dominio de la persona y es ajeno a cualquier tipo de intromisiones perturbadoras o no deseadas. Está estrechamente vinculada a la dignidad humana, pues el derecho a la intimidad personal, implica la existencia de un ámbito propio y reservado frente a la acción y el conocimiento de los demás, que es necesario, según las pautas de nuestra cultura, para mantener una calidad mínima de la vida humana[61] y ha sido objeto de protección por las Declaraciones Internacionales de Derechos[62].

En su concepción negativa, la intimidad supone aislamiento, auto-confinamiento. Es un concepto estático. Pertenece al fuero interno de la persona, donde se forman las convicciones, y carece de operatividad jurídica. Pero tiene, también, una vertiente dinámica de defensa o protección de ese espacio íntimo. En este sentido, el derecho a la intimidad ha dejado de ser concebido solo como un derecho de defensa frente a cualquier intromisión en la esfera personal, para pasar a ser contemplado, también, como un derecho activo de control de sujeto sobre el flujo de informaciones que le conciernen[63]. De este modo, alcanza una nueva dimensión.

Así, de la esfera intrasubjetiva de ensimismamiento, se pasa la intersubjetiva de control de datos personales y se convierte en un derecho a la autodeterminación informativa, donde el sujeto elige que valores de su personalidad deben trascender en su relación con los demás individuos y con los poderes públicos[64]. El derecho a la intimidad se inserta en la primera fase del derecho de libertad de conciencia, pues es allí donde el sujeto decide libremente sobre las convicciones que desea manifestar al exterior en la segunda fase de ese derecho.

---

[60]    Ibídem, págs. 27-28.
[61]    Vid. STC 57/1994 de 28 de febrero, fundamento jurídico 5.
[62]    Vid. art. 12 de la Declaración de la ONU de 1948, art. 17 del Pacto Internacional de Derechos Civiles y Políticos de 1966 y el art. 8.1 del Convenio Europeo para la protección de los Derechos Humanos de 1950.
[63]    Vid. PÉREZ LUÑO, A. E. *El derecho a la intimidad en el campo de la biotecnología*. En N. MARTÍNEZ MORÁN (coordinador.). *Biotecnología, Derecho y dignidad humana*. Granada 2003, págs. 261-287, vid. págs. 263-264.
[64]    Ibídem, pág. 266.

Pues bien, todos estos derechos a los que me acabo de referir, fundamentados en el derecho de libertad de conciencia y controlados y autogestionados por el individuo[65], son una exigencia inexcusable para la dignidad humana y son necesarios para lograr el libre desarrollo de la personalidad. Pero, además, son el más claro exponente de la secularización de la bioética, pues parece incuestionable que la bioética del futuro deberá ser una ética que sirva para impedir los ataques contra la dignidad humana, por exceso o por defecto. En consecuencia, deberán de ser tenidos en cuenta como presupuestos obligados para el contenido esencial de esta ciencia en su sentido actual, pues la persona se ha convertido en centro de decisión inexcusable en toda investigación biomédica y biotecnológica

## 3.5. Nuevos principios bioéticos

Sin embargo, esta consideración de la bioética desde la perspectiva de la libertad de conciencia, ha puesto sobre el tapete el problema de si este *excesivo* protagonismo o proteccionismo de la persona puede suponer, paradójicamente, una limitación a la investigación médica y tecnológica. En definitiva, ha planteado el conflicto entre los derechos inherentes a la dignidad humana y el derecho a la libertad de investigación, que también es un derecho-libertad que procede de la libertad de expresión.

Será necesario, entonces, hallar un punto de equilibrio entre ambos derechos.

En la búsqueda de este equilibrio juega un papel esencial la idea de una ética de responsabilidad y de cuidado en las actuaciones biomédicas, junto a la idea de una ética de precaución, que vienen a convertirse en principios esenciales para la futura bioética.

El principio de responsabilidad está directamente relacionado con la necesidad que tiene el ser humano de adquirir un conocimiento adecuado, no solo de su poder, sino también de las consecuencias del mismo. Responsabilidad implica autoconciencia, esto es, reflexión sobre los propios actos y sus consecuencias probables y comportamiento consecuente con los mismos.

El principio de responsabilidad en bioética hace referencia a una manera distinta de entender la relación del profesional como responsable de su actuación con el sujeto paciente, en el sentido de una actuación moralmente correcta en sus consecuencias. Pretende, en definitiva, preservar la esencia del hombre frente a los abusos del poder, mediante la idea de respeto y cuidado del sujeto paciente por parte del sujeto responsable, que le llevará a valorar su forma de actuar tomando

---

[65]    Vid. PÉREZ LUÑO, A. E. *El derecho a la intimidad en el ámbito de la biomedicina.* En N. MARTÍNEZ MORÁN (coordinador.) *Biotecnología, Derecho y dignidad humana.* Granada 2003, págs. 237-287.

en consideración sus consecuencias posibles o probables y sobre esta base actuar con cautela[66]. De este modo, se trata de introducir en el sujeto responsable la idea de revisión o valoración de los bienes logrados en los avances científicos en función de las consecuencias que puedan producirse.

Esta idea aparece como la categoría central de la nueva bioética, que sirve para dar un sentido más completo a los clásicos principios en la materia desde el punto de vista de la persona, pues incorpora la idea de actuación del sujeto responsable dirigida a entender la dignidad del paciente. En consecuencia, aunque el sujeto agente tenga que obrar dentro de las líneas diseñadas para estos casos, en la ética de responsabilidad este sujeto deja a un lado el carácter aséptico de la actuación y lo sustituye por una actuación participativa conjunta con el sujeto paciente en las decisiones que afectan a éste, sobre la base de la idea del respeto y cuidado como patrón del comportamiento, matizando, así, la línea de actuación dirigida a la mera solución de conflictos.

De esta forma, se refuerza la dignidad del ser humano-paciente al compartir con él los problemas que le afectan, y actuar sobre la base de ese conocimiento compartido, que ayudará a la búsqueda de una decisión adaptada a su realidad[67]. En definitiva, supone la elaboración de unos criterios de armonización y prioridad entre los dos bienes esenciales en materia de bioética, que se traduce en la idea de que los bienes internos, en la medida que visualizan aspiraciones, sentimientos, deseos y valores de los sujetos pacientes no pueden ser sacrificados, sin más, en pro de unos bienes externos, caracterizados por la consecución de cuotas de poder, de prestigio o de tipo económico.

En el fondo del principio de responsabilidad está la convicción de que los afectados por las decisiones médicas son seres autónomos, interlocutores válidos, y por ello deben participar en las decisiones que les afectan, que adquieren, así, una dimensión nueva de justicia.

No cabe duda de que este principio refuerza la dignidad humana y el respeto a la libertad[68], y favorece la tolerancia y la cautela. Además, evita políticas defensivas, y ofrece una nueva dimensión del consentimiento informado, que se aleja de su utilidad únicamente como medio aséptico, para suponer el compartir responsabilidades con el paciente y evitar demandas judiciales.

El principio de precaución, por su parte, complementa al principio de responsabilidad, pues pretende una actuación prudente y deliberada, ante la incer-

---

[66]    Sobre ética de responsabilidad vid. JONÁS, H. *Técnica, medicina y ética*. Barcelona 1997.

[67]    Para una interesante visión del tema, vid. GONZÁLEZ R. ARNAIZ, G. *Bioética: una aproximación desde la filosofía moral*. En R. ESTEFANI (editor). *Algunas cuestiones de bioética y su regulación jurídica*. Sevilla 2004,. págs. 23-60.

[68]    Ibídem, págs. 59.

tidumbre que se produce cuando falta el conocimiento, con el fin de eliminar los posibles efectos perjudiciales[69].

Su aplicación exige la concurrencia de una serie de circunstancias, que a tenor de la abundante normativa sobre el tema son: situación de incertidumbre ante un riesgo (riesgo potencial), evaluación científica y ponderada de ese posible riesgo, y perspectiva de un daño grave e irreversible como consecuencia del mismo, unido a una proporcionalidad de todo ello con las medidas adoptadas. La consecuencia es una mayor prudencia ante los desarrollos tecnológicos cuando falta conocimiento, haciendo prevalecer los imperativos de salud y preservación del medio ambiente sobre los meramente económicos[70].

El principio de precaución adquiere un especial significado en el campo de la biomedicina y la biotecnología, pues es uno de los ámbitos en los que se pone de relieve en mayor medida el desfase entre desarrollo tecnológico y humano y donde se produce una creciente incertidumbre sobre los posibles riesgos y amenazas de ese desarrollo sobre las personas. Su objetivo es eliminar los efectos perjudiciales de un desarrollo tecnológico incontrolado, para posibilitar la convivencia humana sobre la base de criterio de justicia. En este sentido es un complemento del principio ético y jurídico que impide hacer daño a las personas[71], se relaciona con la prudencia y va unido al principio de responsabilidad, que incorpora la idea de respeto, cuidado y cautela[72].

Estos nuevos principios facilitan el camino hacia ese equilibrio, pues aportan una mayor garantía en la aplicación de los avances científicos, sin renunciar a su desarrollo y aplicación, además de fomentar un comportamiento solidario con las generaciones futuras.

---

[69]  Vid. CORTINA, A, *Fundamentos filosóficos del principio de precaución*. En C. ROMEO CASABONA (editor). *Principio de precaución, biotecnología y Derecho*. Granada 2004, págs. 3-16, vid. págs. 15-16. Para un análisis general sobre el principio de precaución, vid. RIECHMANN, J. y TICKNER, J. *El principio de precaución*. Barcelona 2002.

[70]  Vid. ANDORNO, R. *Validez del principio de precaución como instrumento jurídico para la prevención y gestión de riesgos*. En C. ROMEO CASABONA (coordinador.) *Principio de precaución, biotecnología...op. cit.* págs. 17-33.

[71]  Vid. VIDAL MARTÍNEZ, J. *El principio de precaución, biotecnología y derechos inherentes a la persona*. En ibídem, págs. 35-82, vid. págs. 76-77.

[72]  Como principio de derecho positivo nace en Alemania, *Vorsorgeprincip*, en 1976 con una idea de cautela ante las posibles consecuencias derivadas de agentes contaminantes. En el Derecho internacional, surge en la Segunda Conferencia Internacional de Protección del Mar del Norte de 1987, que aboga por un enfoque de precaución para proteger dicho mar, limitando la aportación de sustancias perjudiciales aún antes de que se haya producido una relación causa efecto.

## 4. CONSIDERACIONES FINALES: BIOÉTICA DE FUTURO

Se ha dicho que para fundamentar una bioética universal de futuro es preciso una ética exigente y una ética fuerte, y por ello esta bioética no puede encasquillarse en unos principios-patrón impuestos y aceptados[73]. Si partimos de la idea, ya apuntada en la ética de responsabilidad y de precaución, parece incuestionable tener en cuenta en esta ética futura, la necesidad de reconocimiento de los individuos como sujetos de unos derechos inalienables que nadie puede eliminar. Por esta razón, habrá de ser una ética que sirva para impedir los excesos contra la dignidad humana, y para no traspasar los límites que conforman la propia naturaleza humana, utilizando a los individuos como simples medios o instrumentos del progreso científico. Será preciso tener en cuenta, entonces, que los derechos individuales no pueden ser violados por decisiones interesadas, y que los avances científicos solo pueden ser considerados legítimos en tanto que sean respetuosos con estos derechos[74].

Ello ha de ser así, porque el libre desarrollo de la personalidad es el desarrollo en libertad de los derechos inherentes a las propias convicciones que forman la identidad personal como primera fase del derecho de libertad de conciencia. Mediante él se persigue la madurez de la personalidad, la propia dignidad como persona humana, que ésta debe de mantener a lo largo de toda su existencia. Esta dignidad descansa siempre sobre la base de la propia identidad y lleva aparejados los derechos de manifestarla al exterior, de comportarse conforme a ella, y de no ser obligado a comportarse en su contra, según hemos visto en las fases del derecho de libertad de conciencia.

Todos estos derechos de convicción se convierten, de este modo, en valores innatos a la propia vida y constituyen un bien jurídico protegido constitucionalmente, debido a la creciente importancia que en los textos internacionales y nacionales en materia de bioética ha ido adquiriendo la dignidad humana como valor inseparable del derecho a la vida y como presupuesto de una serie de derechos inherentes, irrenunciables e inalienables a ella, que integran la identidad personal. De ahí la función promocional del derecho y de los poderes públicos para hacer real y efectivo el disfrute de estos derechos fundamentales[75].

---

[73]   Vid. SÁDABA, J. *op. cit.* págs. 57 y ss.
[74]   Adquiere así, plena relevancia el imperativo kantiano de que cada uno de los seres racionales debe de tratarse a sí mismo y a todos los demás, nunca como simples medios, sino como un fin en sí mismos. Vid. KANT, I. *La fundamentación de la metafísica de las costumbres.* Madrid 1981, págs. 91.
[75]   Vid. RUIZ JIMÉNEZ, J. *Artículo 10. Derechos Fundamentales de la persona.* En *Comentarios a la Constitución Española de 1978...op. cit.* págs. 40-107, vid. pág. 73.

Si proyectamos esta realidad sobre el campo de la bioética, parece claro que el respeto a la salud e integridad física y moral de la persona, íntimamente ligadas, aparece como una exigencia derivada de la tutela efectiva del propio derecho a la vida; la tutela del respeto a la dignidad, predicable de todos los seres humanos, sean o no dependientes, deriva del respeto a la integridad de la vida humana[76]; y la protección del debido respeto a la identidad genética de la persona, viene exigida por el respeto a la propia identidad como persona digna. El único límite al reconocimiento de estos derechos está en los derechos de los demás individuos, en tanto que titulares, también, de estos derechos subjetivos absolutos.

Esta realidad, en el campo de la bioética ha puesto sobre el tapete el problema de si este *excesivo* protagonismo o proteccionismo de la persona puede suponer, paradójicamente, una limitación a la investigación médica y tecnológica. En definitiva, ha planteado el conflicto entre los derechos inherentes a la dignidad humana y el derecho a la libertad de investigación, más aún cuando la protección de la persona se acentúa en nuevos principios en este campo, como los de responsabilidad y precaución.

Pues bien, cuando estos derechos inherentes a la dignidad humana entran en conflicto con el derecho a la libre investigación científica, que es contenido de la libertad de expresión[77], hay que partir de la base de que la tutela efectiva del derecho a una vida humana digna, a la salud y a la integridad psicofísica como parte de la identidad personal, constituyen el presupuesto de existencia de los demás derechos fundamentales y son, por tanto, un bien jurídico protegible superior que debe prevalecer sobre el derecho a la libre investigación científica[78].

Todo este planteamiento tiene una gran importancia de cara a una bioética de futuro, porque la singularidad de cada ser humano como ser autónomo, racional y responsable y como sujeto de unos derechos inalienables, y la diversidad de su propia identidad personal, formada conforme a su conciencia, exige, a mi juicio, tener en cuenta dos cosas en el campo de la bioética.

1. La insuficiencia de unas normas o principios concretos preestablecidos para fundamentar la bioética de futuro, pues no hay que olvidar que la persona humana, no puede incluirse en unos moldes generales, a causa de sus características inherentes e irrenunciables. Y tampoco se puede olvidar que una parte de la identidad personal se desarrolla a la vez que la persona y, en consecuencia, y sin renunciar a su propia esencia, esta identidad puede cambiar, en el sentido de asumir nuevos valores o admitir nuevas opciones.

---

[76]   Vid. STC 53/1985 de 11 de abril. Fundamento Jurídico n°. 5.
[77]   Vid. art. 20 CE.
[78]   Vid. STC 116/ 1999, de 17 de junio. Fundamento jurídico n°. 9.

Por esta razón, es tan importante la participación activa y conjunta de las personas afectadas en la construcción de esa bioética de futuro, en tanto que constituyen una parte esencial de la misma. Creo que una ética participativa facilita el desarrollo de la propia identidad personal y la solidaridad con los demás, pues hace sentirse a las personas como parte de un proyecto común.

Pero, además, esta ética participativa conduce a una ética humanizada, donde los avances científicos no podrán ser admitidos o rechazados en bloque, sino que será preciso una diferente consideración de los mismos, sobre la base de la libertad de conciencia de la persona, con el lógico límite del respeto a la moral pública; teniendo en cuenta, además, que la moral pública no es un concepto inmutable, sino que tiene un carácter dinámico, por lo que su aplicación habrá de ser revisada de acuerdo a la realidad social del momento, para evitar una limitación abusiva de los derechos fundamentales[79].

2. Lo segundo que quiero apuntar, para finalizar, es la creencia de que esta ética participativa, humanizada y personalizada solo es posible en la llamada bioética laica, pues, en su consideración religiosa clásica, las convicciones personales no son libres, sino impuestas sobre la base de un criterio moral concreto, establecido como el debido o el correcto. En consecuencia, su pervivencia con los criterios tradicionales de ética institucionalizada y heterónoma es difícil, pues choca directamente con la dignidad de la persona humana como ser libre y autónomo, y hace dudar sobre si lo que realmente le preocupa a la religión es la defensa de la vida o la protección de la ortodoxia[80].

Ello no implica, necesariamente, que la ética religiosa tenga que quedar al margen de una bioética de futuro. No se puede negar que la concepción religiosa de la bioética sigue estando presente en algunos planteamientos actuales aunque, creo que su pervivencia con los criterios tradicionales de ética institucionalizada choca con la dignidad de la persona humana y los derechos inherentes a su libre desarrollo. En este sentido, considero que la perspectiva religiosa solo puede tener cabida en la bioética de hoy de dos formas.

Por la vía del derecho de libertad de conciencia individual, es decir, cuando sea consecuencia o fruto de una convicción personal adoptada mediante una decisión libre del sujeto y desvinculada de todo mandato impuesto por una confesión religiosa como código moral.

Por la vía del derecho de libertad de conciencia colectivo, mediante la contribución del grupo religioso, como un colectivo más, a la búsqueda común de soluciones en materia bioética, pero sin arrogarse el derecho de intromisión en

---

[79]   Vid. STC 62/1982 de 15 de octubre. Fundamento Jurídico 3.
[80]   Vid. MASIÁ CLAVEL, J. *Bioética y religión: una relación ambivalente*. En J. J. TAMAYO (editor) *Bioética y religión, una relación ambivalente*. Madrid 2007, págs. 13-27, vid. pág. 13.

la esfera pública para dictar normas de moralidad a la sociedad civil, plural y democrática.

En uno y otro caso, no se estaría colocando a la dignidad humana al servicio de la religión, sino integrando la religión en esa dignidad humana.

Fuera de ese marco la configuración actual de la bioética, como ya he señalado, debe centrarse en la protección de la persona humana como ser dotado de autonomía plena para formar libremente su propia conciencia sobre la base de sus convicciones, pues ello es presupuesto de su dignidad. En definitiva, el objetivo de la bioética deberá de ser la protección del ser humano como portador de unos derechos fundamentales, innatos e inalienables, que son consustanciales a su propio ser como persona digna.

Esta meta habrá de constituir, consecuentemente, el referente de actuación de los poderes públicos en esta materia.

# EL DERECHO A DECIDIR SOBRE LA PROPIA SALUD A LO LARGO DEL DEVENIR VITAL

# DIVERSIDAD RELIGIOSA Y CULTURAL Y BIODERECHO. EL DERECHO A DECIDIR SOBRE LA PROPIA SALUD

Juan Carlos Menéndez Mato
*Profesor Titular de Universidad, UNED*

Salvador Tarodo Soria
*Profesor Titular de Universidad, Universidad de León* [1]

## 1. DIVERSIDAD RELIGIOSA Y CULTURAL Y BIODERECHO

La concepción que cada cual tiene de la salud y la existencia de diversas formas de entender el diagnóstico, la enfermedad y su tratamiento, conformadas, en buena medida, por rasgos identitarios, condicionan poderosamente, no ya sólo las decisiones clínicas adoptadas, sino la propia actitud con la que cada persona aborda su situación médica.

La diversidad religiosa y cultural en España es un fenómeno muy reciente, que aparece fundamental, aunque no exclusivamente, asociado a la denominada década del *boom* de la inmigración vivida entre los años 1998 y 2008[2], período en el que el contingente proveniente de fuera de nuestras fronteras creció de forma exponencial[3]. En los últimos años, los efectos de la omnipresente crisis financiera y económica, han revertido la tendencia, provocando un cambio en el signo migratorio[4], que nos sitúa ante un nuevo panorama cuyas implicaciones jurídicas son muy notables.

---

[1] JUAN CARLOS MENÉNDEZ MATO es autor de los apartados: 5 y 6. y SALVADOR TARODO SORIA es autor de los apartados: 1, 2, 3 y 4.

[2] ARANGO, J., "Después del gran boom. La inmigración en la bisagra del cambio", en *La inmigración en tiempos de crisis*, ELISEO AJA, JOAQUÍN ARANGO Y JOSEP OLIVER (Dir.), CIDOB, 2010, págs. 53-73, en concreto pág. 64.

[3] Fuente: Instituto Nacional de Estadística.

[4] En 2011, por primera vez en muchos años, han salido de España más personas de las que han entrado. Fuente: Instituto Nacional de Estadística.

## 1.1. La diversidad integrada

La mayoría de inmigrantes, un 80%, ha llegado hace ya más de cinco años[5]. Los sociólogos, han subrayado que diversos índices: tasas de autorizaciones permanentes, alumnos escolarizados, reagrupación familiar, nacimientos y nupcias y naturalizaciones, ponen de relieve su progresivo arraigo[6]. No nos encontramos, por tanto, ante trabajadores temporales, sino ante habitantes permanentes, cuya integración requiere la adopción de políticas públicas adecuadas a este horizonte "de futuros españoles de adopción y de origen y no de segundas generaciones de foráneos"[7].

Ya en los últimos años puede constatarse un paulatino desplazamiento en el foco de las políticas de inmigración, que ha ido de las cuestiones relacionadas con la determinación del contingente, regularización y primera acogida, a otras, tales como la apertura de cauces de participación, acceso a servicios sociales en condiciones de igualdad, promoción de la convivencia y gestión pública de la diversidad cultural. Si queremos garantizar la cohesión social, la prioridad no puede ser otra que la *integración*[8], entendida como un camino intermedio entre el multiculturalismo generador de guetos y la empobrecedora asimilación a la sociedad de acogida.

Y no debemos olvidar que la diversidad, desde un punto de vista jurídico, presenta dos beneficios claros: por un lado, incrementa el pluralismo moral y cultural, contribuye a la libre formación de la conciencia y al libre desarrollo de la personalidad y, en último término, de la propia dignidad de la persona. Y, por otro lado, la experiencia nos demuestra que las reivindicaciones de las minorías, con frecuencia, conllevan el reconocimiento de derechos para todos, nos ayudan a cuestionar las limitaciones vinculadas al reflejo en el Derecho de la rigidez de las culturas hegemónicas y, a la postre, enriquecen y dotan de mayor flexibilidad al ordenamiento jurídico[9].

---

[5]    Fuente: Instituto Nacional de Estadística.
[6]    IZQUIERDO ESCRIBANO, A., "Del suelo al arraigo. La tarea de la política inmigratoria tras la crisis", en *Inmigración y crisis económica. Impactos actuales y perspectivas de futuro*, ELISEO AJA, JOAQUÍN ARANGO Y JOSEP OLIVER (Dir.), CIDOB, 2011, págs. 261-274, en concreto pág. 272.
[7]    *Ibídem*, pág. 273.
[8]    AJA, E., ARANGO, J., y OLIVER, J., "2011: Un mal año para la inmigración", en *La hora de la integración*, ELISEO AJA, JOAQUÍN ARANGO Y JOSEP OLIVER (Dir.), CIDOB, 2012, págs. 12-22, en concreto pág. 14.
[9]    La complejidad del sistema jurídico está en relación directa con la riqueza y complejidad de la sociedad, a la que responde y de la que es una manifestación, *cf.* ZAGREBELSKY, G., "Sistema delle fonti" en *Enciclopedia del diritto e dell'economia*, Garzanti, Milano, 1987, pág. 1213.

Tras décadas en los que han sido las entidades locales las que han puesto en marcha, con una enorme diversidad de respuestas, las políticas integradoras[10], el Estado central ha tomado la iniciativa al introducir en la Ley Orgánica de 11 de diciembre de 2009[11], un mandato a los poderes públicos de "favorecer la plena integración de los inmigrantes", estableciendo como objetivo de la normativa "reforzar la integración como uno de los ejes centrales de la política de inmigración"; y dedicando un artículo, —el *2 ter*—, a "la integración de los inmigrantes", describiendo una serie de principios y factores esenciales que constituyen el primer acercamiento que se ha producido en nuestro ordenamiento jurídico estatal[12], a la descripción de un auténtico modelo de integración[13], que para ser eficaz debería complementarse con un desarrollo normativo y financiación acordes con el modelo definido, algo que, dicho sea de paso, no parece muy previsible a tenor de las circunstancias políticas y económicas actuales.

---

[10]   Un análisis de las diferentes iniciativas al respecto se puede vid. en: *Interculturalidad y Derecho*, A. CASTRO JOVER (*Dir.*), Aranzadi, Pamplona, 2013.

[11]   Ley Orgánica 2/2009, de 11 de diciembre, de reforma de la Ley Orgánica 4/2000, de 11 de enero, sobre derechos y libertades de los extranjeros en España y su integración social (BOE núm. 299, de 12 de diciembre de 2009).

[12]   La vigente Ley Orgánica 4/2000 de 11 de enero, de los derechos y libertades de los extranjeros y de su integración social (BOE núm. 10, de 12 de enero de 2000), se limitaba a hacer una referencia a la *integración* en su título, "Ley de los derechos y libertades de los extranjeros y de su integración social", pero nada desarrollaba después en su articulado.

[13]   El artículo 2 ter, establece el *mandato dirigido a los poderes públicos* de promover "la plena integración de los extranjeros en la sociedad española, en un marco de convivencia de identidades y culturas diversas sin más límite que el respeto a la Constitución y la Ley" (apartado primero); incorpora, a todas las políticas y servicios públicos, con carácter transversal, el *objetivo de la integración* entre inmigrantes y sociedad receptora; y, extiende a los inmigrantes el *principio constitucional de participación*, al establecer la obligación de los poderes públicos de "promover la participación económica, social, cultural y política de las personas inmigrantes en condiciones de igualdad de trato" (apartado segundo).
       Incluye también dos cláusulas de singular importancia para definir el marco del modelo de integración pretendido en nuestro país: por un lado, una directriz que insta a los poderes públicos a procurar, *mediante acciones formativas*, el "conocimiento y respeto de los valores constitucionales y estatutarios de España, de los valores de la Unión Europea, así como de los derechos humanos, las libertades públicas, la democracia, la tolerancia y la igualdad entre mujeres y hombres"; por otro, se encumbra a la categoría de *factores esenciales de la integración* a la educación, el aprendizaje de las lenguas oficiales y el acceso al empleo (apartado segundo).
       Finalmente, recoge el *principio de cooperación* de la Administración estatal con Comunidades Autónomas y Ayuntamientos para la consecución de los fines de la integración, y la necesidad de que todas las administraciones involucradas conduzcan sus actuaciones bajo los criterios de colaboración y coordinación (apartado tercero).

## 1.2. La aceptabilidad de los servicios sanitarios

Las personas pertenecientes a minorías presentan algunas particularidades en el ámbito de la sanidad que requieren un esfuerzo por adecuar la prestación de los servicios sanitarios a unos *rasgos culturales específicos* (cultura, tradiciones, religión, concepción de la salud, forma de enfrentarse a la enfermedad, dificultades idiomáticas, estilos de vida) y a unas *necesidades singulares* (situación de precariedad, estructura sanitaria deficiente en país de origen, enfermedades propias de las zonas de origen). El respeto al pluralismo cultural y religioso en el ámbito de la sanidad exige conocer cuáles son los obstáculos que encuentran las personas pertenecientes a ámbitos culturales minoritarios a la hora de ejercitar sus derechos fundamentales y reflexionar sobre las respuestas jurídicas que deben dar los poderes públicos en orden a conseguir el mayor despliegue y eficacia de esos derechos.

El Comité de Derechos Económicos, Sociales y Culturales de la Organización de Naciones Unidas de la ONU, ha señalado que una de las obligaciones de los Estado en relación con el derecho a la salud es la de garantizar la aceptabilidad de los servicios sanitarios[14], entendiendo por una atención sanitaria *adecuada y aceptable* aquella en la cual los establecimientos, bienes y servicios de salud son "respetuosos de la ética médica y culturalmente apropiados, es decir respetuosos de la cultura de las personas, las minorías, los pueblos y las comunidades, a la par que sensibles a los requisitos del género y el ciclo de vida"[15]. En líneas generales, el sistema sanitario español peca de *monoculturalismo*, pues ofrece un servicio desde unos parámetros culturales que se consideran universalmente válidos, sin contemplar, salvo contadas excepciones[16], la existencia de usuarios con otros códigos culturales que exigirían procesos asistenciales diferentes[17].

---

[14]    Sobre el significado de éste requisito para el Comité, *vid.*: ARBELÁEZ RUDAS, M., "La protección de la salud de los inmigrantes. Notas sobre su regulación en España", en *Las fronteras de la ciudadanía en España y en la Unión Europea*, WILHELMI, ILLAMOLA, MOYA Y RODERA (coords.), Documenta Universitaria, Girona, 2006, págs. 145-158.

[15]    Comité de Derechos Económicos, Sociales y Culturales de la Organización de Naciones Unidas, Observación General 14, párrafo 12.

[16]    Un buen ejemplo al respecto sería la *Guía para el respeto a la pluralidad religiosa en el ámbito hospitalario, Direcció General d'Afers Religiosos y Departament de Salut*, Barcelona, 2005. Un somero análisis de su contenido y eficacia en relación con otras iniciativas en aplicación del 9.2 CE, se puede consultar en: MINTEGUÍA ARREGUI y TARODO SORIA, "Inmigración, minorías e interculturalidad en Cataluña", en *Inmigración, minorías e integración. Libertad de conciencia y laicidad*, DIONISIO LLAMAZARES (ed.), vol. I, Ministerio de Justicia, Madrid, 2012, págs. 297-348, en concreto pág. 333.

[17]    ARBELÁEZ RUDAS, M., "Los derechos sanitarios de los inmigrantes", en AJA, MONTILLA y ROIG (Coords.), *Las Comunidades Autónomas y la inmigración*, Tirant lo Blanch, Institut de Dret Públic, Barcelona, 2006.

Han sido algunas Comunidades Autónomas y algunas entidades locales las que han ensayado medidas para favorecer la aceptabilidad de los servicios públicos[18]. Casi todas ellas, en aplicación del artículo 9.2 CE que les habilita para adoptar iniciativas para promover las condiciones para que la libertad e igualdad de los individuos y los grupos sean reales y efectivas, remover obstáculos que impidan o dificulten la plenitud y facilitar la participación. La mayor parte de estas medidas, aun cuando carecen del rango de normas jurídicas (planes, protocolos, guías, convenios, proyectos, estudios), han demostrado, probablemente por su cercanía a la realidad, a los afectados y a los profesionales involucrados, una enorme eficacia para prevenir y resolver conflictos.

Uno de los instrumentos más eficaces ha sido la puesta en marcha de servicios de *mediación intercultural*. Los servicios de mediación intercultural han sido puestos en marcha por algunas Comunidades Autónomas[19] y algunos Ayuntamientos[20] para facilitar la aceptabilidad de los servicios sociales, en general, siendo el ámbito sanitario uno de los sectores en los que más uso se hace de él. Existen dos tipos de mediaciones: *interpersonal*, generalmente entre profesionales y usuarios de los servicios sociales; y, *comunitaria*, que trata de favorecer el diálogo y construir puentes de diálogo entre colectivos de diferentes orígenes socioculturales que conviven en un mismo espacio.

La intervención de los mediadores en el ámbito sanitario tiene como objetivo facilitar a las personas pertenecientes a minorías culturales la accesibilidad al servicio, una utilización autónoma de los recursos y una mejor atención a las necesidades de salud específicas. Se trata de reducir las desventajas adaptando el sistema sanitario a las nuevas necesidades planteadas, informando y ayudando a interpretar las diferentes percepciones, actitudes y conocimientos de profesionales y pacientes que tienen su origen en diferencias culturales, sociales y lingüísticas. La denominada "mediación intercultural", poco tiene que ver con la mediación en otros campos del derecho (derecho internacional, derecho de familia,

---

[18]    Pueden encontrarse algunos ejemplos en: *Inmigración, minorías e integración. Libertad de conciencia y laicidad*, DIONISIO LLAMAZARES (ed.), 3 vols. Ministerio de Justicia, Madrid, 2012; y, en: *Interculturalidad y Derecho*, A. CASTRO JOVER (*Dir.*), Aranzadi, 2013.

[19]    Un ejemplo de buena práctica al respecto sería el *Plan de Mediación*, impulsado por la Generalitat de Catalunya, formando parte del *Plan director de inmigración y cooperación en el ámbito de la salud* (*Pla Director d'Immigració en l'Àmbit de la Salut*, Departament de Salut, Generalitat de Catalunya, Col·lecció: Planificació i avaluació, Barcelona, 2006). Un análisis del mismo se puede consultar en: MINTEGUÍA ARREGUI y TARODO SORIA, "Inmigración, minorías...", *op. cit.*, Madrid, 2012, págs. 337-340.

[20]    TARODO SORIA, S., "Integración de la diversidad y sanidad en la administración local. Estudio de casos a partir de las iniciativas de cinco ciudades: Madrid, Barcelona, Bilbao, Getafe y Tudela", en, *Interculturalidad y Derecho*, A. CASTRO JOVER (*Dir.*), Aranzadi, 2013, págs. 143-174.

derecho mercantil, derecho del trabajo). No se trata, en este caso, de resolver una situación de conflicto, aunque pudiera haber algún elemento de desacuerdo, sino de allanar una situación de dificultades relacionadas con déficit de accesibilidad o de comunicación.

Junto a los *rasgos culturales específicos* y a las *necesidades singulares*, otro de los factores que tiene una mayor importancia en orden a facilitar la accesibilidad, es la actitud y la aptitud de los profesionales sanitarios. La relación asistencial se construye sobre una relación de confianza en la que el profesional de la sanidad adquiere una singular importancia. Su *actitud* respecto a las peculiaridades o a los diferentes códigos de valores que plantean las personas pertenecientes a minorías culturales resulta ser decisiva. En muchos de los casos, la *actitud* depende de la *aptitud*, es decir, de que el profesional de la sanidad haya recibido una formación específica que le permita alcanzar un grado de *competencia cultural* que garantice la calidad de la atención durante todo el proceso asistencial[21].

Finalmente, otro aspecto que resulta tener una relevancia insospechada es la actitud de la población mayoritaria frente a las demandas de las minorías. Los denominados *obstáculos subjetivos*, nacidos, en muchos casos, de los prejuicios y el desconocimiento, levantan barreras más difíciles de superar que los propios condicionantes objetivos. *Información, sensibilización*[22] *y participación* se erigen, de esta forma, en instrumentos muy eficaces para derribar los obstáculos. La apertura de cauces de *participación* de todo el conjunto de la población en una estrategia compleja de respeto de la diferencia y de refuerzo de los vínculos de unión, es uno de los pilares sobre los que construir las políticas de integración[23].

---

[21]    Un ejemplos de buena práctica al respecto sería el *Plan de Formación*, impulsado por la Generalitat de Catalunya, integrado en el *Plan director de inmigración y cooperación en el ámbito de la salud* (*Pla Director d'Inmigració en l'Àmbit de la Salut*, Departament de Salu, Generalitat de Catalunya, Col·lecció: Planificació i avaluació, Barcelona, 2006). Un análisis del mismo se puede consultar en: MINTEGUÍA ARREGUI y TARODO SORIA, "Inmigración, minorías…", *op. cit.*, págs. 337-340.

[22]    Un ejemplo de buena práctica al respecto es el *Plan municipal para la gestión de la diversidad (2011-2013) de la ciudad de Bilbao*, una de cuyas fortalezas es la sensibilización del conjunto de la población, [*http://www.bilbao.net/cs/Satellite?c=Page&cid=3000062971&language=es&pageid =3000062971&pagename=Bilbaonet%2FPage%2FBIO_contenidoFinal*], fecha último acceso diciembre de 2012. Un somero análisis de esta iniciativa en comparación con la de otras entidades locales puede consultarse en: TARODO SORIA, S., "Integración de la diversidad y sanidad…", *op. cit.*, pág. 167.

[23]    Paradigmático al respecto resulta ser el *Plan Barcelona intercultural de 2012* que mediante un complejo proceso participativo, combinado con un enfoque transversal de la integración, pretende hacer de la interacción el centro de la acción política, accesible en: [*http://www.bcn.cat/ novaciutadania/pdf/ca/assesoria/plans/PIB1215.pdf*] (fecha último acceso, diciembre de 2012). Un somero análisis de esta iniciativa en comparación con la de otras entidades locales puede

Involucrar a los ciudadanos en la toma de decisiones aumenta su sensibilización con los problemas y su grado de compromiso con las respuestas.

En cualquier caso, la consecución de todos estos factores tendentes a garantizar la aceptabilidad del sistema, requiere de una actividad positiva por parte de los poderes públicos para fomentar la adopción de una serie de medidas que en el actual contexto de crisis económica están sufriendo severas restricciones, con frecuencia se recurre al criterio de la eficiencia económica para atribuir carácter secundario a este tipo de demandas. A mi juicio, estos enfoques adolecen de algunas insuficiencias.

En primer lugar, es cuanto menos cuestionable la utilización del argumento de la escasez económica para justificar limitaciones al ejercicio de derechos fundamentales. En este sentido, conviene subrayar que el propio Convenio de Oviedo, norma de obligada referencia en la materia no sólo por su carácter sustantivo en cuanto se erige en instrumento para la salvaguarda y fomento de los derechos humanos en el ámbito de la sanidad[24], sino también por el valor interpretativo de los derechos fundamentales que le confiere el artículo 10.2 de la Constitución española[25]; no contempla el aspecto económico, al enumerar en su artículo 26, los

---

consultarse en: TARODO SORIA, S., "Integración de la diversidad y sanidad...", *op. cit.*, págs. 166 y 167.

[24] Convenio para la protección de los derechos humanos y la dignidad del ser humano con respecto a las aplicaciones de la Biología y la Medicina, Ratificado mediante instrumento de 23-7-1999 (BOE de 20 de octubre de 1999). Sobre su contenido, naturaleza jurídica, eficacia y relación con otras normas, vid. TARODO SORIA, S., *Libertad de conciencia y derechos del usuario de los servicios sanitarios*, Servicio Editorial de la Universidad del País Vasco, Bilbao, 2005, págs. 148-156.

[25] Sobre el carácter obligatorio de este canon interpretativo, *vid.*: REY MARTÍNEZ, F., "El criterio interpretativo de los Derechos fundamentales conforme a normas internacionales (análisis del artículo 10.2 CE)", en R.G.D., n. 537, junio, Valencia, 1989, págs. 3611-3632, especialmente págs. 3626-3627; SAIZ ARNAIZ, A., *La apertura constitucional al derecho internacional y europeo de los derechos humanos. El artículo 10.2 de la Constitución española*, ed. Consejo General del Poder Judicial, Madrid, 1999, págs. 205-212. También a favor de la aplicación del 10.2, pero sólo en los supuestos en los que la norma constitucional relativa a derechos fundamentales y libertades no sea clara, *vid.*: SANTAOLALLA LÓPEZ, F., "Los tratados como fuente de derecho en la Constitución", en AA.VV., *La Constitución Española y las fuentes del Derecho*, vol. III, IEF, Madrid, 1979, pág. 1929; MANGAS MARTÍN, A., "Cuestiones de Derecho internacional público en la Constitución española de 1978", RFDUC, n.61, 1980, pág. 150; y, FERNÁNDEZ CASADEVANTE, C., *La aplicación del Convenio Europeo de Derechos Humanos en España: análisis de la jurisprudencia constitucional (1980-1988)*, Tecnos, Madrid, 1988, pág. 53.

El Tribunal Constitucional también contempla esta vía de interpretación de los derechos fundamentales y libertades públicas, aunque es ambiguo respecto a su carácter, puesto que mientras en unas sentencias interpreta que el artículo 10.2 "impone" acudir a los tratados (S.T.C. 341/1993, de 18 de noviembre, F.J.5); en otras "permite" (S.T.C. 24/1981, de 14 de julio, F.J.4); y, en otras, "aconseja" (S.T.C. 36/1984, de 14 de marzo, F.J.3).

únicos límites posibles a los derechos que reconoce[26]. Para no dejar lugar a dudas, en el Informe explicativo del Convenio, MICHAUD señala expresamente que "no parece conveniente someter, en el contexto de este Convenio, el ejercicio de derechos fundamentales especialmente vinculados a la protección de los derechos de la persona en el ámbito de la salud, al bienestar económico del país, al orden público, a la moral o a la seguridad nacional"[27], más adelante excluirá también la guerra y el conflicto armado "como posibles fuentes de excepciones"[28]. Cierto es que la accesibilidad no se encuentra expresamente contemplada en el Convenio, pero no lo es menos que buena parte de sus manifestaciones forman parte del ejercicio, por parte de determinados sectores de población, de los principales derechos reconocidos (*derecho a la vida privada, derecho a la información* y *derecho a la libre elección*).

En segundo lugar, el argumento económico de la escasez de recursos no tiene carácter apodíctico, por su propia naturaleza, económica, esto es, de satisfacción de necesidades mediante la distribución de recursos que se consideran escasos, parece que demandaría que su utilización se hiciera en comparación con otros recursos cuyos costes tal vez la sociedad esté menos dispuesta a asumir.

## 2. EL DERECHO A DECIDIR SOBRE LA PROPIA SALUD COMO UNA MANIFESTACIÓN DE LA LIBERTAD DE CONCIENCIA DE LOS USUARIOS DE LOS SERVICIOS SANITARIOS Y FARMACÉUTICOS

La entrada en vigor de la reciente normativa[29], ha supuesto un auténtico desembarco de los derechos fundamentales en el ámbito de la sanidad. La proclamación de la dignidad humana, el libre desarrollo de la personalidad y el respeto a

---

[26]  Convenio para la protección de los derechos humanos y la dignidad del ser humano con respecto a las aplicaciones de la Biología y la Medicina, ratificado mediante instrumento de 23-7-1999 (BOE de 20 de octubre de 1999).

[27]  MICHAUD, J., "Informe explicativo del Convenio relativo a los derechos humanos y la biomedicina", autorizada su publicación por el Comité de Ministros del Consejo de Europa el 17 de diciembre de 1996, publicado en Diario Médico, 4 abril 1997, apdo. 156.

[28]  *Ibídem*, apdo. 158.

[29]  En España fundamentalmente el Convenio para la protección de los derechos humanos y la dignidad del ser humano con respecto a las aplicaciones de la Biología y la Medicina, también denominado Convenio de Oviedo, Ratificado mediante instrumento de 23-7-1999 (BOE de 20 de octubre de 1999); y, la Ley 41/2002 básica reguladora de la autonomía del paciente y de derechos y obligaciones en materia de información y documentación clínica (BOE de 16 de noviembre de 2002). Además de una prolífica normativa de las Comunidades Autónomas, vid.: *Código de Derecho Eclesiástico*, DIONISIO LLAMAZARES (dir.), Ariel, 8ª ed., Barcelona,

la autonomía de la voluntad, se han erigido en principios básicos, situando a la persona, en cuanto sujeto titular de derechos fundamentales, en el eje de la regulación jurídica de los derechos del usuario de los servicios sanitarios.

En Europa el reconocimiento del principio de autonomía en el ámbito de la sanidad ha sido muy tardío. El origen de la preocupación por elaborar textos normativos que reconocieran derechos al usuario de la sanidad encuentra su origen en la década de los años cuarenta del pasado siglo y en la necesidad de impedir que se pudieran repetir los abusos cometidos durante la II Guerra Mundial respecto a la experimentación en seres humanos[30].

El desarrollo normativo en nuestro país se ha retrasado aún más, la histórica inhibición de los poderes públicos ante los problemas de salud individual y el antecedente inmediato de un régimen político poco respetuosos con las libertades individuales son algunas de las causas de este retraso[31]. Baste con señalar que el "antecedente" de los actuales formularios de *consentimiento informado* eran unos *documentos de conformidad* que se firmaban con el ingreso al centro hospitalario y que cumplían más la finalidad de dejar constancia del acatamiento y sumisión del paciente a las normas reglamentarias del centro, que la función, que se le atribuye hoy en día, de ser manifestación escrita de la voluntad del paciente. No es de extrañar, señala SIMÓN LORDA, que a partir de este precedente se haya podido transmitir a ciertos sectores del personal sanitario la idea de que la firma del documento de *consentimiento informado*, más que la expresión de un derecho del paciente, pudiera consistir en una especie de cheque en blanco que legitima para ignorar o sustituir la voluntad del paciente en la toma de decisiones sobre el procedimiento clínico[32].

El principio de autonomía ha sido concebido inicialmente como alternativo, y hasta cierto punto contradictorio al tradicional y arraigado principio de beneficencia, de forma que el reconocimiento al paciente de una esfera de decisión propia, en numerosas ocasiones, ha sido percibido como un ataque contra la vertiente objetiva de la medicina, que se consideraba que imponía al profesional de la sanidad unos deberes de cuidado basados en sus mayores conocimientos, cuando no en una visión sacralizada de la vida y de la persona humana que imponía determinadas conductas.

---

30  2007, en concreto el elenco de la normativa autonómica sobre ordenación sanitaria se puede encontrar en nota a pie de página núm. 570, pág. 405.
30  TARODO SORIA, S., *Libertad de conciencia y derechos...*", *op. cit.*, pág. 96.
31  *Ibídem*, págs. 104-109.
32  SIMÓN LORDA, P., *El consentimiento informado*, Triacastela, Madrid, 2000, en concreto pág. 94.

Hoy en día, la ruptura de las fronteras culturales, el creciente pluralismo, el protagonismo que en otros sectores de la vida ha ido adquiriendo la idea de autonomía, la afirmación del carácter complementario de ambas dimensiones (autonomía y beneficencia) y, el propio reconocimiento por parte de la ciencia médica de los efectos positivos que para la evolución del proceso asistencial tiene que la persona afectada esté informada y se involucre en la toma de decisiones; han provocado una progresiva subjetivación de la noción de salud, hasta el punto de que ya no es posible afirmar que el bienestar del paciente pueda ser determinado al margen de la voluntad éste. Puede afirmarse que la reciente normativa proporciona el marco jurídico adecuado para garantizar, en una sociedad plural, que cada uno pueda adoptar, respecto a las cuestiones que afectan a su propia salud, las decisiones que considere más congruentes con sus propias convicciones y su forma de vida.

## 2.1. Cuestiones terminológicas

El derecho a decidir sobre la propia salud recibe en los textos normativos diferentes denominaciones no siempre muy acertadas desde un punto de vista técnico-jurídico. No se trata únicamente de una cuestión nominal, sino conceptual, pues afecta a la adecuada comprensión del significado y alcance de este derecho[33].

Las expresiones más utilizadas en la normativa han sido "derecho a la autonomía del paciente" (preámbulo y capítulo IV de la Ley 41/2002[34]) y "derecho al consentimiento" o al "consentimiento informado" (capítulo II del Convenio de Oviedo[35], Art. 3.2. Carta de los Derechos Fundamentales de la Unión Europea[36]). Sin embargo, ninguna de las dos parecen adecuadas desde un punto de vista técnico-jurídico.

La *autonomía* más que un derecho específico es un principio informador, que, en relación con el libre desarrollo de la personalidad, recorre transversalmente la totalidad del ordenamiento jurídico. El principio de autonomía no se agota en el

---

[33] Sobre esta cuestión vid., TARODO SORIA, S., *Libertad de conciencia y derechos, op. cit.*, págs. 312-316.

[34] Ley 41/2002, básica reguladora de la autonomía del paciente y de derechos y obligaciones en materia de información y documentación clínica (BOE núm. 274, de 16 de noviembre de 2002).

[35] Convenio para la protección de los derechos humanos y la dignidad del ser humano con respecto a las aplicaciones de la Biología y la Medicina, Ratificado mediante instrumento de 23-7-1999 (BOE de 20 de octubre de 1999).

[36] Proclamada en Niza, el 7 de diciembre de 2000 y reconocida por el art. 6.1 del Tratado de la Unión Europea con el mismo valor jurídico que los Tratados (Tratado de Lisboa de 13 de diciembre de 2007, en vigor desde el 1 de diciembre de 2009). *Diario Oficial de las Comunidades Europeas* de 18 de diciembre de 2000 (2000/CE DOC 364/01).

derecho a decidir, por más que nos parezca que ésta sea una de sus manifestaciones más señaladas[37]. También los derechos a la intimidad o a recibir información sanitaria, y no solo el derecho a decidir, son concreciones, en este particular sector del ordenamiento jurídico que es el sanitario, del principio de autonomía.

El *consentimiento informado*, por su parte, tampoco es un derecho, sino un acto jurídico de expresión de la voluntad mediante el que se garantiza la efectividad de ese derecho, además de un requisito de la licitud de la práctica médica. El documento de consentimiento es un instrumento jurídico que sirve para acreditar que el paciente ha decidido libremente entre las opciones clínicas a su disposición, aunque ni es el único medio de prueba[38], ni es incontrovertible[39].

Parecen preferibles las opciones de *derecho a decidir* o *derecho a la libre elección*[40], denominaciones que, aunque con menos significación, aparecen también en los textos normativos. La primera en el artículo 2.3 de la Ley 41/2002[41]; y, en el apartado 1.2 de la Declaración de Ámsterdam de 1994[42]. La segunda,

[37] DIEGO GRACIA ha señalado que "a base de repetir tópicos hemos acabado convenciéndonos de que principio de autonomía es igual a consentimiento informado. Nada más ajeno a la realidad. El consentimiento informado no es el núcleo fuerte del principio de autonomía sino más bien una consecuencia suya" (GRACIA GUILLÉN, D., "Los fines de la medicina en el umbral del siglo XXI", en AA.VV., *Actas del III Congreso Nacional de Derecho Sanitario*, Asociación de Bioética Fundamental y Clínica, Madrid, 2000, págs. 55-72, en concreto pág. 60).

[38] Sería válido cualquier medio de prueba admisible en derecho, en este ámbito, las anotaciones en el historial clínico van cobrando progresiva importancia. Entre otras SS.T.S. de 31 de enero de 1996, 23 de septiembre de 1996, 27 de junio de 1997.

[39] Son célebres las resoluciones judiciales que han declarado nulo el consentimiento prestado a las puertas de un quirófano (Audiencia Provincial de Baleares. Sección cuarta, Recurso número 51/2000, 13 de febrero de 2001), el mismo día de la intervención (Juzgado de Primera Instancia número 33 de Madrid, Sentencia nº: 93/2004, 8 de abril de 2004) o en circunstancias en las que queda acreditada una inadecuada compresión por parte del paciente (Juzgado de Primera Instancia 8 de Granada, Juicio ordinario 987/2002, 22 de noviembre de 2003).

[40] En 2005, en *Libertad de conciencia y derechos del usuario de los servicios sanitarios*, (*op. cit.*, págs. 315, 316), manifestaba mi preferencia por la denominación "derecho a decidir", pero FERNANDO REY me convence de que la expresión "derecho a elegir" resulta igualmente válida, pues "negarse al tratamiento no deja de ser también una forma de elección" (REY MARTÍNEZ, F., *Eutanasia y derechos fundamentales*, Centro de Estudios Políticos y Constitucionales, Madrid, 2008, en concreto pág. 111).

[41] Ley 41/2002, básica reguladora de la autonomía del paciente y de derechos y obligaciones en materia de información y documentación clínica (BOE núm. 274, de 16 de noviembre de 2002).

[42] Organización Mundial de la Salud, Oficina Regional para Europa (EUR/ICP/HLE 121), 28 de junio de 1994. Aunque no se trata de una norma jurídica y, por tanto, no posee eficacia jurídica vinculante, la Declaración de Ámsterdam es uno de los tres textos, junto a la Declaración Universal de Derechos Humanos y al Convenio de Oviedo, que aparecen citados en el preámbulo de la Ley 41/2002 al enumerar las fuentes en las que se inspira. Sobre el contenido, relevancia e influencia de este documento en nuestra normativa actual vid. TARODO SORIA, S., *Libertad de conciencia y derechos...*, *op. cit.*, págs. 99-101.

en el artículo 3 de la Ley 41/2002 y en el derogado artículo 10.6 de la Ley 14/1986[43].

## 2.2. El encumbramiento del derecho a decidir sobre la salud a la categoría de derecho fundamental

El Tribunal Supremo en su sentencia 3/2001 de 12 de enero, ha afirmado que "el consentimiento informado[44] constituye un *derecho humano fundamental*, precisamente una de las últimas aportaciones realizadas en la teoría de los derechos humanos"[45]. Se apoya, para hacer esta aseveración en el Convenio para la protección de los derechos humanos y la dignidad del ser humano, "que ha pasado a ser derecho interno español por su publicación en el BOE"[46].

Definido por el alto Tribunal como el derecho a "escoger en libertad dentro de las opciones posibles que la ciencia médica le ofrece al respecto e incluso la de no someterse a ningún tratamiento, ni intervención"[47] y "a la libertad personal, a decidir por sí mismo en lo atinente a la propia persona y a la propia vida y consecuencia de la autodisposición sobre el propio cuerpo"[48], el Tribunal afirma que "encuentra fundamento y apoyo en la misma Constitución Española, en la exaltación de la dignidad de la persona que se consagra en su artículo 10,1, pero sobre todo, en la libertad, de que se ocupa el art. 1.1 reconociendo la autonomía del individuo para elegir entre las diversas opciones vitales que se presenten de acuerdo con sus propios intereses y preferencias"[49] y, añade que es "consecuencia necesaria o explicación de los clásicos derechos a la vida, a la integridad física y a la libertad de conciencia"[50].

Se ha discutido sobre si la calificación del Tribunal Supremo, *derecho humano fundamental*, implica la inclusión de estos derechos (derecho a decidir sobre la propia salud y derecho a recibir información sanitaria) dentro de la categoría de los "derechos fundamentales y libertades públicas" del capítulo II del título I de

---

[43]    Ley 14/1986, General de Sanidad (B.O.E. núm. 102, de 29 de abril). Sobre esta Ley vid. TARODO SORIA, S., *Libertad de conciencia y derechos...*, op. cit., págs. 177-182.

[44]    Por los motivos señalados en el apartado precedente, no considero adecuada la expresión "*consentimiento informado*" tras la que se esconden dos derechos que, a pesar de sus estrechos lazos, son distintos e independientes: el derecho a decidir sobre la propia salud y el derecho a la información sanitaria, sobre esta cuestión vid.: TARODO SORIA, S., *Libertad de conciencia y derechos...*, op. cit., págs. 177-182 y 292-294.

[45]    S.T.S. 3/2001 de 12 de enero, Civil, F.J. 1°.

[46]    *Ibídem.*

[47]    *Ibídem.*

[48]    *Ibídem.*

[49]    *Ibídem.*

[50]    *Ibídem.*

la Constitución. La cuestión no es baladí, pues no sólo determina la aplicación del régimen de especial protección y garantías que los derechos fundamentales tienen reservado en nuestra Constitución, sino que también conlleva una serie de consecuencias que afectan a su propia regulación derivados de su indisponibilidad y que, por ejemplo, afectan a su ejercicio por representación.

En el trasfondo se encuentra la polémica doctrinal sobre el alcance de la vía del artículo 10.2 CE como fórmula de reintegración de los derechos fundamentales. La doctrina mayoritariamente entiende que la vía del 10.2 C.E. no permite incorporar *ex novo* derechos fundamentales al catálogo constitucional[51], pero sí incorporar derechos que sirvan para concretar el contenido no explicitado de los ya reconocidos en la Constitución[52], de esta forma, "el art. 10.2 se erige en una fórmula de reintegración de los derechos fundamentales, pero sólo en la medida en que hace posible el descubrimiento de nuevos aspectos de los mismos"[53].

Este parece ser el criterio que ha seguido el Tribunal Constitucional en la reciente Sentencia 37/2011[54], en la que analiza en recurso de amparo la vulneración del derecho a la integridad física y moral por intervención médica sin información, ni consentimiento. Tras reconocer que "el art. 15 CE no contiene una referencia expresa al consentimiento informado"[55], aclara que esta ausencia "no implica que este instituto quede al margen de la previsión constitucional de protección de la integridad física y moral"[56], pues "los preceptos constitucionales relativos a los derechos fundamentales y libertades públicas pueden no agotar su contenido en el reconocimiento de los mismos"[57].

Para integrar ese contenido, el Tribunal recurre al criterio hermenéutico del 10.2 CE, a la Carta de los Derechos Fundamentales de la Unión Europea, para señalar la conexión existente entre el consentimiento informado y el derecho a

---

[51]  Lo contrario sería "hacer poco menos que inútil la práctica totalidad del Título Primero de la Constitución", OTTO Y PARDO, I. DE, "La regulación del ejercicio de los derechos y libertades. La garantía de su contenido esencial en el art. 53.1 de la Constitución", en MARTÍN-RETORTILLO, L; y, OTTO Y PARDO DE, I.; *Derechos fundamentales y Constitución*, Civitas, Madrid, 1988, págs. 47 y ss.

[52]  *Cf.* SAIZ ARNAIZ, A., *La apertura constitucional al derecho internacional y europeo de los derechos humanos. El artículo 10.2 de la Constitución española*, ed. Consejo General del Poder Judicial, Madrid, 1999, págs. 79-86.

[53]  *Cf.* REY MARTÍNEZ, F., "El criterio interpretativo de los Derechos fundamentales conforme a normas internacionales (análisis del artículo 10.2 CE)", en R.G.D., n.537, junio, Valencia, 1989 págs. 3611-3632, en concreto pág. 3621.

[54]  S.T.C. 37/2011, de 28 de marzo de 2011 (BOE núm. 101, de 28 de abril de 2011).

[55]  *Ibídem*, F.J. 4º.

[56]  *Ibídem*, F.J. 4º.

[57]  Añade (*ibídem*, F.J. 4º), citando jurisprudencia consolidada, (SS.T.C. 212/1996, de 19 de diciembre, FJ 3, y 116/1999, de 17 de junio, FJ 5).

la integridad física y moral (art. 3); al Convenio de Oviedo, para subrayar que el consentimiento libre e informado es requisito de licitud de la actuación médica (capítulo II); y finalmente, a la jurisprudencia del Tribunal Europeo de Derechos Humanos para indicar que la imposición de un tratamiento médico sin el consentimiento del paciente supone un ataque a la integridad física[58].

La sentencia, como puede observarse, declara el carácter *fundamental* de los dos derechos que se esconden tras el consentimiento informado (derecho a decidir y derecho a la información) y declara que forman parte del contenido del derecho a la integridad personal: física y moral, reconocida en el artículo 15 CE. Pero, ¿es esta siempre y en todo caso la ubicación constitucional de los derechos objeto de nuestro estudio? A mi juicio la respuesta es que lo es siempre, pero que, en alguna de sus manifestaciones cabe vincularlo también al derecho fundamental a la libertad de conciencia.

Dado que la cuestión se presta a confusión[59], trataré de ser sistemático y expresarme con la mayor claridad de la que sea capaz. Las decisiones del paciente adulto capaz son siempre manifestación de su libertad personal, encuentran su fundamento en el *libre desarrollo de la personalidad* y, en último término, en la *dignidad humana* (10.1 CE) que, según el Tribunal Constitucional "se manifiesta singularmente en la autodeterminación consciente y responsable de la propia vida y que lleva consigo la pretensión al respeto por parte de los demás"[60], pero "sobre todo [como afirma el Tribunal Supremo en la mencionada sentencia 3/2001], en

---

[58]    S.T.E.D.H. de 29 de abril de 2002, caso *Pretty c. Reino Unido* & 63.

[59]    Se nos incluye dentro de los autores que "prefieren" incluir el derecho a decidir sobre la salud, "dentro de la libertad de conciencia del art. 16 CE" (REY MARTÍNEZ, F., *Eutanasia y derechos fundamentales, Centro de Estudios Políticos y Constitucionales*, Madrid, 2008, en concreto pág. 112). En Libertad de conciencia y derechos... *op. cit.*, señalaba que, eran varios "los principales fundamentos constitucionales de los derechos objeto de nuestro estudio: *el valor libertad* (art. 1.1.C.E.); *el derecho a la intimidad* (art. 18.1 C.E.), *los derechos a la vida y a la integridad física y moral* (art. 15 C.E.); *el derecho de la libertad de conciencia* (art. 16.1 C.E.); y en último término, *la dignidad de la persona y el libre desarrollo de la personalidad* (art. 10.1 C.E.)" (págs. 224 y 225), y dedicaba algunas páginas a indicar la vinculación jurídica existente entre cada uno de esos fundamentos y los derechos a la intimidad, a la información y a decidir sobre la propia salud (págs. 223-236). Si bien y, sin duda esto es lo que ha inducido a error, señalaba entonces que "por cuanto se refiere a la perspectiva que hemos adoptado en nuestro estudio, nos interesa subrayar que los derechos a la información sanitaria y a la libertad de decisión sobre las cuestiones que afectan a la propia salud, son *consecuencia necesaria o explicación* del *derecho de libertad de conciencia*" (págs. 222 y 223), es decir, que preocupado por las cuestiones relativas al artículo 16 CE, iba a centrar la mirada primordialmente en el análisis de los aspectos que ponían de relieve la conexión jurídica existente entre los derechos objeto de estudio y el *derecho de libertad de conciencia*, sin que en ningún lugar de la obra se afirmara que el derecho de libertad de conciencia fuera el único y exclusivo soporte constitucional de los derechos objeto de estudio.

[60]    S.T.C. 53/1985, de 11 de abril, F.J. 8º (B.O.E. de 18 de mayo de 1985).

la *libertad*, de que se ocupa el art. 1.1 reconociendo la autonomía del individuo para elegir entre las diversas opciones vitales que se presenten de acuerdo con sus propios intereses y preferencias"[61].

Esta conexión con una *libertad general de actuación* o una *libertad general de autodeterminación individual*, no bastaría, sin embargo, para afirmar el carácter fundamental de los derechos a decidir sobre la propia salud, ni daría lugar a la protección del recurso de amparo, como claramente pone de relieve el Tribunal Constitucional: "pues esta clase de *libertad*, que es un valor superior del ordenamiento jurídico —art. 1.1 de la Constitución—, sólo tiene protección del recurso de amparo en aquellas concretas manifestaciones a las que la constitución les concede categoría de derechos fundamentales incluidos en su título I" [62].

Se hace preciso, por tanto, encontrar el derecho o derechos de los enunciados en el catálogo constitucional en cuyo contenido implícito cabe situar el derecho a decidir sobre la propia salud. En primer lugar, habría que descartar que el derecho a tomar decisiones sobre la propia salud (derecho-libertad), derive del derecho a la protección de la salud del artículo 43 CE (incluido entre los principios rectores de la política social y económica)[63]. Tampoco parece conveniente incluirlo en el derecho a la vida del art. 15 CE[64], "supuesto ontológico sin el que los restantes derechos no tendrían existencia posible"[65], pero con un contenido "que impide configurarlo como un derecho de libertad"[66]. No puede ser más categórico el propio Tribunal Constitucional al indicar que el derecho a decidir conlleva "el ejercicio de un derecho de autodeterminación que tiene por objeto el propio sustrato corporal, como distinto del derecho a la salud o a la vida"[67]. De igual forma, hay que descartar también que forme parte del derecho a la intimidad del 18.1 CE[68]; o del derecho a la libertad física del art. 17.1 CE[69].

---

[61]  *Ibídem.*

[62]  S.T.C. 37/2011, de 28 de marzo de 2011 (BOE núm. 101, de 28 de abril de 2011).

[63]  Como de modo técnicamente incorrecto afirma el legislador en la exposición de motivos de la Ley 41/2002, *cf.*, REY MARTÍNEZ, F., *Eutanasia y derechos fundamentales*, Centro de Estudios Políticos y Constitucionales, Madrid, 2008, págs. 111 y 112.

[64]  REY MARTÍNEZ, F., *Eutanasia y derechos fundamentales, op. cit.*, pág. 112.

[65]  SS.T.C. 53/1985, de 11 de abril; 120/1990, de 27 de junio, F.J. 8°; 154/2002, de 18 de julio de 2002, F.J., 12°.

[66]  Entre otras: SS.T.C. 120/1990, de 27 de junio, F.J., 7°; 137/1990, de 19 de julio, F.J. 5°; 154/2002, de 18 de julio de 2002, F.J., 12°.

[67]  S.T.C. 154/2002, de 18 de julio, F.J. 9.

[68]  La jurisprudencia norteamericana encuentra el fundamento constitucional del derecho del *«informed consent»* en el *«right of privacy»*. La amplitud que este último derecho adquiere en el ordenamiento jurídico norteamericano impide, sin embargo, su identificación con nuestro derecho a la intimidad, vid.: TARODO SORIA, S., *Libertad de conciencia y derechos..., op. cit.*, págs. 126-135. Con acierto CARMEN TOMÁS-VALIENTE subraya que probablemente el Tribunal Constitucional haya evitado esta vinculación entre el derecho a decidir y el derecho a

Más correcta me parece la ubicación del derecho a decidir sobre la propia salud como parte integrante del derecho a la integridad física y moral del artículo 15 CE[70], tal y como, viene sosteniendo el Tribunal Constitucional: "este mismo precepto constitucional garantiza el derecho a la integridad física y moral, mediante el cual se protege la inviolabilidad de la persona, no sólo contra ataques dirigidos a lesionar su cuerpo o espíritu, sino también contra toda clase de intervención en esos bienes que carezca del consentimiento de su titular"[71]; conexión que reafirma y desarrolla en la más reciente Sentencia 37/2011, anteriormente mencionada[72].

Sí que me parece de suma importancia subrayar que la vinculación se produce con la *identidad personal*, en sus dos facetas física y moral[73], aspecto, éste último, que con frecuencia aparece descuidado en los ordenamientos jurídicos modernos excesivamente inclinados a una visión patrimonialista del Derecho y de los derechos. RAÚL CANOSA propone el empleo de la expresión *integridad personal*, en la medida en la que abarca todas las dimensiones de la integridad y aprovechando la apertura brindada por la Constitución al referirse tanto a lo físico como a lo moral[74].

Subrayar la importancia jurídica de la dimensión moral de la integridad personal es de enorme importancia para la adecuada comprensión de los derechos

---

la intimidad para no inducir una tendencia expansiva, análogamente a lo sucedido en Estados Unidos (vid. TARODO SORIA, S., *Libertad de conciencia y derechos...*, *op. cit.*, págs. 135-143, en especial, para el tema de la eutanasia págs. 139-141), que le llevara a tener que reconocer un derecho a la eutanasia activa directa semejante al derecho a elegir o rechazar el tratamiento médico (TOMÁS-VALIENTE LANUZA, C., "La disponibilidad de la propia vida: aspectos constitucionales", en *El derecho a la vida*, C.E.P.C y T.C. (Cuadernos y debates, núm. 151), Madrid, 2003, págs. 55-73, en concreto pág. 61).

[69]   Es muy clara al respecto la jurisprudencia constitucional, entre otras: SS.T.C. 120/1990, 37/2011.

[70]   Opinión que comparto, entre otros, con: TOMÁS-VALIENTE LANUZA, C., "La disponibilidad de la propia vida: *op. cit.*, págs. 55-73; CÁMARA VILLAR, G., "El derecho a la vida", en Manual de Derecho Constitucional (Coord. F. BALAGUER), Tecnos, Madrid, 2005, vol. II, págs. 86-96, en concreto pág. 91; y, REY MARTÍNEZ, F., *Eutanasia y derechos fundamentales*, *op. cit.*, págs. 112-119.
En 2005, *Libertad de conciencia*, *op. cit.*, págs. 230-232, ya indicaba la conexión existente entre el derecho a decidir sobre la propia salud y el derecho a la integridad física y moral, aunque no establecía una preferencia por esta solución que tras las últimas sentencias del Tribunal Constitucional y después de las lecturas de REY MARTÍNEZ, CÁMARA VILLAR y TOMÁS-VALIENTE, *ops. cits.*, me parece más evidente.

[71]   S.T.C. 120/90, de 27 de junio de 1990.

[72]   S.T.C. 37/2011, de 28 de marzo de 2011 (BOE núm. 101, de 28 de abril de 2011).

[73]   TARODO SORIA, S., *Libertad de conciencia y derechos...*, *op. cit.*, págs. 231-232.

[74]   CANOSA USERA, RAÚL, *El derecho a la integridad personal*, IVAP y Lex Nova, Valladolid, 2006, en concreto pág. 285.

objeto de nuestro estudio. Se comprende fácilmente que cuando no se proporciona información adecuada o cuando se interviene contra la voluntad del paciente o sin su consentimiento, no sólo se produce una lesión contra la integridad física, entendida como incolumidad corporal, sino que también se produce un daño a la integridad moral de la persona. Esta lectura resulta extraordinariamente clarificadora para interpretar, por ejemplo, los casos en los que se produce una falta de información que no se puede unir causalmente ni a un vicio del consentimiento ni a la producción de un daño físico, pero que genera por sí misma una responsabilidad por vulneración de un derecho fundamental (a recibir información sobre la propia salud) que es indemnizable por la vía del daño moral[75].

Y, ¿qué lugar ocupa en esta construcción el derecho de libertad de conciencia reconocido en el artículo 16.1 CE? Dado que no existe acuerdo doctrinal al respecto, creo que es conveniente comenzar indicando qué entiendo por derecho de libertad de conciencia[76]. Siguiendo a LLAMAZARES FERNÁNDEZ, es el derecho "a la libre formación de la conciencia, a mantener unas u otras creencias, ideas y opiniones, a expresarlas o a silenciarlas, a comportarse de acuerdo con ellas y a no ser obligado a comportarse en contradicción con ellas cuando se trate de auténticas convicciones"[77]. Como advierte REY MARTÍNEZ, integridad personal y derecho de libertad de conciencia se encuentran muy relacionados entre sí, ambos se hallan en el círculo más intenso de las manifestaciones de la dignidad humana y el libre desarrollo de la personalidad. Sin embargo, cabe distinguirlos[78], y, sobre todo, determinar qué cuestiones relacionadas con los derechos a decidir sobre la propia salud y a recibir información sanitaria están vinculadas a cada uno de ellos.

El objeto de protección del artículo 16.1 de la Constitución española no es otro que las *convicciones* personales[79], que se distinguen por estar tan arraigadas en la persona que ésta las *siente* y las *vive* formando parte integrante de su perso-

---

[75]  TARODO SORIA, S., "La responsabilidad del personal sanitario por vulneración del derecho a la información", en *Asistencia Obstétrica y Anestésica del Embarazo y Parto Complicados*, GONZÁLEZ DE ZÁRATE y RODRÍGUEZ-TABERNERO (ed.), Mata Digital, 2007, Valladolid, págs. 257-268.

[76]  Un desarrollo de la cuestión se puede consultar en: TARODO SORIA, S., *Libertad de conciencia y derechos..., op. cit.*, págs. 72-93.

[77]  LLAMAZARES FERNÁNDEZ, D., (1997) *Derecho de la libertad de conciencia*, vol. I, Civitas, 2ª ed., Madrid, 2002, págs. 21 y 22.

[78]  REY MARTÍNEZ, F., *Eutanasia y derechos fundamentales, op. cit.*, pág. 113.

[79]  OSCAR ALZAGA en sus comentarios a la Constitución, da comienzo al apartado dedicado al artículo 16 indicando que "ampara las *convicciones*". ALZAGA VILLAAMIL, O., *La Constitución española de 1978 (comentario sistemático)*, Ediciones del Foro, Madrid, 1978, pág. 190.

nalidad[80]. La razón primordial de la protección jurídica especial de las convicciones es que, de alguna manera la persona se siente identificada con ellas, de forma
que siente cualquier incongruencia con ellas como una traición a sí mismo[81]. La
coherencia con las propias convicciones es la causa de la autoestima y del respeto
de los demás que nuestro Tribunal Constitucional ha ligado indisolublemente a
la dignidad de la persona[82].

Así entendido, no resulta infundado afirmar que las decisiones que se toman
sobre la propia salud, guardan estrechas relaciones con la libertad de conciencia,
no en vano, la salud y las decisiones que se toman sobre ella probablemente sea
uno de los ámbitos de la vida humana que sea más sensible a las convicciones personales. Sin embargo, no todas las decisiones que se adoptan en relación con la
propia salud formarían parte del contenido del derecho de libertad de conciencia
reconocido en el artículo 16.1 CE, sino sólo aquellas que responden a auténticas
convicciones personales, ni qué decir tiene que con independencia de su carácter
secular o religioso[83]. Esto, a su vez, explica que doctrina[84] y jurisprudencia, tanto
del Tribunal Constitucional[85] como del Tribunal Europeo de Derechos Humanos[86], coincidan en exigir cierto grado de *obligatoriedad, seriedad, coherencia,*

---

[80]     No quiere esto decir que el ordenamiento jurídico proteja una suerte de fanatismo, existe un
continuo e incesante proceso de reorganización que hace que algunas de las que son convicciones, dejen de serlo, y sean sustituidas por otras creencias e ideas que anteriormente no alcan-
zaban tal grado. Frente a este proceso el derecho debe asumir dos funciones: por un lado, debe
tutelar los elementos constitutivos, justamente porque en cada momento no podemos dejar de
ser lo que somos; por otro, debe garantizar la libre formación de la conciencia minimizando
las limitaciones les singularidades puedan entrañar para el libre desarrollo de la personalidad y
promoviendo el pluralismo única garantía de que las convicciones se formen en libertad. Sobre
esta cuestión, *vid.*: TARODO SORIA, S., *Libertad de conciencia y derechos..., op. cit.,* págs.
68-72.

[81]     *Cf.,* TARODO SORIA, S., *Libertad de conciencia y derechos..., op. cit.,* págs. 53-68.

[82]     S.T.C. 53/1985, de 11 de abril (B.O.E. de 18 de mayo de 1985), F.J. 8°.

[83]     *Cf.,* TARODO SORIA, S., *Libertad de conciencia y derechos..., op. cit.,* págs. 64-65 y 90-93.

[84]     Desde perspectivas en algunos casos bien distintas, coinciden en señalar esta exigencia, entre
otros: LANGERON, P., *Liberté de conscience des agents publics et laïcité",* Economica Press
Universitaires, D'Aix-Marseille, 1986, pág. 128; LLAMAZARES FERNÁNDEZ, D., (1997)
*Derecho de la libertad de conciencia,* vol. I, Civitas, 2ª ed., Madrid, 2002, págs. 20 y 21; MAR-
TÍNEZ-TORRÓN, J., "Derecho de familia y libertad de conciencia en el Convenio Europeo de
Derechos Humanos", en *Derecho* de familia y libertad de conciencia en los países de la Unión
Europea y el *derecho* comparado. *Actas del IX Congreso Internacional de Derecho Eclesiástico
del Estado,* CASTRO JOVER, (ed.), Servicio Editorial de la Universidad del País Vasco, Bilbao,
2001, págs. 145 y 146.

[85]     S.T.C. 120/1990, de 27 de junio (B.O.E. de 30 de julio de 1990) F.J. 10°; y, S.T.C. 137/1990, de
19 de julio (B.O.E. de 30 de julio de 1990) F.J. 8°.

[86]     Sentencia del Tribunal Europeo de Derechos Humanos *Campbell* y *Cosans,* de 25 de febrero de
1982, n. 36. El Tribunal declara que "la palabra «convicciones» no es sinónima de «opinión»

*importancia* y *arraigo* (en otras palabras, que nos encontremos ante auténticas *convicciones*), para entender que nos situamos dentro del ámbito de protección del derecho de libertad de conciencia[87].

En síntesis podemos afirmar que todas las decisiones que se adoptan en ejercicio de la facultad de autodeterminación sobre el propio cuerpo encuentran su fundamento en el valor libertad del artículo 1.1 CE. Todas ellas, forman parte del contenido del derecho a la *integridad física y moral*, reconocido en el artículo 15 CE, pero sólo algunas de estas decisiones, las que responden a convicciones (seculares o religiosas), caen dentro de la órbita de protección del artículo 16.1 CE. En consecuencia, la libertad decisoria del paciente se encuentra jurídicamente protegida con independencia de la motivación de sus decisiones, pero esto no significa que las motivaciones en las que se sustentan las decisiones del paciente sean irrelevantes desde el punto de vista jurídico, si la decisión está fundamentada en convicciones personales (seculares o religiosas), entonces la decisión es una manifestación externa del derecho de *libertad de conciencia* y recibe, por tanto, la protección cualificada del artículo 16. 1 CE o del 9.1 del CEPDH.

## 2.3. Contenido básico del derecho a decidir

El derecho a decidir sobre las cuestiones que afectan a la propia salud está regulado en los capítulos II del Convenio de Oviedo y IV de la Ley 41/2002. La normativa para garantizar la eficacia de este derecho, establece un deber general que vincula a todo profesional que interviene en la actividad asistencial de *respeto de las decisiones adoptadas libre y voluntariamente por el paciente* (art. 2.6) y condiciona la legalidad de las intervenciones médicas a la obtención del *consentimiento previo* del paciente (arts. 5 Convenio de Oviedo y 8 Ley 41/2002).

Se contemplan dos formas de manifestación de este derecho: (1) el "derecho a *decidir libremente entre las opciones clínicas disponibles*" (art. 2.3 Ley 41/2002); y, (2) el "derecho a *negarse al tratamiento*, excepto en los casos determinados en la ley" (arts. 8.5 del Convenio de Oviedo y 2.4 Ley 41/2002).

La obtención del consentimiento del paciente es un requisito previo a *toda intervención sanitaria* (arts. 5 Convenio de Oviedo y 8.1 Ley 41/2002), definida

---

e «ideas»", sino que únicamente "se aplica a la opinión que alcanza cierto nivel de obligatoriedad, seriedad, coherencia e importancia".

[87]   Artículo 16.1 de la Constitución española o artículo 9 del Convenio Europeo para la Protección de los Derechos Humanos y de las Libertades Fundamentales, Consejo de Europa, Roma el 4 de noviembre de 1950, texto refundido tras sucesivas modificaciones, publicado en el BOE núm. 108, de 6 de mayo de 1999.

de forma muy amplia como "toda actuación realizada con fines preventivos, diagnósticos, terapéuticos, rehabilitadores o de investigación" (art. 3 Ley 41/2002). El consentimiento es un acto jurídico que ha de reunir los requisitos de capacidad, titularidad, libertad, licitud del objeto, causa y forma suficiente, establecidos en el Código civil (arts. 1261 y ss.)[88]. En el ámbito sanitario cumple dos funciones esenciales: por un lado, es expresión de la autonomía del paciente y manifestación del ejercicio de su derecho a decidir sobre su propia salud; por otro lado, es requisito de licitud de la acción médica[89], además de medio de prueba (no absoluto, como hemos indicado anteriormente) de la conformidad del paciente con esa actividad.

La recepción por parte del paciente de una *información previa adecuada* es condición de validez del consentimiento, excepto cuando el paciente renuncie a ser informado, caso en el que se mantiene el derecho del paciente a decidir y, por tanto, persiste el deber del profesional de la sanidad de obtener el consentimiento previo a la intervención, aunque, en este supuesto, paradójicamente, podría ser un consentimiento "desinformado" (art. 9.1 Ley 41/2002).

El consentimiento como regla general habrá de ser verbal, salvo en los casos de intervención quirúrgica, procedimientos diagnósticos o terapéuticos invasores, o que supongan riesgos o inconvenientes de notoria y previsible repercusión negativa sobre la salud del paciente, en los que se exige escrito (art. 8.2 Ley 41/2002); al igual que, en los supuestos de ensayos clínicos (art. 16 Convenio de Oviedo) o de extracción de partes del cuerpo con fines de trasplante (artículo 19 del Convenio de Oviedo). La normativa no establece una forma determinada, aunque a mi juicio el consentimiento implícito (el que se infiere de los actos que se realizan) es admisible en muchos actos médicos rutinarios, que de otra forma se verían inapropiadamente obstaculizados. Finalmente, la Ley contempla la posibilidad de que el paciente pueda revocarlo por escrito en cualquier momento (art. 8.5 Ley 41/2002).

---

[88]    Estos requisitos en relación con el consentimiento del paciente han sido estudiados entre otros por: BUENO ARÚS, F., "El consentimiento del paciente", en *Derecho Médico*, vol. I., L. MARTÍNEZ-CALCERRADA (dir.), Tecnos, Madrid, 1986, págs. 273-296, en concreto pág. 274 y ss.; FRAGA MANDIÁN, A.; y, LAMAS MEILÁN, M.M., *El consentimiento informado (el consentimiento del paciente en la actividad médico-quirúrgica)*, Revista Xurídica Galega, Pontevedra, 1999; ROLDÁN GARRIDO, B.; y, PEREA PÉREZ, B., *El consentimiento informado en la Práctica Médica*, SmithKline Beecham, Madrid, 1966, págs. 17-24.

[89]    *Cf.* COBREROS MENDAZONA, E., *Los tratamientos sanitarios obligatorios y el derecho a la salud. (Estudio sistemático de los ordenamientos italiano y español)*, H.A.E.E.-I.V.A.P., 1988, págs. 281; JORGE BARREIRO A., *La imprudencia punible en la actividad médico-quirúrgica*, Tecnos, Madrid, 1990, pág. 16; ROMEO CASABONA, C. M., *El médico y el derecho penal*, vol. I: Boch, Barcelona, 1981, pág. 311.

## 3. EL DERECHO A RECIBIR INFORMACIÓN EN LOS ÁMBITOS SANITARIO Y FARMACÉUTICO COMO PRESUPUESTO DEL EJERCICIO EFECTIVO DEL DERECHO A DECIDIR SOBRE LA PROPIA SALUD

El derecho a recibir información sanitaria aparece regulado en el Convenio de Oviedo que reconoce al paciente el "derecho a conocer toda la información obtenida respecto a su salud" (art. 10), respetando "la voluntad de una persona a no ser informada". Y, de forma algo más detallada en los artículos 4, 5, 12 y 13 de la Ley 41/2002 que lo desdobla en tres derechos: (1) el derecho a la *información asistencial o clínica* (arts. 4 y 5 Ley 41/2002); (2) el derecho a la *información epidemiológica* (art. 6 Ley 41/2002); y, (3) el derecho a la *información sobre el Sistema Nacional de Salud* (arts. 12 y 13 Ley 41/2002). En la presente colaboración nos centraremos en el análisis del primero de ellos.

### 3.1. *Algo más que presupuesto del derecho a decidir. La autonomía del derecho a la información en el ámbito sanitario*

Ya en el año 1988, tomando como base la regulación de la Ley General Sanitaria, COBREROS MENDAZONA defendía la necesidad de distinguir ambos derechos, pues el derecho a la información sanitaria "tiene una entidad propia y distinta del inexcusable consentimiento del interesado previo a la aplicación de una terapia"[90]. La normativa más reciente ha venido a confirmar la autonomía de los derechos a decidir sobre la propia salud y a recibir información sanitaria, regulándolos en apartados diferentes y dotándoles de un contenido propio y diverso[91].

Una de las funciones más importantes que tiene la información asistencial es la de proporcionar al paciente los elementos de conocimiento necesarios para que posteriormente pueda ejercitar libremente el derecho a decidir sobre las cuestio-

---

[90] COBREROS MENDAZONA, E., *Los tratamientos sanitarios obligatorios y el derecho a la salud. (Estudio sistemático de los ordenamientos italiano y español)*, H.A.E.E.-I.V.A.P., 1988, págs. 272.

[91] La regulación del derecho a la información se encuentra en los artículos 10.2 y 10.3 del Convenio de Oviedo y en el capítulo II de la 41/2002; mientras el derecho a decidir sobre la propia salud se encuentra regulado en los artículos 5-9 del Convenio de Oviedo y en el capítulo IV de la 41/2002. A mi juicio, hubiera sido deseable que el legislador también hubiera escindido los supuestos de los límites a cada uno de los dos derechos que se encuentran regulados, de forma conjunta, en el art. 9.2 Ley 41/2002, bajo el equívoco epígrafe de "los límites del consentimiento informado" (art 9 Ley 41/2002).

nes que afectan a su salud[92]. En este sentido, la satisfacción efectiva del derecho a la información puede ser considerada como una fase previa del ejercicio por parte del paciente del derecho a decidir libremente sobre su propia salud. Existe, por tanto, una innegable y estrecha relación entre la información previa y el posterior consentimiento. Esto explica el éxito que ha tenido la expresión de origen anglosajón «consentimiento informado».

Sin embargo, ni puede reducirse todo el contenido de ambos derechos a este único aspecto, ni puede darse a la expresión «consentimiento informado» un sentido tan amplio como para hacerle abarcar la totalidad del contenido de ambos derechos. La expresión «consentimiento informado» solo es adecuada cuando se emplea para hacer referencia a la vinculación que ordinariamente existe entre el derecho a decidir sobre la propia salud y la información asistencial previa; pero resulta ser tremendamente insatisfactoria, a pesar de que la jurisprudencia continúe usándola profusamente, cuando se quiere hacer un análisis del contenido, alcance y significado de los derechos a decidir sobre la propia salud y a la información sanitaria. Una concepción autónoma del derecho a la información sanitaria presenta algunas ventajas.

En primer lugar, permite explicar aquellas situaciones en las que se rompe la conexión entre información y decisión, cosa que sucede en dos tipos de supuestos: (a) cuando se puede ejercitar el derecho a decidir libremente sin necesidad de que exista una información previa (rechazo de la información por parte del paciente, necesidad terapéutica y urgencia grave); y, (b) en los casos en los que el consentimiento del paciente es irrelevante y, sin embargo, no por ello se pierde el derecho a ser informado (incapacidad legal y riesgo para la salud pública). En el primer caso, la decisión tiene relevancia, aunque no se esté informado. En el segundo, no se puede decidir, pero la normativa considera que es importante que, aun así, el paciente esté informado. Este último supuesto presenta extraordinario interés, pues permite tomar conciencia de que alguna importante función debe de cumplir el derecho a la información asistencial más allá de la de garantizar que el paciente cuente con la información necesaria para adoptar una posterior decisión, ¿cuál es el bien jurídico que se pretende preservar en estos casos?

En segundo lugar, permite comprender el contenido y alcance del derecho a la información sanitaria más allá de la visión que lo reduce a su función instrumen-

---

[92] El Tribunal Constitucional ha sido claro al respecto, para que la facultad de consentir, "de decidir sobre los actos médicos que afectan al sujeto pueda ejercerse con plena libertad, es imprescindible que el paciente cuente con la información médica adecuada sobre las medidas terapéuticas, pues sólo si dispone de dicha información podrá prestar libremente su consentimiento" (S.T.C. 37/2011, de 28 de marzo de 2011, F.J. 5° —BOE núm. 101, de 28 de abril de 2011—).

tal de facilitar el posterior consentimiento. A pesar de su estrecha vinculación, BEATO ESPEJO subraya acertadamente, que la trascendencia del derecho a la información en el marco sanitario no se agota en el hecho de estar informado para aceptar o no una determinada intervención, el derecho a la información "afecta no sólo al enfermo sino a cualquier ciudadano aunque no sea ni potencial paciente. Expresa en sí, el derecho a saber de toda persona tanto en su proyección personal (conducta que ha de seguir para mantener una vida saludable, factores y causas de riesgo), como en sus relaciones con la comunidad en la que vive (servicios sanitarios a los que puede acceder, formas de uso, tramitación de procedimientos, formulación de quejas, iniciativas y sugerencias, etc.)"[93]. Así comprendido, en todas sus dimensiones[94], el derecho a la información sanitaria ve cómo su ámbito subjetivo, se extiende del paciente al ciudadano; y, su ámbito objetivo, de la garantía de una posterior decisión, a un auténtico *derecho a saber* sobre todas las cuestiones que afectan a un importante ámbito de nuestra vida, como es el de la salud.

En tercer lugar, la concepción autónoma del derecho a la información sanitaria, nos ofrece algunas claves que nos ayudan a interpretar qué sucede en los casos de responsabilidad por defectuosa o inexistente información. La jurisprudencia del Tribunal Supremo, salvo matices aislados, ha venido considerando que la falta de información no es indemnizable si no concurre el elemento del daño antijurídico[95]. GUERRERO ZAPLANA pone el dedo en la llaga al advertir que las resoluciones judiciales suelen centran la cuestión en la determinación del daño físico, sin contemplar la posibilidad de que la omisión de la información pueda generar indemnización por la producción de un daño moral derivado de la infracción de las garantías que sobre información y consentimiento establece la normativa[96]. El problema no es un asunto menor, ¿debe quedar impune la vulneración de un derecho cuando no se ha producido un daño físico?

Una concepción autónoma del derecho a la información sanitaria, desvinculado, de sus efectos en orden a un posterior ejercicio del derecho a la decisión,

---

[93]   BEATO ESPEJO, M., "Derechos de los usuarios del sistema sanitario a los diez años de la aprobación de la Ley General Sanitaria", en R.A.P., n.141, 1996, págs. 25-61, en concreto pág. 33.

[94]   Ni la información asistencial se reduce a la preparación de una posterior decisión, ni el derecho a la información sanitaria es solo información asistencial (la propia normativa configura el derecho a la información en el ámbito sanitario con un contenido mucho más amplio —información epidemiológica, información sobre el Sistema Nacional de Salud—).

[95]   Por todas, la reciente S.T.S., Sala 3ª, sec. 4ª, de 24 de febrero de 2010, Rec.2302/2008 (EDJ 2010/14275). Para un completo y exhaustivo análisis crítico de la jurisprudencia del Tribunal Supremo sobre consentimiento informado anterior a 2006, vid., GUERRERO ZAPLANA, J., *Las reclamaciones por la defectuosa asistencia sanitaria*, Lex Nova, 5ª ed., Valladolid, 2006, en especial págs. 243-253.

[96]   GUERRERO ZAPLANA, J., *Las reclamaciones por la defectuosa...*, *op. cit.*, pág. 252.

permite sostener que la inobservancia de las obligaciones de informar, producen, por sí mismas, un desvalor con independencia del resultado de la intervención médica. Ahora bien, ese desvalor, considerado de forma aislada, únicamente sería indemnizable por la vía del daño moral derivado de la responsabilidad por vulneración de un derecho fundamental, pero para ello, debemos encontrarnos ante un derecho fundamental.

El problema, así formulado, adquiere unos contornos muy similares a los que nos planteábamos respecto al derecho a decidir sobre la propia salud. Dado que el derecho a la información asistencial no se encuentra entre los enumerados en el capítulo II del título I de la Constitución, la afirmación de su carácter fundamental, depende de que seamos capaces de determinar la relevancia constitucional de este derecho, es decir, de que encontremos el derecho o derechos de los que aparecen en el catálogo constitucional en cuyo contenido implícito cabe situar al derecho a la información.

El Tribunal Constitucional, en la mencionada sentencia 37/2011[97], sitúa el derecho a la información sanitaria, al igual que lo hace con el derecho a decidir, en la órbita del derecho a la integridad física y moral del artículo 15. El Tribunal analiza en recurso de amparo, el caso de un paciente que pierde la mano derecha como consecuencia de un cateterismo radial, sin haber obtenido el consentimiento informado del paciente con carácter previo a la intervención. Como puede observarse en el caso se ha producido un daño físico y, además de falta de información, el paciente no ha prestado el preceptivo consentimiento, de modo que no permite averiguar cuáles serían los razonamientos del tribunal en el caso de que se tratase de determinar la responsabilidad únicamente por inobservancia de las obligaciones derivadas del derecho a la información sanitaria. Aun así, conviene subrayar que el Tribunal conecta la falta de información con un daño a la integridad no sólo física, sino también moral[98].

En los casos en los que la falta o deficiencia no tuviera repercusiones en la posterior decisión (piénsese, sin salir del ámbito del derecho a la información asistencial, en los supuestos antes mencionados del incapaz al que no pudiendo decidir no se le prestara la información adecuada, o al paciente que declarado un riesgo grave para la salud no se le informara de un tratamiento obligatorio), parece problemático fundamentar la responsabilidad en la vinculación del derecho a la información sanitaria con el derecho a la integridad física y moral. ¿Cómo entender, entonces, que en esos casos es la integridad el bien jurídico menoscabado? ¿Cómo repercute, en esos casos, la falta de información en la autodeterminación corporal? La construcción que hace descansar la relevancia constitucional del

---

[97]    S.T.C. 37/2011, de 28 de marzo de 2011 (BOE núm. 101, de 28 de abril de 2011).
[98]    *Ibídem*, F.J. 5º.

derecho a recibir información sanitaria en la integridad física y moral, parece presentar el inconveniente de que únicamente parece justificable declarar la responsabilidad cuando la falta de información afecta al derecho a decidir, pues sólo entonces se puede decir que se vulnera el derecho a la integridad física y moral.

En definitiva, encontrar la relevancia constitucional del derecho a la información sanitaria en el derecho a la integridad física y moral, sólo parece posible en los casos en los que se establece la conexión entre información y consentimiento, pero ya hemos indicado anteriormente que esta es una visión muy parcial del derecho a la información (que sólo toma en cuenta una de sus dimensiones, es cierto que tal vez la que dé lugar a mayor número de conflictos judiciales). No parece adecuada para interpretar qué es lo que sucede con el resto de manifestaciones del derecho a la información en el ámbito de la sanidad, en los supuestos en los que se interrumpe la conexión entre información y consentimiento o, simplemente, en aquellos en los que se analiza únicamente la responsabilidad por la mera falta de información.

A mi juicio, esta insuficiencia, pone de relieve la conveniencia de explorar la vinculación existente entre el derecho a recibir información sanitaria y el derecho de *libertad de conciencia* del artículo 16.1. Desde esta perspectiva el derecho a la información en el ámbito de la sanidad tendría como finalidad proporcionar al ciudadano los elementos de conocimiento necesarios para que se forme una idea de su situación respecto a las cuestiones que tienen que ver con su salud, el *derecho a saber* del que hablábamos anteriormente. Se trataría de una manifestación del derecho a formar la conciencia, en un ámbito de su vida que resulta especialmente sensible a las convicciones, como es el de la salud. El derecho a la información sanitaria tiene, así comprendido, una relevancia constitucional independiente y valiosa en sí mismo, que trasciende su importante, pero no exclusiva función, de facilitar al paciente el posterior ejercicio de su derecho a decidir.

La Sentencia del Tribunal Supremo de 4 de abril de 2000, es un buen ejemplo de la viabilidad de esta perspectiva al reconocer que la falta de información provoca una situación de inconsciencia que genera un daño moral que es en sí mismo indemnizable, "esta situación de inconsciencia provocada por la falta de información imputable a la Administración sanitaria del riesgo existente, con absoluta independencia de la desgraciada cristalización en el resultado de la operación, que no es imputable causalmente a dicha falta de información o de que ésta hubiera tenido buen éxito, supone por sí misma un daño moral grave, distinto y ajeno al daño corporal derivado de la intervención"[99]. Esta resolución deja ver de forma clarividente que el fundamento constitucional del derecho a la información

---

[99]    S.T.S. (Sala Civil) de 4 de abril de 2000, FJ 5°.

en el ámbito de la sanidad también puede encontrarse en el derecho a la libertad de conciencia del artículo 16 CE.

Si en el caso del *derecho a decidir sobre la propia salud* indicábamos que, en todo caso, forma parte del contenido del derecho a la *integridad física y moral*, reconocido en el artículo 15 CE, y que solo algunas de estas decisiones, las que responden a convicciones (seculares o religiosas), caerían dentro de la órbita de protección del *derecho de libertad de conciencia* del artículo 16.1 CE. En el caso del *derecho a la información sanitaria*, creo que ocurre justo lo contrario, su satisfacción siempre repercute en el derecho de libertad de conciencia, en el derecho a saber; mientras que sólo en algunos casos se encuentra vinculada a la *integridad física y moral*, justo aquellos en los que la información tiene una conexión directa con la posterior toma de decisión (o, su falta, con un vicio de ésta).

## 3.2. *Contenido básico del derecho a la información asistencial y características de la información*

El derecho a la *información asistencial o clínica* es el derecho que tiene todo paciente "a conocer, con motivo de cualquier actuación en el ámbito de su salud, toda la información disponible sobre la misma, salvando los supuestos exceptuados por la ley" (art. 4.1 Ley 41/2002).

El único titular del derecho a la información asistencial es el paciente, sin perjuicio de que, en la medida en la que este de manera expresa o tácita lo permita, sean también informadas las personas vinculadas a él por razones familiares o de hecho (art. 5.1 Ley 41/2002). La normativa contempla, además, una serie de supuestos en los que dado que el titular no se encuentra en condiciones de ejercitar el derecho (incapacidad, necesidad terapéutica), el deber de informar se desplaza al representante legal o a las personas vinculadas a él (art. 5, apartados 2, 3 y 4).

La obligación de informar recae en "todo profesional que intervenga en la actividad asistencial" (art. 2.6 Ley 41/2002) y ha sido concebido como uno de los elementos esenciales de la *lex artis*[100]. La Ley de autonomía contempla la figura del médico responsable, encargado de coordinar la información y asistencia sanitaria del paciente y su máximo interlocutor (art. 4.3 Ley 41/2002), sin perjuicio de que el resto de profesionales que intervengan durante el proceso asistencial también tengan la obligación de informar sobre sus respectivas técnicas (art. 4.3 Ley 41/2002).

---

[100] Art. 4. 2 Ley 41/2002 y entre muchas otras: SS.T.S. RJ 1991\8844 (Contencioso-Administrativo), de 22 de noviembre, FJ 5°; RJ 1996\6084 (Sala Civil), de 31 de julio, FJ 2°; 830/1997 (Civil), de 2 de octubre, F.J.1°; 313/1999, de 13 de abril, FJ 4°; 849/2000 (Sala Civil), de 26 de septiembre, FJ 1°.

Por cuanto respecta al contenido de la información es necesario distinguir entre (1) la información que tiene derecho a recibir el paciente y (2) la información mínima que está obligado a proporcionar el profesional de la sanidad. Por un lado, el paciente tiene derecho a conocer *toda la información* obtenida respecto a su salud (art. 10.2 Convenio de Oviedo y art. 4.1 Ley 41/2002). En consecuencia el profesional de la sanidad tendrá el deber de facilitar al paciente, cuando éste lo requiera, *toda la información* de la que disponga acerca de la salud de éste. Por otro lado, la Ley configura un mínimo que, en todo caso, el profesional de la sanidad está obligado a facilitar y que comprende: (a) la finalidad de cada intervención, (b) la naturaleza de cada intervención; y (c) sus riesgos y sus consecuencias (art. 4.1 Ley 41/2002). Mínimo que, en los casos de intervención quirúrgica, procedimientos diagnósticos y terapéuticos invasores o procedimientos que suponen riesgos, se incrementa con los contenidos establecidos en el art. 10 de la Ley 41/2002[101].

Más acorde con lo que son las necesidades de la práctica médica cotidiana, la reciente Ley de Autonomía atenuando el rigor de la antigua Ley General Sanitaria, establece como *regla general* que la información se preste de forma *verbal*, aunque, en tal caso, el profesional de la sanidad debe dejar constancia escrita de la información que ha facilitado al paciente en la historia clínica (art. 4.1)[102]. La información debe ser *escrita*, en los casos de intervención quirúrgica, procedimientos diagnósticos y terapéuticos invasores y, que supongan riesgos (art. 8.3). Finalmente, la normativa también dispone que la información deba ser *veraz*, *comprensible*[103] y *adecuada*[104] (art. 4.2 Ley 41/2002). El deber de información no se agota en un momento determinado, "sino que recorre todo el «iter» por el que atraviesa la prestación de la actividad médica[105].

---

[101]  Sobre las cuestiones problemáticas que plantea la determinación y alcance del contenido de la información mínima, *vid*. TARODO SORIA, S., *Libertad de conciencia y derechos...*, *op. cit.*, págs. 300-303.

[102]  Esta constancia escrita, como hemos señalado anteriormente, ha demostrado ser un importante medio probatorio de que efectivamente se ha proporcionado la información, entre otras SS.T.S. de 31 de enero de 1996, 23 de septiembre de 1996; 27 de junio de 1997.

[103]  El requisito de comprensibilidad hace referencia al empleo de términos que el paciente puede entender, de forma que esté en condiciones de sopesar la necesidad o utilidad del fin y los métodos de la intervención frente a los riesgos, cargas o dolor que ésta supone, *cf.* MICHAUD, J., "Informe explicativo del Convenio...", *cit.*, apdo. 36.

[104]  *Adecuada* parece un "término bien escogido", pues su "cierta dosis de ambigüedad" permite acomodarse a la situación particular de cada paciente, *cf.* SIMÓN LORDA, P., *El consentimiento informado*, *cit.*, en especial, pág. 242.

[105]  SAPr Barcelona (Secc. 15ª), de 1 de diciembre de 1999, FJ 2º (AC 1999\2363).

## 3.3. El derecho a no ser informado

La normativa reconoce expresamente el derecho del paciente "a que se respete su voluntad de no ser informado" (art. 4.1 Ley 41/2002). Más que un derecho autónomo (carece de contenido propio), nos encontraríamos ante una forma de ejercicio del derecho a la *información asistencial o clínica*.

La renuncia a ser informado hace desaparecer la obligación de informar que recae en el profesional de la sanidad, con la única condición de que haga constar la renuncia documentalmente (art. 9.1 Ley 41/2002), pero no impide el ejercicio del derecho a decidir, ni consecuentemente, dispensa al facultativo del deber de obtener el consentimiento previo a cualquier intervención sanitaria (art. 9.1 Ley 41/2002). La ley contempla una serie de supuestos en los que no es posible que el paciente renuncie a la información: el interés de la salud del propio paciente, de terceros, de la colectividad y por las exigencias terapéuticas del caso (art. 9.1 Ley 41/2002).

## 4. LA LIBERTAD DE ELECCIÓN ENTRE LAS OPCIONES CLÍNICAS POSIBLES Y EL DERECHO A NEGARSE A RECIBIR TRATAMIENTOS MÉDICOS POR RAZONES DE CONCIENCIA

La Ley 41/2002 expresamente reconoce al paciente el *"derecho a negarse al tratamiento*, excepto en los casos determinados en la ley" (art. 2.4 Ley 41/2002).

## 4.1. El rechazo al tratamiento

El rechazo al tratamiento es una de las posibles formas de ejercicio del derecho a decidir sobre la propia salud, "derecho fundamental que [según el Tribunal Constitucional] conlleva una facultad negativa, que implica la imposición de un deber de abstención de actuaciones médicas salvo que se encuentren constitucionalmente justificadas, y, asimismo, una facultad de oposición a la asistencia médica, en ejercicio de un derecho de autodeterminación que tiene por objeto el propio sustrato corporal" [106].

Al rechazo al tratamiento "se ha anudado la ruptura del nexo relacional entre el médico y el paciente, como una consecuencia directa e ineluctable"[107]. En este sentido, el rechazo al tratamiento comporta la paradójica *obligación* de firmar el

---

[106] S.T.C. 154/2002, de 18 de julio, FJ 9.
[107] COBREROS MENDAZONA, E., *Los tratamientos sanitarios obligatorios*, cit., págs. 293 y 285; SIMÓN LORDA, P., *El consentimiento informado*, cit., pág. 293.

alta *voluntaria* (art. 21 Ley 41/2002), que de voluntaria tiene poco, como aguda-
mente señala SIMÓN LORDA[108]. Esta exigencia, que ya aparecía contemplada
en la L.G.S. (10.9 L.G.S.), ha recibido severas críticas de la doctrina por constituir
una medida que penaliza el ejercicio de un derecho[109]. La reciente Ley básica, ha
mantenido este requisito, pero lo ha rodeado de una serie de garantías: (1) la no
aceptación del tratamiento prescrito no puede dar lugar al alta forzosa cuando
existan *tratamientos alternativos*, aunque tengan carácter paliativo, siempre que
los preste el centro sanitario y el paciente acepte recibirlos; circunstancias éstas
que deberán quedar debidamente documentadas (art. 21.1 Ley 41/2002); (2) En
el caso de que el paciente no acepte el alta, la dirección del centro, previa comprobación del informe clínico correspondiente, debe oír al paciente y, si éste persiste
en su negativa, lo pondrá en *conocimiento del juez* para que confirme o revoque
la decisión (art. 21.2 Ley 41/2002).

## 4.2. Los límites al derecho a decidir

La jurisprudencia constitucional ha sostenido de forma reiterada y constante
que ningún derecho es absoluto e ilimitado, ni siquiera los derechos fundamentales lo son, pues también encuentran sus límites en los derechos de los demás
y, en general, en otros bienes y derechos constitucionalmente protegidos[110]. La
limitación del ejercicio de un derecho fundamental es, sin embargo, una medida
de extraordinaria gravedad[111], de forma que la propia Constitución y la jurisprudencia constitucional han establecido severas cautelas a su restricción[112].

---

[108]   *Cf.* SIMÓN LORDA, P., *El consentimiento informado, cit.*, pág. 258.
[109]   *Cf.* COBREROS MENDAZONA, E., *Los tratamientos sanitarios obligatorios cit.*, págs. 293 y
        285; SIMÓN LORDA, P., *El consentimiento informado, cit.*, págs. 258 y 259.
[110]   Entre otras: SS.T.C. 11/1981, F.J. 7°; 2/1982, F.J. 5°; 91/1983, F.J. 1°; 159/1986, F.J. 6°;196/1987,
        F.J.6°; 20/1990, F.J.4°; 57/1994, F.J.6°; 58/1998, F.J.3°; y, 157/2002, F.J.8°.
[111]   S.T.C. 26/1981, F.J. 14°.
[112]   El propio Tribunal Constitucional las ha sintetizado en la citada sentencia 37/2011 (S.T.C.
        37/2011, de 28 de marzo de 2011, F.J. 5° —BOE núm. 101, de 28 de abril de 2011—): "las li-
        mitaciones que se establezcan no pueden obstruir el derecho «más allá de lo razonable» (S.T.C.
        53/1986, fundamento jurídico 3), de modo que todo acto o resolución que limite derechos
        fundamentales ha de asegurar que las medidas limitadoras sean «necesarias para conseguir el
        fin perseguido» (SS.T.C. 62/1982, fundamento jurídico 5; 13/1985, fundamento jurídico 2) y ha
        de atender a la «proporcionalidad entre el sacrificio del derecho y la situación en que se halla
        aquel a quien se le impone» (S.T.C. 37/1989, fundamento jurídico 7) y, en todo caso, «respetar
        su [contenido] esencial (SS.T.C. 11/1981, fundamento jurídico 10, 196/1987, fundamentos ju-
        rídicos 4, 5 y 6, 197/1987, fundamento jurídico 11), si tal derecho aún puede ejercerse» (S.T.C.
        120/1990, de 27 de junio, FJ 8)". Un breve estudio de la doctrina constitucional de los límites a
        los derechos fundamentales puede consultarse en: TARODO SORIA, S., *Libertad de conciencia
        y derechos..., op. cit.*, págs. 340-344.

Los límites al derecho a decidir sobre la propia salud, aparecen regulados en el artículo 9.2 de la Ley 41/2002, en el que se contemplan dos supuestos: (a) cuando exista riesgo para la salud pública; y, (b) cuando exista riesgo inmediato y grave para la integridad psíquica o física del enfermo y no sea posible conseguir su autorización.

### 4.2.1. La situación de riesgo para la salud pública

La Ley 41/2002 recoge esta excepción en el art. 9.2 a), al habilitar a los facultativos para que lleven a cabo las intervenciones clínicas indispensables en favor de la salud del paciente, sin necesidad de contar con su consentimiento, en el caso de que exista *riesgo para la salud pública* a causa de razones sanitarias establecidas por la ley.

Como puede observarse, la normativa se remite a las *"razones sanitarias establecidas por la ley"*, con la finalidad de evitar que se adopten medidas restrictivas de un derecho fundamental sin respetar el principio de legalidad. Un análisis detallado de la legislación vigente permite descubrir qué supuestos relaciona el legislador con el *riesgo para la salud pública*: las epidemias y enfermedades transmisibles[113], la higiene y tecnología que afecte a los alimentos de consumo humano[114], la denominada sanidad ambiental[115], la publicidad y propaganda de contenido sanitario[116], las actividades y funcionamiento de los centros sanitarios[117], la producción, suministro y dispensa de medicamentos[118], la entrada de mercancías y de personas en el Estado[119]; y, la fabricación, tráfico y distribución de productos estupefacientes[120].

Se trata de supuestos en los que en caso de conflicto entre el ejercicio del derecho a decidir sobre la propia salud y la salud pública, el legislador hace prevalecer esta última, situación que, en casos extremos, puede significar incluso la imposición coactiva de un tratamiento obligatorio[121]. La primacía de la salud

---

[113]   Arts. 8.1 y 39 de la L.G.S.; y, artículo 3 de la L.O.S.P.
[114]   Arts. 8.2; 40.2, 3, y 4 de la L.G.S.; y, artículos 359, 360, 363, 364 y 365 del C.P.
[115]   Arts. 19, 39 y 40.1 de la L.G.S.; y artículo 365 del C.P.
[116]   Art. 27 de la L.G.S.
[117]   Arts. 30 y 40.7 de la L.G.S.
[118]   Art. 40.5 de la L.G.S. artículo 4 de la L.O.S.P.; y, artículos 361 y 362 del C.P.
[119]   Art. 38.2 de la L.G.S.
[120]   Arts. 301 a 304, y, 368 a 372 C.P.
[121]   Un completo estudio sobre esta cuestión puede consultarse en COBREROS MENDAZONA, E., *Los tratamientos sanitarios obligatorios, cit.*; HERVADA, J., "Libertad de conciencia y error sobre la moralidad de una terapéutica", en *Persona y Derecho*, 1984. En la doctrina italiana, *Cf.* AA.VV. *Trattamenti Sanitari fra libertá e doverositá, Atti del Convengo de Studi, Roma 1 dic. 1982,* Jovene Editore Napoli, 1983; CLARIZIA, A., *"Trattamenti sanitari obbligatori",*

pública, no obstante, no es absoluta, la Ley General Sanitaria condiciona el alcance de la intervención obligatoria al cumplimiento de una serie de *principios*: (1) preferencia de la colaboración voluntaria con las autoridades sanitarias; (2) prohibición de ordenar medidas obligatorias que conlleven riesgos para la vida; (3) proporcionalidad con los fines que las limitaciones sanitarias en cada caso se persigan; y, (4) mínimo perjuicio al principio de libre circulación de las personas y de los bienes, la libertad de empresa y cualesquiera otros derechos afectados (art. 28 L.G.S.).

Por cuanto respecta al alcance de la medida restrictiva, la intervención pública coercitiva va unida a la eliminación de los riesgos para la salud colectiva, de forma que ha de cesar tan pronto como los riesgos queden excluidos (art. 25.3 L.G.S.), no pudiendo exceder de lo que exija la situación de riesgo inminente y extraordinario que la justificó (art. 26.2 L.G.S.).

## 4.2.2. Cuando exista riesgo inmediato y grave para la integridad psíquica o física del enfermo y no sea posible conseguir su autorización

Para dar una interpretación adecuada al supuesto contemplado en el artículo 9.2 de la Ley 41/2002, es necesario referirse a su antecedente: el derogado artículo 10.6 c) de la Ley General Sanitaria, que establecía, como excepción a la necesidad de consentimiento del paciente, "la urgencia que no permita demoras por poder ocasionar lesiones irreversibles o existir peligro de fallecimiento". La doctrina dirigió sus críticas a la redacción de este supuesto, pues admitía una lectura tan proclive al paternalismo que en la práctica podía vaciar de contenido el derecho del paciente a decidir sobre las cuestiones que afectaran a su propia salud[122].

En este contexto, al elemento (1) ya contemplado por la Ley General Sanitaria de existencia "de riesgo inmediato y grave para la integridad física o psíquica del paciente", la Ley 41/2002 básica reguladora de la autonomía del paciente, añade un segundo requisito (2) "y no es posible conseguir su autorización". De donde se

---

en *Dizionario di Diritto Sanitario*, GIANNINI M.S; y DE CESARE, G., (ed.) Giuffrè, Milán, 1984, págs. 561-585; MODUGNO, F., *"Trattamenti sanitari "non obbligatori" e costituzione (a proposito del rifiuto delle trasfusioni di sangue)"*, Dir. e Soc., 1982, págs. 302-334. MORINI, O., e MACRI, L., *"Obbligatorietà delle vaccinazioni: aspetti medico legali"*, Riv. It. Med. Leg., 1997, 19, 885-903; PANUNZIO, S.P., *"Trattamenti sanitari obbligatori e costituzione (a proposito della disciplina delle vaccinazioni)"*, Diritto e Società, 4, 1979, págs. 875-909; PARODI, G.M., *"Trattamenti sanitari obbligatori, libertà di coscienza e rispetto della persona umana"*, Il Foro Italiano, 1984, págs. 2656-2661.

122   *Cf.* SIMÓN LORDA, P., El consentimiento informado, *cit.*, pág. 264.

desprende que la conjunción copulativa debe ser interpretada de forma estricta, es decir, que para que se aplique esta excepción es necesario que se produzcan simultáneamente las dos circunstancias: (1) una situación de urgencia grave para la salud física o psíquica del paciente; y (2) la imposibilidad de obtener una manifestación de su voluntad.

El primero de los elementos, la *urgencia grave*, se da cuando concurren dos circunstancias: (a) una situación de *urgencia*, que no hace referencia a todas las situaciones que médicamente son susceptibles de recibir este calificativo[123], sino a la inexistencia de tiempo material para informar, pues todo él se necesita para atender con premura al paciente[124]; y, (b) una condición de *gravedad*, que se produce cuando existe peligro de fallecimiento o de lesiones irreversibles para la salud física o psíquica del paciente.

Aunque la Ley no haga una referencia expresa al respecto, en la medida en la que la urgencia lo permita, debería consultarse el documento de instrucciones previas que contiene la manifestación anticipada de los deseos del paciente, pues nos encontramos ante una situación de las previstas en el artículo 11.1 Ley 41/2002, en la que el paciente no es capaz de expresar personalmente su voluntad.

El clásico supuesto de rechazo de tratamiento, vinculado al derecho de libertad de conciencia, en el que se puede apreciar una evolución jurisprudencial en el mismo sentido que los cambios normativos que acabamos de analizar ha sido el rechazo a las transfusiones sanguíneas por parte de los Testigos de Jehová[125]. En las primeras resoluciones de principios de los ochenta del siglo pasado[126], se observa una tendencia a justificar la intervención forzosa en contra de la voluntad del paciente[127]. En

---

[123]   *Ibídem*, pág. 264.

[124]   *Cf.* APPELBAUM; P.S.; LIDZ, C.W.; y, MEISEL, A.; *Informed consent, Legal Theory and Clinical Practice*, Oxford University Press, Nueva York-Oxford, 1987, pág. 68.

[125]   Un excelente análisis de la evolución de la jurisprudencia del Tribunal Supremo y Tribunal Constitucional hasta 1997, se puede consultar en: CASTRO JOVER, A., "La libertad de conciencia y la objeción de conciencia individual en la jurisprudencia constitucional española", en *La libertad religiosa y de conciencia ante la justicia constitucional*, J. MARTÍNEZ TORRÓN (ed.) *Actas del VIII Congreso Internacional de Derecho Eclesiástico del Estado, Granada, 13-16 de mayo de 1997*, Comares, Granada, 1998, págs. 133-186, en especial 174-183.

[126]   ATS de 14 de marzo de 1979; ATS de 22 de diciembre de 1983, ATS de 25 de enero de 1984; A.T.C. 369/1984 de 20 de junio.

[127]   La doctrina se ha mostrado muy crítica con estas resoluciones. Limitar el ejercicio del derecho a decidir libremente sobre las cuestiones que afectan a la propia salud, invocando el derecho a la vida "es algo que tiene poco soporte en nuestro ordenamiento jurídico actual [...] Lo cual no evita que se sigan invocando a veces este tipo de argumentos por parte de jueces y fiscales, y que, incluso, tanto el mismo Tribunal Supremo como el Tribunal Constitucional se hayan deslizado a veces hacia estas posiciones, por ejemplo, y es un caso típico, en el de los Testigos de Jehová. Posiblemente ello se deba a que ni nuestro Derecho ni las personas que lo aplican han completado todavía el cambio sustancial de mentalidad que exige el paso de un Derecho

las resoluciones de la década de los 90[128], se comienza a instaurar la idea de que la intervención coactiva supondría la vulneración de un derecho fundamental. Los tribunales distinguen los casos del adulto capaz, cuya voluntad de no ser trasfundido es necesario respetar; y del menor de edad, que se encuentra especialmente protegido[129]. En las sentencias más recientes, aparece consolidado el argumento de que en el caso del adulto capaz es necesario respetar su voluntad, "aun cuando pudiera conducir a un resultado fatal" [130].

## 5. LOS MENORES DE EDAD E INCAPACITADOS ANTE EL DERECHO A DECIDIR SOBRE LA PROPIA SALUD

*5.1. El régimen general aplicable al menor de edad y al incapacitado en materia de consentimiento informado en el ámbito sanitario: el Convenio de Oviedo del Consejo de Europa relativo a los Derechos Humanos y la Biomedicina, y la Ley 41/2002, de 14 de noviembre, de Autonomía del Paciente*

La falta de regulación expresa en materia de consentimiento informado de menores en la Ley 14/1986, de 25 de abril, General de Sanidad —salvo la alusión

---

de corte *iusnaturalista* y paternalista a un Derecho liberal y democrático" (SIMÓN LORDA, P., *El consentimiento informado, cit.*, pág. 181).

[128]   S.T.S. de 14 de abril de 1993 (Ar.3338) S.T.C. 166/1996, de 28 de octubre.

[129]   Menor de edad *"suficientemente maduro"* habría que añadir, atendiendo a la S.T.C. 154/2002, que reconoce relevancia a la voluntad de un menor de edad de trece años, al entender que tiene capacidad y suficiente madurez para ejercitar por sí mismo el derecho personalísimo a la libertad religiosa (S.T.C. 154/2002, de 18 de julio de 2002, F.J. 9 "a").

[130]   En palabras del Tribunal Constitucional (S.T.C. 37/2011, de 28 de marzo de 2011, F.J. 5º (BOE núm. 101, de 28 de abril de 2011): "de acuerdo con lo expuesto, podemos avanzar que el consentimiento del paciente a cualquier intervención sobre su persona es algo inherente, entre otros, a su derecho fundamental a la integridad física, a la facultad que éste supone de impedir toda intervención no consentida sobre el propio cuerpo, que no puede verse limitada de manera injustificada como consecuencia de una situación de enfermedad. Se trata de una facultad de autodeterminación que legitima al paciente, en uso de su autonomía de la voluntad, para decidir libremente sobre las medidas terapéuticas y tratamientos que puedan afectar a su integridad, escogiendo entre las distintas posibilidades, consintiendo su práctica o rechazándolas. Ésta es precisamente la manifestación más importante de los derechos fundamentales que pueden resultar afectados por una intervención médica: la de decidir libremente entre consentir el tratamiento o rehusarlo, posibilidad que ha sido admitida por el TEDH, aun cuando pudiera conducir a un resultado fatal" (STEDH de 29 de abril de 2002, caso Pretty c. Reino Unido, § 63), y también por este Tribunal (S.T.C. 154/2002, de 18 de julio, FJ 9).

indirecta en su artículo 10.6.b), hoy derogado por la Ley 41/2002, de Autonomía del Paciente[131]—, hacía a todas luces necesaria una normativa específica. Esta regulación llegó precisamente desde un plano supranacional a través del Convenio de Oviedo del Consejo de Europa relativo a los Derechos Humanos y a la Biomedicina de 4 de abril de 1997, ratificado por España en 1999, y que entró en vigor en nuestro país el 1 de enero de 2000. En su artículo 6 se hace referencia expresa tanto a la situación de los menores como de los incapaces a la hora de manifestarse el consentimiento informado[132]. Este artículo, que lleva precisamente por título: "Protección de las personas que no tengan capacidad para expresar su consentimiento", se asienta en tres principios esenciales predicables tanto para el menor de edad que según la ley no tenga capacidad para consentir la intervención, como para el mayor de edad incapaz:

1.º Sólo podrán autorizarse aquellas intervenciones médicas que redunden en beneficio directo de la persona que no tienen capacidad para consentirla.

---

[131]  El art. 10.6 de la Ley general de Sanidad disponía que "todos tienen los siguientes derechos con respecto a las distintas administraciones públicas sanitarias:
6. A la libre elección entre las opciones que le presente el responsable médico de su caso, siendo preciso el previo consentimiento escrito del usuario para la realización de cualquier intervención, excepto en los siguientes casos:
a) Cuando la no intervención suponga un riesgo para la salud pública.
b) Cuando no esté capacitado para tomar decisiones, en cuyo caso, el derecho corresponderá a sus familiares o personas a él allegadas.
c) Cuando la urgencia no permita demoras por poderse ocasionar lesiones irreversibles o existir peligro de fallecimiento".

[132]  El artículo 6 del Convenio de Oviedo, titulado: "Protección de las personas que no tengan capacidad para expresar su consentimiento", establece lo siguiente:
"1. A reserva de lo dispuesto en los artículos 17 y 20, sólo podrá efectuarse una intervención a una persona que no tenga capacidad para expresar su consentimiento cuando redunde en su beneficio directo.
2. Cuando, según la ley, un menor no tenga capacidad para expresar su consentimiento para una intervención, ésta sólo podrá efectuarse con autorización de su representante, de una autoridad o de una persona o institución designada por la ley.
La opinión del menor será tomada en consideración como un factor que será tanto más determinante en función de su edad y su grado de madurez.
3. Cuando, según la ley, una persona mayor de edad no tenga capacidad, a causa de una disfunción mental, una enfermedad o un motivo similar, para expresar su consentimiento para una intervención, ésta no podrá efectuarse sin la autorización de su representante, una autoridad o una persona o institución designada por la ley.
La persona afectada deberá intervenir, en la medida de lo posible, en el procedimiento de autorización.
4. El representante, la autoridad, persona o institución indicados en los apartados 2 y 3, recibirán, en iguales condiciones, la información a que se refiere el artículo 5.
5. La autorización indicada en los apartados 2 y 3 podrá ser retirada, en cualquier momento, en interés de la persona afectada".

2.º En estos casos, la autorización a la intervención vendrá dada por su representante legal, autoridad o persona designada por la ley.

3.º En ambos supuestos se tendrá en consideración, en la medida de lo posible y según las circunstancias personales, la opinión de la persona carente de capacidad para consentir; en particular, y con referencia al menor de edad, su opinión será tenida en cuenta "como un factor que será tanto más determinante en función de su edad y su grado de madurez".

En este artículo 6 del Convenio se recoge la regla general en materia de consentimiento informado de menores e incapacitados a las intervenciones médicas; no obstante, más adelante, en sus artículos 17 y 20 establece un régimen especial y más restrictivo para este colectivo frente a la práctica de experimentos científicos y la extracción de órganos, respectivamente. El régimen general se completa con los artículos 7 ("Protección de las personas que sufran trastornos mentales"[133]) y 8 ("Situaciones de urgencia"[134]) del Convenio de Oviedo.

Con posterioridad, ante la necesidad de desarrollar el régimen establecido en el Convenio de Oviedo, en nuestro Derecho interno, se aprueba la Ley 41/2002, de 14 de noviembre, Básica reguladora de la Autonomía del Paciente y de derechos y obligaciones en materia de información y documentación clínica (LAP).

Esta norma establece como principios básicos del paciente y con carácter general el derecho a obtener la información necesaria sobre su estado y la actuación sanitaria; el derecho a consentir una hipotética intervención una vez recibida la información pertinente (consentimiento informado); y, en principio, el derecho a negarse a la práctica de dicha intervención. En toda actuación médica deberá respetarse la dignidad de la persona, su voluntad y su intimidad (art. 2 LAP)[135].

---

[133] Artículo 7 del Convenio de Oviedo: "Protección de las personas que sufran trastornos mentales".
"La persona que sufra un trastorno mental grave sólo podrá ser sometida, sin su consentimiento, a una intervención que tenga por objeto tratar dicho trastorno, cuando la ausencia de este tratamiento conlleve el riesgo de ser gravemente perjudicial para su salud y a reserva de las condiciones de protección previstas por la ley, que comprendan los procedimientos de supervisión y control, así como los de recurso".

[134] Artículo 8 del Convenio de Oviedo: "Situaciones de urgencia".
"Cuando, debido a una situación de urgencia, no pueda obtenerse el consentimiento adecuado, podrá procederse inmediatamente a cualquier intervención indispensable desde el punto de vista médico en favor de la salud de la persona afectada".

[135] Artículo 2 LAP: "Principios básicos".
"1. La dignidad de la persona humana, el respeto a la autonomía de su voluntad y a su intimidad orientarán toda la actividad encaminada a obtener, utilizar, archivar, custodiar y transmitir la información y la documentación clínica.
2. Toda actuación en el ámbito de la sanidad requiere, con carácter general, el previo consentimiento de los pacientes o usuarios. El consentimiento, que debe obtenerse después de que el paciente reciba una información adecuada, se hará por escrito en los supuestos previstos en la Ley.

En los capítulos segundo y cuarto de la Ley de Autonomía del Paciente se regulan, respectivamente, el derecho a recibir información y el respeto de la autonomía del paciente cuando manifieste su consentimiento informado a la actuación médica o su rechazo. Respecto al derecho de información sanitaria establece el artículo 5.2 de la Ley que "el paciente será informado, incluso en caso de incapacidad, de modo adecuado a sus posibilidades de comprensión, cumpliendo con el deber de informar también a su representante legal". Además en el artículo 5.3 señala que "cuando el paciente, según el criterio del médico que le asiste, carezca de capacidad para entender la información a causa de su estado físico o psíquico, la información se pondrá en conocimiento de las personas vinculadas a él por razones familiares o de hecho".

En materia de consentimiento informado destacan los artículos 8 y 9 de la Ley de Autonomía del Paciente. El artículo 8, titulado: "Consentimiento informado", dispone lo siguiente:

> "1. Toda actuación en el ámbito de la salud de un paciente necesita el consentimiento libre y voluntario del afectado, una vez que, recibida la información prevista en el artículo 4, haya valorado las opciones propias del caso.
>
> 2. El consentimiento será verbal por regla general. Sin embargo, se prestará por escrito en los casos siguientes: intervención quirúrgica, procedimientos diagnósticos y terapéuticos invasores y, en general, aplicación de procedimientos que suponen riesgos o inconvenientes de notoria y previsible repercusión negativa sobre la salud del paciente.
>
> 3. El consentimiento escrito del paciente será necesario para cada una de las actuaciones especificadas en el punto anterior de este artículo, dejando a salvo la posibilidad de incorporar anejos y otros datos de carácter general, y tendrá información suficiente sobre el procedimiento de aplicación y sobre sus riesgos.
>
> 4. Todo paciente o usuario tiene derecho a ser advertido sobre la posibilidad de utilizar los procedimientos de pronóstico, diagnóstico y terapéuticos que se le apliquen en un proyecto docente o de investigación, que en ningún caso podrá comportar riesgo adicional para su salud.
>
> 5. El paciente puede revocar libremente por escrito su consentimiento en cualquier momento".

---

3. El paciente o usuario tiene derecho a decidir libremente, después de recibir la información adecuada, entre las opciones clínicas disponibles.

4. Todo paciente o usuario tiene derecho a negarse al tratamiento, excepto en los casos determinados en la Ley. Su negativa al tratamiento constará por escrito.

5. Los pacientes o usuarios tienen el deber de facilitar los datos sobre su estado físico o sobre su salud de manera leal y verdadera, así como el de colaborar en su obtención, especialmente cuando sean necesarios por razones de interés público o con motivo de la asistencia sanitaria.

6. Todo profesional que interviene en la actividad asistencial está obligado no sólo a la correcta prestación de sus técnicas, sino al cumplimiento de los deberes de información y de documentación clínica, y al respeto de las decisiones adoptadas libre y voluntariamente por el paciente.

7. La persona que elabore o tenga acceso a la información y la documentación clínica está obligada a guardar la reserva debida".

Por su parte, se completa la prescripción anterior con el artículo 9, titulado: "Límites del consentimiento informado y consentimiento por representación", cuyo tenor expresa lo siguiente:

"1. La renuncia del paciente a recibir información está limitada por el interés de la salud del propio paciente, de terceros, de la colectividad y por las exigencias terapéuticas del caso. Cuando el paciente manifieste expresamente su deseo de no ser informado, se respetará su voluntad haciendo constar su renuncia documentalmente, sin perjuicio de la obtención de su consentimiento previo para la intervención.

2. Los facultativos podrán llevar a cabo las intervenciones clínicas indispensables en favor de la salud del paciente, sin necesidad de contar con su consentimiento, en los siguientes casos:

a) Cuando existe riesgo para la salud pública a causa de razones sanitarias establecidas por la Ley. En todo caso, una vez adoptadas las medidas pertinentes, de conformidad con lo establecido en la Ley Orgánica 3/1986, se comunicarán a la autoridad judicial en el plazo máximo de 24 horas siempre que dispongan el internamiento obligatorio de personas.

b) Cuando existe riesgo inmediato grave para la integridad física o psíquica del enfermo y no es posible conseguir su autorización, consultando, cuando las circunstancias lo permitan, a sus familiares o a las personas vinculadas de hecho a él.

3. Se otorgará el consentimiento por representación en los siguientes supuestos:

a) Cuando el paciente no sea capaz de tomar decisiones, a criterio del médico responsable de la asistencia, o su estado físico o psíquico no le permita hacerse cargo de su situación. Si el paciente carece de representante legal, el consentimiento lo prestarán las personas vinculadas a él por razones familiares o de hecho.

b) Cuando el paciente esté incapacitado legalmente.

c) Cuando el paciente menor de edad no sea capaz intelectual ni emocionalmente de comprender el alcance de la intervención. En este caso, el consentimiento lo dará el representante legal del menor después de haber escuchado su opinión si tiene doce años cumplidos. Cuando se trate de menores no incapaces ni incapacitados, pero emancipados o con dieciséis años cumplidos, no cabe prestar el consentimiento por representación. Sin embargo, en caso de actuación de grave riesgo, según el criterio del facultativo, los padres serán informados y su opinión será tenida en cuenta para la toma de la decisión correspondiente.

4. La práctica de ensayos clínicos y de técnicas de reproducción humana asistida se rige por lo establecido con carácter general sobre la mayoría de edad y por las disposiciones especiales de aplicación.

5. La prestación del consentimiento por representación será adecuada a las circunstancias y proporcionada a las necesidades que haya que atender, siempre en favor del paciente y con respeto a su dignidad personal. El paciente participará en la medida de lo posible en la toma de decisiones a lo largo del proceso sanitario. Si el paciente es una persona con discapacidad, se le ofrecerán las medidas de apoyo pertinentes, incluida la información en formatos adecuados, siguiendo las reglas marcadas por el principio del diseño para todos de manera que resulten accesibles y comprensibles a las personas con discapacidad, para favorecer que pueda prestar por sí su consentimiento".

Este último precepto debe ser analizado con más detalle. De su lectura destacan los siguientes aspectos:

En primer lugar, es importante resaltar que la Ley de Autonomía del Paciente establece un régimen general aplicable en materia de protección al paciente en el ámbito sanitario asentado en tres principios fundamentales: el derecho a recibir una información clara y objetiva sobre su salud y las posibles opciones de tratamiento; el derecho a consentir un determinado tratamiento médico sobre su persona una vez se encuentre plenamente informado de los riesgos presentes o, en su caso, no consentirlo; y, por último, aunque no será objeto de estudio en esta parte, el derecho a la confidencialidad de su historia y documentación clínicas. Estos tres derechos básicos del paciente se articulan desde la perspectiva del médico como deberes; es decir, el facultativo médico tiene el deber de informar al paciente; el deber de obtener su consentimiento a la práctica de cualquier intervención médica; y el deber de velar por su historial médico.

En segundo lugar, de su lectura se extrae una conclusión clara; si bien la Ley de Autonomía del Paciente articula un régimen general en materia sanitaria —en particular, sobre información y consentimiento informado del paciente—, es evidente que reserva un régimen específico a determinadas actuaciones médicas concretas que disponen de una legislación especial, entre ellas, la práctica de ensayos clínicos y de técnicas de reproducción humana.

Además, y centrando la cuestión en la obtención del consentimiento del paciente a una intervención médica, del artículo 9 de la Ley de Autonomía del Paciente se distinguen diferentes situaciones subjetivas que, de hecho, conllevan una actuación específica por parte de los facultativos. De este modo, diferencia entre pacientes que, por su concreta situación, se encuentran puntualmente incapaces de prestar un consentimiento válido, a pesar de que en su estado anterior eran mayores de edad plenamente capaces; también habla de pacientes que están incapacitados legalmente; asimismo, se refiere a los pacientes menores de edad; y, por último, hace una referencia expresa a los pacientes discapacitados. Todas estas situaciones subjetivas han de ser claramente diferenciadas.

Por último, es importante recordar que el artículo 9 de la Ley de Autonomía del Paciente ha sufrido dos importantes modificaciones desde su aprobación. La más reciente como consecuencia de la aprobación de la Ley 26/2011, de 1 de agosto, de adaptación normativa a la Convención internacional sobre los derechos de las personas con discapacidad, con lo que se añade el último párrafo del apartado quinto que hace referencia expresa a los pacientes con discapacidad. La anterior modificación del artículo 9 de la Ley de Autonomía del Paciente tiene lugar como consecuencia de la aprobación de la Ley Orgánica 2/2010, de 3 de marzo, de Salud sexual y reproductiva y de la interrupción voluntaria del embarazo, y tiene como consecuencia que la mención expresa a la interrupción voluntaria del embarazo recogida hasta entonces en su apartado cuarto —junto a la práctica de ensayos clínicos y de técnicas de reproducción humana— desaparezca[136].

## 5.2. *Jerarquía, diversidad y búsqueda de coherencia normativa sobre la materia*

Pese a que este estudio se va a centrar principalmente sobre la Ley de Autonomía del Paciente, es fundamental tener presente un esquema básico de la normativa aplicable a esta materia y de su jerarquía. Para ello, han de tenerse en cuenta dos datos principales. Por un lado, la distinción entre instrumentos normativos nacionales e internacionales y, por el otro, dentro de los nacionales, la distinta fuerza vinculante de la regulación teniendo en cuenta su jerarquía normativa y la distinción entre normas estatales y autonómicas.

Con relación a la distinción entre instrumentos nacionales o internacionales en cuanto a su origen, la diferencia no resulta en la práctica tan importante, pues en el fondo para ser considerado derecho interno deberá estar ratificado por el Estado español e incorporado a su derecho nacional. No obstante, es interesante tener en cuenta este origen internacional pues revela una preocupación global sobre la materia. A título de ejemplo, basta señalar el Convenio de Oviedo relativo a los derechos humanos y la biomedicina de 4 de abril de 1997, ratificado por nuestro país por Instrumento de 23 de julio de 1999, y en vigor en España desde el 1 de enero de 2000.

Pasando al análisis del derecho interno, ha de distinguirse entre la normativa estatal y la desarrollada por las Comunidades Autónomas que han asumido la competencia en materia de sanidad e higiene (art. 148.1.21º CE). Sin embargo, debe tenerse en cuenta que la regulación estatal sobre la materia, como es el caso de la Ley 41/2002, de 14 de noviembre, de Autonomía del Paciente, posee el carácter de legislación básica, por lo que la Comunidades Autónomas están obligadas a hacerla efectiva en sus respectivos territorios[137].

---

[136]   El artículo 9 LAP, titulado: "Límites del consentimiento informado y consentimiento por representación", disponía en su versión originaria —con antelación a ambas reformas—, en sus apartados cuarto y quinto, lo siguiente:
«4. La interrupción voluntaria del embarazo, la práctica de ensayos clínicos y la práctica de técnicas de reproducción humana asistida se rigen por lo establecido con carácter general sobre la mayoría de edad y por las disposiciones especiales de aplicación.
5. La prestación del consentimiento por representación será adecuada a las circunstancias y proporcionada a las necesidades que haya que atender, siempre en favor del paciente y con respeto a su dignidad personal. El paciente participará en la medida de lo posible en la toma de decisiones a lo largo del proceso sanitario».

[137]   Al respecto, la Disposición Adicional primera de la LAP, titulada: Carácter de legislación básica, dispone:

Desde una estricta perspectiva de jerarquía normativa se debe comenzar resaltando los principios que recoge la Constitución española (CE) sobre la materia, en concreto en los artículos 10 (derechos de la persona)[138], 12 (mayoría de edad a los 18 años), 15 (derecho a la vida y a la integridad física y moral), 16 (derecho a las libertades ideológica, religiosa y de conciencia), 18 (derecho a la intimidad), 39 (protección a la familia y a la infancia)[139], 43.1 y 2 (protección a la salud)[140] y 49 (atención a los disminuidos físicos y psíquicos)[141], entre otros. A estas normas de rango constitucional le seguirían por orden jerárquico las normas con rango de Ley Orgánica. En concreto, destacan la Ley Orgánica 1/1996, de Protección Jurídica del Menor y la Ley Orgánica 2/2010, de Salud sexual y reproductiva y de la interrupción voluntaria del embarazo. Con rango de simple ley, estaría la regulación vigente en el Código civil, y otras normas especiales que afectan al tema objeto de análisis y a las que se hará referencia explícitamente más adelante, entre las que destacan la Ley 41/2002, de 14 de noviembre, de Autonomía del Paciente, y la Ley 14/2007, de 3 de junio, de investigación biomédica, entre otras.

---

      "Esta Ley tiene la condición de básica, de conformidad con lo establecido en el artículo 149.1.1ª y 16ª de la Constitución.

El Estado y las Comunidades Autónomas adoptarán, en el ámbito de sus respectivas competencias, las medidas necesarias para la efectividad de esta Ley".

[138]    Artículo 10 CE:

"1. La dignidad de la persona, los derechos inviolables que le son inherentes, el libre desarrollo de la personalidad, el respeto a la ley y a los derechos de los demás son fundamento del orden político y de la paz social.

2. Las normas relativas a los derechos fundamentales y a las libertades que la Constitución reconoce se interpretarán de conformidad con la Declaración Universal de Derechos Humanos y los tratados y acuerdos internacionales sobre las mismas materias ratificados por España".

[139]    El art. 39 CE dispone lo siguiente:

"1. Los poderes públicos aseguran la protección social, económica y jurídica de la familia.

2. Los poderes públicos aseguran, asimismo, la protección integral de los hijos, iguales éstos ante la ley con independencia de su filiación, y de las madres, cualquiera que sea su estado civil. La ley posibilitará la investigación de la paternidad.

3. Los padres deben prestar asistencia de todo orden a los hijos habidos dentro o fuera del matrimonio, durante su minoría de edad y en los demás casos en que legalmente proceda.

4. Los niños gozarán de la protección prevista en los acuerdos internacionales que velan por sus derechos".

[140]    A tenor del art. 43.1 y 2 CE:

"1. Se reconoce el derecho a la protección de la salud.

2. Compete a los poderes públicos organizar y tutelar la salud pública a través de medidas preventivas y de las prestaciones y servicios necesarios. La ley establecerá los derechos y deberes de todos al respecto".

[141]    De acuerdo con el art. 49 CE: "Los poderes públicos realizaran una política de previsión, tratamiento, rehabilitación e integración de los disminuidos físicos, sensoriales y psíquicos, a los que prestarán la atención especializada que requieran y los ampararán especialmente para el disfrute de los derechos que este Título otorga a todos los ciudadanos".

Ante este contexto normativo es necesario resaltar dos cuestiones importantes. Por un lado, serán estas normas con rango de simple ley —en especial, el Código civil y la Ley de Autonomía del Paciente— las que definan el marco legal general en materia de consentimiento informado del menor y del incapaz. Por otro lado, es necesario recordar que la evolución que ha experimentado la relación médico-paciente, desde un precedente sistema sanitario de beneficencia al actual sistema asentado en la autonomía del paciente, tiene lugar con posterioridad a la Constitución española. De este modo, la doctrina ha tratado de reinterpretar el consentimiento informado —pilar del sistema sanitario de autonomía del paciente— vinculándolo con alguno o algunos de los principios recogidos en la Constitución. En esta búsqueda de la constitucionalidad del consentimiento informado, la tesis más asentada lo ha vinculado al ejercicio del derecho fundamental a la integridad física[142].

Es importante tratar de dotar de coherencia, dentro de lo posible, la aplicación de los diferentes mandatos normativos relativos directa o indirectamente a esta cuestión (CE, Código civil y legislación orgánica y ordinaria especial). Y esta cuestión no es otra que la de establecer de forma clara hasta dónde alcanza la capacidad del menor y, en su caso, de los incapaces, para decidir sobre su propia salud de forma autónoma, o, por el contrario, en qué supuestos el consentimiento de dichos menores e incapaces es sustituido por el de sus representantes legales (padres o tutores), o ha de venir acompañado también del consentimiento de éstos.

Además, es fundamental tener en cuenta que el estudio particularizado de esta materia se integra en un engranaje mucho más amplio que hace referencia a la capacidad de obrar o a la falta de ella en el caso de los menores y de los incapacitados. Regulación que en múltiples situaciones carece de previsión expresa, por lo que, en la práctica, debe acudirse a una interpretación integradora por parte de los tribunales. De este modo, debe señalarse que frente a una regulación muy genérica y difusa recogida en el Código civil y completada por la Ley Orgánica de Protección Jurídica del Menor, existen paralelamente otras regulaciones específi-

---

[142] En este sentido, se pronuncia GARCÍA LLERENA, tras analizar las diferentes tesis sobre la materia (vid. *El consentimiento informado del paciente menor o incapaz: Actos propios y de sustitución* —Tesis doctoral—, Universidad de A Coruña, 2011, págs. 271 y ss.). Asimismo, resalta la autora citada que "desde el punto de vista normativo, la interpretación aquí ofrecida sobre la naturaleza jurídica del consentimiento informado encuentra apoyo en la Carta de Derechos Fundamentales de la Unión Europea, que regula el consentimiento del paciente no en el art. 10, referido a la libertad de pensamiento, conciencia y religión, ni en el art. 35 que contempla el derecho a la protección de la salud, sino en el art. 3.2, dentro del ámbito de protección del derecho a la integridad física y psíquica" (*op. cit.*, pág. 317). Otra de las tesis propuestas por la doctrina española es la ofrecida por TARODO SORIA, que vincula el consentimiento informado en el ámbito sanitario a la libertad de conciencia implícitamente sancionada en el art. 16 CE (vid. TARODO SORIA, S., *Libertad de conciencia y derechos...*" *op. cit.*, pág. 232).

cas en materia sanitaria que, en ocasiones, parecen producir la impresión de una cierta distorsión con este régimen general de capacidad[143].

En definitiva, habrá que estar muy atentos a la actuación de los representantes legales de los menores e incapacitados (padres, tutores, curadores, defensores judiciales), de la autoridad judicial y de los facultativos en las intervenciones médicas de menores e incapaces. Asimismo, se atendrá al tipo concreto de intervención médica en cada caso. Y por último, aunque representando el primero de los criterios a aplicar, se deberá valorar la específica situación en materia de capacidad del menor de edad (emancipado o no emancipado, menor inmaduro o maduro) o del incapacitado, combinando en estos casos los criterios de madurez individual y edad.

### 5.3. *Las categorías de menor de edad y de incapacitado: su repercusión en la capacidad de obrar de la persona y en su derecho a decidir sobre su salud*

En el estudio de las categorías jurídicas de la minoría de edad y de la incapacitación se involucran inevitablemente los conceptos tradicionales de capacidad jurídica y capacidad de obrar de las personas físicas en general; pero, además, es necesario diferenciar en cada caso particular la situación concreta del individuo respecto a su capacidad de obrar dentro de los genéricos colectivos de la minoría de edad y de la incapacitación. De este modo, no es lo mismo un menor emancipado que otro que no lo está. Tampoco el tratamiento jurídico del consentimiento informado será igual en el caso de un menor de edad dependiendo del grado de madurez que posea y del arco de edad en que se encuentre (menos de 12 años, de 12 a 16 años, mayor de 16 años).

No está de más recordar que toda persona física desde su nacimiento (art. 29 del Código Civil) es titular de derechos y obligaciones (personalidad o capacidad jurídica) sin importar su edad o condición; sin embargo, para el ejercicio individual de tales derechos, el ordenamiento jurídico exige determinadas condiciones de capacidad (capacidad de obrar).

---

[143]  Señala GARCÍA LLERENA, al respecto, que "la solución que el ordenamiento jurídico ofrece al paciente menor o incapaz aún no ha acabado de encontrar una respuesta adecuada. La normativa española que se ocupa del tema es dispersa y no siempre coherente, lo cual genera incertidumbre acerca de las posibilidades de aplicación de determinados tratamientos a los menores o incapaces, sobre el hecho determinante de la incapacidad, sobre la propia admisibilidad de la decisión de sustitución y sobre el modo de proceder en caso de ser ésta posible. Ello reviste especial gravedad, y no sólo porque toda intervención médica no ajustada a Derecho da lugar a responsabilidad, sino —principalmente— porque las decisiones médico-sanitarias se refieren, en definitiva, a los derechos fundamentales y de la personalidad" (*op. cit.*, pág. 8).

Estas exigencias se asientan en la capacidad natural de la persona (capacidad de entender y querer), su madurez, sus condiciones psíquicas y físicas, y su edad. En aquellos casos en que estas condiciones de capacidad no están presentes en la persona física, se acude a las figuras de la representación (tutela, patria potestad) o del complemento de capacidad (curatela) por medio de otras personas próximas a ella que se encargarán de asistirlo.

## 5.3.1. La minoría de edad

Una primera y decisiva distinción es la que debe practicarse a estos efectos entre el menor de edad emancipado y el menor de edad no emancipado. Respecto al primero, su situación está regulada en los artículos 314 y siguientes del Código civil. Ha de indicarse que al menor emancipado se le tratará como al mayor de edad, con las únicas limitaciones de contenido patrimonial recogidas en el artículo 323 del Código civil[144]. En cuanto al tema concreto que nos afecta —el consentimiento informado del paciente menor de edad emancipado—, surgen las primeras dudas al tratar de conciliar la normativa recogida en el Código civil con la específica de la Ley de Autonomía del Paciente. En concreto, parece que el artículo 9.3.c) *in fine* de esta última norma establece una limitación expresa más a la capacidad del menor de edad emancipado, de carácter personal y que altera la regla de su identificación con el mayor de edad, al disponer literalmente que "en caso de actuación de grave riesgo, según el criterio del facultativo, los padres serán informados y su opinión será tenida en cuenta para la toma de la decisión correspondiente".

Con respecto al menor de edad no emancipado, es fundamental tener presente que la Ley Orgánica 1/1996, de Protección Jurídica del Menor, prescribe una capacidad de obrar general y progresiva para él teniendo en cuenta su edad y el específico acto que va a llevar a cabo, prescribiendo expresamente nuestro ordenamiento jurídico el respeto a los derechos fundamentales y personales de los que el menor es titular (integridad física, intimidad, honor, etc.)[145].

---

[144]  De acuerdo con el art. 323 CC:

"La emancipación habilita al menor para regir su persona y bienes como si fuera mayor; pero hasta que llegue a la mayor edad no podrá el emancipado tomar dinero a préstamo, gravar o enajenar bienes inmuebles y establecimientos mercantiles o industriales u objetos de extraordinario valor sin consentimiento de sus padres y, a falta de ambos, sin el de su curador.

El menor emancipado podrá por sí solo comparecer en juicio.

Lo dispuesto en este artículo es aplicable al menor que hubiere obtenido judicialmente el beneficio de la mayor edad".

[145]  Ha de tenerse siempre en cuenta la prescripción recogida en el artículo 2, párrafo 2º, de la Ley Orgánica de Protección Jurídica del Menor, según la cual, «las limitaciones a la capacidad de obrar de los menores se interpretarán de forma restrictiva».

De este modo, el artículo 162 del Código civil establece, en su párrafo primero, que «los padres que ostenten la patria potestad tienen la representación legal de sus hijos menores no emancipados». Su párrafo segundo exceptúa de dicha representación legal de los padres: «1.º Los actos relativos a derechos de la personalidad u otros que el hijo, de acuerdo con las Leyes y con sus condiciones de madurez, pueda realizar por sí mismo. 2.º Aquellos en que exista conflicto de intereses entre los padres y el hijo. 3.º Los relativos a bienes que estén excluidos de la administración de los padres». Finaliza el artículo 162, con su párrafo tercero, disponiendo que «para celebrar contratos que obliguen al hijo a realizar prestaciones personales, se requiere el previo consentimiento de éste si tuviere suficiente juicio, sin perjuicio de lo establecido en el artículo 158».

En definitiva, lo que la Ley Orgánica de Protección Jurídica del Menor viene a consagrar es la doctrina de la adquisición progresiva de la capacidad de obrar del menor. En este sentido, el menor no representa una categoría o estado civil estanco y colectivo —como lo había sido hasta entonces, identificándose minoría de edad con incapacidad absoluta—, sino que se transforma en una situación de capacidad progresiva e individualizable. Así, deberá atenderse a la concreta e individual capacidad de entender y de querer de cada menor —capacidad natural o madurez—, de su específica edad —será necesario distinguir según el arco de edad entre los menores de menos de 12 años, entre 12 y 16, y los mayores de 16 años—, y del concreto acto que va a realizar o consentir el menor, diferenciando según actúe en un ámbito patrimonial o afecte al ejercicio de sus derechos de la personalidad.

De acuerdo a estos parámetros existirán determinadas actuaciones que puede el menor realizar por sí mismo (sin necesidad de representación), mientras que otras requerirán el consentimiento de sus representantes legales (padres o tutor).

Precisamente en este contexto es en el que debe ser analizado el artículo 9.3.c) de la Ley de Autonomía del Paciente. Dispone este precepto que se otorgará el consentimiento por representación "cuando el paciente menor de edad no sea capaz intelectual ni emocionalmente de comprender el alcance de la intervención. En este caso, el consentimiento lo dará el representante legal del menor después de haber escuchado su opinión si tiene doce años cumplidos. Cuando se trate de menores no incapaces ni incapacitados, pero emancipados o con dieciséis años cumplidos, no cabe prestar el consentimiento por representación. Sin embargo, en caso de actuación de grave riesgo, según el criterio del facultativo, los padres serán informados y su opinión será tenida en cuenta para la toma de la decisión correspondiente".

El precepto a analizar establece dos mandatos o reglas expresas que se asientan, a su vez, en un doble elemento integrador. Por un lado, la específica capacidad natural del menor —esto es, su capacidad intelectual y emocional o madurez— para consentir o no un determinado acto médico. El segundo de los elementos que debe tenerse en cuenta se asienta en la específica edad del menor: en particular, menciona expresamente la edad de 12 años o más de 16.

Resulta evidente que el primero de los elementos a valorar —la capacidad natural de cada menor de edad— responde a un criterio doblemente subjetivo. Ya que habrá que analizar cada caso concreto teniendo en cuenta las específicas aptitudes cognitivas y volitivas de cada menor y, a la vez, relacionarlo con la particular intervención o tratamiento médico en cuestión. La persona que deberá llevar a cabo está valoración doble —madurez del menor y naturaleza del acto médico—, pero individualizada, será el facultativo médico responsable del tratamiento y que, con antelación, ha venido cumpliendo con el deber de información recogido en el artículo 5 de la Ley de Autonomía del Paciente[146]. Por el contrario, el segundo elemento —la edad del menor—, en cuanto cronológico, está dotado de un claro carácter objetivo.

Teniendo en cuenta los matices anteriores, el artículo 9.3.c) LAP establece expresamente las siguientes dos reglas:

a) Cuando el menor de edad carezca de capacidad natural para consentir el concreto acto médico, el consentimiento o la negativa a la intervención o tratamiento médico será emitido por su/s representante/s legal/es (sus padres o tutor). En el supuesto en que el menor, en esta situación, sea mayor de 12 años deberá haber sido oído previamente por su representante legal.

b) Cuando el menor de edad posea la suficiente capacidad natural para consentir la específica intervención o tratamiento médico, "pero" esté emancipado o tenga ya 16 años cumplidos, será él quien manifieste su consentimiento o negativa al mismo, y no su/s representante/s legal/es. Ahora bien, en el supuesto de que se trate de una "actuación de grave riesgo, según el criterio del facultativo", se informará a "los padres" y su opinión será tenida en cuenta a la hora de adoptar la decisión correspondiente.

Como ya ha puesto de relieve la doctrina, el precepto presenta matices interpretables y, por ello, discutibles. A continuación, trataré de detenerme en algunos aspectos relevantes, aunque puede señalarse que, debido a la deficiente técnica legislativa empleada en este precepto y la ausencia de una regulación expresa y clara en el Código civil sobre la capacidad de obrar del menor, caben al menos dos interpretaciones diferentes del artículo.

---

[146] En el art. 3 LAP, titulado: "Las definiciones legales", identifica al «médico responsable» con "el profesional que tiene a su cargo coordinar la información y la asistencia sanitaria del paciente o del usuario, con el carácter de interlocutor principal del mismo en todo lo referente a su atención e información durante el proceso asistencial, sin perjuicio de las obligaciones de otros profesionales que participan en las actuaciones asistenciales".

La primera de las interpretaciones trata de conciliar el literal del precepto con la formulación doctrinal de la teoría de adquisición progresiva de capacidad del menor de edad[147]. Como ya se ha indicado, esta teoría —que supera y desplaza a la precedente tesis de la incapacidad absoluta del menor de edad— se asienta en el hecho de valorar a la minoría de edad no como un compartimento estanco, sino como un estadio progresivo de desarrollo de la persona en el que, dependiendo de su específica capacidad natural, de su edad y del concreto acto que va a llevar a cabo, podrá tener o no capacidad de obrar. Así, habrá que analizar caso por caso —teniendo en cuenta estos parámetros: madurez, edad y acto— para determinar si el menor de edad posee capacidad de obrar. Si se traslada esta teoría a la interpretación del artículo 9.3.c) LAP habría que señalar lo siguiente:

- Será el médico responsable quien deberá determinar si el menor de edad posee capacidad para consentir la intervención médica que se le va a practicar.
- Para llevar a cabo este juicio tendrá en cuenta el tipo de intervención médica a que se va a ver sometido. De este modo, no será lo mismo, a los efectos de exigir una determinada capacidad natural del menor —para entender la información sobre la intervención y consentirla o rechazarla—, que la intervención conlleve importantes riesgos para su salud o carezca prácticamente de ellos, o que la intervención resulte necesaria para su salud (medicina curativa) o no lo sea (medicina satisfactiva).
- También tendrá en cuenta el médico responsable la edad del menor a la hora de practicar su juicio de capacidad. No obstante, el dato de la edad, si bien objetivo, no deja de ser presuntivo; es decir, la madurez de cada menor puede ser diferente dentro de un mismo arco de edad. De hecho, las edades a las que se refiere expresamente el artículo analizado, en concreto, las personas de menos de 12 años y las de 16 años cumplidos, presumen *iuris tantum* la carencia o posesión de madurez en el menor, respectivamente.

Teniendo en cuenta estos parámetros de actuación, el médico responsable determinará si el menor de edad tienen o no capacidad para consentir la intervención. Obviamente, tratándose de menores de 12 años, el médico responsable decidirá en la mayoría de los supuestos que carece de capacidad de obrar para

---

[147]   Esta tesis es defendida sustancialmente por GALÁN CORTÉS, J. C., *Responsabilidad civil médica*, 1ª ed., Thomson-Civitas, Pamplona, 2005, págs. 265 y ss.; Santos Morón, Mª. J., "Menores y derechos de la personalidad: la autonomía del menor", en Anuario de la Facultad de Derecho de la Universidad Autónoma de Madrid, N°. 15, 2011 (Ejemplar dedicado a: El menor ante el derecho en el siglo XXI/coord. por JULIO DÍAZ-MAROTO y VILLAREJO, ALMA MARÍA RODRÍGUEZ GUITIÁN), págs. 63 y ss., entre otros.

emitir un consentimiento informado válido, por lo que requerirá el consentimiento de sus padres o tutor, tras haber escuchado al menor cuando tiene cumplidos 12 años. De este modo, el criterio de la edad, en este caso, menos de 12 años, actúa como presunción *iuris tantum* de incapacidad.

Si el menor tiene 16 años cumplidos o se encuentra emancipado, el médico responsable realizará su juicio de capacidad aplicando la presunción *iuris tantum* de capacidad para consentir por sí mismo, sin necesidad de informar ni requerir la autorización de sus representantes legales, salvo en el supuesto en que la intervención médica suponga una "actuación de grave riesgo". En este último caso se informará a "los padres" y su opinión será tenida en cuenta a la hora de adoptar la decisión correspondiente. Esta limitación que recoge el precepto ha sido criticada en cuanto que, si el médico entiende que el menor en este caso tiene capacidad para consentir la intervención —aunque sea de grave riesgo—, su decisión debería respetarse al igual que se respeta la decisión de un mayor de edad en el mismo supuesto[148].

Cuando el menor se encuentre dentro de un arco de edad entre los 12 y los 15 años cumplidos —pese a que el artículo 9.3.c) LAP nada dice al respecto—, el médico responsable realizará su juicio de capacidad teniendo en cuenta la concreta capacidad natural del menor y el específico acto médico a consentir, de modo que, de considerar que el menor tiene capacidad de obrar para emitir un consentimiento válido, será éste el que manifieste su consentimiento sin necesidad de autorización de sus representantes legales.

En definitiva, esta tesis sostiene que si a juicio del médico responsable el menor de edad tiene capacidad suficiente para emitir un consentimiento informado válido, será el menor el que consienta la intervención médica sin necesidad de obtener el consentimiento de sus representantes legales.

Frente a esta interpretación del precepto se alza otra más restrictiva, que busca conciliar la teoría de la adquisición de capacidad de obrar progresiva del menor de edad con el deber que tienen sus representantes legales —padres o tutor— de velar por él[149]. En este sentido, cuando se habla de autorización de los progenitores o del tutor a la intervención médica que se practicará al menor, no se está refiriendo a un acto de representación legal del menor, sino de ejercicio de los deberes de guarda y protección que incumben a padres o tutores. De este modo, se resalta el claro error en que incurre la redacción del artículo 9.3 LAP al emplear la expresión "consentimiento por representación", cuando en realidad se

---

148    En este sentido, cf. SANTOS MORÓN, Mª. J., *loc. cit.*, págs. 85-86.
149    Esta tesis es defendida por PARRA LUCÁN, Mª. Á., "La capacidad del paciente para prestar válido consentimiento informado. El confuso panorama legislativo español", en *Aranzadi Civil-Mercantil*, núm. 2/2003, págs. 15 y ss.

trata de actos de ejercicio de derechos de la personalidad[150]. Teniendo presentes estas premisas pueden diferenciarse, en sede teórica, según esta interpretación los siguientes supuestos:

- Cuando el menor no tiene capacidad para consentir —no tiene madurez suficiente para conocer la transcendencia del acto médico—, el consentimiento es prestado por su representante legal, tras haber escuchado al menor si tiene más de 12 años. En este caso, el consentimiento del representante puede otorgarse válidamente contra la opinión del menor.

- Si el menor de edad tiene 16 años cumplidos y madurez suficiente para conocer y consentir la intervención no cabe representación para prestar el consentimiento informado, por lo que la decisión la adopta el propio menor. Ahora bien, en aquellos supuestos en que la decisión del menor le pudiera causar un perjuicio irreparable se exigirá también el consentimiento de los padres, no como acto de representación sino como cumplimiento del deber de velar y cuidar a los hijos sometidos a patria potestad (art. 154 CC). En este supuesto, el consentimiento de los padres no puede sustituir al del menor.

- Cuando el menor esté emancipado será él el que consienta la intervención. En este caso, el emancipado no está sometido a patria potestad y carece de representante legal, por ello sorprende que se tenga en cuenta la opinión de los padres cuando la actuación a consentir sea de grave riesgo, y requiera el complemento de capacidad del menor (art. 323 CC), aunque esta cautela puede ser defendible en interés del menor.

- En los supuestos en que el menor de edad tenga menos de 16 años pero sea capaz de comprender el alcance de la intervención, será el menor el que consienta la intervención, pero se exigirá también el consentimiento de sus guardadores —padres o tutor— como manifestación del deber de velar por él.

Resulta evidente que los problemas en la práctica surgirán cuando las opiniones de los padres o tutor y del menor, en los casos en que no cabe representación, resulten divergentes; esta misma situación se planteará cuando el criterio del médico responsable cuestione la opinión del menor y/o de sus representantes legales. Ante estas situaciones, resulta lógico que el médico responsable, con el fin de evitarse una demanda o denuncia posterior, recurra a la autoridad judicial de acuerdo con el artículo 158.4 del Código civil.

---

[150]  *Cf.* PARRA LUCÁN, Mª. Á., *loc. cit.*, págs. 22 y ss. Esta contradicción es puesta de relieve también por CANO HURTADO, Mª. D., "Actuaciones médicas en pacientes menores de edad: su regulación en el Derecho Estatal y en el Derecho Valenciano", en AA.VV., *La protección del menor*, dirigido por A. VALLÉS, Tirant lo Blanch, Valencia, 2009, págs. 113 y ss.

## 5.3.2. La incapacitación o la incapacidad: referencia delimitadora frente a la discapacidad

Por otro lado, pese a que la normativa sanitaria emplea genéricamente el término «incapacitado», hay que diferenciar dentro de esta categoría entre aquellas personas incapacitadas judicialmente y aquellas otras cuya incapacidad responde a una situación de hecho.

En el primero de los casos —«incapacidad declarada judicialmente»— es fundamental, a la hora de valorar la existencia o no de capacidad para consentir un tratamiento médico sobre su persona, saber cuál es el contenido de la sentencia que lo ha incapacitado, teniendo en cuenta en todo momento el literal de la resolución judicial y el principio vigente en nuestro ordenamiento de que toda limitación a la capacidad de obrar habrá de ser interpretada restrictivamente. Determinada judicialmente la incapacitación de la persona, será el propio Juez quien delimite su grado de incapacidad, los actos que podrá o no realizar por sí mismo, y la persona que, en su caso, le representará (tutor) o sólo complementará su capacidad en los supuestos necesarios (curador). Al respecto dispone el artículo 9.3.b) de la Ley de Autonomía del Paciente que "se otorgará el consentimiento por representación (…) cuando el paciente esté incapacitado legalmente".

En cuanto a los supuestos de «incapacidad temporal, de hecho o fáctica», la normativa sanitaria se pronuncia expresamente al respecto. Así, la Ley de Autonomía del Paciente determina, en su artículo 9.2.b), que "los facultativos podrán llevar a cabo las intervenciones clínicas indispensables en favor de la salud del paciente, sin necesidad de contar con su consentimiento (…), cuando existe riesgo inmediato grave para la integridad física o psíquica del enfermo y no es posible conseguir su autorización, consultando, cuando las circunstancias lo permitan, a sus familiares o a las personas vinculadas de hecho a él". Este mandato se completa con la prescripción recogida en el artículo 9.3.a) de dicha ley, según la cual, "se otorgará el consentimiento por representación (…) cuando el paciente no sea capaz de tomar decisiones, a criterio del médico responsable de la asistencia, o su estado físico o psíquico no le permita hacerse cargo de su situación. Si el paciente carece de representante legal, el consentimiento lo prestarán las personas vinculadas a él por razones familiares o de hecho".

Finalmente, es necesario recordar otras categorías empleadas en nuestra legislación diferentes a la figura del incapacitado legal o de hecho, como es el caso del «discapacitado» que, pese a la existencia de determinadas deficiencias físicas y/o psíquicas en su persona, puede encontrase plenamente capacitado para manifestar personalmente un consentimiento informado autónomo y válido.

La figura del «discapacitado» está regulada en España por la Ley 51/2003, de 2 de diciembre, de igualdad de oportunidades, no discriminación y accesibilidad universal de las personas con discapacidad. La finalidad de esta norma es conseguir la máxima integración del discapacitado en la sociedad y evitar su discriminación. Esta ley ha experimentado importantes modificaciones a través de la Ley 26/2011, de 1 de agosto, de adaptación normativa a la Convención internacional sobre los derechos de las personas con discapacidad[151].

Lo importante en este epígrafe es destacar que las categorías jurídicas de «incapacitado» y «discapacitado» no tienen por qué coincidir. De este modo, se define al «discapacitado» en el artículo 1, apartado 2, de la Ley 51/2003, de 2 de diciembre, de igualdad de oportunidades, no discriminación y accesibilidad universal de las personas con discapacidad —tras la reforma operada en el 2011— del siguiente modo:

«Son personas con discapacidad aquellas que presenten deficiencias físicas, mentales, intelectuales o sensoriales a largo plazo que, al interactuar con diversas barreras, puedan impedir su participación plena y efectiva en la sociedad, en igualdad de condiciones con los demás.

Las medidas de defensa, de arbitraje y de carácter judicial, contempladas en esta Ley serán de aplicación a las personas con discapacidad, con independencia de la existencia de reconocimiento oficial de la situación de discapacidad o de su transitoriedad. En todo caso, las Administraciones públicas velarán por evitar cualquier forma de discriminación que afecte o pueda afectar a las personas con discapacidad.

Ello no obstante, a los efectos de esta Ley, tendrán la consideración de personas con discapacidad aquellas a quienes se les haya reconocido un grado de discapacidad igual o superior al 33 por ciento. En todo caso, se considerará que presentan una discapacidad en grado igual o superior al 33 por ciento los pensionistas de la Seguridad Social que tengan reconocida una pensión de incapacidad permanente en el grado de total, absoluta o gran invalidez, y a los pensionistas de clases pasivas que tengan reconocida una pensión de jubilación o de retiro por incapacidad permanente para el servicio o inutilidad.

La acreditación del grado de discapacidad se realizará en los términos establecidos reglamentariamente y tendrá validez en todo el territorio nacional».

La Ley 26/2011, de 1 de agosto, de adaptación normativa a la Convención internacional sobre los derechos de las personas con discapacidad, con posterioridad, delimita perfectamente al discapacitado en situaciones concretas frente al incapacitado. Así sucede en su artículo 5, que modifica la Ley 30/1979, de 27 de octubre, sobre extracción y trasplante de órganos[152]; artículo 7, de modificación

---

[151]   Convención internacional sobre los derechos de las personas con discapacidad, de 13 de diciembre de 2006, de la Asamblea de las Naciones Unidas.

[152]   Artículo 5. Modificación de la Ley 30/1979, de 27 de octubre, sobre extracción y trasplante de órganos.

Uno. Se modifica el artículo 4, que queda redactado del siguiente modo:
«Artículo 4.
La obtención de órganos procedentes de un donante vivo, para su ulterior injerto o implantación en otra persona, podrá realizarse si se cumplen los siguientes requisitos:
a) Que el donante sea mayor de edad.
b) Que el donante goce de plenas facultades mentales y haya sido previamente informado de las consecuencias de su decisión. Esta información se referirá a las consecuencias previsibles de orden somático, psíquico y psicológico, a las eventuales repercusiones que la donación pueda tener sobre su vida personal, familiar y profesional, así como a los beneficios que con el trasplante se espera haya de conseguir el receptor.
c) Que el donante otorgue su consentimiento de forma expresa, libre y consciente, debiendo manifestarlo, por escrito, ante la autoridad pública que reglamentariamente se determine, tras las explicaciones del médico que ha de efectuar la extracción, obligado éste también a firmar el documento de cesión del órgano. En ningún caso podrá efectuarse la extracción sin la firma previa de este documento.
A los efectos establecidos en esta Ley, no podrá obtenerse ningún tipo de órganos de personas que, por deficiencias psíquicas o enfermedad mental o por cualquier otra causa, no puedan otorgar su consentimiento expreso, libre y consciente.
d) Que el destino del órgano extraído sea su trasplante a una persona determinada, con el propósito de mejorar sustancialmente su esperanza o sus condiciones de vida, garantizándose el anonimato del receptor.
e) Si el donante fuese una persona con discapacidad que cumpla los requisitos previstos en los apartados anteriores, la información y el consentimiento deberán efectuarse en formatos adecuados, siguiendo las reglas marcadas por el principio del diseño para todos, de manera que le resulten accesibles y comprensibles a su tipo de discapacidad.»
Dos. Se modifica el artículo 6, que queda redactado en los siguientes términos:
«Artículo 6.
El responsable de la unidad médica en que haya de realizarse el trasplante solo podrá dar su conformidad si se cumplen los siguientes requisitos:
a) Que el receptor sea plenamente consciente del tipo de intervención que va a efectuarse, conociendo los posibles riesgos y las previsibles ventajas que, tanto física como psíquicamente, puedan derivarse del trasplante.
b) Que el receptor sea informado de que se han efectuado en los casos precisos los necesarios estudios inmunológicos de histocompatibilidad u otros que sean procedentes, entre donante y futuro receptor, efectuados por un laboratorio acreditado por el Ministerio de Sanidad, Política Social e Igualdad. La información deberá efectuarse en formatos adecuados, siguiendo las reglas marcadas por el principio del diseño para todos, de manera que resulten accesibles y comprensibles a las personas con discapacidad.
c) Que el receptor exprese por escrito u otro medio adecuado a su discapacidad, su consentimiento para la realización del trasplante cuando se trate de un adulto jurídicamente responsable de sus actos, o por sus representantes legales, padres o tutores, si estuviera incapacitado o en caso de menores de edad. En el caso de que el receptor sea una persona con discapacidad, deberán tenerse en cuenta las circunstancias personales del individuo, su capacidad para tomar dicha decisión en concreto y contemplarse la prestación de apoyo para la toma de estas decisiones. Tratándose de personas con discapacidad con necesidades de apoyo para la toma de decisiones, se estará a la libre determinación de la persona una vez haya dispuesto de los apoyos y asistencias adecuados a sus concretas circunstancias.».

de la Ley 41/2002, de 14 de noviembre, básica reguladora de la autonomía del paciente y de derechos y obligaciones en materia de información y documentación clínica[153]; y artículo 8, de modificación de la Ley 14/2006, de 26 de mayo, sobre técnicas de reproducción humana asistida[154].

---

[153] Artículo 7. Modificación de la Ley 41/2002, de 14 de noviembre, básica reguladora de la autonomía del paciente y de derechos y obligaciones en materia de información y documentación clínica.

Se modifica el apartado 5 del artículo 9 de la Ley 41/2002, de 14 de noviembre, básica reguladora de la autonomía del paciente y de derechos y obligaciones en materia de información y documentación clínica, en los siguientes términos:

«5. La prestación del consentimiento por representación será adecuada a las circunstancias y proporcionada a las necesidades que haya que atender, siempre en favor del paciente y con respeto a su dignidad personal. El paciente participará en la medida de lo posible en la toma de decisiones a lo largo del proceso sanitario. Si el paciente es una persona con discapacidad, se le ofrecerán las medidas de apoyo pertinentes, incluida la información en formatos adecuados, siguiendo las reglas marcadas por el principio del diseño para todos de manera que resulten accesibles y comprensibles a las personas con discapacidad, para favorecer que pueda prestar por sí su consentimiento».

[154] Artículo 8. Modificación de la Ley 14/2006, de 26 de mayo, sobre técnicas de reproducción humana asistida.

La Ley 14/2006, de 26 de mayo, sobre técnicas de reproducción humana asistida, queda modificada como sigue:

Uno. El apartado 4 del artículo 5 queda modificado en los siguientes términos:

«4. El contrato se formalizará por escrito entre los donantes y el centro autorizado. Antes de la formalización, los donantes habrán de ser informados de los fines y consecuencias del acto. La información y el consentimiento deberán efectuarse en formatos adecuados, siguiendo las reglas marcadas por el principio del diseño para todos, de manera que resulten accesibles y comprensibles a las personas con discapacidad».

Dos. Se añade un nuevo apartado 4 al artículo 6 con la siguiente redacción:

«4. La información y el consentimiento a que se refieren los apartados anteriores deberán realizarse en formatos adecuados, siguiendo las reglas marcadas por el principio del diseño para todos, de manera que resulten accesibles y comprensibles a las personas con discapacidad».

El actual apartado 4 pasa a ser el 5.

Tres. Se añade un nuevo apartado 7 al artículo 11 con la siguiente redacción:

«7. La información y el consentimiento a que se refieren los apartados anteriores deberán realizarse en formatos adecuados, siguiendo las reglas marcadas por el principio del diseño para todos, de manera que resulten accesibles y comprensibles a las personas con discapacidad.»

El actual apartado 7 pasa a ser el 8.

Cuatro. La letra a) del apartado 1 del artículo 15, queda modificada en los siguientes términos:

«a) Que se cuente con el consentimiento escrito de la pareja o, en su caso, de la mujer, previa explicación pormenorizada de los fines que se persiguen con la investigación y sus implicaciones. Dichos consentimientos especificarán en todo caso la renuncia de la pareja o de la mujer, en su caso, a cualquier derecho de naturaleza dispositiva, económica o patrimonial sobre los resultados que pudieran derivarse de manera directa o indirecta de las investigaciones que se lleven a cabo. La información y el consentimiento deberán efectuarse en formatos adecuados, siguiendo las reglas marcadas por el principio del diseño para todos, de manera que resulten accesibles y comprensibles a las personas con discapacidad».

## 5.4. Regímenes especiales en materia de consentimiento informado del menor de edad y del incapacitado

La Ley de Autonomía del Paciente regula de forma general las posibles intervenciones y tratamientos médicos ante los que puede encontrarse un paciente, excluyendo expresamente de su regulación aquellas intervenciones dotadas de una normativa específica. De este modo, se puede diferenciar entre intervenciones médicas en general —reguladas en la Ley de Autonomía del Paciente— e intervenciones médicas especiales. Estas últimas estarían dotadas de una normativa especial, por lo que se le aplicaría dicha regulación específica con preferencia a la general.

En concreto, el artículo 9.4 de la Ley de Autonomía del Paciente hace referencia expresa a la práctica de ensayos clínicos y de técnicas de reproducción humana asistida. Respecto a estas intervenciones, la Ley del Paciente dispone que se rigen "por lo establecido con carácter general sobre la mayoría de edad y por las disposiciones especiales de aplicación". En concreto, estarían reguladas por la Ley 14/2007, de 3 de junio, de investigación biomédica, y la Ley 14/2006, de 26 de mayo, sobre técnicas de reproducción humana asistida, respectivamente.

De acuerdo con los artículos 5.6 y 6.1 de la Ley 14/2006, de 26 de mayo, sobre técnicas de reproducción humana asistida, se requiere tener 18 años y plena capacidad de obrar para ser donante o usuaria de técnicas de reproducción asistida, respectivamente.

Por su parte, en la Ley 14/2007, de 3 de junio, de investigación biomédica (LIB) destacan tres preceptos esenciales que delimitan un régimen especial en materia de consentimiento frente al general recogido en la Ley de Autonomía del Paciente.

En primer lugar, su artículo 4, titulado: "Consentimiento informado y derecho a la información", que establece un régimen general en materia de consentimiento informado respecto a la investigación biomédica, y que se diferencia del general en la Ley de Autonomía del Paciente en lo relativo al consentimiento por representación al exigir, en todo caso, el consentimiento a la intervención de los representantes legales de todo menor de edad o incapacitado[155].

---

[155] Dispone este art. 4 LIB lo siguiente:
"1. Se respetará la libre autonomía de las personas que puedan participar en una investigación biomédica o que puedan aportar a ella sus muestras biológicas, para lo que será preciso que hayan prestado previamente su consentimiento expreso y escrito una vez reclbídema la información adecuada.
La información se proporcionará por escrito y comprenderá la naturaleza, importancia, implicaciones y riesgos de la investigación, en los términos que establece esta Ley.
La información se prestará a las personas con discapacidad en condiciones y formatos accesibles apropiados a sus necesidades.

Sin embargo, cuando se trate de «investigaciones que implican procedimientos invasivos en seres humanos» se refuerza todavía más la protección de los menores e incapacitados en los artículos 20 y 21, llegándose a prever la intervención del Ministerio Fiscal[156].

---

Si el sujeto de la investigación no pudiera escribir, el consentimiento podrá ser prestado por cualquier medio admitido en derecho que permita dejar constancia de su voluntad.
2. Se otorgará el consentimiento por representación cuando la persona esté incapacitada legalmente o sea menor de edad, siempre y cuando no existan otras alternativas para la investigación.
La prestación del consentimiento por representación será proporcionada a la investigación a desarrollar y se efectuará con respeto a la dignidad de la persona y en beneficio de su salud.
Las personas incapacitadas y los menores participarán en la medida de lo posible y según su edad y capacidades en la toma de decisiones a lo largo del proceso de investigación".

[156]  Artículo 20. "Protección de las personas que no tengan capacidad para expresar su consentimiento":
"1. La investigación sobre una persona menor o incapaz de obrar, salvo que, en atención a su grado de discernimiento, la resolución judicial de incapacitación le autorizase para prestar su consentimiento a la investigación, únicamente podrá ser realizada si concurren las siguientes condiciones:
a) Que los resultados de la investigación puedan producir beneficios reales o directos para su salud.
b) Que no se pueda realizar una investigación de eficacia comparable en individuos capaces de otorgar su consentimiento.
c) Que la persona que vaya a participar en la investigación haya sido informada por escrito de sus derechos y de los límites prescritos en esta Ley y la normativa que la desarrolle para su protección, a menos que esa persona no esté en situación de recibir la información.
d) Que los representantes legales de la persona que vaya a participar en la investigación hayan prestado su consentimiento por escrito, después de haber reclbídemo la información establecida en el artículo 15. Los representantes legales tendrán en cuenta los deseos u objeciones previamente expresados por la persona afectada. En estos casos se actuará, además, conforme a lo previsto en el apartado 1 del artículo 4 de esta Ley.
2. Cuando sea previsible que la investigación no vaya a producir resultados en beneficio directo para la salud de los sujetos referidos en el apartado 1 de este artículo, la investigación podrá ser autorizada de forma excepcional si concurren, además de los requisitos contenidos en los párrafos b), c) y d) del apartado anterior, las siguientes condiciones:
a) Que la investigación tenga el objeto de contribuir, a través de mejoras significativas en la comprensión de la enfermedad o condición del individuo, a un resultado beneficioso para otras personas de la misma edad o con la misma enfermedad o condición, en un plazo razonable.
b) Que la investigación entrañe un riesgo y una carga mínimos para el individuo participante.
c) Que la autorización de la investigación se ponga en conocimiento del Ministerio Fiscal".
Artículo 21. "Investigación en personas incapaces de consentir debido a su situación clínica":
"1. Para la realización de una investigación en situaciones clínicas de emergencia, en las que la persona implicada no pueda prestar su consentimiento, deberán cumplirse las siguientes condiciones específicas:
a) Que no sea posible realizar investigaciones de eficacia comparable en personas que no se encuentren en esa situación de emergencia.

Además, es necesario señalar que, de acuerdo con la Disposición Adicional segunda de la Ley de Autonomía del Paciente, titulada: «Aplicación supletoria», "las normas de esta Ley relativas a la información asistencial, la información para el ejercicio de la libertad de elección de médico y de centro, el consentimiento informado del paciente y la documentación clínica, serán de aplicación supletoria en los proyectos de investigación médica, en los procesos de extracción y trasplante de órganos, en los de aplicación de técnicas de reproducción humana asistida y en los que carezcan de regulación especial".

Por esta razón, otra intervención médica dotada de una regulación especial sería la extracción y trasplante de órganos, pues de acuerdo con el artículo 4 de la Ley 30/1979, de 27 de octubre, sobre extracción y trasplante de órganos, se exige al donante vivo que sea mayor de edad, posea plenas facultades mentales y haya sido previamente informado de todas las consecuencias de su decisión.

Por último, es importante recordar que con la aprobación de la Ley Orgánica 2/2010, de 3 de marzo, de Salud sexual y reproductiva y de la interrupción voluntaria del embarazo se modifica, por medio de su Disposición Final segunda, el artículo 9 de la Ley de Autonomía del Paciente, eliminándose la mención expresa a «la interrupción voluntaria del embarazo» recogida hasta entonces en su apartado cuarto, junto a la práctica de ensayos clínicos y de técnicas de reproducción humana.

La Ley Orgánica 2/2010 recoge en su artículo 13 los requisitos comunes de la interrupción voluntaria del embarazo, y en su apartado cuarto dispone que "en el caso de las mujeres de 16 y 17 años, el consentimiento para la interrupción voluntaria del embarazo les corresponde exclusivamente a ellas de acuerdo con el

---

b) Que en el caso de que no sea previsible que la investigación vaya a producir resultados beneficiosos para la salud del paciente, tenga el propósito de contribuir a mejorar de forma significativa la comprensión de la enfermedad o condición del paciente, con el objetivo de beneficiar a otras personas con la misma enfermedad o condición, siempre que conlleve el mínimo riesgo e incomodidad para aquél.

c) Que la autorización de la investigación se ponga en conocimiento del Ministerio Fiscal.

2. Se respetará cualquier objeción expresada previamente por el paciente que sea conocida por el médico responsable de su asistencia, por el investigador o por el Comité de Ética de la Investigación correspondiente al centro.

3. A los efectos del apartado primero de este artículo se consideran investigaciones en situaciones de emergencia, aquellas en las que la persona no se encuentre en condiciones de otorgar su consentimiento y, a causa de su estado y de la urgencia de la situación, sea imposible obtener a tiempo la autorización de los representantes legales del paciente o, de carecer de ellos, de las personas que convivieran con aquél.

4. Las personas que participen en una investigación en situación de emergencia o, en su caso, sus representantes legales, deberán ser informados a la mayor brevedad posible en los términos establecidos en el artículo 4 de esta Ley. Asimismo se deberá solicitar el consentimiento para continuar participando en las investigaciones, en cuanto el paciente se halle en condiciones de prestarlo".

régimen general aplicable a las mujeres mayores de edad". Continúa el precepto señalando que "al menos uno de los representantes legales, padre o madre, personas con patria potestad o tutores de las mujeres comprendidas en esas edades deberá ser informado de la decisión de la mujer". Se cierra el apartado indicando que "se prescindirá de esta información cuando la menor alegue fundadamente que esto le provocará un conflicto grave, manifestado en el peligro cierto de violencia intrafamiliar, amenazas, coacciones, malos tratos, o se produzca una situación de desarraigo o desamparo"[157].

## 6. LA RESPONSABILIDAD DE LOS PADRES Y TUTORES Y DEL PERSONAL SANITARIO COMO GARANTES DEL DERECHO A DECIDIR SOBRE LA PROPIA SALUD DE LOS MENORES DE EDAD E INCAPACITADOS

El consentimiento informado es un acto clínico más, cuyo incumplimiento por el facultativo puede ser causa de responsabilidad cuando se materializan los riesgos típicos de los que el paciente no ha sido informado[158]. En este sentido, pueden señalarse las siguientes situaciones conflictivas de las que puede derivarse responsabilidad civil para el médico responsable o para sus representantes legales.

La primera de ellas tiene lugar cuando el médico responsable adopta una determinada decisión sobre el paciente menor o incapaz sin obtener el necesario consentimiento informado del paciente y/o de sus representantes legales. En estos casos, el médico responsable incurre en una responsabilidad civil personal y directa; siendo más fácil de probar cuando, además, debido a la concreta intervención se requiere un consentimiento por escrito y éste no existe. Las consecuencias de la falta de consentimiento informado y la consiguiente responsabilidad civil

---

[157]    Este apartado 4 es desarrollado por el artículo 8 del Real Decreto 825/2010, de 25 de junio, que desarrolla la Ley Orgánica 2/2010, titulado: «Consentimiento informado de las mujeres de 16 ó 17 años. Información a los representantes legales», que dispone en su apartado primero que "la mujer de 16 ó 17 años prestará su consentimiento acompañado de un documento que acredite el cumplimiento del requisito de información previsto en el apartado Cuarto del artículo 13 de la Ley Orgánica 2/2010, de 3 de marzo. El documento será entregado personalmente por la mujer acompañada de su representante legal al personal sanitario del centro en el que vaya a practicarse la intervención". Se cierra el precepto con un apartado segundo, que establece que "en el caso de prescindir de esta información, cuando la mujer alegue las circunstancias previstas en el apartado Cuarto del citado artículo 13, el médico encargado de practicar la interrupción del embarazo deberá apreciar, por escrito y con la firma de la mujer, que las alegaciones de ésta son fundadas, pudiendo solicitar, en su caso, informe psiquiátrico, psicológico o de profesional de trabajo social".

[158]    Cf. GALÁN CORTÉS, J. C., *op. cit.*, pág. 251.

del médico son iguales que las producidas frente a pacientes mayores de edad plenamente capaces (vid. SS.T.S. de 4 de diciembre de 2009, 26 de febrero de 2004, 8 de septiembre de 2003, 4 de abril de 2000)[159].

Otra situación conflictiva que puede generar responsabilidad civil a las personas involucradas surge de la posible contradicción entre la opinión del paciente menor de edad y la de los padres o tutor frente a la intervención médica, y la decisión final que adopte el médico responsable. En definitiva, el problema se plantea respecto a la colisión de intereses entre el menor y sus representantes, y respecto a cuál de ambas opiniones debe primar el juicio del médico responsable.

Es importante tener presente que una cosa es la solución teórica a los dilemas según la LAP y otra muy diferente es la decisión del médico responsable en la práctica. Si de la lectura del artículo 9.3.c) LAP se han derivado diferentes interpretaciones de juristas expertos, mayores precauciones adoptará el profesional médico —profano en leyes— al respecto. Así, tras analizar el juicio de capacidad del paciente y oír su opinión sobre la intervención, lo normal es que escuche también la de sus representantes legales que, de ser coincidente con la del paciente, motivará en la mayor parte de los casos su decisión.

No obstante, pueden surgirle dudas cuando esa decisión —ya provenga legítimamente del menor maduro, de los padres o tutor, o de ambos— suponga la negativa a un tratamiento vital para el paciente, ante lo cual el médico tendrá la opción de acudir a la vía judicial para que sea ella la que determine la aplicación o no de dicho tratamiento, pese a la oposición del paciente y/o sus representantes[160]. En estas situaciones, en que se plantea un conflicto entre dos intereses diferentes: el poder de autodisposición del menor sobre su cuerpo y la vida, la doctrina mayoritaria entiende que ha de primar siempre la vida del menor, al menos hasta que éste alcance la mayoría de edad[161]. En estos términos se ha manifestado también el Tribunal Constitucional, en el Fundamento Jurídico 10º

---

[159]   Sobre esta materia en general resulta sumamente esclarecedor, debido al gran número de sentencias comentadas, el artículo de XIOL RÍOS, J. A., "El consentimiento informado", en *Revista Española de la Función Consultiva*, 14, julio-diciembre 2010, págs. 21-84.

[160]   Obviamente, se está haciendo referencia aquí a aquellos casos que no puedan incluirse en el literal del artículo 9.2. b) LAP, que autoriza a llevar a cabo las intervenciones clínicas indispensables a favor de la salud del paciente, sin necesidad de contar con su consentimiento informado, "cuando existe riesgo inmediato grave para la integridad física o psíquica del enfermo y no es posible conseguir su autorización, consultando, cuando las circunstancias lo permitan, a sus familiares o a las personas vinculadas de hecho a él". Cf. CANO HURTADO, Mª. D., *loc. cit.*, págs. 121 y ss.

[161]   En este sentido se manifiestan, entre otros, GALÁN CORTÉS, *op. cit.*, págs. 266 y 267; ROMEO CASABONA, C. M., "¿Límites de la posición de garante de los padres respecto al hijo menor? (la negativa de los padres, por motivos religiosos, a una transfusión de sangre vital para el hijo menor)", en *Revista de Derecho Penal y Criminología*, núm. 2, 1998.

de su sentencia 154/2002, de 18 de julio[162], por lo que "el reconocimiento excepcional de la capacidad del menor respecto de determinados actos no es suficiente para reconocer la eficacia jurídica de un acto como el ahora contemplado que, por afectar en sentido negativo a la vida, tiene como notas esenciales la de ser definitivo y, en consecuencia, irreparable"[163].

Asimismo, también en aquellos supuestos en que la opinión del menor —que a juicio del médico responsable tenga suficiente capacidad para consentir o rechazar la intervención— provoque dudas al médico responsable sobre su decisión, o bien, tratándose de los supuestos en que deba oír a sus representantes legales por hallarse ante una actuación médica de grave riesgo, y éstos contradigan al menor, el médico responsable podrá acudir a la vía judicial con el fin de evitarse posteriores responsabilidades derivadas de su actuación.

Finalmente, en relación a aquellas intervenciones o tratamiento médicos sobre un paciente menor o incapaz que carece de la capacidad natural necesaria para consentirla, por lo que serán sus representantes legales los que adopten la decisión, es importante resaltar que, como establece el Convenio de Oviedo en su artículo 6, sólo podrán autorizarse aquellas intervenciones médicas que redunden en beneficio directo de la persona que no tiene capacidad para consentirla. Este criterio —el beneficio directo de la intervención médica para el incapaz—, que no ha sido reflejado de modo tan nítido en la LAP, representa, en mi opinión, un valor fundamental para el médico responsable a la hora de adoptar su decisión, tanto en aquellos supuestos en que el representante legal del menor o incapaz sea quien consienta o rechace el tratamiento, como en aquellas otras situaciones en que el menor o el incapacitado participe activa y directamente en la manifestación de su consentimiento por poseer la suficiente capacidad natural para decidir.

---

[162]    En esta sentencia se plantea el supuesto en el que los padres y el menor de 13 años de edad se oponen a una transfusión de sangre vital para éste por motivos religiosos.

[163]    GALÁN CORTÉS, *op. cit.*, pág. 267. No obstante, hay que destacar que la S.T.C. 154/2002 ha sido criticada por muchos magistrados del TS, pues al final se produce la muerte del menor de 13 años, testigo de Jehová, por no habérsele practicado una transfusión de sangre contra su voluntad. El pleno del TC amparó finalmente el derecho fundamental a la libertad religiosa de los padres y el hijo menor de edad. De hecho, los padres habían sido condenados por la Sala Penal del TS a dos años y medio de cárcel por el homicidio del menor, al considerarlos garantes del menor y obligados, por ello, a convencerle para aceptar la transfusión; obligación que incumplieron. El TC anula la condena a los padres al considerar que el menor ejerció su derecho a la libertad religiosa, no pudiendo exigirse a los padres la oposición a dicho ejercicio, contradiciendo al mismo tiempo sus propias creencias.

# ASPECTOS JURÍDICOS Y SANITARIOS DE SER TRANSEXUAL

PEDRO FERNÁNDEZ SANTIAGO
*Profesor Facultad de Derecho de la Universidad Nacional de Educación a Distancia*

CAROLINA ALONSO GÓMEZ
*Licenciada en Sociología e investigadora*

## INTRODUCCIÓN

Conciencia de clase es un concepto marxista que define la capacidad de los individuos que conforman una clase social de ser consciente de las relaciones sociales antagónicas —ya sea económicas, políticas, etc.,—y de actuar de acuerdo a ellas para beneficio de sus intereses. Para esta corriente de pensamiento la explotación de la burguesía sobre el proletariado es un hecho y el poder entender esta situación como derivada de la lógica del antagonismo fundamental de clases es conciencia de clase. Su opuesto sería la alienación; la imposibilidad de ver la explotación capitalista en la propia vida cotidiana. Uno de los desarrollos teóricos más relevantes en este ámbito es el del filósofo húngaro Georg Lukács en su libro Historia y conciencia de clase.

Marx[1] expresa claramente las condiciones de posibilidad de esa relación entre la teoría y la praxis: «No es suficiente que el pensamiento tienda hacia la realidad; también la realidad debe tender hacia el pensamiento»; y en un escrito anterior, dice: «Entonces se verá que desde hace mucho tiempo que el mundo posee el sueño de una cosa de la cual basta tener conciencia para poseerla realmente». Solamente semejante relación entre la conciencia y la realidad hace posible la unidad entre la teoría y la praxis (...) Marx ha expresado este pensamiento en innumerables pasajes. Citaré solamente uno de los textos más conocidos: «Un negro es un negro, y solamente en ciertas condiciones se convierte en esclavo. Una máquina de tejer algodón es una máquina de tejer algodón, y sólo en ciertas condiciones se convierte en capital».

---

[1]   MARX, C. en LUKÁCS, G., Historia y conciencia de clase. Ciencias Sociales, La Habana, 1970, en *http://bataillesocialiste.files.wordpress.com/2008/06/hcc.pdf*.

Siguiendo con los símiles, y desde el ámbito normativo podríamos argumentar que un ciudadano es ciudadano de pleno derecho si es consciente de que los tiene y puede disfrutar de ellos, que un ciudadano es libre cuando las condiciones no le convierten en esclavo de los mismos.

Es importante destacar la necesidad de todos y cada uno de los individuos de sentirse insertos en un grupo social en el que poder desarrollarse e interaccionar, cualquier dificultad en esta interacción acarrea para el mismo procesos de exclusión parcial y/o total, la negación de la "normalidad", es decir de lo "admitido" por las estructuras y/o grupos que la conforman, apartan la posibilidad de plenitud social y posiblemente en algunos casos la toma de posturas contra la misma. En este sentido argüíamos con anterioridad la lucha de clases.

En una sociedad cada día más compleja como la actual y tal vez en algunos de los planos muy diferente de la que conoció Marx, la lucha de clases en las sociedades opulentas se da más en los planos de la posibilidad de acceso a los "bienes sociales", que a la los factores económicos exclusivamente, lo cual no niega ni la existencia de luchas de clases, ni que la economía no tenga nada que ver con el poder alcanzar lo que antes definíamos como "bienes sociales".

La conciencia de pertenecer a un grupo social, protegido por los influjos culturales, así como la lucha por alcanzar una identidad individual (en este caso concreto, sexual), aceptada por el grupo social al que nos sentimos pertenecientes, se nos hace imprescindibles para sentirnos "normales"; del mismo modo es necesario destacar que el grupo social al que pertenecemos y al que hacemos referencia, es al humano, es decir, al que todas las identidades nacionales se han acogido, ratificado, y afirmado en las diferentes Constituciones de sus respectivos países. Seguimos intentando argumentar que no planteamos una quimera ni una utopía, que en todo caso lo que planteamos, es el respeto a las normas de las cuales cada uno de los países que componemos esta gran aldea global nos hemos dotado.

El concepto de identidad sexual, podría definirse como la suma de las dimensiones biológicas, culturales y de conciencia que permiten a los seres humanos reconocerse pertenecientes a un sexo u otro (macho o hembra), independientemente de su identidad de género (varón o mujer) o su orientación sexual, el concepto de identidad sexual esta en estrecha relación con la de identidad de género, incluso en muchos momentos se suelen utilizar como sinónimos.

Relacionado con la identidad y el género, nos encontramos con personas con genitales masculinos, que pueden sentirse mujeres y a la inversa, con mujeres con genitales femeninos que se pueden sentir hombres, y a esto es a lo que definiríamos como disforia de género, es decir una inconformidad con el rol de género que le toca vivir. Por otro lado la identidad sexual debe diferenciarse de la orientación sexual, en la que pueden darse individuos heterosexuales, homosexuales, bisexuales y asexuales. De igual manera que la orientación sexual, la identidad sexual no se puede elegir.

Sería un hecho infrecuente, observar en la mayoría de las personas, un cuestionamiento en cuanto a la relación existente entre su género anatómico y su género social, es más, sería extrañamente probable, observar en las personas un conato de diferenciación de géneros como planteamiento vital y ejecutor de sus comportamientos individuales y conductas grupales. Pues bien, esta es la clave que hace emerger un sistema identitario, el cual, generalmente está condicionado por la aceptación social de lo diverso y por el conocimiento individual de la diversidad sexual.

Particularizando en el sentido de la realidad tratada, nos vamos a centrar en la denominada población Transexual, considerando que el término tiene un origen estrictamente médico-científico, si bien es cierto, que la evolución real y social de la realidad terminológica experimenta diversos posicionamientos que en general, suponen una denigración del colectivo denominado.

Absorbemos, cual esponjas sociales, es decir, como individuos imbuidos de nuestro entorno y relaciones que éste genera y en ocasiones impone, nos envolvemos con aquellas pautas y normas de comportamiento que coexisten con nuestras formas de ser, pensar y sentir la realidad circundante, a la par que damos lugar a las más variadas posibilidades que deberán ser restringidas y censuradas por los poderes políticos para obtener un mayor control social, moral y demográfico de la población. Recordando a Foucault[2] deberíamos preguntarnos si, una vez más, *"todos los discursos en torno a la sexualidad están dirigidos a montar una sexualidad económicamente útil y políticamente conservadora."*

Es el momento en el que aquellos grupos sociales, reconocidos como tales pero no nominados hasta hace apenas un par de décadas, logran la concesión mediática de su existencia, es decir, les conceden la posibilidad de dirigirse a los demás de forma pública (si bien se realiza a través de casos individuales que no son extrapolables al resto de características del grupo, sino que más bien, son la excepción que permitirá el conocimiento y el reconocimiento de la identidad de un nuevo colectivo normativamente aceptado: El colectivo Transexual) a través de los medios de comunicación. Ya tienen voz luego ya existen socialmente, ya se les nomina.

Esta nueva existencia social, conlleva el establecimiento de relaciones con las diferentes instituciones y por lo tanto una normativa legal aplicable en el mantenimiento de dicha relación, cuya repercusión se deja sentir en los diversos ámbitos pero especialmente en el ámbito sanitario.

---

[2]    M. FOUCAULT. La Voluntad De Saber. Madrid, Siglo XXI, 1995.

# 1. IDENTIDAD

Generalmente, las personas no nos planteamos si deberíamos o no conocer nuestra identidad de género, lo cual evidencia una conformidad y concordancia entre el género anatómico de nacimiento y el género hacia el cual el cerebro siente pertenencia.

Es preciso detenernos en la formación de la identidad resaltando la importancia del fenómeno tanto desde el punto de vista psicológico como desde el punto de vista social, es decir, de la personalidad de cada uno de los individuos y de las relaciones sociales que se producen entre ellos y que están condicionadas tanto por sus características biológicas como por el hecho social de ser hombre o mujer.

*Por identidad de género[3] se entiende la igualdad, unidad y persistencia de la individualidad de uno como hombre, mujer o ambivalente. El rol de género designa todo lo que una persona dice y hace para indicar a los otros o a él mismo el grado en el que es hombre, mujer o ambivalente. La identidad de género es la experiencia privada del rol de género y éste es la expresión pública de la identidad*

Podríamos considerar la identidad de género como la forma de sentir, pensar y actuar como un hombre o una mujer[4], luego, todo esquema de género no solo reconoce la diferenciación biológica sino que a la vez crea diferenciaciones sociales, se categoriza a los individuos, si bien, existen categorías especiales que desde el punto de vista sanitario son así consideradas, y dentro de estas categorías especiales está incluida la transexualidad. El establecimiento de cánones sociales respecto al género implica que el pertenecer a una de estas categorías exige la exclusión de pertenencia a la otra, es decir, médicamente no puedes ser hombre y mujer o un poco hombre y un poco mujer, sino que se delimita a la diferenciación sexual, pero lo cierto es que produce una delimitación a la orientación sexual y cuando hablamos de identidad de género, hacemos referencia a una relación psicológica del individuo con las categorías de género de una sociedad y a sus relaciones con la misma.

La persona transexual también quiere definir su género y para ello está aún condenada a establecerse en una de las opciones binaristas establecidas. No se tiene en cuenta la realidad, la cual, se configura con una estructura mucho más compleja que va a determinar y dar forma a la realidad diversa. La realidad que da lugar a la presencia de un colectivo con unas señas comunes de identidad pero con una diversidad sexual paralela al resto de personas no transexuales.

---

3    MONEY y EHRHARDT en: Moya Morales Miguel. Identidad, roles y estereotipos de género. Revista de Psicología General y Aplicada. 1985.
4    SHERIF en: Martínez Belloch, Isabel. Bonilla Campos, Amparo. Sistema sexo/genero, identidades y construcción de la subjetividad. Universitat de Valencia 2000.

## 1.1. Definición y Conceptualización

Podemos definir a la persona transexual como aquella que está disconforme con la relación que tiene su sexo psicológico y los demás caracteres sexuales. El transexual es absolutamente consciente de su dicotomía, no está enfermo, sabe que su cuerpo pertenece a un género y su cerebro a otro.

Una persona transexual, es ante todo una persona, que vive en un cuerpo equivocado. Simplificando lo más posible y sin olvidar la realidad diversa (múltiples posibilidades) y diversificante (múltiples combinaciones ante las múltiples posibilidades), podemos afirmar que un transexual femenino, es aquella mujer que ha nacido en un cuerpo de hombre y dirige sus esfuerzos a lograr un cuerpo de mujer, y, un transexual masculino, es un hombre que ha nacido en un cuerpo de mujer y dirige todos sus esfuerzos a lograr un cuerpo de hombre. En ambos casos el logro tiene como objetivo la consecución de la correspondencia entre el sexo y el género. El problema no consiste en centrar el rasgo definitorio en la cuestión sexual sino en la identificación con el género sentido y deseado.

La aparición del término transexual se debe a Hirschfeld[5] (fue un famoso médico, sexólogo judío alemán, activista defensor de los derechos de los homosexuales), quien en 1923 lo utiliza de forma genérica —a la par que otros conceptos como travesti y homosexual— en su estudio "Die intersexuelle konstitution". No obstante, el avance en el concepto y estudio de la transexualidad es debido fundamentalmente al endocrino y psiquiatra Harry Benjamín, quien en 1966 escribe su "The transexual phenomenon" donde plantea la posibilidad de adaptar el cuerpo a la mente, hecho que posibilitaría un importante desarrollo de las técnicas de reasignación de sexo. De hecho, la primera propuesta del término fue la realizada por Benjamín, quien en 1953 describe la transexualidad como la asociación entre la normalidad biológica y la convicción de pertenecer al otro sexo.

La transexualidad puede ser definida como la situación que se produce cuando una persona presenta una diferenciación sexual —una anatomía sexual— con la cual no se encuentra conforme. De este modo, su identidad sexual y su anatomía sexual no se corresponden, produciendo una necesaria búsqueda de ajuste entre ambas. La transexualidad puede ser masculina o femenina. Así, la transexualidad masculina hace referencia a una persona que nace con el sexo biológico y sus atributos de mujer, pero que sin embargo se siente un hombre. En el caso de la transexualidad femenina hablamos de una persona que nace con sexo y atributos masculinos pero que por el contrario se siente una mujer.

Por otro lado es importante diferenciar la transexualidad de la orientación sexual, pues esta última hace referencia al nivel de atracción hacia otra persona

---

[5]    HIRSCHFELD en: http://es.wikipedia.org/wiki/Magnus_Hirschfeld.

por su sexo. De hecho, cabe la posibilidad de que una persona transexual, al igual que las personas cisexuales[6], pueda tener una orientación sexual heterosexual, homosexual o bisexual.

Actualmente no existen pruebas científicas que permitan explicar las causas de la transexualidad, no obstante, la mayoría de científicos proponen un origen biológico, concretamente a una serie de efectos hormonales durante el periodo fetal.

La persona transexual puede tener las mismas orientaciones sexuales que el resto de personas no transexuales, es decir, que el resto de la población. Los gustos y preferencias (de sexo ó de género) están esparcidos por el abanico de la diversidad, entendida ésta como un continuo de posibilidades que pueden ser tomadas de una en una o mezclarse en el tiempo o en un continuo temporal, es decir, pueden ser la expresión puntual de un deseo perecedero, o la expresión continuada como patrón conductual de una persona o grupo, que comparte características comunes y que forman una identidad concreta.

Durante muchos años en los procesos de investigación, existía la bipolaridad para poder clasificar a los individuos, en una escala que suponía un continuo desde los extremos representados por la masculinidad y la feminidad. Posteriormente surgen nuevas formas de representación en las que aparece una nueva clasificación que considera masculinidad y feminidad como dimensiones independientes y nace el concepto de androginia para designar a aquellas personas que tienen igualmente rasgos de ambos.

Autores como Bem[7], dirán que la personalidad mejor es la que contiene los elementos más positivos de la masculinidad y de la feminidad. Sus investigaciones le llevaron a la conclusión de que los sujetos andróginos tenían un autoconcepto de sí mismos que les llevaba a comprometerse en una conducta determinada teniendo en cuenta la situación y sus posibilidades, mientras que los sujetos masculinos y femeninos se guiaban más por las construcciones de los roles sexuales.

Es fundamental la convergencia de diferentes disciplinas para su estudio entre ellas la sociología, la psicología y la antropología. Así desde esta última concep-

---

[6]     El término cisexual fue introducido en 2007 por Julia Serano en su libro "Whipping Girl" para hacer referencia a personas no transexuales desde una posición de igual a igual a la hora de tratar los temas relacionados con la transexualidad.

[7]     BEM, SANDRA L. *Journal of Consulting and Clinical Psychology. Vol. 42(2), Apr 1974, 155-162.*
Describe el desarrollo de un nuevo inventario de roles de sexos que trata la masculinidad y la femineidad como dos dimensiones independiente, por lo que se hace posible caracterizar a una persona como masculina, femenina, o "andrógina" en función de la diferencia entre el respaldo que él o ella dé a las características de personalidad masculinas y femeninas.

ción, y utilizando parte del texto que José Antonio Nieto[8] emplea, considerando la exposición de Plummer (cuyo texto se expone en el párrafo siguiente) para explicar la influencia institucional de la cultura en la sexualidad y su diversidad, entiendo que ciertamente existen intereses impositivos para estereotipar, censurar o permitir manejar cualquier situación relacionada con la diversidad sexual y en este caso transexual.

> *"Antropológicamente entendidas, todas las culturas instituyen, con el fin de modelar la organización social, procesos políticos formales e informales que troquelan el alcance de lo permitido y, por ende, el ámbito de lo que no se acopla a lo pautado; la diversidad. De ahí que lo pautado sea lo hegemónico. Los indicadores de las restricciones sexuales, como se sabe, son muy variables, en los distintos momentos históricos y en las distintas culturas. Según la sociedad, las tipologías de la pluralidad sexual, de la diversidad, se aceptarán, proscribirán o se declararán ilegales. En materia de sexualidad, pues, el discurso de la diversidad se encarna en directrices políticas y sociales, que no constituyen pruebas científicas irrefutables. Por ello, se puede afirmar, que son dos los procesos sociales que intervienen y dan forma a la sexualidad. Uno de ellos, remite a la sociedad. El otro, a los individuos, a los actores sociales. El primero permite que la sociedad fije los límites de lo que sexualmente es aceptable o inaceptable. El segundo de los procesos permite al individuo permite al individuo de una sociedad dada abordar su propia sexualidad. Los primeros constituyen procesos "reguladores" que fundamentalmente refieren a la ordenación del deseo, al control corporal de los instintos y a la regulación del orden simbólico, dando forma a lo informe."*

Considerando que la persona transexual desea realizar un cambio físico importante para poder ajustar su imagen al sexo deseado y que para ello no tendrá más vía que los cauces legales que la cultura impone en este momento, están abocados a experimentar situaciones cuanto menos desagradables y en ocasiones mal reguladas legalmente. Si bien, la coloquialmente llamada Ley de Identidad (la Ley 3/2007, de 15 de marzo, reguladora de la Rectificación Registral De La Mención Relativa Al Sexo De Las Personas), les permite algunos avances para el logro de sus objetivos, también es cierto que su cumplimiento conlleva una serie de imposiciones personales, conductuales y sociales que les hace verse sometidos a diversas situaciones que podríamos denominar vejatorias en algunos casos. Expondremos a lo largo del capítulo algunas de ellas y nos detendremos con mayor profundidad en aquellos aspectos que inciden de forma directa en la experiencia sanitaria que la persona transexual va adquiriendo desde que decide dar el primer paso para iniciar su proceso.

Podemos constatar que el interés institucional y social regula en este caso la diversidad y la identidad transexual.

---

[8]    PLUMMER en NIETO JOSÉ ANTONIO. Antropología de la Sexualidad y Diversidad Cultural. Ed. Talasa. 2003.

## 1.2. Sexualidad, Sexo y Género

*"El sujeto es el resultado del proceso de subjetivación, de interpretación, de asumir performativamente alguna posición fija del sujeto"*. Esta es la explicación que Butler[9] plantea a este respecto se basa en la construcción cultural de sexo y género como performatividad, repetición de actos que son fruto del discurso autoritario heterocentrista.

Desde los primeros años de vida esto empieza a ser una realidad consciente en cada una de estas personas comenzando así un proceso condicionante de sus vidas. En algunos casos será asumido y vivirán con ese "secreto" y en otros se verán abducidos por la cultura imperante, llegando a no cuestionarse nada aun sabiendo que se sienten diferentes.

La persona transexual también quiere definir su género y para ello está aún condenada a establecerse en una de las opciones binaristas establecidas. No se tiene en cuenta la realidad, la cual, se configura con una estructura mucho más compleja que va a determinar y dar forma a la realidad diversa. La realidad que da lugar a la presencia de un colectivo con unas señas comunes de identidad pero con una diversidad sexual paralela al resto de personas no transexuales.

Cuando se produce un cambio del sexo biológico "macho "a "hembra" ó viceversa, hablamos de transexualidad.

Cuando se produce una cambio de género psicosocial de "masculino a "femenino" ó viceversa, hablamos de transgénero.

Cuando no se produce ningún cambio de sexo biológico, es decir, se trata de una persona cuya identidad sexual coincide con la que se le asignó al nacer, hablamos de cisexual(es una persona que no es transexual).

Es esencial hacer referencia al factor estrictamente humano y en base al cual podemos afirmar que la mayoría de las personas nos identificamos con uno u otro sexo, siempre en relación con variables externas que condicionan la elección entre ellas: sus características individuales y culturales, interacción grupal y asociacionismo. Todo es una cuestión de etiquetas y en ellas definimos exactamente lo que es propio de un hombre y lo que es propio de una mujer, pero diferenciamos en base a algunos elementos que son más influyentes que otros: Rasgos de personalidad, características físicas, comportamientos, ocupación.

---

9    BUTTLER en: CLAUDIA MAIENBORN, KLAUS VON HEUSINGER, PAUL PORTNER. An International Handbook of Natural Language Meaning, Volumen 1. Butler& Laclau, 2003, pág. 15. Ed: the Gruyter Mouton. 2011.

## 1.3. *La identidad en las personas transexuales*[10]

Las mujeres que han sido entrevistadas y que tienen una edad superior a 45 años, son mujeres que han tenido que vivir como hombres adaptándose a las imposiciones de la sociedad patriarcal y machista que les ha tocado vivir. Refieren que a medida que crecían se adaptaban al género que se les había asignado socialmente llegando a pasar por periodos de confusión, a lo cual contribuye el hecho de que sexualmente se han sentido atraídas siempre por mujeres y esto ha facilitado su adaptación. Una vez asumida la asignación de su papel masculino podían vivir y disfrutar de su vida en pareja plenamente en consonancia con el marco normalizado que establecía la sociedad. En todas ellas, se da la circunstancia de que han estado muy enamoradas y satisfechas sexualmente con sus parejas femeninas y este hecho les llevaba a confusión, retrasando el momento de asumir su realidad y tomar medidas para ello, es decir, de asumir su condición de mujeres lesbianas. Este hecho ha sido muy meditado por ellas, llegando incluso a afirmar de forma tajante el convencimiento de que las mujeres transexuales que deciden dar el paso con más de 45 años es porque son lesbianas. Lo cierto es que es un hecho que se produce en dos de las personas entrevistadas y en otra referenciada por una de ellas.

Las mujeres que han sido entrevistadas y están por debajo de los 45 años, también comienzan a ser conscientes de su deseo de ser mujer desde edades muy tempranas, les gusta vestirse con ropas femeninas y adoptan comportamientos propios de dicho género. Normalmente en el ámbito académico y laboral tienen que permanecer ocultas guardando su secreto durante muchos años de su vida y será en el momento en que sus familias sean informadas, cuando empiecen el cambio sin ningún tipo de comedimiento convencional. Se saben mujeres y quieren vivirse como tal en todos los ámbitos de su existencia. Las mujeres que tienen como pareja sentimental a hombres homosexuales retrasan el inicio de su cambio por amor a su pareja (como ellas mismas exponen), esto es sobre todo el temor a dejar de ser amadas por ellos.

Lo que sí parece evidente es la necesidad de diferenciar, la transexualidad como característica definitoria de la persona, de la orientación sexual que dicha persona pueda tener, pues esta última hace referencia al nivel de atracción hacia otra persona por su sexo.

---

[10]   ALONSO GÓMEZ C., "Obstáculos y empleo en mujeres que inician su proceso transexualizador" entregado en la Universidad Nacional de Educación a Distancia (UNED) para la superación del DEA dirigido por el, Profesor Fernández Santiago, P, y que fue valorado con la máxima puntuación.

## 2. EVOLUCIÓN DEL RÉGIMEN JURÍDICO EN MATERIA DE TRANSEXUALIDAD

### 2.1. Antecedentes Jurídicos en la Transexualidad

Algunos documentos notifican la existencia de procedimientos jurídicos abiertos a personas con estas características. Tal es el caso de Elena Céspedes[11], alias Eleno (así se le nombra en los documentos), nacida hacia 1546 en Alhama de Granada fruto de la relación de un caballero con su esclava negra, y a través de la cual podemos explicar la aplicación penal y legal del Santo Oficio por Transexualidad. El resumen de su vida, el desarrollo del proceso que la Inquisición de Toledo llevó a cabo contra ella entre 1587 y 1588, y el fallo condenando a la acusada, están escuetamente esbozados en el primer folio del legajo 234 conservado en el Archivo Histórico Nacional: Elena fue juzgada en dos juicios sucesivos, civiles e inquisitoriales.

### 2.2. Evolución Jurídica

Resulta complicado encontrar casos de transexualidad en los que se les hayan aplicado leyes concretas. Este compendio de cuestiones legales[12] que han ido evolucionando, nos dan una idea del desconocimiento y la falta de evidencia social del fenómeno.

La evolución de las mismas es amplia en cuanto a homosexualidad se refiere y probablemente estén implícitos los posibles casos de transexualidad, pero lo cierto es que para encontrar la aplicación o el amparo legal al respecto, nos trasladamos siglos después, a la Segunda República en la que se aprueba La Ley de Vagos y Maleantes[13]. Fue una ley del código penal español de 4 de agosto de 1933, referente al Tratamiento de Vagabundos, Nómadas, Proxenetas y cualquier otro elemento considerado antisocial y que posteriormente fue modificada para reprimir también a los homosexuales. En la Ley de Vagos y Maleantes que fue modificada por la Ley de 15 de julio de 1954, en la que se añadían nuevas situaciones, se incluye a los homosexuales en la lista de sujetos peligrosos.

El 4 de agosto de 1970 fue aprobada la Ley de Peligrosidad y Rehabilitación social, dirigida como la anterior a la represión policial de determinadas conduc-

---

11　　MARIE-CATHERINE GARBAZZA. Un caso de Subversión Social: El proceso Elena de Céspedes (1587.1589). Centro Virtual Cervantes.
12　　GÓMEZ GIL ESTER. ESTEVA ISABEL. "Ser transexual." Ed: Glosa. 2006.
13　　http://es.wikipedia.org/wiki/Ley_de_vagos_y_maleantes.

tas entendidas como peligrosas. Aunque en 1979, el Real decreto de ley de 11 de enero, eliminó a los homosexuales del catálogo de la Ley De Peligrosidad Social. Es en la Constitución Europea, en el artículo 9.2, donde se implica al poder judicial para la aplicación de principios básicos en relación a la libertad e igualdad.

Algunos aspectos considerados jurídica y legalmente como los más relevantes en los años 80, 90, hasta 2005 son los siguientes:

- Inicio del reconocimiento legal y clínico.
- Derecho al matrimonio.
- Legislación sobre cambio de nombre

En resumen, lo cierto es que hasta los 90 resulta complicado hablar de Regulación Legal de la transexualidad. La situación es la siguiente, en 1983 se reforma el Código Penal para despenalizar las operaciones que modifican el sexo anatómico (la posterior reforma en 1995 mantiene esta despenalización). En 1987 se reconoce por primera vez el derecho de una persona transexual a inscribirse con otro nombre y sexo distinto al de su nacimiento. En 1991 el Tribunal Superior de Justicia dicta sentencia que sistematiza los principios rectores para el cambio de sexo y nombre.

Al no haber Legislación, las sentencias judiciales se basan en la aplicación de los artículos de la Comunidad Europea, Tratados Internacionales reconocidos en España, otras leyes españolas y sentencias similares dictadas por el Tribunal Superior de Justicia Generalmente.

La situación Europea en estas décadas es muy diferente, puesto que existen algunos países que han legislado al respecto como Suecia. 1972, Alemania 1980, Italia 1982, Holanda 1985. Mientras que Austria y Eslovaquia permiten disposiciones administrativas reglamentarias, otros países como Francia, Bélgica, Grecia, Portugal, Suiza, España, precisan jurisprudencia.

En los últimos veinte años podemos decir que la condición transexual deja de ser considerada una perversión de la conducta sexual y por lo tanto deja como tal de ser sancionada desde el punto de vista legal o penal.

El siguiente logro decisivo será en marzo de 2007 cuando se aprobó la Ley 3/2007, de 15 de marzo, reguladora de la Rectificación Registral De La Mención Relativa Al Sexo De Las Personas.

Esta era una de las cuestiones más demandadas por la población transexual, pues constituía un grave problema, la no correspondencia de la imagen presentada, junto al nuevo nombre asociado al sexo deseado, con la identidad legal que aparecía en el documento nacional de identidad. Este hecho ha sido consecuencia de actos discriminatorios hacia la persona transexual en diversos ámbitos, desde el comportamiento como consumidor y no poder pagar con tarjeta de crédito, hasta los producidos en el ámbito laboral que les llevaba a no firmar un contrato de trabajo por no existir concordancia entre el sexo y el nombre, haciéndose visibles como transexuales. Este problema se veía incrementado por los estereotipos y asociación de la persona transexual al mundo de la prostitución. Ciertamente existe un número importante de mujeres transexuales que se ven obligadas a prostituirse (no por ser transexual sino por ser inmigrante, falta de estudios…y muchos otros factores sociales que presionan a la persona en este sentido) esto a su vez es el desencadenante de nuevos obstáculos, por ejemplo, a la hora de alquilar una vivienda y tener que enseñar la documentación, el posible arrendador prefiere no firmar el contrato por prejuicios o por asociación con la prostitución y sus derivadas vías de conflicto y falta de liquidez.

Hasta ahora, algunas personas que se habían sometido a una cirugía de reasignación de sexo, pudieron optar al cambio de nombre y sexo, tras un largo proceso judicial.

Tal y como expone Manuel Ródenas en la parte jurídica de su estudio realizado[14] sobre la población transexual la nueva Ley permite que todo ciudadano español, mayor de edad y que no se encuentre incapacitado pueda acceder al cambio de nombre y sexo en su documentación. Para ello se exigen dos requisitos:

Por un lado, un informe del médico o psicólogo clínico de "disforia de género", por otro lado, un informe del médico que haya dirigido el tratamiento, por el que se acredite que el interesado ha sido tratado médicamente durante al menos dos años para acomodar sus características físicas al sexo reclamado, sin que sea necesario para ello la cirugía de genitales.

Muchas de las personas transexuales son inmigrantes que como muchos otros han llegado a nuestro país debiendo solicitar la nacionalidad española. Este es un trámite en ocasiones muy largo y al no tener dicha nacionalidad no pueden acceder al cambio de nombre y sexo pues es requisito indispensable. Es bastante numerosa la población de personas transexuales inmigrantes en la ciudad de Madrid debido especialmente a la situación de persecución social y legal que existe en más de 80 países del mundo, según Amnistía Internacional. Se ven obligados a abandonar sus países de origen para evitar incluso en algunos casos, la muerte. Dentro de este grupo de personas, muchas se encuentran en situación irregular y carecen de permiso de trabajo y residencia. Otras, que sí gozan de este permiso pero no de la nacionalidad española, se plantean la necesidad de buscar alguna fórmula, que les permita cambiar de nombre y sexo, dadas las dificultades que encuentran en su integración social y como consecuencia de esto, en su integración laboral.

---

[14] MARTÍN ROMERO LOLA, RODENAS PÉREZ MANUEL, FERNANDO VILLAMIL PÉREZ. Necesidades de la población transexual y homosexual en el municipio de Madrid. Estudio sociológico y jurídico. AET, Madrid, 2009.

Lo relacionado con la Legislación Española antidiscriminatoria aplicable al ámbito sanitario, es inexistente de forma directa, si bien es cierto que siempre, teniendo como punto de partida la Constitución Española, en alguno de sus artículos del apartado de los Derechos Fundamentales se sientan las bases para su desarrollo. Concretamente el Artículo 43 de la Constitución española establece que se reconoce el derecho a la protección de la salud. Compete a los poderes públicos organizar y tutelar la salud pública a través de medidas preventivas y de las prestaciones y servicios necesarios.

El 8 de junio de 2010, el Grupo "Derechos Humanos" adoptó el Manual[15] para promover y proteger el disfrute de todos los derechos humanos por parte de las personas lesbianas, gays, bisexuales y transgénero (LGBT),

El presente documento ayudará a las instituciones de la UE, a las capitales de los Estados miembros de la UE, a las Delegaciones, Representaciones y Embajadas de la UE a reaccionar voluntariamente a las violaciones de los derechos humanos de las personas LGBT y a hacer frente a las causas estructurales que originan dichas violaciones.

Resulta necesario hacer mención en este apartado de derechos jurídicos y a hacerlo de forma especial, al caso de Navarra, dónde existe una Ley Integral sobre transexualidad. LEY 14/2012, de 28 de junio, de no discriminación por motivos de identidad de género y de Reconocimiento de los derechos de las personas transexuales.

En Murcia se realiza un proyecto de ley que garantice una protección integral.

## 3. APLICACIÓN DE LA LEY DE IDENTIDAD EN LA LEGISLACIÓN SANITARIA VIGENTE Y SUS CONSECUENCIAS EN LA VIDA REAL

A partir de la Ley 3/2007, de 15 de marzo, reguladora de la Rectificación Registral De La Mención Relativa Al Sexo De Las Personas o Ley de Identidad, comienzan los cambios necesarios para poder regular y determinar protocolos de actuación en el ámbito sanitario de afectación directa a las personas transexuales. Todo cuanto se pueda realizar, no tendrá sentido sin el reconocimiento legal de la nueva identidad (obtención del DNI) convirtiéndose esto en uno de los obstáculos más importantes para la regulación y normalización de su vida cotidiana.

---

15  Consejo de la Unión Europea. Del Grupo de Derechos Humanos al Comité político y de Seguridad. Manual para promover y proteger el disfrute de todos los derechos humanos por parte de las personas lesbianas, gays, bisexuales y transgénero (LGBT). Bruselas, 17 de junio de 2010.

En la actualidad la transexualidad está englobada dentro de los Trastornos de la Identidad Sexual, si bien recibe un tratamiento específico. Quizá el problema radica en que no existe clara distinción entre los deseos sexuales y sus formas de expresión y las patologías psíquicas asociadas.

Gracias al sexólogo Estadounidense Harry Benjamín quien en su libro "The Transexual Phenomenon", recopiló resultados y sentó las bases psicopatológicas que se le asignaron a la transexualidad ya hace mucho tiempo.

Tras más de una década tratando el proceso transexualizador desde el sistema sanitario y revisando estudios de algunos autores en épocas en las que el fenómeno era menos visible, deberíamos establecer las bases para la realización de nuevos proyectos desde una perspectiva más actual.

La transexualidad está considerada un trastorno de salud mental en la medida en que produce patrones de comportamientos que conllevan un sufrimiento significativo y una gran desventaja adaptativa.

Las asociaciones de afectados y los estándares asistenciales advierten que el reconocimiento de la transexualidad como problema de salud mental no debe ser utilizado con fines de estigmatización. El uso de un diagnóstico oficial debe ser considerado un paso importante para garantizar la asistencia sanitaria a estas personas.

Para resumir la situación actual de los aspectos sanitarios en materia de transexualidad, utilizo extraídos del libro de José Antonio Nieto[16] los criterios seguidos en el DSM-IV para establecer el diagnóstico de trastorno de la identidad sexual. Responden a cuatro parámetros que de forma resumida presento a continuación:

- Identificación acusada y persistente con el otro sexo. En los adolescentes y adultos la alteración se manifiesta por síntomas tales como un deseo firme de pertenecer al otro sexo, ser considerado como del otro sexo, un deseo de vivir o ser tratado como del otro sexo o la convicción de experimentar las reacciones y las sensaciones típicas del otro sexo.
- Malestar persistente con el propio sexo o sentimiento de inadecuación con su rol.
- La alteración no coexiste con una enfermedad intersexual
- La alteración provoca malestar clínicamente significativo o deterioro social, laboral o de otras áreas importantes del individuo

---

16    NIETO, JOSÉ ANTONIO (comp.) Transexualidad, transgenderismo y cultura. Antropología, identidad y género Madrid: Talasa. 1998.

## 3.1. Historia Clínica

Dentro de los Trastornos de Identidad de Género el más grave clínicamente hablando es el Transexualismo, definición que ha pasado por distintas fases y procesos desde que se inicia su estudio y se definen las características que lo configuran. Siguiendo el orden y las referencias establecidas en la Revista de Neuropsiquiatría[17] para hacer un recorrido histórico de los casos clínicos, resaltamos e primer lugar a Cauldwell[18] en 1949, quien fue el primero en usar el término *Transexualismo*, exponiendo un caso clínico de una chica que deseaba ser chico y llamó a su estado *"Psicopatía transsexualis"*.

El endocrinólogo y sexólogo, Harry Benjamín[19] (1966), explica que los "los verdaderos transexuales sienten que pertenecen a otro sexo, desean ser y funcionar como miembros del sexo opuesto y no solamente parecer como tales. Para ellos sus órganos sexuales primarios (testículos) lo mismo que los secundarios (pene y el resto) son deformidades desagradables que el bisturí del cirujano debe cambiar". En la conferencia pronunciada en junio de 1976 en Nueva York, afirmó:

> *"Sexo es lo que se ve. Género es lo que se siente. La armonía entre ambos es esencial para la felicidad humana."*

Posteriormente, en su obra *"Sexo y género: sobre el desarrollo de la masculinidad y la feminidad"*, Robert Stoller[20], define el transexualismo como "la convicción de un sujeto, biológicamente normal, de pertenecer al otro sexo".

Continuando con el orden cronológico de los acontecimientos, Money[21], en su obra titulada "Transexualismos y Reasignación de Sexo", expone la primera descripción sistemática (clínica, psicológica, antropológica y sociológica) del síndrome, definió a la transexualidad como "un problema de la identidad del género en el que una persona manifiesta con convicción persistente y constante, el deseo de vivir como miembro del sexo opuesto y progresivamente enfoca sus pasos hacia una vida completa en el rol del sexo opuesto."

---

[17] BERGUERO MIGUEL, TRINIDAD. La transexualidad: asistencia multidisciplinar en el Sistema Público de Salud. Rev. Asoc. Esp. Neuropsiq., Madrid, n. 89, marzo 2004.

[18] ESTHER GÓMEZ GIL e ISABEL ESTEVA DE ANTONIO. Ser transexual. Ed. Glosa 2006.

[19] HARRY BENJAMÍN (1966). *The Transsexual Phenomenon*. The Julian Press, INC. Publishers. De http://es.wikipedia.org.

[20] ALMUDENA HERNANDO. La fantasía de la individualidad. Sobre la construcción sociohistórica del sujeto moderno. Ed. Katz. 2012.

[21] Ibid.

Posteriormente, se complejizan los conceptos con las aportaciones de Person y Ovesey[22], los cuales distinguen entre transexualismo *primario* y *secundario* y explican las posibles presentaciones mixtas del fenómeno alertando así sobre la dificultad de que en todos los casos fuera posible establecer la distinción.

Se introduce el término *Disforia de género*, como un trastorno que produce ansiedad producida por el conflicto entre la identidad sexual y el sexo asignado, gracias a Norman Fisk[23].

Posteriormente, Stoller[24] intentó determinar con precisión el diagnóstico de transexualismo, tratando de diferenciarlo de otros diagnósticos como el travestismo o el homosexual afeminado. El travestido o el homosexual se sienten pertenecientes a su sexo biológico y además, gozan de sus órganos sexuales. No existe conflicto en este sentido. Stoller además advirtió acerca de la importancia de realizar este diagnóstico diferencial con precisión.

La cirugía de reasignación de sexo supuso una revolución, F. Abraham[25], sexólogo, en 1931 fue el primero que intentó una cirugía de estas características. El primer caso exitoso de esta cirugía fue llevado a cabo en la década de los 50.

En España, hoy en día, los trastornos de identidad de género y la transexualidad son considerados problemas de salud graves, definidos y descritos en las clasificaciones internacionales de enfermedades. Tienen una característica transcultural y aparecen en todas las épocas.

Tras las numerosas demandas de la población transexual y las oportunas reivindicaciones por parte de los representantes del colectivo, unido a una sensibilidad incipiente en la sociedad, comienzan a darse los primeros pasos para el logro de un sistema sanitario preocupado por la población transexual.

Comienzan a manifestarse estas preocupaciones y a hacerse efectivas en Andalucía, concretamente en la ciudad de Málaga, donde se crea la primera unidad de trastorno de identidad de género.

A partir de este momento, los profesionales especializados en transexualidad deben hacer frente a los condicionantes que imponen las propias personas transexuales en cuanto a complejidad, dificultad y sufrimientos que se generan en el sujeto, hasta "aprender a trabajar en un marco institucional no siempre desprovisto de prejuicios y a afrontar el desafío de modificar estructuras físicas sanas

---

[22]   Apud: CAMACHO CUENCA, CARMEN. Un deseo acertado en un Sexo erróneo. Trabajo fin de Master. Universidad de Almería.
[23]   Ibid.
[24]   Ibid.
[25]   http://www.transexualia.org/SANIDAD/construcciondegenero.pdf.

por un sufrimiento psíquico constatable, pero sin una base anatómica patológica que justificara un cambio, por otro lado, irreversible."[26]

Además es preciso comenzar a formar un equipo multidisciplinar especializado del cuál formen parte con sus respectivas aportaciones teóricas y empíricas, psicólogos, endocrinos, cirujanos y psiquiatras, que deben dar respuesta aunque de forma individualizada a un mismo objetivo grupal.

## 3.2. La Salud y Atención Primaria

"La salud es un estado de completo bienestar físico, mental y social, y no solamente la ausencia de afecciones o enfermedades."[27] La cita procede del Preámbulo de la Constitución de la Organización Mundial de la Salud (OMS), que fue adoptada por la Conferencia Sanitaria Internacional, celebrada en Nueva York del 19 de junio al 22 de julio de 1946, firmada el 22 de julio de 1946 por los representantes de 61 Estados (Official Records of the World Health Organization, N° 2, p. 100), y entró en vigor el 7 de abril de 1948. La definición no ha sido modificada desde 1948.

El objetivo es avanzar hacia una concepción más amplia en la que "la salud es el logro del más alto nivel de bienestar físico, mental y social y de capacidad de funcionamiento, que permitan los factores sociales en los que vive inmerso el individuo y la colectividad"[28], lo cual supone la incorporación de una perspectiva de género al proceso sanitario en la atención primaria. Sanidad es la responsable directa del logro de una buena imagen y de una correcta salud física y mental. Del grado de su implicación y agilidad van a depender todas las personas transexuales que esperan poder sentirse un día invisibles, como el resto de las mujeres, y poder tener acceso a los mismos servicios que las mujeres no transexuales.

Es importante destacar que en la actualidad no todas las Comunidades cuentan con una Unidad de Trastorno de Identidad de Género, lo cual generaliza la desinformación al respecto de ciertos profesionales que, en ocasiones, se sorprenden y no pueden atender a las personas que les transmiten dicha inquietud sanitaria.

No es infrecuente que una persona acuda a su centro de atención primaria y le diga a su médico de familia asignado lo que le está ocurriendo, es decir, su deseo de pertenecer a otro cuerpo que se corresponda con su género. Tampoco es infrecuente que el médico de familia se sorprenda y reconozca que en ese momento

---

[26]    Revista de la Asociación Española de Neuropsiquiatría *versión impresa* ISSN 0211-5735 Rev. Asoc. Esp. Neuropsiq. n.89 Madrid ene.-mar. 2004.

[27]    *http://www.who.int/suggestions/faq/es/index.html.*

[28]    SANMARTÍN SALLERAS. Educación sanitaria. Ed: Díaz de Santos S.A 2005.

no está capacitado para su correcta atención y precise de un tiempo para poder informarse adecuadamente.

Así comienza una larga espera condicionada por los retrasos que produce no tanto la ignorancia como la desinformación sobre los pasos a seguir con las personas transexuales.

Utilizando como referente la Guía de transexualidad[29] vamos a describir brevemente el momento y el proceso actual en España en materia sanitaria específica:

En febrero de 1999 el Parlamento de Andalucía aprobó la prestación sanitaria a personas transexuales en el Sistema Sanitario Público Andaluz, y en octubre de ese mismo año, la Consejería de Salud de la Junta de Andalucía creó, tras concurso, la Unidad de Trastornos de Identidad de Género (en adelante UTIG), en el Hospital Universitario Carlos Haya de Málaga. Esta unidad es la primera dentro del sistema público español para dar respuesta a la atención sanitaria de estas personas, y está compuesta por un equipo multidisciplinar, integrado por personal de los servicios de Psiquiatría, Endocrinología y Cirugía Plástica para realizar la reasignación de sexo.

La Junta de Extremadura mediante un convenio de colaboración con el Sistema Andaluz de Salud, incluye el tratamiento clínico de reasignación de sexo en su sistema público de salud.

Desde las reivindicaciones para los pacientes que necesitan reasignación de sexo, éstas se entienden en torno a dos demandas. Por un lado como vía para aliviar la angustia vital que produce la convivencia con una dicotomía no deseada entre el sexo anatómico y la identidad de género, y por otro lado, es preciso reclamar la igualdad social sin discriminaciones regionales.

Los pacientes acuden a sus consultas especializadas con el primer propósito de comenzar a modificar su aspecto físico para que éste pueda empezar a reflejar la imagen del sexo que realmente identifican como propio. En este sentido, existe un rechazo constante a los genitales y órganos característicos de cada sexo. Las mujeres transexuales, sienten aversión por su pene, y los hombres transexuales, describen el mismo sentimiento incluso por sus mamas.

## 3.3. Unidad De Trastornos De Identidad De Género (Utig) Y Experiencia De La Vida Real

Como ya hemos mencionado anteriormente, para realizar los criterios diagnósticos oportunos, los cuales se a nivel internacional en los estándares de la Asociación Harry Benjamín, se recomienda atender a estas personas en equipos

---

[29]    http://es.scribd.com/doc/502989/GUIA-TRANSEXUALIDAD-interior-7529.

multidisciplinares en los cuales exista una constante relación e intercambio de información entre los profesionales que lo forman. Desde el servicio de Atención primaria son derivados a la Unidad De trastorno de Identidad de Género (UTIG) donde comienza el verdadero proceso diagnóstico.

La UTIG[30] de la Comunidad de Madrid está formada por un equipo multidisciplinar de profesionales (endocrinólogos, psiquiatras, psicólogos clínicos, ginecólogos, urólogos, cirujanos plásticos y otorrinolaringólogos, entre otros) de los hospitales La Paz y Ramón y Cajal, y es el paciente el que, según el proceso que precise, es atendido en uno o en otro centro sanitario.

El proceso hasta alcanzar el cambio de sexo pasa por una serie de fases de diagnóstico, de tratamiento, de intervenciones quirúrgicas y atención postquirúrgica.

El primer profesional con una máxima y determinante responsabilidad es la figura del psicólogo, el cual, tras realizar una valoración exhaustiva, va a promover el inicio de proceso de cambio, tan deseado y necesario para la persona transexual. Comienza aquí una fase de diagnóstico, que exige una exactitud rigurosa, pues el arrepentimiento al respecto una vez realizada la reasignación sería una cuestión irreversible. Algunos testimonios con personas transexuales nos hablan de la imposibilidad de arrepentimiento cuando se trata de *un deseo que prácticamente se tiene antes de hablar (manifestación realizada por una de las TM* [31]*entrevistadas).*

Las clasificaciones internacionales establecen cuatro criterios diagnósticos: el individuo se identifica de un modo intenso y persistente con el otro sexo, se caracteriza un sentido de inadecuación con su rol de género, el individuo no padece una enfermedad física intersexual concurrente, deben existir pruebas de malestar clínicamente significativo o deterioro social, laboral o de otras áreas importantes de la actividad del individuo.

La evaluación que realiza el psicólogo es vital y por eso no existe un tiempo exacto en la dedicación a cada persona (aunque curiosamente coincide con el tiempo de duración en el proceso de cambio de la Identidad en el Registro Civil) hasta su diagnóstico de transexualismo, quedando descartadas otras patologías.

De forma paralela se procede a la valoración por parte del endocrino, figura igual de importante que la anterior, el psicólogo, y que va a realizar una valoración exhaustiva respecto a la hormonación, el sistema gonadal y cromosómico de cada paciente. Dicha hormonación está supeditada desde su inicio al juicio

---

30   Http://www.madrid.org/cs/Satellite?cid=1142593218570&language=es&pagename=Hospital RamonCajal%2FPage%2FHRYC_contenidoFinal.
31   Su cuerpo físico era hombre y su género mujer.

de la psicóloga, que establecerá el momento y condiciones de idoneidad para el tratamiento.

La importancia que tiene el tratamiento hormonal para las personas transexuales es vital. Desde el primer momento que entran en contacto con la medicación, comienza a despertarse en ellas una confianza en el logro de su objetivo, que desde ese momento se configura como una realidad alcanzable. Comienzan a enfrentarse a las diversas situaciones que su nuevo rol de género les exige con la seguridad de que empiezan a ser físicamente lo que siempre han sentido que son.

También es cierto que muchas personas transexuales antes de acudir al médico, inician su tratamiento hormonal sin control médico alguno. Esta es una solución que intentan darse por razones de agilización del proceso y, en ocasiones, por desconocimiento ante el procedimiento. Esta situación puede generar dificultades de diagnóstico específico en cuanto al sistema hormonal y su tratamiento más adecuado.

Durante la intervención hormonal por parte del endocrino, el psicólogo procede a realizar un acompañamiento pausado, es decir, se citará al paciente en intervalos de tiempo concretos con el fin de que durante dichos intervalos, no solo se hormonen adecuadamente, sino que además, se adapten y progresen de forma paulatina y realista en la identificación del nuevo género social. Para ello tendrán que vivir durante el periodo de tiempo que establezca el profesional de acuerdo a las características del sexo deseado. Incluye vestuario, depilación comportamiento, maquillaje, lenguaje verbal y no verbal..., hasta sentir y evidenciar la adecuación de su imagen al sexo sentido. Este periodo es el denominado Test de la Vida Real ó Experiencia de la Vida Real.

En todo caso, pasar a la fase quirúrgica, exige 2 años de tratamiento hormonal y también haber superado satisfactoriamente la experiencia de vida real, DNI y turno en la lista de espera hospitalaria, es decir, con suerte en cinco años mínimo, se puede llegar a la cirugía de reasignación de sexo.

En cuanto a los efectos secundarios del tratamiento es preciso clarificar que existen diferencias importantes entre el TM (hombre-mujer) Y EL TF (mujer-hombre). En el tratamiento TM, se emplean estrógenos, antiandrógenos y otras sustancias bloqueantes. Transcurridos los tiempos estimados para los tratamientos anteriores (los cuales en la práctica son excesivamente largos), se inicia el tratamiento quirúrgico. Los datos de La Guía de Sanidad son los siguientes:

> "En el transcurso de un año desde el inicio del tratamiento hormonal, los pacientes transexuales mujer-a-hombre (TF) acceden a tratamiento quirúrgico de mastectomía y tras dos ó tres años, si lo solicitan, a la cirugía de genitales. En transexuales hombre-a-mujer (TM) transcurre uno o dos años hasta la operación, dependiendo de la lista de espera quirúrgica."

Aunque la realidad social vuelve a imponerse y en ocasiones las listas de espera no avanzan, puesto que se priorizan otras intervenciones procedentes de patologías diversas. A esto se suma la situación actual de recortes importantes que si bien, no se han realizado de forma específica sobre las actuaciones a pacientes transexuales, pero sí son recortes que afectan a todos los ámbitos y obligan a priorizar.

Cuando el paciente es intervenido, comienza una fase de tratamientos posquirúrgicos tales como, educación sexual, abordaje de las distintas situaciones que pueden surgir en todos los ámbitos de la vida real: familiar, laboral, pareja, etc....

Los diferentes trabajos sobre pronóstico post-tratamiento del TIG (Trastorno de Identidad de Género) varían en cuanto a indicadores para medir resultados (mejoría) y en cuanto a las dimensiones y factores estudiados. Así, los indicadores de resultados de mejoría del trastorno incluyen, grado de satisfacción con la cirugía y los resultados cosméticos, mejoras en la calidad de vida, mejoras en el funcionamiento social, psicológico y psiquiátrico. Los criterios, instrumentos y metodologías empleados no han sido uniformes. Los diferentes trabajos publicados apuntan a que la mayoría de los transexuales manifiestan estar satisfechos con los resultados de la cirugía de reasignación de sexo.

## 3.4. Repercusión sanitaria en las personas transexuales

Una vez realizado el diagnóstico comienzan una sucesión de fases que a veces son criticadas duramente por las mujeres transexuales entrevistadas, puesto que todas las mujeres, han tenido que afrontar un largo proceso en el sistema sanitario, durante el cual van a ser atendidas por un equipo multidisciplinar en cada una de las diferentes etapas. Las experiencias son distintas en función del área de salud en el que se encuentren, diferenciando entre: Atención Primaria y la Unidad de Trastorno de Identidad de Género compuesto por profesionales de Salud Mental, endocrino y cirujano. Siguiendo este orden voy a analizar las experiencias descritas por las entrevistadas.

En general, todas coinciden en que el servicio recibido desde los profesionales de atención primaria, es deficiente en cuanto a la información que tienen en materia transexual, incluyendo desde el equipo básico de enfermeras y auxiliares hasta el médico de familia.

Apuntan que la ignorancia, se manifiesta fundamentalmente en los trámites a seguir para poder atender a la paciente. Las manifestaciones son desde el factor sorpresa al reconocimiento de la ignorancia y ruego de solicitud de nueva cita para que puedan documentarse debidamente. A partir de aquí se les facilitaran los volantes y papeles para realizar las oportunas derivaciones a los distintos servicios.

Igualmente señalan que en ocasiones son llamadas por su nombre de hombre llegando incluso a decirles cuando las ven que tienen que venir los pacientes y no nadie en su nombre. Cuando son conscientes del error suelen disculparse.

El hecho de no tener Unidad De género en todas las Comunidades Autónomas genera también dificultades y gastos que condicionan la vida de las mujeres. Una de las personas entrevistadas nos cuenta que en su tierra, Canarias, no existe Unidad De Trastorno De Identidad De Género y aunque llevan el tratamiento tanto psicológico como endocrinológico no pueden completar las distintas fases, siendo derivada a una Comunidad donde pueda ser tratada. Los gastos ocasionados en materia no sanitaria, corren a cuenta de la persona transexual, lo que llevó a la entrevistada a buscar empleo en Madrid para sobrevivir durante el tiempo de atención en la Unidad.

Respecto a la propia Unidad de Género, una de las manifestaciones críticas que hacen las entrevistadas es que se trata de un equipo poco formado en materia transexual, que se ha ido gestando y nutriendo con las diferentes experiencias que cada una de las personas transexuales les ha proporcionado. Llegan a afirmar que la UTIG es una cuestión de imagen ya que en realidad supone una imposición de la Unión Europea.

En el caso del área de salud mental, las entrevistadas sienten que son retenidas durante un tiempo excesivo con la única finalidad de descartar patologías mentales. Ninguna cree que la persona transexual pueda tener dudas al respecto y consideran que aunque este servicio es necesario, también es excesivamente largo el periodo que comprende. En opinión de las entrevistadas el verdadero problema es que no existe un criterio diagnóstico para saber si una persona es transexual o no y ante el temor de equivocarse y poder ser denunciado prolongan en exceso el periodo de atención en salud mental.

Otra experiencia que resulta en algunos casos negativa, en otros casos interesada y en todos los casos de obligado cumplimiento es la denominada Experiencia de la Vida Real.

Las entrevistadas, destacan la incongruencia que supone obligar a una mujer a vestirse como tal, cuando todavía su físico evidencia ser el de un hombre, y, entienden que la única razón para ello es la obligatoriedad externa es decir, de Europa, de utilizar un protocolo obsoleto que procede de Holanda del año 1972.

Ellas mismas declaran, siempre en tercera persona, que en ningún momento es algo que ellas hayan realizado así directamente, pero siempre conocen a otras chicas que lo hacen, que se cambian minutos antes de ser entrevistadas por la psicóloga, se visten de mujer y pasan a la consulta.

En la mayoría de los casos las mujeres desarrollan el tiempo que supone La experiencia de la Vida Real a su manera, generalmente de forma gradual para ir cogiendo seguridad en sí mismas, y, reconocen que es simplemente un protocolo cuyo cumplimiento o incumplimiento no va a modificar sus deseos de ser mujeres.

De forma excepcional, una de las entrevistadas dice haberse vestido desde el primer día aunque la razón fue otra, la falta de tiempo para ir a comer con una amiga con la que había quedado, y no el cumplimiento del protocolo.

También de forma excepcional sólo una de las entrevistadas, dedicada a la prostitución, tuvo dudas en algún momento de su vida deseando volver a cambiar su aspecto para convertirse en hombre. Esto es algo extraño, a lo cual, todas las demás entrevistadas hacían alusión como si se tratase de un fenómeno inexistente, era una posibilidad contemplada por sanidad pero alejada de la realidad. No obstante, la entrevistada había estado sometida a fuertes presiones, llegando incluso a temer por su vida como consecuencia de la prostitución y transexualidad.

Otra traba que encuentran en esta fase es la depilación. Se les exige estar absolutamente depiladas, esto es, que no les salga vello en la zona genital. Es un requisito para poder ser reasignadas. La mayoría de ellas lo percibe como un obstáculo intencionado para echar a las chicas para atrás e impedir la reasignación, bien por razones económicas o políticas.

# 4. CONCLUSIONES

En la actualidad, se espera la aparición de la quinta versión del DSM, lo cual sucederá en 2013. La crítica principal es el reconocimiento de la transexualidad como una enfermedad mental, como una patología de las identidades trans. Una de las líneas de trabajo de la Red Internacional por la Despatologización Trans es la elaboración de propuestas para contribuir a un cambio de los protocolos clínicos trans-específicos.

En esta línea debemos destacar que si bien se lucha por equiparar la transexualidad a como ha quedado conceptualizada la homosexualidad, en el sentido de no ser considerada una enfermedad, lo cual parece absolutamente correcto. Sin embargo en el caso de las personas transexuales, que están recibiendo un tratamiento médico para adaptar sus cuerpos lo más posible a lo que es un cuerpo del otro sexo biológico diferente al que poseen desde el nacimiento, incluyendo varias cirugías, éste es un aspecto diferenciador de lo que ocurre con una persona homosexual que no requiere tratamiento médico de ningún tipo.

Ciertamente se viene abordando el hecho transexual en El *Manual diagnóstico y estadístico de los trastornos mentales* (Diagnostic and Statistical Manual of Mental Disorders, DSM) de la Asociación Psiquiátrica de los Estados Unidos (American Psychiatric Association) desde sus comienzos a mediados del siglo XX, como un problema existente entre el sexo poseído y el género deseado, entendiendo que cuando esta situación se produce en una persona, se trata de una enfermedad psiquiátrica. Esta situación ha dado lugar a numerosas luchas de las cuales surgen grupos y plataformas representantes con el fin de extinguir esta tipificación de la transexualidad en el citado Manual, marco de referencia necesario en la medicina.

Igualmente la adaptación al género cultural no permite salir de las tipificaciones binaristas de género. Luego, si biológicamente soy macho, tendré que comportarme como un hombre social y culturalmente aceptado. Si biológicamente soy hembra, tendré que comportarme como una mujer social y culturalmente aceptada. Esto es lo normal, hasta el punto de estar normativizado y que cualquier otra manifestación pueda ser considerada como una enfermedad psiquiátrica o, incluso, como una conducta punitiva. Esta es la manifestación directa en el ámbito de la salud y así se recoge en el DSM. Se reproducen los patrones culturales imperantes y en base a éstas normas consideradas "lo normal" se establece el catálogo de enfermedades y necesidades sanitarias que siguiendo la normativa cultural y, en ocasiones, los intereses políticos, darán forma a la tipificación de algunas enfermedades de dudosa etiología, estableciendo prioridades en cuanto a su atención y urgencia.

El manual anterior consideraba la Transexualidad como un Trastorno de identidad de Género siempre que se produzcan al menos dos circunstancias: la irrefrenable identificación con el sexo opuesto y la incomodidad con el sexo asignado y con el género impuesto.

Está prevista la publicación en marzo de la V versión del manual de referencia. En él se sustituye la denominación Trastorno de Identidad de Género, por la de Incongruencia de Género. Este hecho se debe principalmente, al éxito que las numerosas organizaciones han manifestado en su lucha por la eliminación de un término con carácter peyorativo y estigmatizador en sí mismo.

De alguna manera se deja de justificar la incongruencia de géneros impuesta por la propia normativa social, y se reconoce la diversidad de los mismos. Se puede sentir de formas diferentes en momentos distintos, independientemente de la evidencia sexual o de las preferencias. Se intenta evidenciar que existe un desajuste entre el género que se asigna al nacer y el género con el que la persona se identifica a lo largo de su vida.

En un primer momento se reconoce la diversidad a la hora de realizar el diagnóstico, es decir, se identifica a la persona como hombre, mujer, andrógina…, pero se vuelve a la dicotomía de género para poder establecer el diagnóstico de la persona transexual, la incongruencia se produce por el deseo de ser mujer o por el deseo de ser hombre, pero no se contemplan otras posibilidades trans, que también tienen relación directa con la salud sexual y su manifestación personal y social.

En el caso de que la lucha despatoligizante no fructificase sería preciso aplicar la legislación vigente de una forma eficaz y proporcionar y agilizar con las medidas sanitarias oportunas aquellas condiciones que requieren un tratamiento específico y complejo, pero necesario para la supuesta curación de la persona transexual.

Igualmente se hace precisa la extensión de las Unidades especializadas a todas las Comunidades Autónomas de forma que todas las personas transexuales puedan ser atendidas correctamente, por profesionales especializados, desde el primer momento y sin que ello suponga un gasto extraordinario o el abandono de la vida habitual.

Respecto al TVR (Test de la Vida Real) se hace necesario no incurrir en la inflexibilidad respecto a las recomendaciones de actuación. Es evidente que es algo por lo que todas las personas transexuales tienen que pasar pero este protocolo sanitario de actuación deberá estar adaptado a la psique de cada persona y a sus propias circunstancias sociales.

La situación actual hace necesaria una modificación de la (Ley 3/ 2007, de 15 de marzo, reguladora de la rectificación registral de la mención relativa al sexo de las persona de la Ley de Identidad de Género), con el fin de lograr reducir el tiempo exigido de tratamiento, eliminar la exigencia actual de ser diagnosticado de Disforia de Género, y poder contemplar a aquellos menores que no pueden acceder al cambio de nombre y sexo, siempre que estén acompañados por sus tutores legales y con el diagnóstico del profesional médico.

# EL DERECHO A DECIDIR SOBRE LA PROPIA SALUD REPRODUCTIVA

MERCEDES MURILLO MUÑOZ
*Prof. Titular de Derecho Eclesiástico del Estado*
*Universidad Rey Juan Carlos*

YOLANDA GARCÍA RUIZ
*Prof. Contratada Doctora de Derecho Eclesiástico del Estado*
*Universitat de València*

## 1. EL DERECHO A DECIDIR SOBRE LA PROPIA SALUD SEXUAL Y REPRODUCTIVA[1]

### 1.1. *Antecedentes y reconocimiento en textos internacionales*

El concepto de salud sexual y reproductiva tiene su origen en la "Conferencia Internacional sobre Población y Desarrollo de Naciones Unidas" (CIPD) que tuvo lugar en El Cairo el año 1994 donde se utiliza por primera vez este término. En el Módulo sobre *Salud sexual y Reproductiva* publicado por el Ministerio de Sanidad y Política Social[2], se recoge la evolución que ha permitido la elaboración de este concepto tal como se conoce hoy y que se puede resumir en los siguientes hitos[3]:

* En 1948 en la Declaración Universal de Derechos Humanos, además de reconocer el derecho de todo ser humano a la salud, se recoge por primera vez una alusión directa a la salud materna e infantil en el art. 25.2: "la maternidad y la infancia tienen derecho a cuidados y asistencia especiales. Todos los niños y todas las niñas, nacidos de matrimonio o fuera de matrimonio, tienen derecho a igual protección social"
* En 1952 la Organización Internacional del Trabajo (OIT) aprueba el "Convenio relativo a la protección de la maternidad".

---

[1]   Contribución redactada a mediados de 2013.
[2]   Vid. MAZARRASA, L. y GIL, S.: *Modulo 12. Salud sexual y reproductiva. www.msc.es/organizacion/sns/planCalidadSNS/.../13modulo_12.pdf.*
(Consultado por última vez el 11 de febrero de 2013).
[3]   *Ibid*, págs. 4-7.

- Sin embargo no es hasta la "Conferencia de Alma Ata" (1978) cuando se incluye la planificación familiar como un contenido mínimo más de la salud materna e infantil.
- En 1979 en la "Convención sobre la eliminación de todas las formas de discriminación contra la mujer" de Naciones Unidas (CEDAW) vuelve a recoger en su declaración el derecho a un "acceso al material informativo específico que contribuya a asegurar la salud y el bienestar de la familia, incluidos la información y el asesoramiento sobre planificación de la familia".
- En 1994, tal como se dijo, en la Conferencia Internacional sobre Población y Desarrollo (CIPD) se abandona la expresión salud materna e infantil para hablar ya de Salud Sexual y Reproductiva. La CIPD supuso un gran cambio en las políticas de población que hasta entonces se habían discutido en foros internacionales y que habían tenido por objeto el control de la superpoblación como factor de pobreza para lo que se debían atender políticas, a su vez, de control de la natalidad. El Programa de Acción de la CIPD modifica estos criterios al establecer que las políticas de población deben orientarse al bienestar de los individuos y su calidad de vida dentro del marco de los derechos humanos. Se abandona así la visión de la sexualidad ligada a la reproducción y se hace a la mujer autónoma en todas las esferas vitales y sobre todo respecto a la sexualidad y la reproducción.
- Un año más tarde, en Beijing, tiene lugar la IV Conferencia Mundial sobre la Mujer de Naciones Unidas donde se insiste en los derechos de las mujeres y donde se perfila y refuerza el concepto de salud sexual y reproductiva. Se aprueba la Declaración y la Plataforma de Acción que afirma de nuevo que "los derechos humanos de las mujeres incluyen su derecho a ejercer el control y decidir libre y responsablemente sobre las cuestiones relativas a su sexualidad, incluida su salud sexual y reproductiva, libres de coerción, discriminación y violencia" y reconoce que "la capacidad de las mujeres para controlar su fecundidad constituye una base fundamental para el disfrute de otros derechos". Del mismo modo en el artículo 19 de la Declaración se define como "esencial el diseño, implementación y monitoreo, con plena participación de las mujeres, efectivo, eficiente y mutuamente reforzantes de políticas y programas sensibles al género, en todos los niveles, que fomenten el empoderamiento y el progreso de todas las mujeres" y en el artículo 25 se "alienta a los hombres a participar de lleno en todas las acciones encaminadas hacia la igualdad".
- En 1996 la Unión Europea y todos sus estados miembros adoptan formalmente el "Plan de Acción sobre Población y Desarrollo de El Cairo".

La Unión promueve "un enfoque holístico y el reconocimiento de la salud y de los derechos en materia de reproducción y sexualidad, (...) incluida una maternidad exenta de riesgos y el acceso universal a una gama completa de cuidados y servicios seguros y fiables en materia de salud reproductiva y sexual" (Artículo1.2 del "Reglamento del Parlamento Europeo y del Consejo relativo a la ayuda para políticas y acciones sobre la salud y derechos en materia de reproducción y sexualidad en los países en desarrollo"). A ello se añade, la Resolución 2001/2128(INI) del Parlamento Europeo sobre salud sexual y reproductiva y los derechos asociados.

- En la "Cumbre del Milenio" del año 2000, se recogerán dentro de los Objetivos de Desarrollo del Milenio aspectos fundamentales para la mejora de la salud reproductiva: la reducción de la mortalidad materna y el avance hacia la igualdad entre los géneros junto con el empoderamiento de las mujeres.

- Sin embargo, el cumplimiento de los compromisos ha sido muy limitado. Las conferencias El Cairo +5 (1999) y El Cairo +10 (2004), aunque ratificaron los compromisos alcanzados en 1994, han puesto en evidencia las dificultades para materializarlos. En este sentido, la conferencia para la evaluación de los compromisos adquiridos en la Plataforma de Acción de Beijing: Beijing +10 (2005) concluyó que "la falta de derechos en materia de salud sexual y reproductiva, los altos índices de violencia contra las mujeres en todas partes del mundo y la cada vez mayor incidencia de VIH/Sida entre las mujeres así como altas tasas de mortalidad materna en regiones de África, Asia y América Latina, reflejan que en muchos aspectos la igualdad no es una realidad para la mujer y que queda aún mucho camino por recorrer."

No obstante los retrasos para cumplir los compromisos de El Cairo y Beijing, lo cierto es que se han vuelto a ratificar, lo que supone mantener la obligación de cumplirlos para casi todos los países del mundo que los han asumido entre ellos España. Precisamente, en la línea de cumplir dichos compromisos, se inscribe la promulgación en España de la *Ley Orgánica 2/2010, de 3 de marzo, de salud sexual y reproductiva y de la interrupción voluntaria del embarazo*[4].

---

[4]   Vid. *B.O.E.* núm. 55, de 4 de marzo de 2010, págs. 21001-21014.

## 1.2. El derecho a la salud sexual y reproductiva en el derecho español

### 1.2.1. Concepto, fundamento y principios del derecho a la salud sexual y reproductiva

Efectivamente, en el Preámbulo de la Ley Orgánica 2/2010, de 3 de marzo, *de salud sexual y reproductiva y de la interrupción voluntaria del embarazo* se afirma que *"La presente Ley pretende adecuar nuestro marco normativo al consenso de la comunidad internacional en esta materia, mediante la actualización de las políticas públicas y la incorporación de nuevos servicios de atención de la salud sexual y reproductiva. La Ley parte de la convicción, avalada por el mejor conocimiento científico, de que una educación afectivo sexual y reproductiva adecuada, el acceso universal a prácticas clínicas efectivas de planificación de la reproducción, mediante la incorporación de anticonceptivos de última generación, cuya eficacia haya sido avalada por la evidencia científica, en la cartera de servicios comunes del Sistema Nacional de Salud y la disponibilidad de programas y servicios de salud sexual y reproductiva es el modo más efectivo de prevenir, especialmente en personas jóvenes, las infecciones de transmisión sexual, los embarazos no deseados y los abortos"*[5]. Previamente, dicho Preámbulo recoge las normas internacionales más relevantes en esta materia que son las ya mencionadas de la "Convención sobre la eliminación de todas las formas de discriminación contra la mujer", Resolución de Naciones Unidas 34/180, de 18 de diciembre de 1979, la Plataforma de Acción de Beijing, en el ámbito de la Unión Europea, la Resolución 2001/2128(INI) del Parlamento Europeo sobre salud sexual y reproductiva y los derechos asociados, así como la Convención sobre los Derechos de las Personas con discapacidad de 13 de diciembre de 2006, ratificada por España, establece la obligación de los Estados Partes de respetar *el derecho de las personas con discapacidad a decidir libremente y de manera responsable el número de hijos que quieren tener [...]*.

Sobre el **fundamento** del derecho a decidir sobre la salud sexual y reproductiva, el Preámbulo de la Ley es también muy expresivo: *"El desarrollo de la sexualidad y la capacidad de procreación están directamente vinculados a la dignidad de la persona y al libre desarrollo de la personalidad y son objeto de protección a través de distintos derechos fundamentales, señaladamente, de aquellos que garantizan la integridad física y moral y la intimidad personal y familiar. La decisión de tener hijos y cuándo tenerlos constituye uno de los asuntos más íntimos y personales que las personas afrontan a lo largo de sus vidas, que integra un ámbito esencial de la autodeterminación individual. Los poderes públicos están*

---

[5]    *Ibid*, 21002.

*obligados a no interferir en ese tipo de decisiones, pero, también, deben establecer las condiciones para que se adopten de forma libre y responsable, poniendo al alcance de quienes lo precisen servicios de atención sanitaria, asesoramiento o información"*[6].

La Ley contiene una referencia explícita a estos **principios** que fundamentan dicha normativa:

1. En el ejercicio de sus derechos de libertad, intimidad y autonomía personal, todas las personas tienen derecho a adoptar libremente decisiones que afectan a su vida sexual y reproductiva sin más límites que los derivados del respeto a los derechos de las demás personas y al orden público garantizado por la Constitución y las Leyes.

2. Se reconoce el derecho a la maternidad libremente decidida.

3. Nadie será discriminado en el acceso a las prestaciones y servicios previstos en esta Ley por motivos de origen racial o étnico, religión, convicción u opinión, sexo, discapacidad, orientación sexual, edad, estado civil, o cualquier otra condición o circunstancia personal o social.

4. Los poderes públicos, de conformidad con sus respectivas competencias, llevarán a cabo las prestaciones y demás obligaciones que establece la presente Ley en garantía de la salud sexual y reproductiva. (Art. 3 de la Ley)

5. El Estado, en el ejercicio de sus competencias de Alta Inspección, velará por que se garantice la igualdad en el acceso a las prestaciones y servicios establecidos por el Sistema Nacional de Salud que inciden en el ámbito de aplicación de esta Ley (art. 4 de la Ley)

En cuanto al contenido de los derechos, la Ley adopta las **definiciones** de la Organización Mundial de la Salud, que han generado, por otro lado, un importante consenso internacional[7]. El Artículo 2 de la Ley contiene las siguientes definiciones:

a) Salud: el estado de completo bienestar físico, mental y social y no solamente la ausencia de afecciones o enfermedades.

b) Salud sexual: el estado de bienestar físico, psicológico y sociocultural relacionado con la sexualidad, que requiere un entorno libre de coerción, discriminación y violencia.

c) Salud reproductiva: la condición de bienestar físico, psicológico y sociocultural en los aspectos relativos a la capacidad reproductiva de la perso-

---

[6]  *Ibid,* 21001.
[7]  Un desarrollo de las definiciones de salud sexual y derechos reproductivos se puede ver en MAZARRASA, L. y GIL, S.: *Modulo 12. Salud sexual y reproductiva...op. cit.* págs. 8 a 10. También se pueden consultar las definiciones de salud sexual y reproductiva en http://www.infojoven.cl/1-4.php (Consultado por última vez el 11 de febrero de 2013).

na, que implica que se pueda tener una vida sexual segura, la libertad de tener hijos y de decidir cuándo tenerlos.

## 1.2.2. Políticas públicas para la salud sexual y reproductiva.

La Ley se refiere a las políticas públicas necesarias para hacer realidad el derecho en su Título I en el que establece tanto los objetivos más generales de la actuación de los poderes públicos en este ámbito, como las medidas más concretas a adoptar en materia sanitaria y educativa. Todo ello, ha de dar lugar a una Estrategia de Salud Sexual y Reproductiva.

### A. *Objetivos de la actuación de los poderes públicos (art. 5 de la Ley)*

1. Los poderes públicos en el desarrollo de sus políticas sanitarias, educativas y sociales garantizarán:
   a) La información y la educación afectivo-sexual y reproductiva en los contenidos formales del sistema educativo.
   b) El acceso universal a los servicios y programas de salud sexual y reproductiva.
   c) El acceso a métodos seguros y eficaces que permitan regular la fecundidad.
   d) La eliminación de toda forma de discriminación, con especial atención a las personas con algún tipo de discapacidad, a las que se les garantizará su derecho a la salud sexual y reproductiva, estableciendo para ellas los apoyos necesarios en función de su discapacidad.
   e) La educación sanitaria integral y con perspectiva de género sobre salud sexual y salud reproductiva.
   f) La información sanitaria sobre anticoncepción y sexo seguro que prevenga, tanto las enfermedades e infecciones de transmisión sexual, como los embarazos no deseados.
2. Asimismo en el desarrollo de sus políticas promoverán:
   a) Las relaciones de igualdad y respeto mutuo entre hombres y mujeres en el ámbito de la salud sexual y la adopción de programas educativos especialmente diseñados para la convivencia y el respeto a las opciones sexuales individuales.
   b) La corresponsabilidad en las conductas sexuales, cualquiera que sea la orientación sexual.
3. Acciones informativas y de sensibilización (art. 6 de la Ley).
Los poderes públicos desarrollarán acciones informativas y de sensibilización sobre salud sexual y salud reproductiva especialmente a través de los medios de

comunicación, y se prestará particular atención a la prevención de embarazos no deseados, mediante acciones dirigidas, principalmente, a la juventud y colectivos con especiales necesidades, así como a la prevención de enfermedades de transmisión sexual.

## B. Medidas en el ámbito sanitario

Las medidas en el ámbito sanitario tendrán por objeto garantizar el acceso universal a los recursos y medios previstos en los servicios de salud para hacer efectivo el ejercicio del derecho, así como la formación adecuada del personal sanitario.

1. Los servicios públicos de salud garantizarán (art. 7 de la Ley):

a) La calidad de los servicios de atención a la salud sexual integral y la promoción de estándares de atención basados en el mejor conocimiento científico disponible.

b) El acceso universal a prácticas clínicas efectivas de planificación de la reproducción, mediante la incorporación de anticonceptivos de última generación cuya eficacia haya sido avalada por la evidencia científica, en la cartera de servicios comunes del Sistema Nacional de Salud.

c) La provisión de servicios de calidad para atender a las mujeres y a las parejas durante el embarazo, el parto y el puerperio. En la provisión de estos servicios, se tendrán en cuenta los requerimientos de accesibilidad de las personas con discapacidad.

d) La atención perinatal, centrada en la familia y en el desarrollo saludable.

2. Formación de profesionales de la salud (art. 8 de la Ley).

La formación de profesionales de la salud se abordará con perspectiva de género e incluirá:

a) La incorporación de la salud sexual y reproductiva en los programas curriculares de las carreras relacionadas con la medicina y las ciencias de la salud, incluyendo la investigación y formación en la práctica clínica de la interrupción voluntaria del embarazo.

b) La formación de profesionales en salud sexual y salud reproductiva, incluida la práctica de la interrupción del embarazo.

c) La salud sexual y reproductiva en los programas de formación continuada a lo largo del desempeño de la carrera profesional.

d) En los aspectos formativos de profesionales de la salud se tendrán en cuenta la realidad y las necesidades de los grupos o sectores sociales más vulnerables, como el de las personas con discapacidad.

## C. *Medidas en el ámbito educativo*

Tienen por objeto incorporar la formación en salud sexual y reproductiva en el sistema educativo que permita tanto el desarrollo adecuado de los menores como la prevención de enfermedades o embarazos no deseados, todo ello teniendo en cuenta la realidad y grado de madurez de los alumnos, debiendo los poderes públicos apoyar a la comunidad educativa en la realización de estas actividades formativas y facilitando información adecuada a los padres y madres.

El sistema educativo contemplará la formación en salud sexual y reproductiva, como parte del desarrollo integral de la personalidad y de la formación en valores, incluyendo un enfoque integral que contribuya a (art. 9 de la Ley):

a) La promoción de una visión de la sexualidad en términos de igualdad y corresponsabilidad entre hombres y mujeres con especial atención a la prevención de la violencia de género, agresiones y abusos sexuales.

b) El reconocimiento y aceptación de la diversidad sexual.

c) El desarrollo armónico de la sexualidad acorde con las características de las personas jóvenes.

d) La prevención de enfermedades e infecciones de transmisión sexual y especialmente la prevención del VIH.

e) La prevención de embarazos no deseados, en el marco de una sexualidad responsable.

f) En la incorporación de la formación en salud y salud sexual y reproductiva al sistema educativo, se tendrán en cuenta la realidad y las necesidades de los grupos o sectores sociales más vulnerables, como el de las personas con discapacidad proporcionando, en todo caso, a este alumnado información y materiales accesibles, adecuados a su edad.

## D. *Estrategia de salud sexual y reproductiva*

Para el cumplimiento de los objetivos previstos en esta Ley, el Gobierno, en cooperación con las Comunidades Autónomas y con respeto a su ámbito competencial, aprobará un Plan que se denominará Estrategia de Salud Sexual y Reproductiva, que contará con la colaboración de las sociedades científicas y profesionales y las organizaciones sociales. La Estrategia se elaborará con criterios de calidad y equidad en el Sistema Nacional de Salud y con énfasis en jóvenes y adolescentes y colectivos de especiales necesidades. La Estrategia tendrá una duración de cinco años y establecerá mecanismos de evaluación bienal que permitan la valoración de resultados y en particular del acceso universal a la salud sexual y reproductiva (art. 11 de la Ley).

La Estrategia de Salud Sexual y Reproductiva se aprobó en el Consejo Interterritorial del Sistema Nacional de Salud el 18 de octubre de 2010[8] teniendo como objetivo general *ofrecer una atención de calidad a la salud sexual y reproductiva en el Sistema Nacional de Salud.* La Estrategia diferencia la salud sexual de la reproductiva, ya que los derechos sexuales y reproductivos suelen plantearse como un todo inseparable, dando por supuesto que si se fomentan y garantizan los derechos reproductivos, los derechos sexuales estarán también incluidos dando como resultado que la mayoría de las políticas, programas y acciones que se emprenden, o bien abordan algunos aspectos de los derechos sexuales dentro de los derechos reproductivos, o bien dejan de lado los derechos sexuales.

La Estrategia se plantea, por tanto, establecer programas y proyectos que estén enfocados directamente a la mejora de la salud sexual cuyos objetivos tengan relación directa con la consecución de la misma. El documento, en consecuencia, aborda por separado la actuación en materia de salud sexual y de salud reproductiva y se refiere a cuestiones tales como la promoción de la salud sexual, la atención sanitaria la formación de profesionales y la investigación, innovación y buenas prácticas; y en materia de Salud Reproductiva, la promoción de la salud en el embarazo y su atención sanitaria, la atención al parto: Estrategia de Atención al Parto Normal en el SNS y los cuidados en la primera semana de vida, la promoción de la lactancia materna o la formación de los profesionales.

## 2. MÉTODOS ANTICONCEPTIVOS Y REQUISITOS DE SU DISPENSA EN INSTITUCIONES FARMACÉUTICAS

### 2.1. *Recomendaciones europeas en la materia*

Una de las cuestiones más estrechamente ligadas a la toma de decisiones en materia de salud sexual y reproductiva es la relativa al acceso a métodos de anticoncepción. La Resolución del Parlamento Europeo sobre *salud sexual y reproductiva y los derechos en esta materia* (2001/2128 (INI))[9], siguiendo la línea marcada en otros documentos internacionales[10], recomienda a los Gobiernos de los Estados miembros de la Unión Europea y a los países candidatos que "... desarrollen una política nacional de alta calidad sobre salud sexual y reproductiva,

---

8   http://www.msps.es/organizacion/sns/planCalidadSNS/pdf/equidad/ENSSR.pdf. Estrategia de Salud Sexual y Reproductiva. (Consultado por última vez el 11 de febrero de 2013).
9   Vid. *D.O.U.E.* C 271, de 12 de noviembre de 2003.
10  Como referente, cabe mencionar la Convención sobre todas las formas de eliminación de la Mujer, adoptada por la Asamblea General de las Naciones Unidas en su Resolución 34/180, de 18 de diciembre de 1979. Vid. *B.O.E.* núm. 69, de 21 de marzo de 1984.

en colaboración con organizaciones pluralistas de la sociedad civil, proporcionando una amplia información sobre las posibilidades efectivas y responsables de planificación familiar, con el fin de garantizar un acceso equitativo a *todos los tipos* de métodos anticonceptivos de alta calidad y métodos de conciencia de la propia fertilidad".

La razón principal que justifica dicha recomendación se explicita en el primero de los considerandos de la referida Resolución cuando afirma que "...las mujeres y los hombres deberían disfrutar de total libertad para elegir, con conocimiento de causa y responsabilidad, su propia opción respecto a su salud y sus derechos sexuales y reproductivos, sin perder de vista la salud de los demás, y disponer de todos los medios y posibilidades para ello".

En consonancia con lo anterior, la propia Resolución recomienda también a los Estados "...que faciliten el acceso a la anticoncepción de urgencia a precios asequibles (por ejemplo, la píldora del día después)".

Además, otros factores que influyen en el contenido de la Resolución del Parlamento Europeo son:

* el elevado número de embarazos no deseados que todavía se producen en Europa, especialmente, entre las mujeres más jóvenes;
* la propagación de enfermedades de transmisión sexual atribuible, en buena medida, a la carencia de programas de información y educación sexual y reproductiva adecuados en algunos países;
* y la constatación de la intrínseca relación existente entre el acceso al uso de métodos anticonceptivos y el descenso en las tasas de abortos.

No obstante y como es sabido, la adopción de políticas normativas concretas sobre esta cuestión, tan sensible desde un punto de vista ético y/o religioso, es competencia de los Estados. Por ello, la Unión Europea únicamente formula recomendaciones e insta a los Estados a adoptar medidas internas que permitan, tanto a las mujeres como a los hombres, tomar decisiones de manera libre, consciente e informada sobre su salud sexual y reproductiva.

## 2.2. Regulación en España

### 2.2.1. Marco jurídico

Por lo que respecta a España, lo primero que conviene señala es que la despenalización del uso de métodos anticonceptivos se remonta al año 1978[11]. Existe, por consiguiente, una trayectoria dilatada, de más de treinta años, que ha permi-

---

[11]    Vid. *Libro Blanco de la anticoncepción en España*, Sociedad Española de Contracepción y Federación de Planificación Familiar de España, Madrid 2005, pág. 9.

tido ir diseñando y facilitando el acceso a diferentes métodos de anticoncepción a través de los servicios públicos de atención sanitaria y las farmacias en tanto que "establecimientos sanitarios privados de interés público"[12].

La Ley Orgánica 2/2010, de 3 de marzo, de *salud sexual y reproductiva y de la interrupción voluntaria del* embarazo[13] ha regulado también sobre esta materia, recogiendo buena parte de las recomendaciones contenidas en la Resolución del Parlamento Europeo comentada. En este sentido, ha optado por regular, de manera conjunta, tanto las medidas de prevención, educación e información en materia de salud sexual y reproductiva como la interrupción voluntaria del embarazo. El propio preámbulo de la Ley señala, al respecto, que el modo más efectivo de prevenir infecciones de transmisión sexual, embarazos no deseados y abortos, especialmente entre los más jóvenes, es una adecuada educación afectivo sexual y reproductiva; así como el acceso a prácticas clínicas de planificación de la reproducción, a anticonceptivos de última generación y a programas y servicios de salud sexual y reproductiva. Por ello, en su capítulo I, al relacionar las líneas básicas que van a inspirar las políticas públicas en esta materia, establece que se garantizará el acceso a prácticas clínicas efectivas de planificación de la reproducción a través de la incorporación de anticonceptivos de última generación cuya eficacia esté avalada científicamente.

## 2.2.2. Anticoncepción de urgencia

En materia de anticoncepción, uno de los temas más complejos y controvertidos, que se ha suscitado en los últimos años en nuestro país, ha sido la *dispensa farmacéutica* de la denominada *píldora del día después*. Esta medida, considerada de anticoncepción de urgencia, se dispensa en España desde el año 2001[14]. Sin embargo, en el mes de septiembre de 2009, con anterioridad, por consiguiente, a la promulgación de la *Ley de salud sexual y reproductiva y de la interrupción voluntaria del embarazo*, el Ministerio de Sanidad y Política Social modificó las condiciones de dispensa de la píldora postcoital, posibilitando que pudiera dispensarse en las farmacias sin receta médica y sin límite de edad. Dicha medida suscitó importantes críticas[15] y también generó la necesidad de establecer patro-

---

[12]  Vid. Artículo 1 de la Ley 16/1997, de 25 de abril, de regulación de servicios de las oficinas de farmacia. *B.O.E.* núm. 100, de 26 de abril de 1997, págs. 13450-13452.
[13]  Vid. *B.O.E.* núm. 55, de 4 de marzo de 2010, págs. 21001-21014.
[14]  Vid. Resolución de 5 de marzo de 2001 de la Agencia Española del Medicamento, por la que se acuerda la publicación de especialidades farmacéuticas autorizadas y registradas en el año 2000. *B.O.E.* núm. 82, de 5 de abril de 2001, pág. 12933.
[15]  Entre otros, vid. MANZANO SALCEDO, A.: *Cuestiones éticas y legales en torno a la dispensa de la Píldora del día después*, CEU Ediciones, pág. 9-29.

nes de actuación para los farmacéuticos que ofrecieran ciertas garantías y clarificaran las condiciones de la dispensación[16].

La primera cuestión a tener en cuenta, en esta temática, es que la Ley 29/2006, de *Garantías y Uso Racional de los Medicamentos y Productos Sanitarios*[17], en su artículo 84.3 dispone que: "Las oficinas de farmacia vienen obligadas a dispensar los medicamentos que se les demanden tanto por los particulares como por el Sistema Nacional de Salud en las condiciones reglamentarias establecidas"[18]. Existe, pues, una obligación general de dispensa que se entiende extensible a la píldora postcoital. La existencia de dicha obligación unida al hecho de que la anticoncepción de urgencia no requiere, actualmente, receta médica, ha llevado a la Sociedad Española de Farmacia Comunitaria, a publicar una *Guía práctica de dispensación de la píldora postcoital*[19], en la que recoge una serie de recomendaciones para estos casos.

En este sentido, una de las primeras recomendaciones señala que todo el personal de la farmacia debe estar informado de las cuestiones más relevantes relativas a la anticoncepción de urgencia aunque la atención de las peticiones es conveniente que se deriven al farmacéutico. Éste deberá atender personalmente la solicitud y, cuando la usuaria no presente receta médica, deberá decidir, en función de las circunstancias, si dispensa el producto o deriva el caso a otro profesional sanitario. Con el objeto de adoptar dicha decisión con las mayores garantías, el farmacéutico deberá atender personalmente a la posible usuaria, respetando su derecho a la intimidad, y facilitarle, de manera clara y comprensible, toda la información concerniente a la utilización del producto para que pueda tomar una decisión sobre su uso.

Un aspecto complejo que ha generado una cierta controversia, en este tema, es el relativo a la dispensa de la píldora postcoital en menores de edad. En este sentido, como se recordará, la Ley 41/2002, de 14 de noviembre, *básica reguladora de la autonomía del paciente y de derechos y obligaciones en materia de información y documentación clínica*[20], en su artículo 9.3[21], fijó la mayoría de edad, a los efectos médicos y sanitarios, en los 16 años. Dicha disposición excluía, sin embargo, los supuestos de ensayos clínicos, la interrupción voluntaria del embarazo y la

---

16  Vid. *Guía práctica de actuación en la dispensación de la píldora postcoital o anticoncepción de urgencia (AU)*, Sociedad Española de Farmacia Comunitaria, 28 de septiembre de 2009.

17  Vid. *B.O.E.* núm. 178, de 27 de julio de 2006, págs. 28122-28165.

18  *Ibid*, pág. 28149.

19  Publicada en septiembre de 2009.
   *http://www.sefac.org/files/documentos_sefac/documentos/guiapddsefacfinal.pdf* (Consultada por última vez el 11 de febrero de 2013).

20  Vid. *B.O.E.* núm. 274, de 15 de noviembre de 2002, págs. 40126-40132.

21  *Ibid*, págs. 40128.

reproducción asistida que continuaban vinculando la autonomía de la decisión a los 18 años de edad. Con posterioridad, como es sabido, dicha cuestión se modificó a través de la Ley Orgánica 2/2010 *de salud sexual y reproductiva y de la interrupción voluntaria del embarazo*, la cual, en su artículo 13.4, establecía que: "En el caso de las mujeres de 16 y 17 años, el consentimiento para la interrupción voluntaria del embarazo les corresponde exclusivamente a ellas de acuerdo con el régimen general aplicable a las mujeres mayores de edad"[22].

Así pues, por lo que respecta a la dispensa de la píldora postcoital que nos ocupa, el criterio a seguir, en el supuesto de las menores de edad, sería el previsto en la *Ley básica reguladora de la autonomía del paciente* referida con anterioridad. Es decir, se dispensará a las mujeres de, al menos 16 años, tomando en consideración únicamente su consentimiento. Ahora bien, al no existir una regulación legal específica sobre esta temática, la problemática se incrementa en el supuesto de las menores de 16 años. En dichos casos, ¿cuál debería ser la actuación del farmacéutico?

Al respecto, el artículo 9.3 c) de la *Ley básica reguladora de la autonomía del paciente* dispone que: "Cuando el paciente menor de edad no sea capaz intelectual ni emocionalmente de comprender el alcance de la intervención. En este caso, el consentimiento lo dará el representante legal del menor después de haber escuchado su opinión si tiene doce años cumplidos"[23]. A *sensu contrario*, la Ley entiende que, cuando el menor demuestra ser capaz intelectual y emocionalmente de comprender el alcance de la intervención, no es necesario requerir el consentimiento del representante legal. Siguiendo dicha indicación, la *Guía práctica de actuación en la dispensación de la píldora postcoital*[24] recomienda a los farmacéuticos presumir la madurez de las menores que se encuentren en la franja de los 13 a los 15 años y, respecto a las menores de 13, advierte sobre la necesidad de avisar a los representantes legales o a los servicios de protección de menores, dado que el mantenimiento de relaciones sexuales con menores de 13 años es constitutivo de delito, de conformidad con lo dispuesto en el artículo 183 del Código Penal[25].

La cuestión es, en todo caso, compleja. En primer lugar, porque la temática resulta especialmente delicada al tratarse de menores y también porque, al no ser necesaria una receta médica, toda la responsabilidad de la decisión recae en el farmacéutico que, quizá, no sea el profesional mejor cualificado para valorar

---

22   Vid. *B.O.E.* núm. 55, de 4 de marzo, Sec. I, pág. 21009.
23   Vid. *B.O.E.* núm. 274, de 15 de noviembre de 2002, págs. 40128.
24   *http://www.sefac.org/files/documentos_sefac/documentos/guiapddsefacfinal.pdf*   (Consultada por última vez el 11 de febrero de 2013).
25   Vid. Ley Orgánica 5/2010, de 22 de junio, *por la que se modifica la Ley Orgánica 10/1995, de 23 de noviembre, del Código Penal*. *B.O.E.* núm. 152, de 23 de junio, pág. 183.

la madurez de la menor. Al respecto, la *Guía Práctica de actuación en la dispensación de la píldora postcoital* señala que la "... ley no establece con claridad si el farmacéutico está capacitado para dictaminar si un menor es "maduro" para solicitar... (la anticoncepción de urgencia) sin consentimiento de sus padres o tutores legales aunque una interpretación amplia de la ley sí lo supondría"[26]. En este sentido, la Guía señala dos posibles vías de actuación del farmacéutico que se concretan en las siguientes:

"a) Asumir que existe la capacitación legal (...) para determinar si la menor es madura (...) y proceder de acuerdo con esta capacitación"; o b) Solicitar un consentimiento expreso de los padres o tutores para dispensarla".

Si el farmacéutico no sigue ninguna de las posibilidades señaladas, la Guía establece que "... lo recomendable es que se derive a la menor al centro de salud o de planificación más cercano para que sea el médico, capacitado para hacer esta distinción, el que decida sobre su madurez"[27].

Estas recomendaciones dirigidas a los farmacéuticos podrían dejar de ser necesarias en un futuro no muy lejano si el Consejo Asesor del Ministerio de Sanidad, que está actualmente estudiando esta cuestión[28], decide considerar necesaria la presentación de una receta médica para la dispensa de la píldora postcoital. En dicho caso, el farmacéutico ya no tendría la obligación de facilitar una información completa y personalizada a la usuaria sobre el uso de la anticoncepción de urgencia y tampoco tendría que valorar su madurez en el supuesto de las menores de edad. Únicamente se limitaría a dispensar el medicamento y el único problema que podría suscitarse sería el relativo a una posible objeción de conciencia del farmacéutico, cuestión que será objeto de análisis con posterioridad.

# 3. INTERRUPCIÓN VOLUNTARIA DEL EMBARAZO. PLAZOS, REQUISITOS E INSTITUCIONES AUTORIZADAS PARA LA PRESTACIÓN DEL SERVICIO SANITARIO

Por lo que respecta a la interrupción voluntaria del embarazo, el Preámbulo de la Ley Orgánica 2/2010 contiene una excelente síntesis de los antecedentes de la despenalización del aborto en España. Así la reforma del Código Penal,

---

26   *http://www.sefac.org/files/documentos_sefac/documentos/guiapddsefacfinal.pdf*   (Consultada por última vez el 11 de febrero de 2013).

27   *Ibídem.*

28   *http://www.europapress.es/salud/noticia-investigador-juan-rodes-presidira-consejo-asesor-sanidad-dilucidara-futuro-pildora-poscoital-20120821122130.html.*
     (Consultado, por última vez, el 7 de febrero de 2013).

Ley Orgánica 9/1985, de 5 de julio, de reforma del artículo 417 bis del Código Penal, supuso un avance al posibilitar el acceso de las mujeres a un aborto legal y seguro cuando concurriera alguna de las indicaciones legalmente previstas: grave peligro para la vida o la salud física y psíquica de la embarazada, cuando el embarazo fuera consecuencia de una violación o cuando se presumiera la existencia de graves taras físicas o psíquicas en el feto. El modelo legal era consecuencia de la doctrina constitucional derivada de las sentencias del Tribunal Constitucional en esta materia. Así, en la sentencia 53/1985 que decidió el recurso previo de inconstitucionalidad a la reforma del Código Penal, el Tribunal enunció algunos principios que han sido respaldados por la jurisprudencia posterior. "Una de esas afirmaciones de principio es la negación del carácter absoluto de los derechos e intereses que entran en conflicto a la hora de regular la interrupción voluntaria del embarazo y, en consecuencia, el deber del legislador de *ponderar los bienes y derechos en función del supuesto planteado, tratando de armonizarlos si ello es posible o, en caso contrario, precisando las condiciones y requisitos en que podría admitirse la prevalencia de uno de ellos* (STC 53/1985). Pues si bien *los no nacidos no pueden considerarse en nuestro ordenamiento como titulares del derecho fundamental a la vida que garantiza el artículo 15 de la Constitución,* esto no significa que resulten privados de toda protección constitucional (STC 116/1999). La vida prenatal es un bien jurídico merecedor de protección que el legislador debe hacer eficaz, sin ignorar que la forma en que tal garantía se configure e instrumente estará siempre intermediada por la garantía de los derechos fundamentales de la mujer embarazada" (Preámbulo de la Ley Orgánica 2/2010[29]).

La Ley Orgánica 2/2010 parte de la "necesidad de reforzar la seguridad jurídica en la regulación de la interrupción voluntaria del embarazo ha sido enfatizada por el Tribunal Europeo de Derechos Humanos en su sentencia de 20 de marzo de 2007 en la que se afirma, por un lado, que *en este tipo de situaciones las previsiones legales deben, en primer lugar y ante todo, asegurar la claridad de la posición jurídica de la mujer embarazada* y, por otro lado, que *una vez que el legislador decide permitir el aborto, no debe estructurar su marco legal de modo que se limiten las posibilidades reales de obtenerlo".* Y añade. "En una sociedad libre, pluralista y abierta, corresponde al legislador, dentro del marco de opciones que la Constitución deja abierto, desarrollar los derechos fundamentales de acuerdo con los valores dominantes y las necesidades de cada momento histórico. La experiencia acumulada en la aplicación del marco legal vigente, el avance del reconocimiento social y jurídico de la autonomía de las mujeres tanto en el ámbi-

---

[29]    Sobre la interpretación de la jurisprudencia constitucional vid. LLAMAZARES FERNÁNDEZ, D.: *Derecho de la libertad de conciencia. Vol. II. Libertad de conciencia, identidad personal y solidaria.* Editorial Civitas, Madrid 2011, págs. 334 y ss.

to público como en su vida privada, así como la tendencia normativa imperante
en los países de nuestro entorno, abogan por una regulación de la interrupción
voluntaria del embarazo presidida por la claridad en donde queden adecuadamente garantizadas tanto la autonomía de las mujeres, como la eficaz protección
de la vida prenatal como bien jurídico. Por su parte, la Asamblea Parlamentaria
del Consejo de Europa, en su Resolución 1607/2008, de 16 abril, reafirmó el
derecho de todo ser humano, y en particular de las mujeres, al respeto de su
integridad física y a la libre disposición de su cuerpo y en ese contexto, a que la
decisión última de recurrir o no a un aborto corresponda a la mujer interesada
y, en consecuencia, ha invitado a los Estados miembros a despenalizar el aborto
dentro de unos plazos de gestación razonables".

Sobre estas premisas la Ley Orgánica 2/2010, de 3 de marzo, *de salud sexual y
reproductiva y de la interrupción voluntaria del embarazo* dedica su Título II a la
Interrupción voluntaria del embarazo que se compone a su vez, de dos Capítulos,
el primero regula las condiciones de la interrupción voluntaria del embarazo y el
segundo las garantías de acceso a la prestación.

## 3.1. Condiciones de la interrupción voluntaria del embarazo

La Ley garantiza el acceso a la interrupción voluntaria del embarazo en las
condiciones determinadas en la misma que deberán interpretarse en el modo más
favorable para la protección y eficacia de los derechos fundamentales de la mujer
que solicita la intervención, en particular, su derecho al libre desarrollo de la
personalidad, a la vida, a la integridad física y moral, a la intimidad, a la libertad
ideológica y a la no discriminación (art. 12).

### 3.1.1. Plazos

a) La ley 2/2010 establece un modelo de plazos para la interrupción del
   embarazo de modo que, con carácter general, podrá interrumpirse el embarazo dentro de las **primeras catorce semanas de gestación** a petición de
   la embarazada, siempre que concurran los requisitos establecidos por la
   ley que veremos a continuación (art. 14).

b) **Antes de las veintidós semanas de gestación** se podrá interrumpir el embarazo, excepcionalmente, por causas médicas en las circunstancias siguientes (art. 15. a y b):

   i. **siempre que exista grave riesgo para la vida o la salud de la embaraza-
      da** y así conste en un dictamen emitido con anterioridad a la interven-
      ción por un médico o médica especialista distinto del que la practique

o dirija. En caso de urgencia por riesgo vital para la gestante podrá prescindirse del dictamen.

ii. **siempre que exista riesgo de graves anomalías en el feto** y así conste en un dictamen emitido con anterioridad a la intervención por dos médicos especialistas distintos del que la practique o dirija.

c) **Después del plazo de las veintidós semanas de gestación,** excepcionalmente y por causas médicas, se podrá interrumpir el embarazo cuando se detecten anomalías fetales incompatibles con la vida y así conste en un dictamen emitido con anterioridad por un médico o médica especialista, distinto del que practique la intervención, o cuando se detecte en el feto una enfermedad extremadamente grave e incurable en el momento del diagnóstico y así lo confirme un comité clínico (art. 15.c).

## 3.1.2. Requisitos

### A. *Requisitos comunes*

Son requisitos necesarios de la interrupción voluntaria del embarazo en todos los casos (art. 13):

1. Que se **practique por un médico especialista** o bajo su dirección.
2. Que se lleve a cabo en **centro sanitario público o privado acreditado.**
3. Que se realice con **el consentimiento expreso y por escrito de la mujer embarazada** o, en su caso, del representante legal, de conformidad con lo establecido en la Ley 41/2002, *básica reguladora de la autonomía del paciente*. Podrá prescindirse del consentimiento expreso en el supuesto previsto en el artículo 9.2.b de la referida Ley en cuyo caso los facultativos podrán llevar a cabo las intervenciones clínicas indispensables en favor de la salud del paciente, sin necesidad de contar con su consentimiento, cuando existe riesgo inmediato grave para la integridad física o psíquica del enfermo y no es posible conseguir su autorización, consultando, cuando las circunstancias lo permitan, a sus familiares o a las personas vinculadas de hecho a él.
4. En el **caso de las mujeres de 16 y 17 años,** el consentimiento para la interrupción voluntaria del embarazo les corresponde exclusivamente a ellas de acuerdo con el régimen general aplicable a las mujeres mayores de edad. Al menos uno de los representantes legales, padre o madre, personas con patria potestad o tutores de las mujeres comprendidas en esas edades deberá ser informado de la decisión de la mujer. Se prescindirá de esta información cuando la menor alegue fundamente que esto le provocará un conflicto grave, manifestado en el peligro cierto de violencia intrafami-

liar, amenazas, coacciones, malos tratos, o se produzca una situación de desarraigo o desamparo.

5. **Información previa al consentimiento de la interrupción voluntaria del embarazo.** Todas las mujeres que manifiesten su intención de someterse a una interrupción voluntaria del embarazo recibirán información sobre los distintos métodos de interrupción del embarazo, las condiciones para la interrupción previstas en esta Ley, los centros públicos y acreditados a los que se pueda dirigir y los trámites para acceder a la prestación, así como las condiciones para su cobertura por el servicio público de salud correspondiente (art. 17.1). En todos los supuestos, y con carácter previo a la prestación del consentimiento, se habrá de informar a la mujer en los términos de los artículos 4 y 10 de la Ley 41/2002 de 14 de noviembre, y específicamente sobre las consecuencias médicas, psicológicas y sociales de la prosecución del embarazo o de la interrupción del mismo. La información prevista en este artículo será clara, objetiva y comprensible. En el caso de las personas con discapacidad, se proporcionará en formatos y medios accesibles, adecuados a sus necesidades. Finalmente, se comunicará, en la documentación entregada, que dicha información podrá ser ofrecida, además, verbalmente, si la mujer lo solicita.

B. *Requisitos de la interrupción voluntaria del embarazo a petición de la mujer*

1. Que se haya **informado a la mujer embarazada sobre los derechos, prestaciones y ayudas públicas de apoyo a la maternidad,** en los términos que se establecen en los apartados 2 y 4 del artículo 17 de esta Ley (art. 14.a), según los cuales recibirán en sobre cerrado la información siguiente:

   a) Las ayudas públicas disponibles para las mujeres embarazadas y la cobertura sanitaria durante el embarazo y el parto.

   b) Los derechos laborales vinculados al embarazo y a la maternidad; las prestaciones y ayudas públicas para el cuidado y atención de los hijos e hijas; los beneficios fiscales y demás información relevante sobre incentivos y ayudas al nacimiento.

   c) Datos sobre los centros disponibles para recibir información adecuada sobre anticoncepción y sexo seguro.

   d) Datos sobre los centros en los que la mujer pueda recibir voluntariamente asesoramiento antes y después de la interrupción del embarazo (art. 17.2).

   Esta información deberá ser entregada en cualquier centro sanitario público o bien en los centros acreditados para la interrupción voluntaria del embarazo. Junto con la información en sobre cerrado se entregará a la mujer un documento acreditativo de la fecha de la entrega, a los efectos de lo establecido en el artículo 14 de esta Ley. La elaboración, contenidos y formato de esta información será determinada reglamentariamente por el Gobierno (art. 17.4)

2. Que haya **transcurrido un plazo de al menos tres días**, desde la **información** mencionada en el párrafo anterior y la realización de la intervención (art. 14.b).

*C. Requisitos de la interrupción voluntaria del embarazo por causas médicas*

Se contemplan requisitos específicos relativos al Comité clínico y a la información que se debe proporcionar.

1. El **comité clínico** estará formado por un equipo pluridisciplinar integrado por dos médicos especialistas en ginecología y obstetricia o expertos en diagnóstico prenatal y un pediatra. La mujer podrá elegir uno de estos especialistas. Confirmado el diagnóstico por el comité, la mujer decidirá sobre la intervención. En cada Comunidad Autónoma habrá, al menos, un comité clínico en un centro de la red sanitaria pública. Los miembros, titulares y suplentes, designados por las autoridades sanitarias competentes, lo serán por un plazo no inferior a un año. La designación deberá hacerse pública en los diarios oficiales de las respectivas Comunidades Autónomas. Las especificidades del funcionamiento del Comité clínico se determinarán reglamentariamente (art. 16).

2. En el supuesto de interrupción del embarazo por causas médicas debido a malformaciones del feto, la mujer recibirá además de la información prevista en el apartado primero de este artículo, **información por escrito sobre los derechos, prestaciones y ayudas públicas** existentes de apoyo a la autonomía de las personas con alguna **discapacidad,** así como la red de organizaciones sociales de asistencia social a estas personas (art. 17.3).

*3.2. Garantías en el acceso a la prestación*

De lo dispuesto en la Ley Orgánica 2/2010, podemos diferenciar tres clases de garantías: las relativas a la prestación sanitaria; la protección de la intimidad de las personas y las garantías penales.

## 3.2.1. Garantías en el acceso a la prestación por los servicios de salud

A.  Los servicios públicos de salud, en el ámbito de sus respectivas competencias, aplicarán las medidas precisas para garantizar el derecho a la prestación sanitaria de la interrupción voluntaria del embarazo en los supuestos y con los requisitos establecidos en esta Ley. **Esta prestación estará incluida en la cartera de servicios comunes del Sistema Nacional de Salud** (art. 18).

B.  Medidas para garantizar la prestación por los servicios de salud.

1.  Con el fin de asegurar la igualdad y calidad asistencial de la prestación a la interrupción voluntaria del embarazo, **las administraciones sanitarias competentes garantizarán los contenidos básicos que el Gobierno determine**, oído el Consejo Interterritorial de Salud. Se garantizará a todas las mujeres por igual el acceso a la prestación con independencia del lugar donde residan.

2.  **La prestación sanitaria de la interrupción voluntaria del embarazo se realizará en centros de la red sanitaria pública, o vinculados a la misma.**
    La Ley reconoce la objeción de conciencia de los profesionales sanitarios directamente implicados en la interrupción voluntaria del embarazo en las condiciones que veremos más adelante. En todo caso, el acceso y la calidad asistencial de la prestación no pueden resultar menoscabados por el ejercicio de la objeción de conciencia. Si excepcionalmente el servicio público de salud no pudiera facilitar en tiempo la prestación, las autoridades sanitarias reconocerán a la mujer embarazada el derecho a acudir a cualquier centro acreditado en el territorio nacional, con el compromiso escrito de asumir directamente el abono de la prestación.

3.  Las intervenciones contempladas en la letra c del artículo 15 de la ley, aquellas que se producen después de las veintidós semanas de gestación en el caso de malformaciones del feto que sean incompatibles con la vida, **se realizarán preferentemente en centros cualificados de la red sanitaria pública.**

4.  **El Estado ejercerá la Alta Inspección** como función de garantía y verificación del cumplimiento efectivo de los derechos y prestaciones reconocidas en esta Ley en todo el Sistema Nacional de Salud. Para la formulación de propuestas de mejora en equidad y accesibilidad de las prestaciones y con el fin de verificar la aplicación efectiva de los derechos y prestaciones reconocidas en esta Ley en todo el Sistema Nacional de Salud, el Gobierno elaborará un informe anual de situación,

en base a los datos presentados por las Comunidades Autónomas al Consejo Interterritorial del Sistema Nacional de Salud (Disposición Adicional Primera).

## 3.2.2. Garantías relativas a los derechos a la intimidad y tratamiento de datos personales

### A. Protección de la intimidad y confidencialidad

Los centros que presten la interrupción voluntaria del embarazo asegurarán la intimidad de las mujeres y la confidencialidad en el tratamiento de sus datos de carácter personal.

Los centros prestadores del servicio deberán contar con sistemas de custodia activa y diligente de las historias clínicas de las pacientes e implantar en el tratamiento de los datos las medidas de seguridad de nivel alto previstas en la normativa vigente de protección de datos de carácter personal (art. 20).

### B. Tratamiento de datos

1. En el momento de la solicitud de información sobre la interrupción voluntaria del embarazo, los centros, sin proceder al tratamiento de dato alguno, habrán de informar a la solicitante que sus datos identificativos, si efectivamente se le realiza la prestación, serán objeto de codificación y separados de los datos de carácter clínico asistencial relacionados con la interrupción voluntaria del embarazo.

2. Los centros que presten la interrupción voluntaria del embarazo establecerán mecanismos apropiados de automatización y codificación de los datos de identificación de las pacientes atendidas, en los términos previstos en esta Ley. A estos efectos, se considerarán datos identificativos de la paciente su nombre, apellidos, domicilio, número de teléfono, dirección de correo electrónico, documento nacional de identidad o documento identificativo equivalente, así como cualquier dato que revele su identidad física o genética.

3. En el momento de la primera recogida de datos de la paciente, se le asignará un código que será utilizado para identificarla en todo el proceso.

4. Los centros sustituirán los datos identificativos de la paciente por el código asignado en cualquier información contenida en la historia clínica que guarde relación con la práctica de la interrupción voluntaria del embarazo, de forma que no pueda producirse con carácter general, el acceso a dicha información.

5. Las informaciones relacionadas con la interrupción voluntaria del embarazo deberán ser conservadas en la historia clínica de tal forma que su mera visualización no sea posible salvo por el personal que participe en la práctica de la prestación, sin perjuicio de los accesos a los que se refiere el artículo siguiente (art. 21).

## C. *Acceso y cesión de datos de carácter personal*

1. Únicamente será posible el acceso a los datos de la historia clínica asociados a los que identifican a la paciente, sin su consentimiento, en los casos previstos en las disposiciones legales reguladoras de los derechos y obligaciones en materia de documentación clínica. Cuando el acceso fuera solicitado por otro profesional sanitario a fin de prestar la adecuada asistencia sanitaria de la paciente, aquél se limitará a los datos estricta y exclusivamente necesarios para la adecuada asistencia, quedando constancia de la realización del acceso. En los demás supuestos amparados por la Ley, el acceso se realizará mediante autorización expresa del órgano competente en la que se motivarán de forma detallada las causas que la justifican, quedando en todo caso limitado a los datos estricta y exclusivamente necesarios.

2. El informe de alta, las certificaciones médicas y cualquier otra documentación relacionada con la práctica de la interrupción voluntaria del embarazo que sea necesaria a cualquier efecto, serán entregados exclusivamente a la paciente o persona autorizada por ella. Esta documentación respetará el derecho de la paciente a la intimidad y confidencialidad en el tratamiento de los datos de carácter personal recogido en la ley.

3. No será posible el tratamiento de la información por el centro sanitario para actividades de publicidad o prospección comercial. No podrá recabarse el consentimiento de la paciente para el tratamiento de los datos para estas actividades (art. 22).

## D. *Cancelación de datos*

1. Los centros que hayan procedido a una interrupción voluntaria de embarazo deberán cancelar de oficio la totalidad de los datos de la paciente una vez transcurridos cinco años desde la fecha de alta de la intervención. No obstante, la documentación clínica podrá conservarse cuando existan razones epidemiológicas, de investigación o de organización y funcionamiento del Sistema Nacional de Salud, en cuyo caso se procederá a la cancelación de todos los datos identificativos de la paciente y del código que

se le hubiera asignado como consecuencia de lo dispuesto en los artículos anteriores.

2. Lo anterior se entenderá sin perjuicio del ejercicio por la paciente de su derecho de cancelación, en los términos previstos en la Ley Orgánica 15/1999, de 13 de diciembre, de Protección de Datos de Carácter Personal.

## 3.2.3. Garantías penales

1. La Disposición Derogatoria Única de la Ley, establece la derogación del artículo 417 bis del Texto Refundido del Código Penal publicado por el Decreto 3096/1973, de 14 de septiembre, redactado conforme a la Ley Orgánica 9/1985, de 5 de julio.

2. La Disposición Final Primera modifica la Ley Orgánica 10/1995, de 23 de noviembre, del Código Penal y el artículo 145 del Código Penal queda redactado de la forma siguiente:

*1. El que produzca el aborto de una mujer, con su consentimiento, fuera de los casos permitidos por la Ley será castigado con la pena de prisión de uno a tres años e inhabilitación especial para ejercer cualquier profesión sanitaria, o para prestar servicios de toda índole en clínicas, establecimientos o consultorios ginecológicos, públicos o privados, por tiempo de uno a seis años. El juez podrá imponer la pena en su mitad superior cuando los actos descritos en este apartado se realicen fuera de un centro o establecimiento público o privado acreditado.*

*2. La mujer que produjere su aborto o consintiere que otra persona se lo cause, fuera de los casos permitidos por la Ley, será castigada con la pena de multa de seis a veinticuatro meses.*

*3. En todo caso, el juez o tribunal impondrá las penas respectivamente previstas en este artículo en su mitad superior cuando la conducta se llevare a cabo a partir de la vigésimo segunda semana de gestación.*

3. Se añade un nuevo artículo 145 bis del Código Penal, que tendrá la siguiente redacción:

*1. Será castigado con la pena de multa de seis a doce meses e inhabilitación especial para prestar servicios de toda índole en clínicas, establecimientos o consultorios ginecológicos, públicos o privados, por tiempo de seis meses a dos años, el que dentro de los casos contemplados en la Ley, practique un aborto:*

*a. sin haber comprobado que la mujer haya recibido la información previa relativa a los derechos, prestaciones y ayudas públicas de apoyo a la maternidad;*

*b. sin haber transcurrido el período de espera contemplado en la legislación;*

*c. sin contar con los dictámenes previos preceptivos;*

*d. fuera de un centro o establecimiento público o privado acreditado. En este caso, el juez podrá imponer la pena en su mitad superior.*

*2. En todo caso, el juez o tribunal impondrá las penas previstas en este artículo en su mitad superior cuando el aborto se haya practicado a partir de la vigésimo segunda semana de gestación.*
*3. La embarazada no será penada a tenor de este precepto.*

## 4. TÉCNICAS DE PROCREACIÓN MÉDICA ASISTIDA. RÉGIMEN JURÍDICO

La posibilidad de adoptar decisiones en materia de reproducción dejó de limitarse al ámbito de la anticoncepción y de la interrupción voluntaria del embarazo con el desarrollo de las denominadas técnicas de reproducción humana asistida. El incremento de la esterilidad, especialmente en los países desarrollados, unido al innegable anhelo por conocer los secretos del origen de la vida, propició el incremento de la investigación científica en materia de reproducción y su aplicación médica a través de diversas técnicas de reproducción asistida. Dichas prácticas constituyen, en la actualidad, una opción de procreación para quienes padecen algún problema de esterilidad y, además, se han convertido, en algunos casos, en una auténtica alternativa reproductiva. Baste mencionar, en este sentido, que las mujeres, en España[30], pueden recurrir a la reproducción asistida como medio de procreación en solitario aunque no tengan problemas de esterilidad[31].

En España, las técnicas reproductivas se encuentra reguladas en la Ley 14/2006, de 26 de mayo, *sobre técnicas de reproducción humana asistida*[32]. Dicha norma, en su artículo 1, identifica los dos ámbitos fundamentales sobre los que se proyectan estas prácticas, a saber: su dimensión reproductiva y su aplicación terapéutica, diagnóstica y científica derivada de la investigación en las primeras fases del desarrollo embrionario.

---

[30] Respecto a la legislación europea en materia de reproducción asistida vid. GARCÍA RUIZ, Y.: *Reproducción humana asistida: derecho conciencia y libertad*, Comares, Granada 2004, págs. 82-187 y PENNINGS, G.: "International evolution of legislation and guidelines in medically assisted reproduction", *Reproductive BioMedicine Online*, vol 18, Suppl. 2, 2009, págs. 15-18. *http://users.ugent.be/~gpenning/index.html* (consultado por última vez el 10 de febrero de 2013).

[31] La Ley 35/1988, de 22 de noviembre, sobre *Técnicas de Reproducción Asistida* reguló por primera vez en España la reproducción humana asistida y, en su artículo 6.1, reconoció el derecho a la procreación de la mujer al establecer que *todas*, con pareja y sin pareja, podían ser usuaria de dichas técnicas. Vid. *B.O.E.* núm. 282, de 24 de noviembre de 1988, pág. 33375. En torno a esta cuestión, vid. JORDÁN VILLACAMPA, M. L.: "Familias monoparentales, inseminación artificial y derechos humanos, *http://www.uv.es/revdret/archivo/num1/pdf/ljordan.pdf* (Consultado por última vez el 13 de febrero de 2013).

[32] Vid. *B.O.E.* núm. 126, de 27 de mayo de 2006, págs. 19947-19956.

## 4.1. Ámbito reproductivo

Por lo que respecta a la dimensión reproductiva, la Ley relaciona, en el anexo, las técnicas de reproducción que se pueden practicar a tenor de los conocimientos científicos del momento. No obstante, con el objeto de posibilitar una actualización permanente de esta cuestión, sin necesidad de acometer una modificación legal, en su artículo 2[33], contempla la posibilidad de que la autoridad sanitaria correspondiente, previo informe de la Comisión Nacional de Reproducción Asistida[34], pueda autorizar la realización de una práctica de manera provisional y experimental y, si se demuestra su aplicación clínica, proceder a la actualización del anexo mediante decreto del Gobierno.

Las técnicas contempladas en el anexo son: la inseminación artificial, la fecundación *in vitro*, la inyección intracitoplásmica de espermatozoides y la transferencia intratubárica de gametos. Las tres últimas requieren que la fecundación se produzca fuera del seno materno y que se proceda, posteriormente, a la implantación en la mujer de los preembriones *in vitro*, que es como la ley denomina a los embriones "(...) resultantes de la división progresiva del ovocito desde que es fecundado hasta 14 días más tarde"[35].

### 4.1.1. Usuarias de las técnicas reproductivas

Tal y como se ha referido anteriormente, la Ley española desvincula las técnicas reproductivas del problema de la infertilidad en el caso de la mujer al establecer, en su artículo 6, que "Toda mujer mayor de 18 años y con plena capacidad de obrar podrá ser receptora o usuaria de las técnicas, reguladas en esta Ley, siempre que haya prestado su consentimiento escrito a su utilización de manera libre, consciente y expresa". Y, añade, "(...) con independencia de su estado civil y orientación sexual"[36]. De este modo, la Ley reconoce lo que la doctrina ha denominado *derecho a la reproducción humana*[37] o *derecho a la procreación*[38]; un derecho atribuible, en principio, a los hombres y a las mujeres[39] pero de aplica-

---

[33]   *Ibid*, 19949.
[34]   Comisión regulada por la propia Ley en su Capítulo VI. *Ibid*, pág. 19953.
[35]   Artículo 1.2 de la Ley 14/2006, de 26 de mayo, *sobre técnicas de reproducción humana asistida, Ibid*, pág. 19948.
[36]   Al respecto, como ya señalamos en trabajos anteriores, "
[37]   Vid. GÓMEZ SÁNCHEZ, Y.: *El derecho a la reproducción humana*, Ed. Marcial Pons, Madrid 1994.
[38]   Vid. LLAMAZARES FERNÁNDEZ, D.: *Derecho de la libertad de conciencia II. Libertad de conciencia, identidad personal... op. cit.*, pág. 323.
[39]   A este respecto, GÓMEZ SÁNCHEZ, Y., señala: "...el varón precisa, además, de la colaboración de una mujer para que lleve a término la gestación (...) Esta diferencia es, actualmente,

ción efectiva, en nuestro país, únicamente en el caso de las mujeres[40], puesto que los hombres necesitan una gestante[41] y, el artículo 10 de la Ley, considera nulo el contrato de gestación por sustitución y vincula la filiación de los nacidos por gestación de sustitución con el parto[42].

Son, por consiguiente, las mujeres las que tienen claramente reconocido un derecho a la reproducción en nuestro ordenamiento jurídico, al margen de si padecen o no un problema de esterilidad y al margen también —dice la Ley— de su estado civil y su orientación sexual. Estas últimas matizaciones parecen, en cierta medida, innecesarias. La primera, referente al estado civil, prácticamente se sobreentiende. La Ley 35/1988, de 22 de noviembre, sobre *Técnicas de Reproducción Asistida*[43], que reguló por primera vez en España la reproducción humana asistida, ya posibilitaba que las mujeres sin pareja fueran usuarias de estas técnicas reproductivas. Y el artículo 6 de la actual Ley, en su apartado 1, no hace sino reproducir lo dispuesto entonces al respecto. En consecuencia, al afirmar que todas las mujeres son posibles usuarias, sin mayor especificación, se entiende que lo son independientemente de su estado civil, siendo innecesaria la aclaración. Es cierto, sin embargo, que el propio artículo 6 de la vigente ley alude al estado civil de la mujer, en su apartado 3, pero no lo hace para identificar quiénes pueden ser usuarias de las técnicas sino a los efectos de determinar la filiación paterna de los hijos en el supuesto de las mujeres casadas. En este sentido, señala: "Si la mujer estuviera casada, se precisará, además, el consentimiento de su marido, a menos que estuvieran separados legalmente o de hecho y así conste de manera fehaciente"[44].

La otra matización referida en el artículo 6 de la Ley, relativa al hecho de que toda mujer podrá ser usuaria de las técnicas al margen de su orientación sexual, resulta, asimismo, innecesaria a nuestro juicio. Tal y como hemos puesto

---

esencial y configura el derecho de los hombres a reproducirse de manera distinta a su paralelo femenino. Si bien el derecho a la reproducción le corresponde por igual a hombres y mujeres, aquéllos pueden tener más dificultades para realizarlo por la necesidad de contar con un útero gestador". (Cit. en *El derecho a la reproducción humana, op. cit.*, pág. 69).

[40]  Vid. GARCÍA RUIZ, Y.: "Técnicas de reproducción humana asistida en España tras la reforma de 2006: Derechos Humanos y Derecho de Familia", *Laicidad y Libertades. Escritos Jurídicos*, n° 6, vol. I, 2006, págs. 145-149.

[41]  Sobre esta temática, entre otros, vid. SOUTO GALVÁN, B.: "Nuevas reflexiones sobre la gestación de sustitución", *Biotecnología y Bioderecho*, EOLAS Ediciones, León 2011, págs. 129-138.

[42]  Vid. *B.O.E.* núm. 126, de 27 de mayo de 2006, pág. 19950.

[43]  Vid. *B.O.E.* núm. 282, de 24 de noviembre de 1988, págs. 33373-33378.

[44]  *Ibídem.*

de manifiesto en otros trabajos[45], la intención del legislador, en aquel momento, pudiera haber sido la de armonizar la Ley de reproducción asistida, que data del año 2006, con la reforma del Código Civil, acometida un año antes, mediante la cual se permitió el matrimonio de las personas del mismo sexo[46]. Pero incluso suponiendo que esta hubiera sido la intención del legislador, la matización de la Ley de reproducción asistida carece de relevancia jurídica. Señalar que la orientación sexual no condiciona el acceso a estas técnicas parece innecesario si se tiene en cuenta que la propia ley reconoce como usuaria a la mujer sin pareja y, en estos casos, no parece jurídicamente procedente someterla a un cuestionario previo a la intervención acerca de su orientación sexual. En consecuencia, si no procede respecto de la mujer sin pareja, tampoco parece que resulte procedente en otros supuestos.

## 4.1.2. El recurso a donantes

Una cuestión relevante en el ámbito de la reproducción asistida es la intervención de donantes en el proceso reproductivo que está presente, en todo caso, cuando las mujeres solas recurren a estas técnicas reproductivas y también cuando se trata de una pareja en la que uno o ambos padecen un problema de esterilidad[47]. Los donantes, de conformidad con lo dispuesto en el artículo 5.6 de la Ley 14/2006, deberán tener más de 18 años, buen estado de salud psicofísica y plena capacidad de obrar.

Las donaciones, de gametos y de embriones, se regulan en la Ley de manera conjunta, así como los contratos de donación. Al respecto, el apartado primero del artículo 5 señala que la donación consiste en un contrato gratuito, formal y confidencial, concertado entre el donante y el centro autorizado. Además, en el apartado 5, señala que:

> "La donación será anónima y deberá garantizarse la confidencialidad de los datos de identidad de los donantes por los bancos de gametos, así como, por los registros de donantes y de actividad de los centros que se constituyan.

---

[45]  Vid. GARCÍA RUIZ, Y.: "Técnicas de reproducción humana asistida en España tras la reforma de 2006: Derechos Humanos y Derecho de Familia", *Laicidad y Libertades, op. cit.*, págs. 148 y 149.

[46]  En relación con esta cuestión, entre otros, vid. MURILLO MUÑOZ, M.: "Matrimonio y homosexualidad. La constitucionalidad de la Ley 13/2005, de modificación del Código Civil español sobre derecho a contraer matrimonio entre personas del mismo sexo", en *Laicidad y Libertades. Escritos Jurídicos*, núm.5, vol. I, diciembre 2005, págs. 261-315.

[47]  Un análisis multidisciplinar de los problemas éticos, jurídicos, médicos y de política legislativa, que se derivan de la intervención de donantes, en el ámbito de la reproducción asistida, se puede encontrar en AA.VV. *Reproductive donation: practice, policy and bioethics*, Cambridge University Press, Cambridge 2012.

Los hijos nacidos tienen derecho por sí o por sus representantes legales a obtener información general de los donantes que no incluya su identidad (...)"

Es evidente que el reconocimiento del anonimato de los donantes es una cuestión controvertida, en tanto en cuanto impide que los hijos tengan la posibilidad de conocer sus orígenes biológicos. A ello se une, además, la relevancia que la herencia genética está cobrando en el ámbito médico a la hora de determinar la propensión a padecer determinadas enfermedades[48]. Probablemente, la relevancia médica de la herencia genética es la que inspira el tercer párrafo del artículo 5.5 de la Ley, en el que se establece que: "Sólo excepcionalmente, en circunstancias extraordinarias que comporten un peligro cierto para la vida o la salud del hijo o cuando proceda con arreglo a las leyes procesales penales, podrá revelarse la identidad de los donantes, siempre que dicha revelación sea indispensable para evitar el peligro o para conseguir el fin legal propuesto. Dicha revelación tendrá carácter restringido y no implicará en ningún caso publicidad de la identidad de los donantes".

Una cuestión fundamental para cumplir con lo anterior es la recopilación de toda la información relativa a los donantes en el Registro nacional de donantes al que hace referencia el artículo 21 de la Ley. Dicho Registro, cuya creación estaba prevista ya en la primera Ley de reproducción asistida de 1988[49], es una cuestión pendiente todavía en nuestro país que pone en evidencia una cierta dejadez o falta de interés del legislador por una cuestión sumamente importante. Tanto es así que, sin la existencia de un Registro nacional, resulta imposible cumplir lo dispuesto en el artículo 5.7 de la Ley respecto al número máximo de hijos que se pueden generar con gametos procedentes de un mismo donante. El tema, por consiguiente, no es baladí y prueba de ello es el rigor y la transparencia con la que ha sido regulada esta cuestión, en otros países[50]. Dicha transparencia permite, por un lado, evitar posibles matrimonios o relaciones afectivas, en el futuro, entre hijos nacidos de un mismo donante y, por otro, garantiza el derecho de los hijos a

---

[48]  Respecto a la confrontación entre el anonimato de los donantes y el derecho de los hijos a conocer su origen biológico, vid. GARCÍA RUIZ, Y.: "Investigación embrionaria y anonimato de donantes: dos cuestiones biojurídicas a debate", *Biotecnología y Bioderecho*, EOLAS Ediciones, León 2011, págs. 119-126 y "El origen biológico en la reproducción asistida: nuevas tendencias normativas para una era global", Centro de Estudios Andaluces, Policy Papers, núm. 9, mayo 2010.

[49]  Vid. Disposición final tercera de la Ley 35/1988, de 22 de noviembre, *sobre Técnicas de Reproducción Asistida*. B.O.E. núm. 282, de 24 de noviembre de 1988, págs. 33377.

[50]  Al respecto, vid. BLYTH, E. y FRITH, L. "Donor-conceived people's access to genetic and biographical history: an analysis of provisions in different jurisdictions permitting disclosure of donor identity", *International Journal of Law, Policy and the Family*, núm. 23, 174-191.

conocer sus orígenes biológicos y su herencia genética que, previsiblemente, será fundamental para la medicina del futuro.

## 4.1.3. La filiación

Otro aspecto esencial, en el recurso a las técnicas de reproducción asistida, es el relativo a la determinación legal de la paternidad. La Ley regula esta cuestión en los artículos 7, 8, 9 y 10 de cuyo contenido se deduce lo siguiente:

a) En los supuestos en los que recurre a la reproducción asistida una mujer sola, en todo caso, será necesaria la intervención de un donante de esperma o la donación de un preembrión. En ambos supuestos, la mujer será la gestante y, según lo dispuesto en el artículo 10, a ella le corresponderá la maternidad legal, dado que viene determinada por el parto. Sin embargo, respecto de la filiación paterna no existirá referencia alguna al estar garantizado el anonimato de los donantes.

b) En el supuesto de un matrimonio en el que los cónyuges no se hallen separados legalmente o de hecho, la paternidad legal les corresponderá a ambos siempre que la esposa se someta a las técnicas de forma libre, consciente y expresa y el esposo preste su consentimiento a la práctica reproductiva de manera libre, consciente y formal. Si fuera necesario recurrir a un donante, ambos deben consentir para que les sea atribuida la paternidad legal del hijo. Si ambos aceptan, no será posible la impugnación de la filiación matrimonial del hijo (art. 8.1). Pese a que, en algunos supuestos muy excepcionales, se puede revelar la identidad de los donantes ello no implica la determinación legal de la filiación (art. 8.3).

c) Respecto a las parejas no casadas, les es aplicable la misma regulación que a los matrimonios tanto para la prestación del consentimiento a la técnica reproductiva como para la intervención del donante y, asimismo, respecto a la determinación de la paternidad legal (art. 8.2).

d) Por último, la Ley establece una regulación concreta para los casos de premoriencia del marido o pareja. Al respecto, el artículo 9 señala, como regla general, que no se podrá determinar legalmente la filiación del hijo, ni relación jurídica alguna entre él y el marido o pareja, si este fallece antes de que su material reproductor se encuentre en el útero de la mujer. No obstante, el propio artículo 9, en su apartado 2, prevé que el marido o pareja pueda consentir que se utilice su material reproductor durante los 12 meses siguientes a su fallecimiento. Para ello, deberá manifestarlo expresamente en el contrato a través del cual consiente la reproducción asistida, por medio de escritura pública o a través de un testamento o documento de instrucciones previas. Dicho consentimiento podrá ser revocado en cualquier momento anterior a la realización de la reproducción.

## 4.2. *Ámbito diagnóstico, terapéutico y de investigación*

Además del ámbito reproductivo, las técnicas de reproducción humana asistida se proyectan sobre otros ámbitos que también afectan a las decisiones en materia de reproducción. En ocasiones, quienes recurren a estas prácticas lo hacen con la intención de soslayar posibles enfermedades de los embriones; otras veces, a lo largo del proceso reproductivo, se puede plantear la necesidad o conveniencia de realizar determinadas prácticas terapéuticas sobre el embrión y, asimismo, quienes recurren a la fecundación *in vitro* o técnicas similares, suelen enfrentarse a la decisión sobre el destino de los gametos y embriones que han resultado sobrantes de su proceso reproductivo, decisión que puede repercutir en el ámbito de la investigación.

La Ley *sobre técnicas de reproducción humana asistida* aborda estas cuestiones en el Capítulo III y, al respecto, establece varias pautas de actuación:

a) *Por lo que respecta a la conservación de los gametos y preembriones*, la Ley señala, en su artículo 11, apartados 1 a 3, que, en el caso del esperma, este se podrá crioconservar durante la vida del varón del cual procede y, en el caso de los preembriones sobrantes de la fecundación *in vitro*, los ovocitos y el tejido ovárico, se podrán mantener hasta que, a juicio de un equipo de especialitas independientes del centro donde se encuentran crioconservados, la receptora deje de reunir los requisitos clínicos que se requieren para someterse a la reproducción asistida.

b) *Por lo que respecta al destino del semen, los ovocitos, el tejido ovárico y los preembriones crioconservados*, el apartado 4 del artículo 11 de la Ley, contempla diferentes posibilidades que, en todo caso, requerirán la obtención del correspondiente consentimiento de los afectados. En primer lugar, prevé que puedan utilizarlos la mujer o su cónyuge; en segundo lugar, posibilita que puedan ser donados con fines de reproducción a otras parejas o mujeres solas; en tercer lugar, posibilita que se sean donados con fines de investigación[51] y, por último, contempla también la posibilidad de su destrucción mediante el cese de su conservación. En el caso de los preembriones, la adopción de cualquiera de dichas medidas requiere que se consulte, cada dos años, a la mujer o a la pareja de cuyo proceso

---

[51]    Un análisis del *iter* legislativo en España sobre el inicio de la vida, en PÉREZ ÁLVAREZ, S.: "Laicidad, secularización y régimen jurídico de los inicios de la vida en España", *Biotecnología y Bioderecho*, Ed. EOLAS, León 2011, págs. 302-322.

reproductivo hayan sido resultantes. No obstante, si durante el tiempo correspondiente a dos renovaciones consecutivas no fuera posible obtener el consentimiento de la mujer o de la pareja progenitora de manera demostrable, los preembriones quedarán a disposición del centro que será el que adoptará la decisión sobre su destino.

c) *Por lo que respecta a las posibilidades diagnósticas sobre el preembrión,* el artículo 12 de la Ley regula el diagnóstico preimplantacional que puede llevarse a cabo con el objeto de evitar la implantación de preembriones portadores de alguna grave enfermedad hereditaria o con fines terapéuticos para terceros. Este último caso, se refiere al controvertido supuesto de los preembriones seleccionados para ser compatibles con hermanos ya nacidos y aquejados de una grave enfermedad[52]. En dichos supuestos, la Ley establece que será necesaria la autorización expresa, *caso a caso,* de la autoridad sanitaria correspondiente, previo informe favorable de la Comisión Nacional de Reproducción Humana Asistida.

d) *Por lo que respecta a las técnicas terapéuticas aplicadas sobre el preembrión vivo in vitro,* el artículo 13 de la Ley señala que sólo se podrán realizar en beneficio del propio embrión para tratar una enfermedad o impedir su transmisión. Será necesario contar con el consentimiento debidamente informado de la mujer o pareja y realizado en un centro autorizado y por equipos cualificados. En todo caso, se prohíbe la modificación de caracteres hereditarios no patológicos así como la selección de los individuos o de la raza.

e) *Por lo que respecta a la investigación con gametos y preembriones,* la Ley establece, en sus artículos 14 a 16, una serie de disposiciones de carácter preventivo. En este sentido, prohíbe utilizar tanto los gametos como los preembriones con fines reproductivos cuando hayan sido utilizados previamente con fines de investigación; establece que no se podrá desarrollar el preembrión con fines de investigación más allá del día 14 después de la fecundación; exige que se cuente con un proyecto autorizado por las autoridades sanitarias competentes, previo informe del órgano asesor que corresponda en función de la investigación a desarrollar y señala la necesidad de recabar el consentimiento de la mujer o la pareja, en el cual "(...) especificará en todo caso la renuncia (...) a cualquier derecho de naturale-

---

[52]   Respecto a la cuestión que se suscita, en relación con la prestación del consentimiento por representación de los padres, tanto en el caso del hijo enfermo como en el caso del hermano fruto del embrión seleccionado con fines terapéuticos, vid. GARCÍA RUIZ, Y.: "Salud, autonomía y factor religioso: una compleja encrucijada en el supuesto de los menores", *La salud: intimidad y libertades informativas,* Tirant lo Blanch, Valencia 2006, págs. 27-31.

za dispositiva, económica o patrimonial sobre los resultados que pudieran derivarse de manera directa o indirecta de las investigaciones que se lleven a cabo"[53].

Expuesta la regulación contenida en la Ley en materia de diagnóstico, terapia e investigación sobre gametos y preembriones, por lo que respecta a la investigación sobre los preembriones, una cuestión de gran relevancia a tener en cuenta es el impacto que sobre esta temática ha tenido la Sentencia del Tribunal de Justicia de la Unión Europea (en adelante TJUE), de 18 de octubre de 2011[54], en la que se resuelve una cuestión prejudicial planteada en un procedimiento de anulación, iniciado por Greenpeace, contra una patente alemana relativa a células progenitoras neuronales, a sus procedimientos de producción a partir de células madre embrionarias y a su utilización con fines terapéuticos.

La petición de decisión prejudicial que se le plantea al TJUE tenía por objeto clarificar la interpretación del artículo 6, apartado 2, letra c), de la Directiva 98/44/CE del Parlamento Europeo y del Consejo, de 6 de julio de 1998, relativa a la protección jurídica de las invenciones biotecnológicas[55]. En dicho artículo, se establece lo siguiente:

> "1. Quedarán excluidas de la patentabilidad las invenciones cuya explotación comercial sea contraria al orden público o a la moralidad, no pudiéndose considerar como tal la explotación de una invención por el mero hecho de que esté prohibida por una disposición legal o reglamentaria.
>
> 2. En virtud de lo dispuesto en el apartado 1, se considerarán no patentables, en particular:
>
> (...)
>
> c) las utilizaciones de embriones humanos con fines industriales o comerciales (...)".

Por lo que aquí interesa, la Sentencia del TJUE es relevante porque se pronuncia sobre el concepto de embrión humano a propósito de la patentabilidad de los resultados de investigaciones desarrolladas a partir de células procedentes de embriones humanos. En este sentido, lo primero que afirma el TJUE es que: "(...) de la Directiva se desprende que, si bien ésta tiene por objeto fomentar las inversiones en el ámbito de la biotecnología, la explotación de la materia biológica de origen humano debe inscribirse en el marco del respeto de los derechos

---

53    Vid. Artículo 15.1 a) de la Ley 14/2006, de 26 de mayo, sobre técnicas de reproducción humana asistida. *B.O.E.* núm. 126, de 27 de mayo de 2006, pág. 19952.

54    *http://curia.europa.eu/juris/document/document.jsf?text=&docid=111402&pageIndex=0&do clang=ES&mode=lst&dir=&occ=first&part=1&cid=291580#Footnote\*Footnote\** (Consultado por última vez el 13 de febrero de 2013).

55    *http://eur-lex.europa.eu/LexUriServ/LexUriServ.do?uri=OJ:L:1998:213:0013:0021:ES:PDF* (Consultado por última vez el 13 de febrero de 2013).

fundamentales y, en particular, de la dignidad humana". En consecuencia, continúa: "(...) la Directiva prohíbe que el cuerpo humano, en los diferentes estadios de su constitución y de su desarrollo, pueda constituir una invención patentable (...) El contexto y la finalidad de la Directiva revelan así que el legislador de la Unión quiso excluir toda posibilidad de patentabilidad en tanto pudiera afectar al debido respeto de la dignidad humana. De ello resulta que el concepto de «embrión humano» recogido en el artículo 6, apartado 2, letra c), de la Directiva debe entenderse en un sentido amplio". Por consiguiente, sigue afirmando el TJUE, "(...) todo óvulo humano, a partir de la fecundación, deberá considerarse un «embrión humano» en el sentido y a los efectos de la aplicación del artículo 6, apartado 2, letra c), de la Directiva, habida cuenta de que la fecundación puede iniciar el proceso de desarrollo de un ser humano".

Las reacciones a la Sentencia, procedentes del ámbito científico, no se hicieron esperar y no sólo porque, a partir de dicha Sentencia se iban a ver reducidas las investigaciones sobre células madre procedentes de embriones al no ser patentables sino porque el TJUE fue más allá al establecer que la misma protección jurídica dispensada al embrión desde su fecundación era predicable en el supuesto de la conocida comúnmente como clonación terapéutica[56] y en el caso de la partenogénesis. En este sentido, el TJUE señala que también debe atribuirse la calificación de embrión humano "(...) al óvulo humano no fecundado en el que se haya implantado el núcleo de una célula humana madura, y al óvulo humano no fecundado estimulado para dividirse y desarrollarse mediante partenogénesis. Aunque en puridad estos organismos —afirma el Tribunal— no hayan sido objeto de fecundación, cabe considerar, tal como se desprende de las observaciones escritas presentadas ante el Tribunal de Justicia, que por efecto de la técnica utilizada para obtenerlos, son aptos para iniciar el proceso de desarrollo de un ser humano, de la misma manera que el embrión creado por fecundación de un óvulo".

Con esta Sentencia, el TJUE ha interpretado la normativa europea sobre invenciones biotecnológicas rechazando contundentemente la posibilidad de patentar las investigaciones desarrolladas a partir de embriones humanos y las de cualquier célula que, por el medio que fuera, pudiera llegar a desarrollar un ser humano. Ello condiciona y/o reinterpreta las legislaciones nacionales al respecto y, probablemente, incidirá en las investigaciones que se acometan en el futuro en Europa.

---

[56]    Un estudio en profundidad sobre la respuesta jurídica en Europa en materia de clonación y las posiciones religiosas y éticas al respecto en PÉREZ ÁLVAREZ, S.: *La libertad ideológica ante los orígenes de la vida y la clonación en el marco de la U.E.*", Comares, Granada 2009.

## 5. CONFLICTOS DE CONCIENCIA QUE PLANTEA LA INTERRUPCIÓN VOLUNTARIA DEL EMBARAZO, LA PRESTACIÓN DE SERVICIOS SANITARIOS DE PROCREACIÓN MÉDICA ASISTIDA Y LA DISPENSA DE MÉTODOS ANTICONCEPTIVOS

Las cuestiones tratadas en los apartados precedentes afectan a áreas muy sensibles íntimamente ligadas con la ética, la moral personal y la conciencia[57]. Por ello, no es infrecuente que se susciten conflictos de conciencia entre aquellos que, profesionalmente, se ven compelidos a cumplir un mandato legal o laboral[58] que resulta contrario al mandato dictado por su conciencia. En dichos supuestos, cuando jurídicamente no se articula una opción alternativa a aquella que genera el conflicto de conciencia[59], el sujeto puede llegar a plantear una objeción de con-

---

[57]   Un estudio de la delimitación de los conceptos de ética, moral y conciencia, en TARODO SORIA, S.: *Libertad de conciencia y derechos del usuario de los servicios sanitarios*, Universidad del País Vasco, Bilbao 2005, págs. 45-77.

[58]   En relación con el imperativo u obligación que provoca la objeción, LLAMAZARES FERNÁNDEZ, D. afirma: "(...) no es lo mismo la objeción a una obligación de cuyo cumplimiento depende la consecución de un interés general, (que) la objeción a una obligación de cuyo cumplimiento depende la satisfacción de un interés o de un derecho, aunque sea fundamental, particular. En el primer caso es evidente la necesidad de que la misma ley impone la obligación u otra del mismo rango, reconozca expresamente la capacidad liberadora de la objeción con respecto a la obligación legal, ya que otra cosa como dice el TC es inimaginable porque sería tanto como negar la posibilidad misma de la existencia del Derecho o como dice el TS el Estado democrático si el cumplimiento de las leyes la dejamos a merced de que estén de acuerdo con las conciencias. En el segundo, en cambio, no está esto tan claro. En mi opinión, no es necesaria la norma de reconocimiento, pero sí, por evidentes razones de seguridad jurídica, la norma de desarrollo". Cit. en "Bioética y Bioderecho", *Biotecnología y Bioderecho*, EOLAS Ediciones, León 2011, págs. 59 y 60.

[59]   Al respecto, COMBALÍA, aboga por: "...favorecer las opciones de conciencia, de modo que las objeciones en sentido estricto, esto es, las que no encuentran amparo normativo explícito y directo, quedaran únicamente para los supuestos atípicos o peculiares. En definitiva, un sistema que convirtiera las objeciones de conciencia previsibles en opciones de conciencia legalmente tuteladas cuando se adivina el rechazo ético de determinados sectores de la sociedad. Tal es el caso de leyes aprobadas tras una importante polémica social. La ventaja de esta vía —continúa señalando la autora— es que no sitúa al objetor frente al sistema, sino dentro de éste". Cit. en "La necesidad de flexibilización del derecho y la objeción de conciencia en una sociedad plural (contraste entre el sistema continental y el angloamericano), *Opciones de conciencia. Propuestas para una ley*, Ed. Tirant lo Blanch, Valencia 2008, pág. 81. En esta temática, entre otros, SUÁREZ PERTIERRA, G., CASTRO JOVER, A. y CONTRERAS MAZARÍO, J. M., vinculan el reconocimiento de la objeción de conciencia a su previsión legal expresa. Al respecto, vid. SUÁREZ PERTIERRA, G.: "La objeción de conciencia al servicio militar en España", *Anuario de Derechos Humanos*, n° 7, 1990, 258; CASTRO JOVER, A.: "La libertad de conciencia y la objeción de conciencia individual en la jurisprudencia constitucional española", *La libertad religiosa y*

ciencia[60]. Es decir, puede negarse a cumplir con el mandato legal o laboral contrario a su mandato de conciencia. Tal reacción, si no está prevista jurídicamente, se convierte en un auténtico desafío al ordenamiento jurídico[61].

## 5.1. *Objeción de conciencia a la interrupción voluntaria del embarazo*

No parece necesario entrar a analizar las razones por las cuales la interrupción voluntaria del embarazo puede suscitar y, de hecho, suscita objeciones de conciencia provenientes de los profesionales médicos y sanitarios. Baste recordar la existencia de diversas concepciones científicas, médicas, éticas y jurídicas contrapuestas en torno al origen de la vida humana y su protección[62].

La conflictividad intrínseca a la práctica de la interrupción voluntaria del embarazo[63] explica, en buena medida, que el Tribunal Constitucional reconociera la existencia de un derecho a la objeción de conciencia al aborto, en su Sentencia

---

de conciencia ante la justicia constitucional. *Actas del VIII Congreso Internacional de Derecho Eclesiástico del Estado*, Granada 1998, págs. 133-134 y CONTRERAS MAZARÍO, J.M.: "Libertad de conciencia, objeción de conciencia, insumisión y Derecho (Comentario a la Sentencia núm. 75/92 del Juzgado de lo Penal núm. 4 de Madrid", *Ley y Conciencia. Moral legalizada y moral crítica en la aplicación del Derecho,* Universidad Carlos III de Madrid. Boletín Oficial del Estado, Madrid 1993, pág. 53). En esta cuestión, ROCA, señala: "hay supuestos de objeción cuya regulación mediante ley presenta menos dificultades que otros (porque ya se han presentado muchos supuestos de objeción o porque las objeción son de algún modo "previsibles"), y en los que su regulación es más necesaria porque el objetor se opone al cumplimiento de deberes públicos, en los que sería necesario prever su sustitución". (Cit. en "Dignidad de la persona, pluralismo y objeción de conciencia", *Opciones de conciencia. Propuestas para una ley, op. cit.,* pág. 63).

[60]    En el ámbito de las objeciones de conciencia, se ha hablado de una auténtica eclosión a modo de *big bang*. En este sentido, vid. NAVARRO-VALLS, R. y MARTÍNEZ-TORRÓN, J.: *Las objeciones de conciencia en Derecho español y comparado,* Ed. McGraw-Hill, Madrid 1997.

[61]    Sobre esta cuestión, el Tribunal Constitucional, en su Sentencia 161/1987, Fundamento Jurídico 3, señala: "La objeción de conciencia con carácter general, es decir, el derecho a ser eximido del cumplimiento de los deberes constitucionales o legales por resultar ese cumplimiento contrario a las propias convicciones, no está reconocido ni cabe imaginar que lo estuviera en nuestro Derecho o en Derecho alguno, pues significaría la negación misma de la idea de Estado, Lo que puede ocurrir es que sea admitida excepcionalmente respecto a un deber concreto". Vid. *B.O.E.* núm. 271. Suplemento, 12 de noviembre de 1987, pág. 36.

[62]    En este sentido, vid. PÉREZ ÁLVAREZ, S.: *La libertad ideológica ante los orígenes de la vida y la clonación en el marco de la U.E.", op. cit.* págs. 1-7.

[63]    Un análisis de la evolución histórica de la legislación sobre la despenalización de la interrupción voluntaria del embarazo hasta la actualidad en LETURIA NAVAROA, A.: "Salud sexual y reproductiva e interrupción voluntaria del embarazo", *Biotecnología y Bioderecho,* EOLAS Ediciones, León 2011, págs. 139-169. Una visión crítica del Proyecto de Ley que dio lugar a la actual Ley 2/2010, de 3 de marzo, de salud sexual y reproductiva y de la interrupción volunta-

53/1985, de 11 de abril[64]. En aquel momento, como es sabido, se resolvía un recurso de inconstitucionalidad presentado contra el *Proyecto de Ley Orgánica de reforma del artículo 417 bis del Código Penal* y el Tribunal sabía que no procedía entrar en algunas cuestiones relevantes que los recurrentes habían planteado pero que eran ajenas a la valoración de la constitucionalidad del Proyecto. Por ello, en algunas de dichas cuestiones, efectivamente, no entró. Sin embargo, no quiso dejar sin respuesta la que afectaba a la objeción de conciencia. En este sentido, el Tribunal señaló que: "(...) (el) derecho a la objeción de conciencia, (...) existe y puede ser ejercido con independencia de que se haya dictado o no tal regulación. La objeción de conciencia forma parte del contenido del derecho fundamental a la libertad ideológica y religiosa reconocido en el art. 16.1 de la Constitución (...)"[65].

A partir de aquel momento, la objeción de conciencia al aborto se ha reconocido sustentada en aquella afirmación del Tribunal Constitucional. Una afirmación que se había realizado respecto a una cuestión concreta —el aborto— y que, evidentemente, no se podía interpretar como el reconocimiento de un derecho genérico a la objeción de conciencia. En este sentido, como es bien sabido, el propio Tribunal Constitucional, en una Sentencia posterior, señalaba que: "La objeción de conciencia con carácter general, es decir, el derecho a ser eximido del cumplimiento de los deberes constitucionales o legales por resultar ese cumplimiento contrario a las propias convicciones, no está reconocido ni cabe imaginar que lo estuviera en nuestro Derecho o en Derecho alguno, pues significaría la negación misma de la idea de Estado, Lo que puede ocurrir es que sea admitida excepcionalmente respecto a un deber concreto"[66]. Y, en efecto, así ha sido respecto del aborto. La objeción se ha admitido como una excepción que se reconocía en virtud de lo dispuesto por el Tribunal Constitucional hasta la aprobación de la Ley Orgánica 2/2010, de 3 de marzo, *de salud sexual y reproductiva y de la interrupción voluntaria del embarazo* que ha regulado, por primera vez en nuestro país, la objeción de conciencia al aborto.

Al respecto, el artículo 19 de la Ley, en su apartado segundo, al abordar las medidas para garantizar la prestación por los servicios de salud, dispone que los profesionales directamente implicados en la práctica del aborto tienen derecho a ejercer la objeción de conciencia. Sin embargo, el mismo artículo matiza al señalar que el acceso y/o la calidad de la asistencia sanitaria no pueden resultar me-

---

ria del embarazo en NAVARRO VALLS, R.: "Análisis jurídico del Proyecto de Ley del aborto", *Revista General de Derecho Canónico y Derecho Eclesiástico del Estado,* 22 (2010).

64      Vid. *B.O.E.* núm. 119. Suplemento, 18 de mayo de 1985, págs. 10-25.

65      *Ibid,* pág. 21.

66      Vid. *B.O.E.* núm. 271. Suplemento, 12 de noviembre de 1987, pág. 36.

noscabadas por el ejercicio de la objeción. En este sentido, la propia Ley especifica que la objeción de conciencia es una decisión individual del personal médico y sanitario cuya intervención está directamente implicada en la práctica del aborto. Ahora bien, con el objeto de que los centros puedan garantizar la atención de los casos que se susciten, se establece la obligación de que los objetores manifiesten su negativa a participar en estas prácticas con anterioridad y por escrito. Por último, la Ley precisa que los objetores deben estar dispuestos a atender a la mujer, si fuera necesario, antes y/o después del aborto, al entender que esta atención es meramente asistencial y que, en consecuencia, queda fuera de las actividades directamente ligadas a la interrupción voluntaria del embarazo.

De este modo, se ha regulado por primera vez en España la objeción de conciencia al aborto, esto es, intentando compatibilizar los intereses de la mujer y los del personal sanitario objetor. No obstante, la anunciada reforma de la Ley Orgánica 2/2010, entre otras cuestiones, podría modificar la actual regulación de la objeción o, incluso, no contemplarla. En dicho caso, su reconocimiento permanecería vinculado a lo dispuesto al respecto por el Tribunal Constitucional.

## 5.2. Objeción de conciencia a la dispensa de métodos anticonceptivos

Otro ámbito que también ha suscitado problemas de conciencia ligados a las decisiones en materia de reproducción y a la determinación del inicio de la vida humana ha sido la dispensa de la píldora postcoital por parte de los farmacéuticos; un método de anticoncepción de urgencia que, como se ha señalado en apartados precedentes, se introdujo por primera vez en España mediante la Resolución de 5 de marzo de 2001 de la Agencia Española del Medicamento, *por la que se acuerda la publicación de especialidades farmacéuticas autorizadas y registradas en el año 2000*[67]. Aquello suscitó un cierto malestar en algunos farmacéuticos que consideraban dicho medicamento como posiblemente abortivo[68] pero que se encontraban obligados a dispensarlo en virtud de lo dispuesto en la Ley 29/2006, de *Garantías y Uso Racional de los Medicamentos y Productos Sanitarios*[69]. Al respecto, valga reiterar que dicha Ley, en su artículo 84.3, dispone que: "Las oficinas de farmacia vienen obligadas a dispensar los medicamentos

---

[67]   Vid. *B.O.E.* núm. 82, de 5 de abril de 2001, pág. 12933.
[68]   En este sentido, vid. TALAVERA FERNÁNDEZ, P. A. y BELLVER CAPELLA, V.: "La objeción de conciencia farmacéutica a la píldora postcoital", *Provida Press*, núm. 75, 2004. *http://www.provida.es/valencia/N%20Anteriores%20Provida%20Press.htm* (Consultado por última vez el 13 de febrero de 2013)
[69]   Vid. *B.O.E.* núm. 178, de 27 de julio de 2006, págs. 28122-28165.

que se les demanden tanto por los particulares como por el Sistema Nacional de Salud en las condiciones reglamentarias establecidas"[70]; en su artículo 101. b) 15ª contempla, como infracción grave, "Negarse a dispensar medicamentos o productos sanitarios sin causa justificada" y, en su artículo, 101 c) 12ª, considera como infracción muy grave, "Incumplir...las oficinas de farmacia sus obligaciones legales y, en particular, no disponer de las existencias de medicamentos adecuadas para la normal prestación de sus actividades y servicios"[71].

Dejando al margen las discrepancias en torno al momento en el que se inicia una nueva vida y las distintas consideraciones acerca de si la píldora postcoital podría, en algunos supuestos, afectar a un embarazo que ya se hubiera producido, lo cierto es que las reticencias entorno a su dispensa farmacéutica han dado lugar a un par de pronunciamientos jurisprudenciales relevantes que, en opinión del algunos autores[72], han reconocido la objeción de conciencia en estos supuestos.

Las dos Sentencias referidas han tenido su origen en recursos presentados en Andalucía contra una Orden de la Consejería de Salud de la Junta, de 1 de junio de 2001, *por la que se actualiza el contenido del Anexo del Decreto 104/2001, de 30 de abril, por el que regulan las existencias mínimas de medicamentos y productos sanitarios en las oficinas de farmacia y almacenes farmacéuticos de distribución*[73]. Dicha Orden, introduce, en la relación de existencia mínimas de las que debe disponer una farmacia, un medicamento cuyo principio activo es Levonorgestrel, esto es, una sustancia utilizada en la anticoncepción de urgencia.

La introducción de este medicamento como parte de las existencias mínimas de las que se debe disponer en las farmacias dio lugar a las Sentencias mencionadas sobre esta temática. En el primer caso, el Tribunal Superior de Justicia de Andalucía (TSJA) conoció de un recurso presentado por la vía preferente de protección de los derechos fundamentales, respecto del cual se pronunció en su Sentencia de 30 de julio de 2002, la cual fue confirmada, en casación, por el Tri-

---

[70]  *Ibid,* 28149.

[71]  *Ibid,* 28155.

[72]  En este sentido, vid. GONZÁLEZ-VARAS IBÁÑEZ, A.: "La objeción de conciencia del farmacéutico en la jurisprudencia y su regulación legal en España", iustel.com, *Revista General de Derecho Canónico y Derecho Eclesiástico del Estado*, núm. 15, octubre 2007 y "Las objeciones de conciencia de los profesionales de la salud", *Opciones de conciencia. Propuestas para una ley*, Tirant lo Blanch, AIDP, Universidad de Vigo, Valencia 2008, págs. 320 y 321; CASTILLO CALVÍN, J. M.: "La objeción de conciencia de los farmacéuticos en España", *Cuadernos de Bioética*, XVIII, 2007, 2ª, págs. 283-285 y ROJO ÁLVAREZ-MAZANEDA, L.: "La objeción de conciencia farmacéutica y la Sentencia del Tribunal Superior de Justicia de Andalucía, de 8 de enero de 2007", iustel.com, *Revista General de Derecho Canónico y Derecho Eclesiástico del Estado*, núm. 16, enero 2008.

[73]  Vid. *B.O.J.A.* núm. 63, de 2 de junio de 2001. http://www.juntadeandalucia.es/boja/2001/63/2 (Consultado por última vez el 13 de febrero de 2013)

bunal Supremo (TS) mediante Sentencia de 23 de abril de 2005. En el segundo supuesto, el TSJA volvió a conocer de un recurso presentado por la vía ordinaria, en esta ocasión, recayendo Sentencia el 8 de enero de 2007[74].

Ambas Sentencias desestimaron los recursos presentados. Sin embargo, quienes defienden un reconocimiento de la objeción de conciencia farmacéutica sobre la base de dichos pronunciamientos judiciales aluden:

- por un lado, a lo dispuesto en la Sentencia del TS de 23 de abril de 2005, en la que, a propósito del posible derecho a la objeción de conciencia del farmacéutico, el Tribunal señala que: "no excluye la reserva de una acción en garantía de este derecho para aquellos profesionales sanitarios con competencias en materia de prescripción y dispensación de medicamentos"[75];
- y, de manera principal, a lo señalado por el TSJA, en su Sentencia de 8 de enero de 2007, en la cual, se afirma que la objeción de conciencia: "derivada de un juicio de carácter ético o moral, no legitima para la impugnación de una norma de carácter general, ya que el objetor de conciencia, no puede hacer prevalecer o imponer a otros sus condiciones religiosas o morales, para justificar la nulidad de una norma general, aún cuando dicha objeción de conciencia, puede ser enarbolada cuando, en virtud de la no aplicación de dicha norma, puedan derivarse perjuicios o sanciones por su incumplimiento. Pero que solo produciría efectos (...) personales e individuales en aquellos que la esgriman frente al incumplimiento de la obligación (...)"[76].

Ciertamente, las Sentencias referidas mencionan la posibilidad del ejercicio de la objeción de conciencia en el ámbito farmacéutico. No obstante, defender el reconocimiento de la objeción de conciencia farmacéutica a partir, únicamente, de dichos pronunciamientos judiciales puede resultar carente de la fuerza jurídica que sería deseable ante lo que, como ha señalado el propio tribunal Constitucio-

---

[74]   Vid. ALENDA SALINAS, M.: "La píldora del día después: su conflictividad jurídica como manifestación de la objeción de conciencia farmacéutica", iustel.com, *Revista General de Derecho Canónico y Derecho Eclesiástico del Estado*, n° 16, enero 2008.

[75]   Afirmación calificada por el propio abogado defensor de los recurrentes como "genérica y tangencial". Vid. CASTILLO CALVÍN, J. M.: "La objeción de conciencia de los farmacéuticos en España", *Cuadernos de Bioética, op. cit.*, pág. 284.

[76]   A tal efecto, la Sentencia del TSJA, de 8 de enero de 2007, señala: "como autoriza el artículo 28 del Código de Ética Farmacéutica, al señalar "que la responsabilidad y libertad personal del farmacéutico le faculta para ejercer su derecho de objeción de conciencia respetando la libertad y el derecho a la vida y la salud del paciente" y el artículo 33 del mismo Código Ético compromete a la Organización Colegial a la defensa de quienes hayan decidido declararse objetores, como derecho individual al cumplimiento de una obligación impuesta por la norma impugnada, pero que no autoriza su impugnación por declaración de nulidad con carácter general para todos los farmacéuticos que no ejerciten el derecho a objetar". Fundamento Jurídico Quinto.

nal, constituye, en todo caso, una excepción. Conviene no olvidar que un reconocimiento amplio de la objeción de conciencia, tal y como se ha expresado anteriormente, supondría un auténtico desafío al basamento mismo del ordenamiento
jurídico y pondría en riesgo la seguridad jurídica que garantiza la convivencia en
un Estado de Derecho. Por ello, algún autor ha apuntado soluciones alternativas
que permitan armonizar los intereses en juego. Una de ellas sería incluir la negativa a la dispensa de la píldora postcoital en el ámbito del ejercicio de la libertad
de creencias y no propiamente como un supuesto de objeción cuyo encaje jurídico
resulta mucho más complejo[77]. Otros autores, pese a defender el reconocimiento
de la objeción de conciencia en estos supuestos, se plantean un reconocimiento
limitado en función de las circunstancias[78].

En todo caso, lo que permitiría garantizar los intereses en juego de manera
más eficaz y con mayor seguridad jurídica es la previsión legal de dicha objeción. Así sucede en algunas Comunidades Autónomas como Cantabria, La Rioja,
Galicia y Castilla-La Mancha[79] aunque, como ha señalado la doctrina[80], dichas
normas autonómicas no han explicitado cómo llevar a cabo su ejercicio. Por ello
y para evitar discriminaciones en materia de derechos entre las diferentes Comunidades Autónomas, la respuesta jurídicamente más satisfactoria sería su posible
reconocimiento normativo en una ley de ámbito nacional. Un ejemplo al respecto
podría ser la regulación de la objeción de conciencia en la Ley Orgánica 2/2010,
respecto de la interrupción voluntaria del embarazo.

---

[77] En este sentido, ALENDA señala: "La cuestión hay que plantearla dentro del ordenamiento
jurídico y en el ámbito del ejercicio de un derecho, en este caso el de la libertad de creencias. Si
bien es cierto que no hay derechos ilimitados, tampoco cabe, sin embargo, cualquier tipo de limitación, según establecen tanto el art. 16 de nuestra Carta Magna como el art. 9 del Convenio
Europeo de Derechos Humanos. El deber de dispensación farmacéutica supone una restricción
al derecho de libertad de creencias, pero debe cumplir con dos requisitos cuales son el de la justificación y el de la proporción. Debe suscitarse, pues, la cuestión como un choque o conflicto
de derechos. En este caso, el derecho a la libertad de creencias del farmacéutico y el derecho a
la dispensación del medicamento que tiene el cliente; derecho que, si bien puede considerarse
un motivo justo de restricción del derecho con el que puede entra en conflicto, tampoco puede ser
considerado como un derecho absoluto, desde el momento que nuestra legislación considera
que puede concurrir, aparte de otros motivos, una "causa justificada" para la no expendición de
fármacos". (Cit. en "La píldora del día después: su conflictividad jurídica como manifestación
de la objeción de conciencia farmacéutica", iustel.com, *Revista General de Derecho Canónico
y Derecho Eclesiástico del Estado*, op. cit., pág. 20).

[78] DE MIGUEL BERIAIN, I.: "La objeción de conciencia del farmacéutico: una mirada crítica",
*Revista de Derecho UNED*, núm. 6, 2010, págs. 197 y 198.

[79] Los textos de las correspondientes normas autonómicas los ha recogido ALENDA, M., en
"La píldora del día después: su conflictividad jurídica como manifestación de la objeción de
conciencia farmacéutica", iustel.com, *Revista General de Derecho Canónico y Derecho Eclesiástico del Estado*, op. cit., pág. 22, nota 47.

[80] *Ibídem*.

## 5.3. Objeción de conciencia a la prestación de servicios sanitarios de procreación médica asistida

Por último, conviene hacer una breve referencia a los posibles conflictos de conciencia que pueden surgir en relación con las técnicas de reproducción humana asistida y con las prácticas de investigación, diagnóstico y terapia relacionadas con ellas, principalmente, en lo que afecta a los embriones humanos. Las reticencias, en este último ámbito, esto es, respecto de la intervención sobre los embriones, no se diferencian de las que pueden surgir en torno a la práctica del aborto o la dispensa de la píldora postcoital. El rechazo a la participación en investigaciones o prácticas terapéuticas que puedan afectar al embrión en sus primeros estadios de vida se sustenta en la misma concepción sobre el origen de la vida humana y su protección jurídica que da lugar a la objeción de conciencia al aborto o a la dispensa de la píldora postcoital. Sin embargo, en este ámbito no se han suscitado, por el momento, casos concretos de objeción en nuestro país. La razón principal, a nuestro juicio, es la progresiva privatización de estas prácticas de investigación[81] y la selección, por parte de las clínicas, de investigadores fuertemente comprometidos con los proyectos de investigación desarrollados en estos ámbitos. Ello no impide, sin embargo, dado el vertiginoso avance biomédico de las últimas décadas, que puedan suscitarse conflictos de conciencia ante nuevas investigaciones que puedan surgir en el futuro. Por este motivo, sería deseable también que existiera una previsión normativa. En este sentido, un buen momento para incluir el reconocimiento de la objeción de conciencia en este ámbito hubiera sido al acometer la reforma de la primera Ley sobre técnicas de reproducción asistida de 1988. Sin embargo, la nueva Ley de 2006 no lo contempló.

Otras normas europeas, sí han recogido la objeción de conciencia en sus respectivas leyes sobre reproducción asistida[82]. Un ejemplo relevante al respecto es la *Ley de Fertilización Humana y Embriología* del Reino Unido de 1990, la cual, pese a contener una regulación muy permisiva en esta materia, ha contemplado la posibilidad de que puedan suscitarse objeciones de conciencia.

En este sentido, es importante tener en cuenta que los conflictos de conciencia, en el caso de las técnicas reproductivas, no se reducen a la intervención sobre el embrión sino que pueden suscitarse respecto a la incidencia de estas prácticas sobre cuestiones que afectan a la noción de familia, al derecho a la salud o a la dignidad de la mujer, entre otras. Piénsese, al respecto, que la participación en un

[81]    Las clínicas privadas han copado prácticamente la atención sanitaria en materia de reproducción humana asistida en España y, en buena medida también, la investigación derivada de ella.
[82]    Vid. GARCÍA RUIZ, Y.: *Reproducción humana asistida: derecho, conciencia y libertad, op. cit.,* págs. 91-146.

proceso reproductivo en el que se atiende a una mujer sola, dejará sin referente paterno al futuro hijo y ello puede chocar con algunas concepciones en materia de familia. Asimismo, el anonimato de los donantes que impide conocer la herencia genética de los hijos podría tener consecuencias para su salud, máxime cuando no existe un Registro nacional que permita, en caso de necesidad, tener la certeza de poder obtener la información que sea relevante al respecto. Y, en este mismo sentido, cabría mencionar la maternidad de subrogación o la donación de óvulos que puede estar realizándose repetidamente por algunas mujeres para obtener recursos económicos y sin que exista la posibilidad de que esta circunstancia sea controlada por las clínicas, al no existir un Registro nacional de donantes. Todo ello son aspectos que pueden chocar con la conciencia individual por razones religiosas, en algunos casos, pero también por motivos meramente ideológicos, científicos o médicos.

# DERECHO A DISPONER DE LA PROPIA SALUD. DONACIÓN Y TRASPLANTE DE ÓRGANOS Y TEJIDOS CELULARES

MARCOS GONZÁLEZ SÁNCHEZ
*Profesor Titular de Derecho Eclesiástico*
*Universidad Autónoma de Madrid*

## 1. TIPOLOGÍA DE TRASPLANTES Y TEJIDOS QUE PUEDEN SER DONADOS CON FINES TERAPÉUTICOS

El trasplante es una técnica médica muy desarrollada en la actualidad, con excelentes resultados para los receptores, que se convierte en la única esperanza para superar una enfermedad. Consiste en sustituir un órgano o tejido enfermo de una persona por otro que funciona correctamente con el fin de mejorar las condiciones y su calidad de vida. En España, la legislación básica sobre esta materia viene dada por la Ley 30/1979[1] y los Reales Decretos 2070/1999[2], 1301/2006[3] y 1825/2009[4] cuyos artículos regulan, entre otras cuestiones: las actividades de obtención y utilización clínica de órganos humanos; los aspectos sobre la calidad y seguridad para la donación y la organización nacional de trasplantes.

Por su parte, el pleno del Consejo General del Poder Judicial aprobó el pasado mes de julio (de 2012) el Informe de la Comisión de Estudios sobre el proyecto de Real Decreto —anunciado el mes de junio por el Ministerio de Sanidad, Servicios Sociales e Igualdad— por el que se regulan las actividades de obtención, utilización clínica y coordinación territorial de los órganos humanos destinados al trasplante y se establecen requisitos de calidad y seguridad. Este proyecto de

---

[1]  Ley 30/1979, de 27 de octubre, sobre extracción y trasplante de órganos.
[2]  Real Decreto 2070/1999, de 30 de diciembre, por el que se regulan las actividades de obtención y utilización clínica de órganos humanos y la coordinación territorial en materia de donación y trasplante de órganos y tejidos.
[3]  Real Decreto 1301/2006, de 10 de noviembre, por el que se establecen las normas de calidad y seguridad para la donación, la obtención, la evaluación, el procesamiento, la preservación, el almacenamiento y la distribución de células y tejidos humanos y se aprueban las normas de coordinación y funcionamiento para su uso en humanos.
[4]  Real Decreto 1825/2009, de 27 de noviembre, por el que se aprueba el Estatuto de la Organización Nacional de Trasplantes.

Real Decreto tiene como objetivo fundamental trasponer la Directiva 2010/53/ UE, de 7 de julio de 2010, del Parlamento Europeo y del Consejo, sobre normas de calidad y seguridad de los órganos humanos destinados al trasplante e incluye los últimos avances técnicos y médicos en la materia[5].

Según la procedencia del órgano o tejido existen dos tipos de donantes:

a) El donante vivo, que es aquella persona que realiza la donación en vida —siendo los más habituales los de sangre de cordón umbilical, de médula ósea y riñón—.

b) El donante fallecido, que es el que dona sus órganos y tejidos para que sean extraídos tras su fallecimiento —pueden ser por muerte encefálica (destrucción irreversible del cerebro) o donantes en asistolia (parada cardiaca irreversible)—.

En el ámbito de los trasplantes podemos hablar de varias categorías[6]:

a) Autotrasplante o trasplante autoplástico: Se trata de aquellos trasplantes en los cuáles el donante y el receptor se identifican, siendo las partes anatómicas extraídas del mismo organismo que las recibe.

b) Isotrasplante o trasplante singénico: Se trata de aquellos trasplantes en los cuáles el donante es un hermano gemelo univitelino.

c) Alotrasplante o trasplante homoplástico: Se trata de aquellos trasplantes en los que el donante y el receptor son de la misma especie.

d) Xenotrasplante o trasplante heterólogo: Se trata de aquellos trasplantes producidos de una especie a otra, es decir, cuando se utilizan los órganos de animales para su implantación en el hombre.

Junto a los trasplantes de órganos sólidos existen muchos tipos de tejidos que también se trasplantan para curar enfermedades. Los tejidos que se pueden trasplantar son[7]: 1) Tejido osteotendinoso (hueso, tendón, y otras estructuras osteotendinosas); 2) Córneas; 3) Piel; 4) Válvulas cardíacas; 5) Segmentos vas-

---

[5]    Según el Informe aprobado por el Consejo General del Poder Judicial: "En su preámbulo el Proyecto de Real Decreto se justifica en la necesidad de incorporar...el progreso científico y técnico de los años recientes en la mejora de la capacidad diagnóstica y la publicación de nuevas guías internacionales sobre los criterios que se aplican al diagnóstico de muerte, los avances en trasplantes alogénicos de tejido compuesto, la expansión en nuestro país de trasplantes de donante vivo y la puesta en marcha de programas de donación y trasplante entre personas no relacionadas genética o emocionalmente, así como de la donación de personas fallecidas tras la muerte por parada cardiorrespiratoria".

[6]    Sobre la cuestión vid., entre otros, GRACIA GUILLÉN, D., *Historia del trasplante de órganos*, en GAFO, J. (Ed.), *Trasplantes de órganos: problemas técnicos, éticos y legales*, UPCO Departamento de Publicaciones, Madrid, 1996, págs. 13-32; MANTOVANI, F., *Trasplantes de órganos*, "Revista Electrónica de Ciencia Penal y Criminología", 01-09, 1999 y MORENO ANTÓN, Mª., *Trasplantes*, en MARTÍN SÁNCHEZ, I. (Coord.), *Bioética, Religión y Salud*, Subdirección General de Bioética y Orientación Sanitaria de la Comunidad de Madrid, 2005, pág. 190.

[7]    Vid. Organización Nacional de Trasplantes (http://www.ont.es).

culares (arterias y venas); 6) Cultivos celulares, de condrocitos, queratinocitos o mioblastos.

España es el país con mayor tasa de donación de todo el mundo y el modelo español de funcionamiento de los trasplantes es considerado mundialmente un ejemplo a imitar. El sistema se vertebra en una red a tres niveles: la organización nacional de trasplantes; una descentralización regional y, en el tercer nivel, en cada hospital de cada Autonomía existe un equipo médico de coordinación que se ocupa de detectar los posibles donantes[8]. La cadena de donación, como señala MATESANZ, "arranca de la unidad de vigilancia intensiva donde tiene que haber un coordinador que constate que la persona puede ser un donante. Hay que solicitar la autorización a la familia y en caso de ser muerte no natural pedir el permiso al juez. Hechas estas gestiones se contacta con la Organización Nacional de Trasplantes para consultar qué enfermo en lista de espera puede beneficiarse de esa posible donación. Con posterioridad se organiza la extracción de órganos y el trasplante"[9].

En cuanto a los datos sobre trasplantes en el mundo en el año 2011, el Registro Mundial de Trasplantes[10] —que gestiona la Organización Mundial de la Salud y la Organización Nacional de Trasplantes— indica que se realizaron 106.879 trasplantes de órganos sólidos en todo el mundo —lo que supone un aumento cercano al 3%[11]—. España volvió a batir el record mundial de trasplantes con una tasa de 35,3 donantes por millón de habitantes[12]. En total, hubo 1.667 donantes que permitieron realizar más de 4.000 trasplantes —con un incremento del 11,8% y 500 intervenciones más que el año anterior—. Así, se llevaron a cabo 2.498 trasplantes renales; 1137 hepáticos; 237 cardíacos; 230 pulmonares; 111 de páncreas y 9 de intestino. La donación renal de vivo también aumentó en un 30% con un total de 312 trasplantes.

Europa supera por primera vez, en 2011, los 30.000 trasplantes anuales (30.290), gracias a un ligero aumento (del 0,6%) en su tasa de donación, que se eleva hasta 19 donantes por millón de habitantes. Los puntos flacos del sistema,

---

[8]  Sobre la estructura en España de la Organización Nacional de Trasplantes y la evolución de esta actividad terapéutica en nuestro país vid., entre otros, GARRIDO CANTARENO, G., MIRANDA SERRANO, B., *Organización de trasplantes en España. Modelo español,* en MONTERO BENZO, R., VICENTE GUILLÉN, R. (Dirs.), *Tratado de trasplantes de órganos,* Tomo I, Arán Ediciones, Castelló, 2006, págs. 9-19 y MATESANZ, R., *El modelo español de coordinación y trasplantes,* 2ª Ed., Aula Médica Ediciones, 2008.

[9]  Vid. MATESANZ, R., *Todo el mundo debe donar porque todos podemos recibir,* "Escritura Pública", 48, 2007, pág. 17.

[10]  Vid. *Newsletter Transplant,* vol. 17, 2012.

[11]  En el año 2010 se hicieron 104.065 trasplantes.

[12]  Vid. *Newsletter Transplant,* vol. 17, 2012, pág. 36.

según el Registro Mundial de Trasplantes son: el aumento de las listas de espera en toda la Unión Europea y el repunte en el número de fallecidos a la espera de un trasplante. Los trasplantes realizados en la Unión Europea permitieron cubrir cerca del 48% de las necesidades de órganos de los pacientes europeos. Por otro lado, debe destacarse que en Iberoamérica las donaciones han subido en un 40% en el último lustro —desde que España puso en marcha el programa Alianza de Cooperación y Formación de profesionales de trasplantes iberoamericanos—.

## 2. PRINCIPIOS ÉTICOS Y CUESTIONES RELATIVAS AL DONANTE VIVO Y AL DONANTE FALLECIDO

Todo lo relacionado con los trasplantes está profundamente marcado por una carga ética que está presente en las diferentes fases del proceso. Además, la interrelación de los bienes y derechos involucrados resulta compleja como también las diferentes soluciones que pueden darse a cada caso concreto. Veamos, a continuación, los principios éticos en relación con el trasplante de **donante vivo**[13]:

### 2.1. *Prevalencia del principio de beneficencia sobre el de no maleficencia*

La donación sólo es aceptable si los beneficios esperados se dan en las condiciones siguientes:

1) La única alternativa: El trasplante debe ser la única solución para evitar la muerte o para llevar una mejor calidad de vida. Las personas enfermas que sufren un daño irreversible en uno de sus órganos sólo pueden curarse con este tratamiento médico.

2) Debe sopesarse el beneficio esperado contra los posibles riesgos: La extracción ha de ser compatible con la vida del donante y no debe disminuir su capacidad funcional. El resultado del balance está íntimamente relacionado con los riesgos del órgano a trasplantar. El órgano que más se trasplanta en el mundo es el de riñón (una persona puede vivir perfectamente con uno de los que tiene y donar otro). El hígado y el riñón se pueden donar hasta una edad avanzada. El caso del pulmón, sin embargo, es distinto por los mayores riesgos de la operación

---

[13]   Sobre la cuestión vid., entre otros, TOVAR, J.A., PACE, R.A., *Problemas éticos planteados por los trasplantes de órganos procedentes de donante vivo*, en GAFO, J. (Ed.), *Trasplantes de órganos: problemas técnicos, éticos y legales...*, cit., pág. 83 y ss. y SÁNCHEZ CARO, J., *Planteamiento general acerca del programa de trasplante de órganos de donante vivo: aspectos éticos y jurídicos*, "Revista de Administración Sanitaria", 2, 2005, págs. 316 y ss.

para el donante y porque la edad tope, para donarlo, es de 60 años. En cualquier caso, la extracción de órganos de donantes vivos se limita a situaciones en las que puedan esperarse grandes posibilidades de éxito del trasplante.

3) Debe ofrecerse al donante las mejores condiciones técnicas: La Organización Nacional de Trasplantes sigue unos protocolos para que se cumplan los requisitos de calidad y seguridad en todo el proceso. Así, se utilizarán las técnicas y los medios adecuados con el objeto de que cada órgano llegue a su receptor en las mejores condiciones posibles.

## 2.2. Principio de autonomía

1) Consentimiento informado del donante: Hasta mediados del siglo XX la ética médica se regía por el paternalismo médico, es decir, que al poder del médico le corresponde el deber de obligación del paciente. Será el principio de autonomía del paciente el que concilie la libertad de conciencia del enfermo y la ética médica. A partir de este momento el enfermo es el protagonista principal y se le reconoce la capacidad para tomar decisiones, a ser informado sobre las diversas alternativas del tratamiento y a conocer la opinión del médico. La extracción de un órgano exige una información concreta y por escrito[14]. El donante debe tener verdadera libertad para la toma de su decisión y el consentimiento debe ser revocable en todo momento[15].

2) El donante debe ser sometido a una evaluación psicológica y no debe ser coaccionado: Los lazos familiares, que en ocasiones unen al donante con el receptor, no pueden constituir presiones morales inaceptables. Por su parte, no podrá

---

[14]    Como se establece en el artículo 9.1 c) del Real Decreto 2070/1999, de 30 de diciembre: "El donante habrá de ser informado previamente de las consecuencias de su decisión, debiendo otorgar su consentimiento de forma expresa, libre, consciente y desinteresada. La información y el consentimiento deberán efectuarse en formatos adecuados, siguiendo las reglas marcadas por el principio de diseño para todos, de manera que resulten accesibles y comprensibles a las personas con discapacidad".

[15]    Como se establece en el artículo 9.4 del Real Decreto 2070/1999, de 30 de diciembre: "Para proceder a la extracción de órganos de donante vivo, el interesado deberá otorgar por escrito su consentimiento expreso ante el juez encargado del Registro Civil de la localidad de que se trate, tras las explicaciones del médico que ha de efectuar la extracción y en presencia del médico al que se refiere el apartado 3 de este artículo, del médico responsable del trasplante y de la persona a la que corresponda dar la conformidad para la intervención, según figure en el documento de autorización del centro. El documento de cesión donde se manifiesta la conformidad del donante será firmado por el interesado, el médico que ha de ejecutar la extracción y los demás asistentes. Cualquiera de ellos podrá oponerse eficazmente a la donación si albergan duda sobre que el consentimiento del donante se ha manifestado de forma expresa, libre, consciente y desinteresada. De dicho documento de cesión deberá facilitarse copia al interesado. En ningún caso podrá efectuarse la extracción de órganos sin la firma previa de este documento".

realizarse la extracción de órganos de personas que por deficiencias psíquicas, enfermedad mental o cualquier otra causa, no puedan otorgar su consentimiento[16].

## 2.3. Principio de justicia

1) La donación sólo puede ser altruista: La donación de órganos debe ser gratuita y desinteresada. El Reglamento de trasplantes establece con claridad la gratuidad: "No se podrá percibir gratificación alguna por la donación de órganos humanos por el donante, ni por cualquier otra persona física o jurídica; 2. La realización de los procedimientos médicos relacionados con la extracción no será, en ningún caso, gravosa para el donante vivo ni para la familia del fallecido; Se prohíbe hacer cualquier publicidad sobre la necesidad de un órgano o tejido o sobre su disponibilidad, ofreciendo o buscando algún tipo de gratificación o remuneración y 4. No se exigirá al receptor precio alguno por el órgano trasplantado"[17]. Por su parte, al paciente no le cuesta nada el trasplante y toda la terapéutica que implica el proceso es sufragada por el Sistema Nacional de Salud —que garantiza la asistencia universal y gratuita— y por las respectivas Comunidades Autónomas donde se llevan a cabo.

2) No se puede comercializar con los órganos: Esta es la causa de que se hable de gratuidad y de que la finalidad sea terapéutica.

3) Equidad en los criterios de asignación de órganos: Toda persona tiene el mismo derecho y las mismas posibilidades de recibir un trasplante, independientemente del lugar de residencia o de cualquier otra coyuntura personal. Según la Organización Nacional de Trasplantes, con el fin de garantizar los principios de igualdad y equidad, los criterios se establecen teniendo en cuenta dos aspectos fundamentales: aspectos territoriales y aspectos clínicos. Los criterios territoriales "permiten que los órganos generados en una determinada área o zona, puedan trasplantarse en esa misma zona, para disminuir al máximo el tiempo de isquemia (que es el tiempo máximo que puede transcurrir entre la obtención del órgano y su implante en el receptor). En los criterios clínicos se contemplan la compatibilidad donante/receptor y la gravedad del paciente. Existe un criterio clínico que está por encima de los criterios territoriales, la urgencia 0. Un paciente en urgencia 0 tiene prioridad absoluta en todo el territorio nacional. Si no hay urgencia 0, los

---

[16]   Como se establece en el artículo 9.3 del Real Decreto 2070/1999, de 30 de diciembre: "El estado de salud físico y mental del donante deberá ser acreditado por un médico distinto del o de los que vayan a efectuar la extracción y el trasplante, que informará sobre los riesgos inherentes a la intervención, las consecuencias previsibles de orden somático o psicológico, las repercusiones que pueda suponer en su vida personal, familiar o profesional, así como de los beneficios que con el trasplante se espera haya de conseguir el receptor".

[17]   Artículo 8 del Real Decreto 2070/1999, de 30 de diciembre.

órganos se asignan respetando los criterios territoriales. El equipo de trasplante decide, dentro de su lista de espera, qué paciente es el más indicado para recibir el órgano, siguiendo los criterios clínicos: compatibilidad del grupo sanguíneo, características antropométricas, la gravedad del paciente, etc."[18].

Así pues, las condiciones que debe cumplir un donante vivo según la normativa vigente pueden resumirse en los siguientes puntos:

- El donante debe ser mayor de edad[19], gozar de plenas facultades mentales y de un estado de salud adecuado para la extracción[20].
- Debe tratarse de un órgano o parte de él, cuya extracción sea compatible con la vida y cuya función pueda ser compensada por el organismo del donante[21].
- Que el destino del órgano extraído sea a una persona determinada y que puedan esperarse grandes posibilidades de éxito[22].
- La extracción debe realizarse en centros específicamente autorizados.
- El consentimiento debe darse de forma expresa, libre, consciente y desinteresada.
- Debe haber informe preceptivo del Comité de Ética.
- Debe ratificarse por escrito, ante el Juez del Registro Civil, presentes los médicos que intervienen en el proceso.

En cuanto al **donante fallecido** hay que señalar que, obligatoriamente, debe fallecer en un hospital. La muerte del individuo podrá certificarse tras la confirmación del cese irreversible de las funciones cardiorrespiratorias o del cese irreversible de las funciones encefálicas. Los donantes de muerte encefálica deben fallecer, concretamente, en unidades de cuidados críticos, las cuales disponen de los medios técnicos necesarios para mantener artificialmente la ventilación pulmonar y la circulación del donante. En esta situación se debe realizar el diagnóstico de muerte cerebral que dice la ley[23], para pedir el consentimiento de la familia y llevar a cabo la extracción de los órganos.

---

[18]  *http://www.ont.es/informacion/Paginas/Trasplante.aspx* [Consulta: noviembre de 2012].
[19]  Como indica el artículo 9.1 d): "Tampoco podrá realizarse la extracción de órganos a menores de edad, aun con el consentimiento de los padres o tutores".
[20]  Vid. artículo 9.1 a) del Real Decreto 2070/1999, de 30 de diciembre.
[21]  Vid. artículo 9.1 b) del Real Decreto 2070/1999, de 30 de diciembre.
[22]  Vid. artículo 9.1 e) del Real Decreto 2070/1999, de 30 de diciembre.
[23]  Como se establece en el artículo 10.4 del Real Decreto 2070/1999, de 30 de diciembre: "El cese irreversible de las funciones encefálicas, esto es, la constatación de coma arreactivo de etiología estructural conocida y carácter irreversible se reconocerá mediante un examen clínico adecuado tras un periodo apropiado de observación... será exigible la existencia de un certificado médico firmado por tres médicos, entre los que debe figurar un neurólogo o neurocirujano y el Jefe de Servicio de la unidad médica donde se encuentre ingresado, o su sustituto. En ningún

En los donantes en asistolia, el fallecimiento se debe a una parada cardiorrespiratoria irreversible pese a maniobras de reanimación avanzadas. En estos casos se mantiene la perfusión de algunos órganos hasta el momento de la extracción mediante la tecnología médica.

Los requisitos para la obtención de órganos de donante fallecido son los siguientes[24]:

a) Que la persona fallecida, de la que se pretende obtener órganos, no haya dejado constancia expresa de su oposición a que después de su muerte se realice la obtención de órganos. En principio, todo el mundo es donante si no ha dejado claro en vida lo contrario.

En el caso de que se trate de menores de edad o personas incapacitadas, la oposición podrá hacerse constar por quienes hubieran ostentado en vida de aquéllos su representación legal, conforme a lo establecido en la legislación civil.

b) Siempre que se pretenda proceder a la obtención de órganos de donantes fallecidos en un centro autorizado, el responsable de la coordinación hospitalaria de trasplantes —o la persona en quien delegue— deberá realizar las siguientes comprobaciones pertinentes sobre la voluntad del fallecido:

1.º Investigar si el interesado hizo patente su voluntad a alguno de sus familiares, o a los profesionales que le han atendido en el centro sanitario, a través de las anotaciones que los mismos hayan podido realizar en la historia clínica, o en los medios previstos en la legislación vigente. Los jueces señalan que no hace falta un documento escrito, siendo suficiente el consentimiento del fallecido a la familia antes de morir.

2.º Examinar la documentación y pertenencias personales que el difunto llevaba consigo.

Siempre que las circunstancias no lo impidan, se deberá facilitar a los familiares presentes en el centro sanitario información sobre la necesidad, naturaleza y circunstancias de la obtención, restauración, conservación o prácticas de sanidad mortuoria.

Se puede dejar constancia de la voluntad de ser donante por tres vías:

a) La comunicación a nuestros allegados de la decisión de ser donante.

b) Estando en posesión de la Tarjeta de donante de tejidos y órganos: La Tarjeta de donante tiene como objetivo testimoniar la voluntad de una persona en relación con la donación de aquellos órganos o tejidos que sean válidos para el trasplante tras el fallecimiento.

---

caso, dichos facultativos podrán formar parte del equipo extractor o trasplantador de los órganos que se extraigan".

[24]   Vid. artículo 10.1 del Real Decreto 2070/1999, de 30 de diciembre.

c) Emitiendo el documento de instrucciones previas: La finalidad de las instrucciones previas es que el médico tenga conocimiento de los valores personales y objetivos vitales del enfermo y adopte las decisiones clínicas conforme a ellos. Podemos decir que las instrucciones previas son la máxima expresión del respeto a la libertad de conciencia de un paciente frente a cualquier intervención médica. Como se establece en el artículo 11.1 de la Ley 41/2002[25], tales instrucciones deben cumplirse en el momento en que la persona llegue a situaciones en cuyas circunstancias no sea capaz de expresarlas personalmente, "sobre los cuidados y el tratamiento de su salud o, una vez llegado el fallecimiento, sobre el destino de su cuerpo o de los órganos del mismo".

Algunas leyes autonómicas de instrucciones previas son más explícitas sobre la cuestión relativa a la donación de órganos, como por ejemplo la ley andaluza que en su artículo 3.3 establece[26]: "En la declaración de voluntad vital anticipada, su autor podrá manifestar... su decisión respecto de la donación de sus órganos o de alguno de ellos en concreto, en el supuesto que se produzca el fallecimiento, de acuerdo con lo establecido en la legislación general en la materia", o de la ley de las Islas Baleares que en su artículo 2.d) señala[27]: "Las voluntades anticipadas podrán contener...la decisión sobre el destino de sus órganos después de la defunción para fines terapéuticos y de investigación. En este supuesto, no se requiere autorización de ninguna clase para la extracción y la utilización de los órganos dados".

# 3. LA POSICIÓN FAVORABLE DE LAS RELIGIONES A LA DONACIÓN Y TRASPLANTE DE ÓRGANOS EN GENERAL

El reconocimiento de la libertad religiosa ha traído consigo un pluralismo religioso que se refleja en una diversidad de confesiones en la sociedad española que, progresivamente, van adquiriendo una mayor presencia social. Uno de los motivos que frenan en algunas personas a la donación de órganos es, al parecer, ciertas razones o prejuicios religiosos y de ahí el interés en conocer la posición de las principales religiones en esta materia[28].

Quizá en otros aspectos es más complicado encontrar puntos de encuentro pero en los que respecta a cuestiones de bioética podemos afirmar que existe una

---

[25] Ley 41/2002, de 14 de noviembre, básica reguladora de la autonomía del paciente y de derechos y obligaciones en materia de información y documentación clínica.

[26] Ley 5/2003, de 9 de octubre, de declaración de voluntad vital anticipada.

[27] Ley 1/2006, de 3 de marzo, de Voluntades Anticipadas.

[28] Sobre la cuestión vid., entre otros, AA.VV., *Guía de gestión de la diversidad religiosa en los centros hospitalarios*, Observatorio del Pluralismo Religioso en España, 2011.

alianza de las religiones por la vida. Vamos a hacer referencia en este epígrafe a la posición de las tres grandes religiones monoteístas, las cuales tienen una visión positiva de la ciencia y de la tecnología si bien se preocupan porque los avances en el campo médico respeten los "principios matrices" que son: la dignidad de la persona humana y la libertad del individuo —de los que emanan otros principios como el derecho a la vida, la protección contra el trato inhumano y la no comercialidad del cuerpo humano—.

La actuación en conciencia fundada en normas religiosas si bien no tiene mayor valor que la basada en otros motivos si debe ser igualmente digna de respeto y consideración, más si sabemos que muchas de las cuestiones que abarca la bioética forman parte de las enseñanzas de las religiones. Además, el fundamento en un credo religioso podría considerarse como un elemento de prueba objetivo respecto de la sinceridad de la objeción o negativa[29], de ahí el particular análisis que seguidamente realizamos centrado en la posición de las confesiones religiosas sobre la donación y trasplante de órganos en términos generales.

## 3.1. Iglesia Católica

La Iglesia católica dispone de un magisterio único allí donde las demás religiones permiten un enfoque más personal lo que permite conocer más fácilmente su posición sobre las cuestiones bioéticas.

Para la Iglesia el ser humano es tal desde el primer instante de la concepción[30], por lo que el fruto de la generación humana desde la constitución del cigoto exige el respeto incondicionado, que es el moralmente debido al ser humano en su totalidad corporal[31]. Para conocer la posición de la Iglesia Católica sobre los trasplantes vamos a partir, en primer lugar, del Discurso del Santo Padre —BENEDICTO XVI[32]— a los participantes en el Congreso Internacional sobre la

---

[29]  Sobre la objeción de conciencia por motivos religiosos en el comienzo y en el final de la vida vid. GONZÁLEZ SÁNCHEZ, M., *El comienzo y el final de la vida: fundamentos religiosos para la objeción de conciencia*, en MARTÍN SÁNCHEZ, I. (Coord.), *Libertad de conciencia y Derecho sanitario en España y Latinoamérica*, Comares, Granada, 2010, págs. 1-28.

[30]  Para la Iglesia Católica, "desde el primer momento de su existencia, el ser humano debe ver reconocidos sus derechos de persona, entre los cuales está el derecho inviolable de todo ser inocente a la vida", *Catecismo de la Iglesia Católica*, 2270.

[31]  Instrucción *Donum Vitae*, de JUAN PABLO II, sobre el respeto a la vida humana naciente y la dignidad de la procreación, de 22 de febrero de 1987, I, 1.

[32]  Siendo arzobispo de Munich, el cardenal JOSEPH RATZINGER se hizo miembro de una organización de donación de órganos. Años después, antes de llegar a ser Papa, dijo que siempre llevaba la tarjeta consigo y que estaba dispuesto a donar si alguien pudiera necesitar sus órganos. Vid. *http://www.zenit.org/article-29086?l=spanish* [Consulta: noviembre de 2012].

donación de órganos organizado por la Academia Pontificia para la Vida, el 7 de noviembre de 2008.

Según el Santo Padre, el trasplante de órganos —ya sea en vida[33] o tras la muerte del donante[34]— es siempre un acto de amor[35]. Los trasplantes realizados con criterios éticamente aceptables son una forma muy valiosa de servicio a la vida[36]: "La historia de la medicina muestra con evidencia los grandes progresos que se han podido realizar para permitir una vida cada vez más digna a toda persona que sufre. Los trasplantes de tejidos y de órganos constituyen una gran conquista de la ciencia médica y son ciertamente un signo de esperanza para muchas personas que atraviesan graves y a veces extremas situaciones clínicas. Si extendemos nuestra mirada al mundo entero, es fácil constatar los numerosos y complejos casos en los que, gracias a la técnica del trasplante de órganos, muchas personas han superado fases sumamente críticas y han recuperado la alegría de vivir. Esto nunca hubiera podido suceder si el compromiso de los médicos y la competencia de los investigadores no hubieran podido contar con la generosidad y el altruismo de quienes han donado sus órganos".

Sólo se puede donar, por tanto, si no se pone en serio peligro la propia salud y la propia identidad y siempre por un motivo moralmente válido y proporcionado. Por otro lado, la comercialización de órganos humanos se considera inaceptable puesto que si los trasplantes son un acto de amor, no pueden convertirse en objeto

---

[33]   Para la Iglesia Católica la donación en vida es lícita con la condición de que se trate de resección de órganos que no impliquen una grave e irreparable disminución para el donador. Como afirmó JUAN PABLO II, *A los participantes en el primer Congreso Internacional sobre trasplantes de órganos*, de 20 de junio de 1991: "Una persona puede donar solamente aquello de lo cual puede privarse sin peligro serio para la propia vida o la identidad personal, y por una justa y proporcionada razón".

[34]   Como afirmó PÍO XII, *A los delegados de la Asociación italiana de donadores de córnea y de la Unión italiana de ciegos*, de 14 de mayo de 1956: "El cadáver no es ya, en el sentido propio de la palabra, un sujeto de derecho, porque está privado de la personalidad que sólo puede ser sujeto de derecho. Por tanto, destinarlo a fines útiles, moralmente indiscutibles y elevados es una decisión no reprobable, sino más bien de justificación positiva".

[35]   En la Exhortación pastoral de la Conferencia Episcopal Española sobre la *Donación y el Trasplante de órganos*, de 25 de octubre de 1984, se señalaba: "No sólo no tiene la fe nada contra la donación, sino que la Iglesia ve en ella una preciosa forma de imitar a Jesús que dio la vida por los demás. Tal vez en ninguna otra acción se alcancen tales niveles de ejercicio de la fraternidad. En ella nos acercamos al amor gratuito y eficaz que Dios siente hacia nosotros. Es un ejemplo vivo de solidaridad".

[36]   En el mismo sentido vid. Encíclica *Evangelium Vitae*, de JUAN PABLO II, sobre el valor inviolable de la vida humana, de 25 de marzo de 1995, 86; Discurso "I am Happy", de JUAN PABLO II, al *XVIII Congreso Internacional de la Sociedad de los Trasplantes*, de 29 de agosto de 2000, 1 y la *Carta de los Agentes Sanitarios*, del Consejo Pontificio para los Agentes Sanitarios, de octubre de 2004, 90.

de mercado[37]. Como afirma el Pontífice: "Eventuales lógicas de compraventa de órganos, así como la adopción de criterios discriminatorios o utilitaristas, desentonarían hasta tal punto con el significado mismo de la donación que por sí mismos se pondrían fuera de juego, calificándose como actos moralmente ilícitos. Los abusos en los trasplantes y su tráfico, que con frecuencia afectan a personas inocentes, como los niños, deben ser unánimemente rechazados de inmediato por la comunidad científica y médica como prácticas inaceptables. Por tanto, deben ser condenados con decisión como abominables".

Finalmente, BENEDICTO XVI señala que la donación es una alternativa al problema de encontrar órganos afirmando que: "Por desgracia, el problema de la disponibilidad de órganos vitales para trasplantes no es teórico, sino dramáticamente práctico; se puede constatar en la larga lista de espera de muchos enfermos cuyas únicas posibilidades de supervivencia están vinculadas a las pocas donaciones que no corresponden a las necesidades objetivas"[38].

Con respecto a las diferentes categorías de los trasplantes de órganos, encontramos el pensamiento de la Iglesia Católica en otros textos de su magisterio sobre bioética. Así, en relación a los trasplantes autoplásticos —en los cuales la resección y el reimplante se le hacen a la misma persona—, son aprobados sobre la base del principio de totalidad, en virtud del cual es posible disponer de una parte por el bien integral del organismo[39]. Por su parte, los trasplantes homoplásticos son legitimados por el principio de solidaridad[40], pudiendo los órganos provenir de un donante vivo o de un cadáver. Como se establece en el Discurso "I am Happy", de JUAN PABLO II, para la licitud de la donación de órganos es necesario el consentimiento informado del donante: "En efecto, la autenticidad humana de un gesto tan decisivo requiere que la persona esté adecuadamente informada sobre los procesos en ello implicados, para estar en condiciones de consentir o declinar de forma consciente y libre. El consentimiento de familiares tiene su propia validez ética en ausencia de una decisión por parte del donante. Naturalmente, un consentimiento con análogas características deberá ser otorgado por quien recibe los órganos donados"[41].

---

[37]    En el mismo sentido vid. Discurso "I am Happy", de JUAN PABLO II, al *XVIII Congreso Internacional de la Sociedad de los Trasplantes...*, cit., 3.

[38]    En el mismo sentido vid. Discurso "I am Happy", de JUAN PABLO II, al *XVIII Congreso Internacional de la Sociedad de los Trasplantes...*, cit., 7.

[39]    Vid. *Carta de los Agentes Sanitarios...*, cit., 84.

[40]    Vid. PÍO XII, *A los delegados de la Asociación italiana de donadores de córnea y de la Unión italiana de ciegos...*, cit.; JUAN PABLO II, *A los participantes en el primer Congreso Internacional sobre trasplantes de órganos...*, cit. y *Carta de los Agentes Sanitarios...*, cit., 85.

[41]    Discurso "I am Happy", de JUAN PABLO II, al *XVIII Congreso Internacional de la Sociedad de los Trasplantes...*, cit., 3. En el mismo sentido vid. *Carta de los Agentes Sanitarios...*, cit., 86.

Para la Iglesia Católica no todos los órganos son éticamente donables. Así, se excluyen del trasplante: "El encéfalo y las gónadas, que dan la respectiva identidad personal y procreativa a la persona. Se trata de órganos en los cuales específicamente toma cuerpo la unicidad inconfundible de la persona, que la medicina está obligada a proteger"[42].

Por último, con respecto a los xenotrasplantes, se ha indicado que se aceptan si no se perjudica la integridad de la identidad psicológica o genética de la persona que lo recibe y que exista la posibilidad biológica de realizar con éxito el trasplante sin riesgos para el receptor[43]. El Documento de la Academia Pontificia para la Vida *La perspectiva de los xenotrasplantes: aspectos científicos y consideraciones éticas*, de 2001, ofrece respuesta a diferentes cuestiones en materia de xenotrasplantes.

## 3.2. Protestantismo

En el caso de la religión protestante, debido al gran número de Iglesias evangélicas que existen, es difícil señalar unos principios básicos unitarios en relación a las cuestiones bioéticas. Por tanto, tendremos en cuenta los tres Documentos finales de las tres Jornadas evangélicas nacionales de Bioética celebradas en 1989[44], 2005[45] y 2011[46], que pueden ser consideradas como la opinión general de esta religión en materia de trasplantes.

Como se indica en los Documentos, para los cristianos evangélicos la vida humana debe ser respetada, protegida, ayudada y potenciada en todo momento. La vida humana "tiene un valor y una dignidad intrínsecos, independientes de cualquier parámetro humano, que provienen de Dios como creador y sustentador

---

[42]   *Carta de los Agentes Sanitarios...*, cit., 88.
[43]   Vid. Discurso "I am Happy", de JUAN PABLO II, al *XVIII Congreso Internacional de la Sociedad de los Trasplantes...*, cit., 7. Como afirmara PÍO XII: "No se puede decir que todo trasplante de tejidos (biológicamente posible) entre dos individuos de especie diversa sea moralmente condenable, pero igualmente es menos verdadero que todo trasplante heterogéneo biológicamente posible no sea prohibido o no suscite objeciones. Se debe distinguir según los casos y ver qué tejido y qué órgano se trata de trasplantar. El trasplante de glándulas sexuales animales al hombre es rechazado por inmoral; en cambio el trasplante de córnea de un organismo no humano a un organismo humano no causaría ninguna dificultad si fuese biológicamente posible he indicado". PÍO XII, *A los delegados de la Asociación italiana de donadores de córnea y de la Unión italiana de ciegos...*, cit.
[44]   Organizadas por la Alianza Evangélica Española, en Madrid, del 6 al 9 de diciembre de 1989.
[45]   Organizadas por la Alianza Evangélica Española y el Consejo Evangélico de Madrid, en Madrid, 2005.
[46]   Organizadas por la Consejería de Asistencia Religiosas y Consejería de Cultura del Consejo Evangélico de Madrid, la Alianza Evangélica Española, la Unión Médica Evangélica y Enfermeras Evangélicas de España, en Madrid, del 26 al 29 de mayo de 2012.

de la misma"[47]. En cuanto a los trasplantes, en el Documento final de de 1989 se afirma: "Consideramos positivos los beneficios del trasplante de órganos de un ser humano a otro; sin embargo, rechazamos la comercialización de órganos vivos"[48]. Así pues, no hay ningún impedimento para la donación en el cristianismo evangélico siempre que se haga altruistamente.

### 3.3. Islam

La posición del Islam es de apoyo a la ciencia y al desarrollo científico. En el Islam se considera que la vida debe prevalecer y por eso la salud es un factor importante en el estilo de vida del musulmán. Hay un párrafo del Corán (5, 32) que dice que cualquiera que dé vida a otra persona es como si hubiera salvado la vida a toda la humanidad.

El Islam carece de una estructura piramidal como sucede con la Iglesia Católica. Cada líder espiritual puede hacer su propia interpretación del Corán y por ello el imán se convierte en una figura clave. Así, tiene relevancia lo afirmado por el Gran Imán de Al Azhar, que es la institución más prestigiosa del Islam suní, al señalar que el trasplante de órganos humanos es acorde con la legislación islámica y que la donación es una clase de altruismo[49].

Por su parte, desde hace unos años existe un Consejo de Ministros árabe-musulmanes de la Salud, el cual ha adoptado un proyecto concerniente a los trasplantes de órganos humanos cuyo texto de ley comprende 11 artículos, resumidos a continuación, que especifican perfectamente las condiciones para que pueda llevarse a cabo un trasplante[50]:

1.º Los trasplantes de órganos extraídos del cuerpo de una persona muerta pueden tener lugar siempre que los familiares hayan dado su aprobación y a condición de:

a) Que la defunción haya sido establecida por un comité.

b) Que el difunto no se haya opuesto en vida a la extracción de un órgano de su propio cuerpo.

2.º Está prohibido vender o comprar un órgano, o hacer una donación a cambio de cualquier tipo de remuneración.

3.º Los trasplantes de órganos serán efectuados en centros médicos acreditados para este efecto por el Ministerio de Salud.

---

[47]    Documento final de la Jornada de 2011.

[48]    Punto 10 del Documento final de 1989.

[49]    Vid. *http://www.webislam.com/noticias/49150-los_trasplantes_de_organos_son_acordes_con_ el_islam_segun_al_azhar.html* [Consulta: noviembre de 2012].

[50]    Vid. MORENO ANTÓN, Mª., *Trasplantes...*, cit., pág. 199.

Además, para evitar toda manipulación del patrimonio genético humano, la ley prohíbe la extracción en personas vivas o muertas de órganos de reproducción portadores de herencia.

Por último, en cuanto al enterramiento de los musulmanes, el Documento *Donación sin Fronteras de la Organización Nacional de Trasplantes*, de 2007 señala: "En el Islam, el musulmán fallecido merece el máximo respeto y el cuerpo se prepara de acuerdo con la Sunnah del Santo Profeta (la paz y bendiciones de Dios sean con él). El cuerpo debe ser bañado ritualmente y envuelto en dos sábanas blancas antes de ser colocado en el ataúd. Este rito de purificación se realiza por musulmanes del mismo sexo que el fallecido. Así, cuando un musulmán fallece y dona sus órganos, el hecho de que se permita la realización de los ritos de purificación en el mismo hospital y por musulmanes honrará a la familia y al fallecido. Tras su preparación, se celebra el Yanaza (funeral). El imán dirige la oración del Yanaza, y los asistentes permanecen en hileras detrás de él. Después se entierra al difunto, por lo general, en una tumba perteneciente a la Comunidad Ahmadía".

En resumen, para el Islam el trasplante de órganos es lícito cuando es consecuencia de una donación voluntaria y desinteresada, y debe realizarse sin riesgo para la vida del donante.

## 3.4. Judaísmo

La religión judía es favorable a la donación de órganos, tal y como puede concluirse del Talmud —compendio de leyes orales—: "Quien destruye una vida, es como si destruyera todo un mundo y quien salva una vida, es como si hubiera salvado un mundo entero"[51]. En 1990, la Asamblea Rabínica Ortodoxa de EE.UU. adoptó una resolución en la cual motiva a todos los judíos a que sean donantes de tejidos y órganos, firmando y llevando consigo tarjetas de identificación en las que se afirme su decisión de ser donantes de órganos en caso de fallecer[52].

Hay tres prohibiciones bíblicas referentes a un cadáver que podrían indicar que la donación de órganos debiera estar prohibida: 1) Nivul Hamet, que es la prohibición de la mutilación innecesaria de un cadáver; 2) Halanat Hamet, la cual prohíbe retrasar el entierro de un cuerpo y 3) Hanaát Hamet, que prohíbe el obtener algún beneficio de un cadáver. Sin embargo, la mayoría de los Rabinos

---

[51]  Talmud, Sanedrín 37ª.

[52]  Vid. SANTIAGO, C., GÓMEZ, P., *Las religiones ante la donación de órganos*, en PARRILLA, P., RAMÍREZ, P., RÍOS, A., *Manual sobre donación y trasplante de órganos*, Arán Ediciones, Madrid, 2008, pág. 822 y GROSSMAN, N., HERRERA, J., LUCO, L., *Trasplante de órganos, una mirada del judaísmo en el siglo XXI*, en LEÓN CORREA, F.J., *Ética clínica y comités de ética en Latinoamérica*, Santiago de Chile, 2011, pág. 287.

Marcos González Sánchez

están de acuerdo en que es más importante aplicar Pikuach Nefesh (Salvación del Alma), que respetar estas prohibiciones, ya que el trasplante de órganos salva vidas y por ende se está cumpliendo una Mitzvá mayor: salvar el alma de un ser viviente[53].

Para la autorización de los trasplantes, el Gran Rabino de Israel, para su práctica en el Centro Médico Hadassah, ha precisado la necesidad de que concurran las siguientes condiciones[54]:

1.º La existencia de todas las condiciones que establecen la muerte del donante.

2.º La participación de un delegado del Gran Rabinato como miembro permanente de la comisión encargada de establecer la hora de la muerte. Este delegado será designado por el Ministerio de Salud y escogido de una lista que será propuesta por el Gran Rabinato de Israel una vez al año.

3.º El trasplante no puede ser efectuado sino después de que el paciente o su familia hayan dado su aprobación por escrito previamente.

4.º La creación de una comisión superior por el Ministerio de Salud en colaboración con el Rabinato de Israel encargado de examinar todos los casos relativos a trasplantes cardíacos en Israel.

5.º El Ministerio de Salud deberá incluir este reglamento en la legislación nacional.

## 4. CONFLICTOS DE CONCIENCIA QUE PLANTEA LA DONACIÓN Y EL TRASPLANTE DE TEJIDOS CELULARES DE ORIGEN EMBRIONARIO

En principio, no parece que pueda haber ninguna objeción ética al empleo de las células madre sanguíneas con el objeto de curar una enfermedad. Las células madre se pueden obtener: a) de la médula ósea —que es un tejido que se encuentra en el interior de los huesos y lo que se extrae para la donación es sangre que baña ese tejido y que se recupera rápida y espontáneamente—; b) de la sangre circulante (o sangre periférica), y c) de la sangre que contiene el cordón umbilical en el momento del parto[55]. Por ello, los trasplantes pueden ser de médula ósea[56], de sangre periférica, o de sangre de cordón[57].

---

53    Vid. Ibídem, pág. 288.
54    Vid. MORENO ANTÓN, Mª., *Trasplantes…*, cit., pág. 201.
55    Vid. Real Decreto 1301/2006, de 10 de noviembre, por el que se establecen las normas de calidad y seguridad para la donación, la obtención, la evaluación, el procesamiento, la preservación, el almacenamiento y la distribución de células y tejidos humanos y se aprueban las

Las células madre sanguíneas, por tanto, son capaces de producir todas las células de la sangre, las cuales son imprescindibles para la vida y para el buen funcionamiento del sistema inmunológico[58]:

a) Los glóbulos blancos o leucocitos, que son los encargados de la lucha contra las infecciones —bajo esta denominación se incluyen distintos tipos celulares: las células mieloides (neutrófilos, monocitos, basófilos y eosinófilos) y las células linfoides (linfocitos T y linfocitos B)—.

b) Los glóbulos rojos o hematíes, que son los responsables del transporte de oxígeno a los tejidos y de llevar de vuelta el dióxido de carbono de los tejidos hacia los pulmones para su expulsión.

c) Las plaquetas o trombocitos, que colaboran en la coagulación de la sangre cuando se produce la rotura de un vaso sanguíneo.

Una cuestión diferente y que puede entrañar problemas éticos es el empleo de células madre embrionarias, que derivan de la masa celular interna del embrión humano cuando tiene aún pocos días de vida. Según el artículo 11 de la Ley 14/2006, de 26 de mayo, sobre técnicas de reproducción humana asistida[59],

---

normas de coordinación y funcionamiento para su uso en humanos. Este Real Decreto es el resultado de la transposición de la Directiva 2004/23/CE del Parlamento Europeo y del Consejo, de 31 de marzo de 2004, relativa al establecimiento de normas de calidad y de seguridad para la donación, la obtención, la evaluación, el procesamiento, la preservación, el almacenamiento y la distribución de células y tejidos humanos, y de la Directiva 2006/17/CE de la Comisión, de 8 de febrero de 2006, por la que se aplica la Directiva 2004/23/CE del Parlamento Europeo y del Consejo en lo relativo a determinados requisitos técnicos para la donación, la obtención y la evaluación de células y tejidos humanos.

[56] El 21 de noviembre de 2012, la Secretaria General de Sanidad anunció la puesta en marche del Plan Nacional sobre donación de médula ósea, liderado por la ONT, que tiene como objetivo duplicar el número de donantes de médula ósea en los próximos cuatro años, hasta alcanzar los 200.000 mil, a un promedio de 25.000 anual. Vid. *Plan Nacional de Médula Ósea*, Ministerio de Sanidad, Servicios Sociales e Igualdad, noviembre 2012, pág. 17.

[57] El número de donantes inscritos en el Bone Marrow Donors Worldwide (BMDW), a fecha de noviembre de 2012, es de más de 20 millones. De estos donantes, más de 100.000 son españoles y de las unidades de Sangre de Cordón Umbilical (SCU) registradas en el BMDW, cerca de 60.000 están en los bancos españoles. Estas cifras colocan a España en los primeros puestos de la donación SCU y en una posición intermedia en la donación de médula ósea y de sangre periférica. Vid. *Plan Nacional de Médula Ósea...*, cit., págs. 3-4.

[58] Vid. *Plan Nacional de Médula Ósea...*, cit., pág. 23.

[59] El objeto de aplicación de esta Ley 14/2006 viene establecido en su artículo 1.1: "Esta Ley tiene por objeto: a) Regular la aplicación de las técnicas de reproducción humana asistida acreditadas científicamente y clínicamente indicadas. b) Regular la aplicación de las técnicas de reproducción humana asistida en la prevención y tratamiento de enfermedades de origen genético, siempre que existan las garantías diagnósticas y terapéuticas suficientes y sean debidamente autorizadas en los términos previstos en esta Ley. c) La regulación de los supuestos y requisitos de utilización de gametos y preembriones humanos crioconservados".

los preembriones[60] sobrantes de las técnicas de fecundación in vitro pueden ser crioconservados en los bancos autorizados para ello. Los destinos que pueden darse a los preembriones crioconservados y —en su caso— al semen, ovocitos y tejido ovárico crioconservados —siempre que exista el consentimiento informado correspondiente[61]—, son: su utilización por la propia mujer o su cónyuge; la donación con fines reproductivos; la donación con fines de investigación y su destrucción sin otra utilización.

Respecto de los donantes, la Ley establece la naturaleza gratuita y confidencial del contrato de donación[62], así como su carácter no lucrativo[63] y anónimo, excepto en circunstancias extraordinarias[64]. Asimismo, señala los requisitos de las usuarias de las técnicas de reproducción asistida[65], sobre la necesidad del consentimiento del marido si estuvieran casadas[66] y la elección del donante por el equipo médico[67].

---

[60]   El artículo 1.2 dispone: "A los efectos de esta Ley se entiende por preembrión el embrión in vitro constituido por el número de células resultantes de la división progresiva del ovocito desde que es fecundado hasta 14 días más tarde".

[61]   Artículo 11.5: "La utilización de los preembriones o, en su caso, del semen, los ovocitos o el tejido ovárico crioconservados, para cualquiera de los fines citados, requerirá del consentimiento informado correspondiente debidamente acreditado. En el caso de los preembriones, el consentimiento deberá haber sido prestado por la mujer o, en el caso de la mujer casada con un hombre, también por el marido, con anterioridad a la generación de los preembriones".

[62]   Artículo 5.1: "La donación de gametos y preembriones para las finalidades autorizadas por esta Ley es un contrato gratuito, formal y confidencial concertado entre el donante y el centro autorizado".

[63]   Artículo 5.3, el cual no obstante dispone que "La compensación económica resarcitoria que se pueda fijar sólo podrá compensar estrictamente las molestias físicas y los gastos de desplazamiento y laborales que se puedan derivar de la donación y no podrá suponer incentivo económico para ésta".

[64]   Artículo 5.5: "Sólo excepcionalmente, en circunstancias extraordinarias que comporten un peligro cierto para la vida o la salud del hijo o cuando proceda con arreglo a las Leyes procesales penales, podrá revelarse la identidad de los donantes, siempre que dicha revelación sea indispensable para evitar el peligro o para conseguir el fin legal propuesto. Dicha revelación tendrá carácter restringido y no implicará en ningún caso publicidad de la identidad de los donantes".

[65]   Artículo 6.1, el cual añade la expresión "con independencia de su estado civil y orientación sexual".

[66]   Artículo 6.3: "Si la mujer estuviera casada, se precisará, además, el consentimiento de su marido, a menos que estuvieran separados legalmente o de hecho y así conste de manera fehaciente. El consentimiento del cónyuge, prestado antes de la utilización de las técnicas, deberá reunir idénticos requisitos de expresión libre, consciente y formal".

[67]   Artículo 6.5: "En la aplicación de las técnicas de reproducción asistida, la elección del donante de semen sólo podrá realizarse por el equipo médico que aplica la técnica, que deberá preservar las condiciones de anonimato de la donación. En ningún caso podrá seleccionarse personalmente el donante a petición de la receptora. En todo caso, el equipo médico correspondiente deberá procurar garantizar la mayor similitud fenotípica e inmunológica posible de las muestras disponibles con la mujer receptora".

El principal problema que se plantea es el de determinar el estatuto del embrión (preembrión) durante los primeros catorce días de desarrollo. Las objeciones pueden darse en la consideración de la existencia de la vida humana desde el momento de la fecundación y que, por tanto, el embrión debe protegerse como persona desde que el óvulo ha sido fecundado. Esta posición coincide con la de la Iglesia Católica y por ello resulta interesante conocer la posición de las religiones monoteístas este supuesto concreto[68].

La Iglesia católica considera que la producción de seres humanos en el laboratorio es inmoral porque es un acto técnico que trata objetivamente a los niños como si fueran cosas. Según un documento de la Conferencia Episcopal Española en referencia a la Ley española de 2006 sobre Técnicas de reproducción humana asistida[69], dicha Ley no pone límite eficaz alguno a la producción de embriones en los laboratorios dado que muchos de ellos serán destruidos enseguida y muchos otros serán congelados. Textualmente señala que "el embrión es considerado como un mero material biológico, un mero agregado de células sin dignidad humana. Y recibe una tutela legal menor de la que se les otorga a los embriones de ciertas especies animales protegidas".

Por su parte, los cristianos evangélicos aceptan los métodos artificiales de fecundación siempre que no haya pérdida de embriones. Se admite la intervención sobre embriones cuando su finalidad es mejorar su salud o su estado futuro, pero se rechaza tanto la investigación como el uso de embriones humanos que no tengan tal finalidad.

En cuanto al Islam, según ABDUL-RAUF, una muy conocida tradición atribuye al Profeta la teoría de las tres primeras etapas del feto en el útero que afirma, que el feto primero permanece como una gota de líquido puro durante cuarenta días para convertirse en un coágulo en los cuarenta siguientes y en un trozo de carne en otros cuarenta días que es entonces, a partir de los ciento veinte días, cuando el ruh (el espíritu de la vida) sopla ya en él[70]. La mayoría de los juristas interpretan literalmente esta teoría y consideran que el feto no tiene vida en los primeros 120 días. Antes de ese tiempo, los embriones se conciben como personas

---

[68]    Sobre la cuestión vid. PÉREZ ÁLVAREZ, S., *La libertad ideológica ante los orígenes de la vida y la clonación en el marco de la U.E.*, Comares, 2009, pág. 7 y ss.

[69]    Vid. LXXXVI Asamblea Plenaria de la Conferencia Episcopal Española, *Algunas orientaciones sobre la ilicitud de la reproducción humana artificial y sobre las prácticas injustas autorizadas por la Ley que la regulará en España*, de 30 de marzo de 2006.

[70]    Vid. ABDUL-RAUF, M., *Marriage in Islam*, USA, 1995, pág. 69. En el mismo sentido, entre otros, vid. ATHIGETCHI, D., *Problems of Islamic Bioethics and Biolaw*, "Derecho y Religión", 2007, págs. 224 y ss.

en potencia y su propiedad se atribuye a los progenitores que son los legitimados para tomar decisiones sobre los mismos[71].

Y por lo que se refiere a los judíos, el punto de vista virtualmente unánime es que el embrión humano es como "agua" durante los primeros cuarenta días de su desarrollo. La mejora genética o la selección de los caracteres personales no es aceptada sin una razón médica válida, siendo el objetivo último de la investigación con células embrionarias la salvaguarda de la vida[72].

Así pues, las religiones cristianas no son favorables a la manipulación de embriones y la selección genética de los mismos. Por el contrario, el Islam y la religión judía parecen más permisivos en dicha cuestión. En general, las religiones comparten una actitud de respeto hacia el prenacido si bien, sólo la moral católica lo hace como un principio absoluto sin excepciones.

---

[71]  Así se expresaban en 1997 el Comité de Bioética del Líbano y el Comité Nacional de Ética Médica de Túnez.

[72]  Sobre la cuestión vid. WALTERS, L., *Tradiciones religiosas e investigación con células troncales humanas*, en AA.VV., *Investigación con células troncales*, Monografías Humanitas, 4, 2003, pág. 56 y FREEMAN, M., *Halakhah, Medicine and Human Rights in Israel*, "Derecho y Religión", 2007, págs. 189 y ss.

# DERECHO A DECIDIR SOBRE LA PROPIA SALUD ANTE EL FINAL DE LA VIDA HUMANA. TESTAMENTO VITAL Y EUTANASIA

María José Parejo Guzmán
*Profesora Titular de Derecho Eclesiástico del Estado*
*Universidad Pablo de Olavide. Sevilla, España*

Elena Atienza Macías[1]
*Investigadora de la Cátedra Interuniversitaria de Derecho y Genoma Humano*
*Universidad de Deusto y Universidad del País Vasco UPV/EHU. Bilbao, España*

## 1. DIGNIDAD HUMANA Y FINAL DEL DEVENIR VITAL. ¿EXISTE UN DERECHO A DECIDIR SOBRE LA PROPIA MUERTE?

La "dignidad", como un valor superior del hombre, ha estado desde antiguo presente, de forma consciente o latente, en los pensadores de las más diversas tendencias[2], pero, a pesar de ello, se puede observar que no siempre ha resultado fácil deslindar su preciso significado. Al trasladar este valor al ámbito del Derecho resulta evidente su trascendencia actual en relación con el derecho a la vida: afirma unánimemente la doctrina estudiosa de estas cuestiones que la vida humana debe poder vivirse con dignidad ("derecho a una vida humana digna")[3].

---

[1] La autora está adscrita al Programa para la Formación de Personal Investigador de la Universidad de Deusto.

[2] MARCOS DEL CANO, A.M., *La eutanasia, estudio filosófico-jurídico*, Ed. Marcial Pons, Madrid/Barcelona, 1999, pág. 113, señala: "La aceptación de la idea de dignidad humana ha conseguido un grado de universalidad de la que han gozado pocas ideas o valores a lo largo de la historia".

[3] V. lo señalado en ZURITA MARTÍN, I./GARRIDO VALLS, F., "Consejos legales ante situaciones terminales", en X *Seminario Español, Sociedad Europea de Enfermería de Diálisis y Trasplante: "El paciente geriátrico: una realidad de las unidades de nefrología"* (El Puerto de Santa María, Cádiz, 30 y 31 de marzo de 2001), EDTNA/ERCA, 2001, págs. 75-94, de que "En suma, más que una muerte digna lo que se consagra es el derecho a vivir con dignidad hasta el momento de la muerte".

Desde el punto de vista jurídico, la "dignidad humana" es, sin duda, el condicionante más importante de la normatividad jurídica, de ahí que el respeto a la
"dignidad humana" y la conciencia de la importancia del papel que desempeña
la "dignidad" en el respeto integral del ser humano se hayan plasmado en su
inclusión en la mayoría de los tratados y convenios internacionales[4], así como en
un buen número de constituciones estatales, como es el caso de España, concretamente, en el artículo 10.1 de la CE[5]. En este contexto, se ha dicho que "La idea de
la dignidad ha de estar siempre presente a la hora de enjuiciar lo jurídico y sin ella
le faltaría el referente ético esencial, que mana del respeto que todo ser humano
merece por su mera y simple condición. Esto hace que la dignidad, si bien se considera ante todo un valor ético, se constituya a nivel jurídico en un primer plano
del que debe partir y el cual debe ser respetado por toda construcción jurídica. Es
el principio inspirador de todo el ordenamiento jurídico, una `cláusula general´ de
tutela esencial de la persona"[6].

La "dignidad de la persona", tal y como aparece recogido en el artículo 10.1
de la CE, se configura, por una parte, como el principio informador y la raíz
de todos los derechos básicos del hombre reconocidos como fundamentales por
la CE, sobre los que se proyecta[7], y constituye, por otra, el filtro interpretati-

---

[4]    Así se ha establecido en diversos instrumentos jurídicos: en la Declaración Universal de los
       Derechos humanos, en su artículo 1, se establece: "Todos los seres humanos nacen libres e
       iguales en dignidad y derechos y, dotados como están de razón y conciencia, deben comportarse
       fraternalmente los unos con los otros"; en la Convención Americana sobre Derechos Huma-
       nos, en su artículo 11, se establece: "Toda persona tiene derecho al respeto de su honra y al
       reconocimiento de su dignidad"; la Ley Fundamental de Bonn, en su artículo 1.1, dice que "la
       dignidad del hombre es inviolable"; y el Tratado por el que se establece una Constitución para
       Europa, aprobado "ad referéndum" por los Jefes de Estado y de Gobierno en el Consejo Euro-
       peo de Bruselas celebrado los días 17-18 de junio de 2004, Diario oficial de la Unión Europea,
       N° C 169/1, de 18.07.2003, en su Artículo II-1, señala expresamente: "La dignidad humana es
       inviolable. Será respetada y protegida".

[5]    Artículo 10.1 CE: "La dignidad de la persona, los derechos inviolables que le son inherentes, el
       libre desarrollo de la personalidad, el respeto a la ley y a los derechos de los demás son funda-
       mento del orden político y de la paz social".

[6]    MARCOS DEL CANO, A.M., op. cit., pág. 116 y GASCÓN ABELLÁN, M., "Problemas de la
       eutanasia", en Sistema, Núm. 106, 1992, pág. 100.

[7]    ROMEO CASABONA, C.M., El derecho y la bioética ante los límites de la vida humana, Ed.
       Centro de Estudios Ramón Areces, Madrid, 1994, págs. 67-68 señala: "(...) suele reconocerse
       que la mayor parte de los derechos fundamentales presentan un contenido nucleico referido a la
       dignidad de la persona, lo que explica la función informadora e interpretativa que se le atribuye
       sobre los mismos. Por tanto, la dignidad humana puede ser lesionada a través de o en conexión
       con la agresión de alguno de los concretos derechos fundamentales, sin que, sin embargo, toda
       lesión a los mismos implique necesariamente también la de la dignidad". MARCOS DEL CA-
       NO, A.M., op. cit., pág. 117, escribe, en esta misma línea: "Parece que hay que convenir en la
       idea de que aunque la noción de dignidad humana no tiene nada de unívoca, lo que ella hace es

vo, integrador y valorativo, así como un límite, tanto para la actuación de los poderes públicos, como para la actuación de los individuos[8]. En el primero de estos sentidos, la "dignidad humana", aparece como idea básica, troncal, desde la que se ramificarán los demás valores[9], como son la seguridad, la libertad y la igualdad y no discriminación, y, por tanto, se constituye en el fundamento último que se esgrime en la defensa de los Derechos Humanos (derechos que existen, precisamente, por el hecho de que el ser humano es un ser digno), de forma que resulta obligada una interpretación articulada y dinámica de los derechos fundamentales, tendente a dotar de contenido y a afirmar la vigencia del valor-guía de la dignidad de la persona[10], que se convierte en el marco en el cual tendrán que ponderarse los intereses que se encuentren en conflicto en una situación concreta y determinada, y se constituye, por último, como un principio material de justicia, límite inmanente del Derecho positivo, que no permite ser incluido como un interés más, sino que será el principio a la luz del cual se interpreten los demás[11]. Por lo que se refiere a la "dignidad humana" como límite, tanto para la actuación de los poderes públicos, como para la actuación de los individuos, cabe traer a colación lo manifestado por algún autor en el sentido de que "al constituir la dignidad humana el `fundamento del orden político y de la paz social' obliga jurídicamente a todos los poderes públicos a su respeto y protección (...), teniendo presente que constituye `un mínimum invulnerable que todo estatuto jurídico debe asegurar'; es decir, se trata de una norma constitucional obligatoria"[12].

---

indicar dónde se sitúa el nivel de las cuestiones que cuentan realmente e incide en la aplicación de las normas jurídicas en general y, muy específicamente, en la interpretación y aplicación de los derechos humanos, considerándosela como un principio activo a través del cual es necesario interpretar toda norma de cualquier ordenamiento jurídico".

[8] En MARCOS DEL CANO, A.M., *op. cit.*, pág. 118, puede leerse: "La dignidad se configura así como un límite, tanto para la actuación de los poderes públicos como para la actuación de los individuos. Y, en estos últimos, la dignidad supone un límite también para el propio individuo, un deber genérico de respeto a la propia dignidad. La dignidad se nos presenta, de este modo, como un criterio que tiene que ser respetado no sólo por terceros, sino también por el propio individuo".

[9] En la Sentencia del Tribunal Constitucional 231/1988, de 2 diciembre de 1988, el alto Tribunal se refiere a los Derechos fundamentales y la dignidad humana, señalando que "la dignidad de la persona es un valor jurídico fundamental que debe servir de punto de arranque de los demás derechos" (Fundamento Jurídico 3º).

[10] V. VALLE MUÑIZ, J.M., "Relevancia jurídico-penal de la eutanasia", en *Cuadernos de Política Criminal*, Núm. 37, 1989, págs. 166 y ss.: "la clave de bóveda en la interpretación del alcance y límites de protección de los derechos fundamentales es el entendimiento de los mismos como realidades normativas dinámicas configuradoras de la dignidad de la persona".

[11] V. DÍEZ RIPOLLÉS, J.L., "La huelga de hambre en el ámbito penitenciario", en *Cuadernos de Política Criminal*, 1986, pág. 635.

[12] ROMEO CASABONA, C.M., *op. cit.*, pág. 68.

También forma parte del contenido del artículo 10.1 de la CE el libre desarrollo de la personalidad[13]. Este principio, que según algunos autores podría entenderse como "el enriquecimiento de la personalidad desde las propias experiencias y vivencias íntimas y desde las propias concepciones sobre el desarrollo vital"[14], ha sido utilizado ocasionalmente para justificar el derecho a la disponibilidad de la propia vida como fundamento de la eutanasia[15]. Únicamente señalaremos en este momento que hay quien ha afirmado que: "(...) la acción eutanásica es la única manera de salvaguardar los derechos protegidos por la Constitución Española (CE) que expongo a continuación. En primer lugar, el derecho al `libre desarrollo de la personalidad´ (art. 10.1 CE), ya que frecuentemente la personalidad se manifiesta no sólo en la vida, sino también en la muerte que uno elige (...)"[16].

En la línea de lo que estamos analizando debemos señalar que algún autor de nuestra doctrina y nuestro Tribunal Constitucional han coincidido en destacar la estrecha vinculación existente entre la "dignidad humana" y el "derecho a la vida", y su particular y común posición en relación con los demás derechos fundamentales en el sentido siguiente: "indisolublemente relacionado con el derecho a la vida en su dimensión humana se encuentra el valor jurídico fundamental de la dignidad de la persona, reconocido en el art. 10 como germen o núcleo de unos derechos que le son inherentes"[17]. Además, cabe afirmar, en segundo lugar, que es una realidad que tanto los detractores como los defensores de la eutanasia han

---

[13]    En DEL ROSAL BLASCO, B., "El homicidio y sus formas en el Código penal de 1995", en *El nuevo Código Penal: presupuestos y fundamentos. Libro homenaje al Profesor Doctor Don Ángel Torío López*, Ed. Comares, Granada, 1999, págs. 675-697, puede leerse: "(...) como ha señalado nuestra doctrina constitucional, la dignidad de la persona es `el núcleo desde el que irradian su proyección los valores constitucionalizados´, entrañando dicho concepto `el reconocimiento de una esfera de la vida de los individuos que debe ser regulada y protegida para que el hombre pueda realizarse´. Si se quiere, expresado en otros términos, `la esencia de los derechos y libertades radica en el libre ejercicio de la personalidad, en el pleno despliegue y perfeccionamiento de la persona humana como racionalidad y como sociabilidad´, de forma que `la regulación de tales derechos y libertades ha de hacerse respetando su esencialidad en el sentido indicado´".

[14]    ROMEO CASABONA, C.M., *op. cit.*, pág. 112.

[15]    V. más ampliamente, PAREJO GUZMÁN, M.J., *La eutanasia, ¿un derecho?*, Ed. Aranzadi, Pamplona, 2005.

[16]    GIMBERNAT ORDEIG, E., "Eutanasia, Constitución y Derecho Penal", en *Estudios de Derecho Penal*, 3. ed., Ed. Tecnos, Madrid, 1990, págs. 207-269.

[17]    V. DEL ROSAL BLASCO, B., "El homicidio y sus formas en el Código penal de 1995", *op. cit.*, págs. 675-697: "El derecho a la vida reconocido en el precepto constitucional antes citado se encuentra indisolublemente ligado con el valor jurídico fundamental de la dignidad de la persona, reconocido en el artículo 10 del mismo texto constitucional. Es más, como ha señalado nuestra doctrina constitucional, la dignidad de la persona es `el núcleo desde el que irradian su proyección los valores constitucionalizados´, entrañando dicho concepto `el reconocimiento de una esfera de la vida de los individuos que debe ser regulada y protegida para que el hombre

recurrido, tradicionalmente y a menudo, en sus argumentaciones, a la capacidad de convicción, presuntamente definitiva, de la "dignidad humana"[18].

Esta "dignidad humana", que acaba de analizarse, ha sido puesta en ocasiones, incluso, por delante de la propia vida, sobre todo en el contexto de la proximidad de la muerte, como "derecho a una muerte digna"[19]. Ante esta opción de "morir dignamente", admisible y, cuanto más, deseable, hay quienes han venido señalando que "no se puede generalizar su entendimiento y ha de resolverse en atención al caso concreto, considerando el modo en que incide en el derecho a la vida y en otros derechos básicos"[20].

Una cuestión de gran interés objeto de estudio en estos ámbitos es aquélla en la que la "dignidad" se viene identificando con la autonomía o la capacidad de autodeterminación de la persona. En este sentido, estos autores explican que el principio de "dignidad" está en íntima conexión con el principio de autonomía de la persona[21]: el principio de "dignidad" prescribe tratar a los hombres de acuerdo con sus voliciones y no en relación con otras propiedades sobre las cuales no tienen control y el verdadero respeto a la "dignidad humana" implica el respeto a la voluntad humana, incluida la de alcanzar la muerte cuando ya nada pueda hacerse por devolver a la vida la calidad a la que todo ser humano tiene derecho.

---

pueda realizarse'" y Sentencia del Tribunal Constitucional 53/1985, de 11 de abril de 1985 (Fundamento Jurídico 3º).

[18]     V. MARCOS DEL CANO, A.M., *op. cit.*, pág. 233, en que puede leerse: "Gran parte de las peticiones de legitimidad de la eutanasia aluden como fundamento de sus alegaciones al denominado 'derecho a morir con dignidad'. Del mismo modo, las asociaciones que luchan por la homologación jurídica de la eutanasia se denominan en casi todos los países Asociaciones por el Derecho a Morir con Dignidad. (...). En España, (...), existe desde 1984, la Asociación del Derecho a Morir Dignamente, inscrita en el Registro del Ministerio del Interior el día 13 de diciembre de 1984 con el número 57.889".

[19]     En SERRANO RUIZ-CALDERÓN, J.M., *Eutanasia y vida dependiente. Inconvenientes jurídicos y consecuencias sociales de la despenalización de la eutanasia*, 2. ed., Ediciones internacionales universitarias, Madrid, 2001, pág. 91, puede leerse: "La delimitación de la eutanasia desde la perspectiva jurídica o relevante para la legislación, remite igualmente al problema del derecho a la muerte, o también derecho a la muerte digna".

[20]     ROMEO CASABONA, C.M., *op. cit.*, pág. 46.

[21]     En MARCOS DEL CANO, A.M., *op. cit.*, pág. 240, puede leerse sobre esto: "'La relación entre el principio de autonomía y el de dignidad de la persona no es del todo clara. Por un lado, el principio de autonomía parece implicar el de dignidad, puesto que se podría decir que lo que hace moralmente relevantes las decisiones de un individuo es que su materialización forme parte de un cierto plan de vida cuya satisfacción el primer principio juzga ya valiosa. Pero, por otro lado, parece que el principio de autonomía presupusiera el de dignidad de la persona, ya que el valor de la elección de planes de vida por parte de individuos indica que hay, por lo menos, un tipo de decisiones que pueden y deben ser atribuidas a esos individuos (...). El principio de dignidad es más básico que el de autonomía', en NINO, C.S., *Ética y derechos humanos*, Ed. Paidós, Buenos Aires, 1984, pág. 175".

También explican que al ser identificada la "dignidad humana" con la autodeterminación, será el propio sujeto el que deberá decidir si su vida es o no digna
y, a partir de ahí, la obligación de los terceros será proveerle de los mecanismos
necesarios para materializar su elección[22].

Esta línea interpretativa de la "dignidad humana", finalmente, ha tenido también acogida, aunque sólo sea de una manera y alcance parcial, en algunas resoluciones judiciales en las que aparece la dignidad entendida como autodeterminación del individuo, que vincula únicamente a terceros[23]. En este mismo sentido se
puede interpretar la solución a que se llega en diversos supuestos de reclusos en
huelga de hambre, en los que se dice que la Administración debería proceder a la
alimentación forzosa sólo en el caso de que perdieran la consciencia o cambiaran
de opinión, ya que hasta ese momento era necesario respetar su voluntad[24] (el
fundamento que se utilizaba en tales decisiones, para negar la alimentación forzosa a estos reclusos, era el de la "dignidad humana"[25]), de forma que parece que

---

[22]     MARCOS DEL CANO, A.M., *op. cit.*, págs. 240-241.

[23]     Es el caso de la Sentencia del Tribunal Constitucional 53/1985, de 11 de abril de 1985, que, al
         referirse a la constitucionalidad de la Ley del aborto, apela a la dignidad definiéndola, en su
         Fundamento Jurídico 8°, así: "dignidad es un valor espiritual y moral relacionado indisoluble-
         mente con la vida en su dimensión humana, inherente a la persona, que se manifiesta singular-
         mente en la autodeterminación consciente y responsable de la propia vida y que lleva consigo
         la pretensión al respeto por parte de los demás".

[24]     Como es el caso del Auto del Juez de Vigilancia Penitenciaria de Valladolid, de 9 de enero de
         1990; del Auto del Juez de Vigilancia Penitenciaria de Zaragoza, de 25 de enero de 1990; del
         Auto del Juez de Vigilancia Penitenciaria número 1 de Madrid, de 25 de enero de 1990; del
         Auto de la Audiencia Provincial de Zamora, de 10 de marzo de 1990; del Auto del Juez de Vi-
         gilancia Penitenciaria de Cáceres, de 4 de junio de 1990; y del Auto de la Audiencia Provincial
         de Cáceres, de 2 de julio de 1990.

[25]     Así, se sostiene, en el Auto del Juez de Vigilancia Penitenciaria de Cáceres, de 4 de junio de
         1990, que "el deber asistencial de la Administración debe ceder ante el derecho del interno a
         que se respete su decisión libre y voluntaria (...). El derecho a la vida contra la dignidad de la
         persona resulta vacío y sin contenido (...). En un orden de prelación de valores ha de primar el
         derecho fundamental de la dignidad frente al derecho a la vida". Este Auto fue confirmado en
         apelación por el Auto de la Audiencia Provincial de Cáceres, de 2 de julio de 1990, y, a su vez
         impugnados en amparo ante el Tribunal Constitucional, este Tribunal entendió en la Sentencia
         del Tribunal Constitucional 11/1991, de 17 de enero de 1991, que "la protección de la Admi-
         nistración, que entraña necesariamente una restricción a la libertad, ha de realizarse mediante
         un ponderado juicio de proporcionalidad que, sin impedir los deberes de la Administración
         Penitenciaria a velar por la vida, integridad y salud de los internos, restrinja al mínimo los
         derechos fundamentales de quienes, por el riesgo de su vida en que voluntariamente se han
         colocado, precisen de tal protección. No se establece, pues, un límite que rigurosamente haya de
         ser respetado en todo caso como una exigencia constitucional, sino una adecuada ponderación
         que, con criterios médicos y jurídicos, ha de realizarse en cada supuesto por la Administración
         Penitenciaria y, en su caso, por los órganos judiciales con competencia sobre esta materia"
         (Fundamento Jurídico 2°), así como que "(...) No es procedente anular los autos impugnados

el contenido que se atribuye a la "dignidad", en estos pronunciamientos, es el que se manifiesta en la autodeterminación de la persona[26].

Llega entonces el momento de dar respuesta a la cuestión de si el deber de respeto a la dignidad humana del sujeto viviente exige (o permite) ayudarle a eliminar el riesgo de vivir indignamente a causa de una enfermedad terminal, y ello desde una perspectiva estrictamente personal, afrontando y dando respuesta a si existe o debe existir, junto al "derecho a la vida", un llamado "derecho a una muerte digna" o eutanasia. Lo primero que debe precisarse, en este sentido, es que parece ser generalmente aceptada la conclusión, con la que nosotros nos mostramos plenamente de acuerdo, de que la "dignidad" implica en todo caso el no sometimiento de la persona a tratos inhumanos o degradantes[27], que pudieran producirse con la aplicación de ciertos tratamientos a los enfermos que están en fase terminal, ya que el "encarnizamiento terapéutico" convierte al enfermo en un simple medio u objeto médico de experimentación, al no existir razonables expectativas de que ese enfermo pueda continuar viviendo[28]. En realidad, puede

---

y ello porque no impiden, como se pretende sostener en el recurso, que la Administración Penitenciaria cumpla lo dispuesto en el art. 3.4 de la LGP en orden a velar por la vida (...)".

[26]   De hecho, en el Auto del Juez de Vigilancia Penitenciaria número 2 de Madrid, de 5 de enero de 1990, se expresaba que: "(...) si su voluntad (la del recluso) lo rechaza no se podrá utilizar fuerza física, dado que en mi criterio ésta atenta contra la dignidad de la persona. Si perdieran la conciencia, se deberá en ese momento hacer todo lo posible para salvar la vida de los afectados". Resolución que fue posteriormente recurrida en apelación por el Ministerio Fiscal, ante la Audiencia Provincial de Madrid, dando lugar al Auto de la Audiencia Provincial de Madrid, de 15 de febrero de 1990, en el cual se estima el recurso y se establece, aludiendo entre otras razones justificativas a la dignidad del artículo 10.1 de la Constitución española, "el derecho-deber de la Administración Penitenciaria de suministrar asistencia médica, conforme a criterios de la ciencia médica, a aquellos reclusos en 'huelga de hambre' una vez que la vida de éstos corra peligro, lo que se determinará previo los oportunos informes médicos, en la forma que el Juez de Vigilancia Penitenciaria correspondiente determine, y sin que en ningún caso pueda suministrarse la alimentación por vía bucal en tanto persista su estado de determinarse libre y conscientemente". Posteriormente se recurrió en amparo, denegándose éste en la, conocida y ya anteriormente citada en varias ocasiones, Sentencia del Tribunal Constitucional 120/1990, de 27 de junio de 1990.

[27]   En DÍEZ RIPOLLÉS, J.L., "Eutanasia y Derecho", en *El tratamiento jurídico de la eutanasia. Una perspectiva comparada*, (Seminario en Málaga, noviembre de 1994), Ed. Tirant lo Blanch, Valencia, 1996, pág. 509-546, puede leerse: "(...) el deber de velar por la vida se transforma en el de asegurar una muerte digna. Ello es coherente con la protección constitucional del derecho fundamental a la vida delimitada por la prohibición de tratos inhumanos o degradantes".

[28]   ROMEO CASABONA, C.M., "El marco jurídico-penal de la eutanasia en el Derecho español", en *Revista de la Facultad de Derecho de la Universidad de Granada. Homenaje al Profesor José Antonio Sainz Cantero (II)*, Núm. 13, 1987 —2º cuatrimestre— publicado en 1989, pág. 196, escribe: "Continuar con el tratamiento cuando ya no existe ninguna posibilidad de recuperación implica una infracción grave al respecto debido a la dignidad humana reconocida en nuestra Constitución". MARCOS DEL CANO, A.M., *op. cit.*, pág. 244, señala, en este sentido:

decirse que, a nuestro parecer, ésta es la única cuestión en la que parecen estar de acuerdo todos los sectores de la doctrina estudiosa de estas materias: en los restantes aspectos, las cosas se complican.

Todo ello permite formular un contenido material que, sin duda alguna, debe integrar la problemática de la eutanasia, y, en concreto, una futura propuesta legal sobre la misma. A este respecto, y a nuestro juicio, en dicha ley deberían aparecer pormenorizadamente las situaciones y las conductas requeridas; cuestiones, todas ellas, que tienen que ser fijadas y aclaradas con precisión. En esta línea, nos parece lo más correcto, desde el punto de vista jurídico, que "en el contexto de una ley general que autorice la eutanasia, el derecho a la muerte sí tiene un sentido jurídico. Una norma de ese tipo crea una serie de derechos y de obligaciones. Derecho a que se nos dé muerte, o a que se dé muerte a un allegado, una vez cumplidas las condiciones exigidas por la ley general. Y, en relación con esto, exigencia de un deber que afectaría al personal sanitario una vez producido el requerimiento, dado que se cumplen las condiciones. Este cumplimiento podría exigirse incluso ante los tribunales"[29].

---

[29]　"Y ese riesgo debe ser evitado, puesto que no es infrecuente que los enfermos terminales se encuentren sometidos a una serie de tratamientos que hacen que su vida pierda en gran medida su calidad, hasta el punto de que pueda considerarse como una `vida indigna de ser vivida´". V. SERRANO RUIZ-CALDERÓN, J.M., *op. cit.*, pág. 104. También aboga por una Ley para solucionar esta problemática de la eutanasia MORENO ANTÓN, M., quien en "Elección de la propia muerte y Derecho: hacia el reconocimiento jurídico del Derecho a morir", en *Derecho y Salud*, Vol. 12, Núm. 1, enero-junio 2004, págs. 61-83, explica: "Lo dicho hasta ahora nos lleva a afirmar que, aunque el reconocimiento del derecho a morir como derecho subjetivo no es una obligación impuesta constitucionalmente a los poderes públicos, la plena efectividad de los valores y principios constitucionales determinan la conveniencia de su reglamentación. Abogamos pues por una ley que regule el derecho subjetivo a la muerte en las condiciones, con los límites y las garantías que esa propia ley establezca porque, además, pensamos que sólo mediante una legislación meditada y extremadamente cuidadosa se pueden obviar los argumentos de la pendiente resbaladiza o el efecto palanca, esto es, que la legalización de comportamientos eutanásicos activos puede originar abusos para personas desprotegidas o poner en manos de individuos sin escrúpulos o del propio Estado un arma que podría desembocar en asesinatos en masa. Argumentos de tal calibre se evitan precisamente reconociendo el derecho a morir y estableciendo su régimen jurídico. (...). Para finalizar, quisiéramos reclamar la atención del Legislador para que acometa la regulación de este tema teniendo en cuenta el sentir mayoritario de la sociedad, aunque le resulte espinoso y problemático, pero también en su día lo fueron otros de cuya necesaria y beneficiosa reglamentación hoy nadie duda. Si el Derecho es la parte de la ética que se impone coactivamente por ser de vital importancia para la sociedad, no parece éticamente reprochable atender a los deseos de una persona que está en fase terminal o que sufre de manera inhumana, y que pide la anticipación de su muerte".

## 2. TESTAMENTO VITAL. CONCEPTO, CONTENIDO Y LÍMITES

### 2.1. *Concepto*

### 2.1.1. Origen del testamento vital. Precisiones terminológicas

Las raíces del conocido como "testamento vital" deben buscarse —como la mayoría de las novedades en Bioética— en los Estados Unidos, atribuyéndose la expresión anglosajona *living wills*, a la propuesta pionera del letrado KUTNER, quien en 1967 concibió un documento en el que cualquier persona podía consignar su voluntad de dejar de aplicarle o de interrumpir un tratamiento en caso de enfermedad terminal. Esta iniciativa cristalizó en la denominada *Natural Death Act* (Ley sobre la Muerte Natural) —antesala de la normativa sobre testamento vital— llevada a cabo por el Estado de California en 1967[30], con la que se otorgaba reconocimiento legal a la posibilidad de que una persona adulta y con capacidad suficiente pudiera dar instrucciones escritas a su médico en torno a la aplicación, interrupción o rechazo de ciertos procedimientos de mantenimiento vital en el evento de una enfermedad de carácter terminal o de situaciones de inconsciencia permanente[31]. A raíz de ello, los *living wills* se adoptaron en diversos Estados de Norteamérica, reconociéndose por Ley federal —la *Uniform Rights of the Terminally Act*— en 1985. Por consiguiente, el contexto de enfermedad terminal y final de la vida, y por extensión, el dilema de la eutanasia, constituyen el germen o comienzo de esta institución jurídica, a la que algunos autores[32] se refieren como "testamento eutanásico", razón de ser de su encuadramiento en este capítulo en que abordaremos el ampliamente debatido pero aún latente fenómeno eutanásico.

La discrepancia que genera esta figura en sus distintas dimensiones —ética, jurídica, social e indeseablemente, política— alcanza incluso al ámbito terminológico, comenzando con la atribución misma de su nomenclatura. En este sentido, la terminología empleada para referirse a esta institución dista de ser pacífica y unívoca: desde testamentos vitales, voluntades o directivas anticipadas, deseos expresados anteriormente, entre otras, lo que implica, por una parte, cierta confu-

---

[30]   ROMEO CASABONA, C.M., *op. cit.*, págs. 461-465, en el momento en que se hacía eco de esta problemática no existía en España ninguna regulación al respecto de esta figura, tan sólo el hecho de que la Asociación Derecho a Morir Dignamente y la Conferencia Episcopal Española, habían redactado un modelo de declaración de este tipo y es por ello que el autor acude a la legislación que por aquel entonces se estaba gestando en los Estados Unidos como punto de partida para su reflexión sobre este asunto.

[31]   V. LÓPEZ SÁNCHEZ, C., *Testamento vital y voluntad del paciente (conforme a la Ley 41/2002, de 14 de noviembre)*, Ed. Dykinson, Madrid, 2003, págs. 27-48.

[32]   De nuevo, v. ROMEO CASABONA, C.M., *op. cit.*, pág. 461.

sión sobre si se trata o no de la misma figura[33] y qué duda cabe acarrea, por otra, problemas de inseguridad jurídica. Cierta doctrina[34] va más allá considerando que la inicial terminología adoptada, esto es, testamento vital —que no obstante ha calado más en la sociedad—, es probablemente la menos adecuada en cuanto que, desde un punto estrictamente jurídico, un testamento contiene las voluntades de una persona para después de su muerte, en otras palabras tiene una eficacia *post mortem*, mientras que el llamado testamento vital, como el propio nombre revela, se refiere, por una parte, a las voluntades de la persona para cuando aún vive y por otra, lo que está en juego no es el patrimonio material sino el inmaterial —la propia vida—, teniendo sólo en común que en ambos casos se deben seguir unas formalidades preestablecidas[35].

## 2.1.2. Breve esbozo normativo. "Instrucciones previas" como opción del legislador español

Quizás éste fue el sentir del legislador nacional al decantarse en la Ley 41/2002, de 14 de noviembre, básica reguladora de la autonomía del paciente y de derechos y obligaciones en materia de información y documentación clínica (en adelante, Ley de autonomía del paciente) por el término "instrucciones previas", desechando, por una parte el de "testamento vital" —que era el que venía acuñándose doctrinalmente por cuanto origen histórico de esta figura— y, por otra el de "deseos expresados anteriormente" —por el que optaba su precedente legislativo, esto es, el **Convenio de 4 de abril de 1997 para la protección de los derechos humanos y la dignidad del ser humano con respecto a las aplicaciones de la biología y la medicina** (Convenio relativo a los Derechos Humanos y la Biome-

---

[33]	V. DE MONTALVO JÄÄSKELÄINEN, F., en un capítulo de su obra magna, *Muerte digna y Constitución. Los límites del testamento vital*, Ed. Universidad Pontificia Comillas, Madrid, 2009, págs. 47-56, al que titula de forma esclarecedora "el concepto de instrucciones previas en nuestro ordenamiento: demasiadas denominaciones para una misma figura (instrucciones previas, declaraciones anticipadas y testamento vital)" resuelve acertadamente este interrogante.

[34]	BELLVER CAPELLA, V., "Los límites del testamento vital para garantizar una muerte en paz", en *Temas de Derecho penal: libro homenaje a Luis Guillermo Cornejo Cuadros*, ARMAZA ARMAZA, E.J./MENDOZA VALDEZ, J./DE MIGUEL BERIAIN, I./URRUELA MORA, A. (Coords.), Ed. Adrus, Arequipa, 2008, págs. 293-294.

[35]	Procede adelantar ahora que la Ley de autonomía del paciente exige que las instrucciones previas —como así, veremos denomina a esta figura— se documenten y que consten por escrito, requiriéndose asimismo la consiguiente inscripción en un Registro *ad hoc*, de tal manera que las manifestaciones orales o no documentadas adecuadamente no constituyen jurídicamente instrucciones previas, sino a lo sumo indicios relevantes para la toma de decisiones de representación. V. SEOANE RODRÍGUEZ, J.A., "Derecho e instrucciones previas", en *Derecho y Salud*, Vol. 22, Núm. Extra 1, 2011, pág. 17.

dicina, también conocido como *Convenio de Oviedo*) en su artículo 9— así como el de "voluntades anticipadas" que venía utilizándose a nivel autonómico. Aún con todo, la doctrina estima, casi unánimemente, que dicha denominación diferente no supone la existencia de figuras de naturaleza dispar y que dichas discrepancias terminológicas carecen, en definitiva, de verdaderos efectos jurídicos[36].

Así las cosas, la Ley de autonomía del paciente supone la incorporación definitiva al ordenamiento jurídico español de la figura de las instrucciones previas —corolario del respeto a la autonomía y derechos de los pacientes— en su artículo 11, complementada por el **Real Decreto 124/2007, de 2 de febrero, por el que se regula el Registro nacional de instrucciones previas y el correspondiente fichero automatizado de datos de carácter personal.** Si bien dicha regulación encontraba su antecedente normativo en el *Convenio de Oviedo* —pieza clave en la consolidación y profundización de la autonomía del paciente—, que introdujo por primera vez en el Derecho español la institución de las instrucciones previas en su art. 9. Así, a tenor de la legislación española (Ley de autonomía del paciente) pueden definirse como el documento por medio del cual una persona mayor de edad y capaz manifiesta libremente y de forma anticipada su voluntad, con objeto de que ésta se cumpla en el momento en que llegue a situaciones en cuyas circunstancias no sea capaz de expresar dicha voluntad personalmente, **sobre los cuidados y el tratamiento de su salud o, una vez llegado el fallecimiento, sobre el destino de su cuerpo o de los órganos del mismo o de su propia vida.**

## 2.1.3. Distinción de otras figuras afines

La admisión por vía de la Ley de autonomía del paciente de las instrucciones previas —denominación que seguiremos a partir de ahora por estar consagrada en dicho cuerpo normativo— ha encendido una viva polémica en la doctrina científica y en los medios políticos y sociales de todo el mundo por su, en principio, vinculación con el testamento vital y la eutanasia activa puesto que, como hemos reseñado, en su configuración inicial los testamentos vitales surgieron con la finalidad de solicitar la aplicación de dicha eutanasia a algunos enfermos terminales en Estados Unidos. Sin embargo, la elección de esta otra nomenclatura, esto es, instrucciones previas y la propia definición de las mismas contenida en el citado artículo 11 implica una distinción entre eutanasia e instrucciones previas pues ésta en sus diversas modalidades implica el acortamiento de la vida de una

---

[36]   V. entre otros, DE MONTALVO JÄÄSKELÄINEN, F., *op. cit.*, págs. 47-58; LÓPEZ SÁN-CHEZ, C., *op. cit.*, págs. 93-96 y desde una perspectiva autonómica, EMALDI CIRIÓN, A., "Derechos de los pacientes en la Comunidad Autónoma de La Rioja: especial referencia a las instrucciones previas", en *Anuario jurídico de La Rioja*, Núm. 10, 2005, págs. 49-50.

persona que sufre una enfermedad terminal o padecimientos insoportables, mientras que las instrucciones previas se refieren al documento[37] en el que se manifiesta la voluntad del paciente sobre lo que desea que, en un futuro y si no pudiera manifestarla, se realizase sobre su salud y vida y que no comporta necesariamente la aplicación de la eutanasia directa[38].

## 2.2. Contenido

### 2.2.1. El paradigma del consentimiento informado: su conexión con la voluntad expresada en las instrucciones previas

De la interpretación del tenor literal del precepto reseñado deducimos que las instrucciones previas trascienden el ámbito de los cuidados y tratamientos relacionados con el final de la vida comprendiendo, por ende, los cuidados y tratamientos de forma general[39], lo que puede inducir a pensar que sean admitidas como un instrumento de voluntad prospectiva, de manera que el paciente no sólo cuenta con el documento de consentimiento informado para los tratamientos y cuidados contemporáneos, sino también con el documento de instrucciones previas para los tratamientos y cuidados futuros.

Llegados a este punto, es importante establecer el claro vínculo entre el documento de consentimiento informado y el de instrucciones previas, lo cual nos lleva inevitablemente a incidir en lo que constituye el fundamento de la institución objeto de estudio: el *principio de autonomía de la voluntad* del paciente que

---

[37]    Necesaria es la distinción entre las instrucciones previas y el *documento* de instrucciones previas, de tal manera que es preciso documentarlas y observar ciertos requisitos de forma, pero lo esencial no es el documento en sí mimo —que actúa como mero soporte y expresión de la voluntad del paciente— sino dicha *voluntad* expresada en él. V. SEOANE RODRÍGUEZ, J.A., "Derecho e instrucciones previas", *op. cit.*, pág. 17.

[38]    Así lo refleja ALVENTOSA DEL RÍO, J., "Instrucciones previas" (jurídico), en *Enciclopedia de Bioderecho y Bioética*, Tomo II, ROMEO CASABONA, C.M. (Dir.), Ed. Cátedra Interuniversitaria de Derecho y Genoma Humano-Comares y el Instituto Roche, Bilbao-Granada, 2011, pág. 1010.

[39]    Esta amplitud del contenido ha sido criticada por DE MONTALVO JÄÄSKELÄINEN, F., "Límites a la autonomía de la voluntad e instrucciones previas: un análisis desde el derecho constitucional", en *Dilemas bioéticos actuales: investigación biomédica, principio y final de la vida*, JUNQUERA DE ESTÉFANI, R./DE LA TORRE DÍAZ, F.J. (Eds.), Ed. Universidad Pontificia Comillas y UNED-Dykinson, Madrid, 2012, pág. 122, quien entiende que la ley no especifica si dichos cuidados y tratamientos a los que el paciente puede negarse con el documento de instrucciones previas son únicamente aquellos en los que se ha traspasado la frontera entre el curar y cuidar (enfermedad terminal) o, por el contrario, es cualquier cuidado o tratamiento, con independencia de que existan o no perspectivas de curación o de reversibilidad de la situación clínica.

preside la relación médico-paciente[40]. De esta forma, el consentimiento informado constituiría la principal manifestación en el ámbito de esta relación médico-paciente de la autonomía de la voluntad y como una expresión más de dicha autonomía de voluntad surgirían las instrucciones previas respecto de aquellos supuestos en los que el paciente, previamente capaz, hubiera perdido tal capacidad o competencia.

No obstante, entre la autonomía de la voluntad que se expresa a través del consentimiento informado y la que se deduce de las instrucciones previas existen diferencias notables, puesto que no puede otorgarse el mismo valor en cuanto a la autorización y rechazo del tratamiento[41] al que, siendo un sujeto capaz y competente, firma el documento de consentimiento informado a aplicar contemporáneamente o rechaza firmar el mismo, que a quien emite un documento de instrucciones previas para que sea aplicado en un momento posterior en el que necesariamente va a carecer de capacidad y en el que, ineludiblemente, vamos a desconocer su voluntad contemporánea. Ésta es una cuestión fundamental que hay que resolver, es decir, la validez de la declaración de voluntad prospectiva o *ad futurum*[42] puesto que a diferencia de lo que sucede en el consentimiento informado "ordinario", que se otorga para una actuación inmediata o casi inmediata, en las instrucciones previas se distinguen dos momentos: el momento del otorgamiento, que coincide con la capacidad del otorgante para tomar decisiones de forma autónoma, y el momento de la aplicación o cumplimiento, que tiene lugar más tarde, cuando el paciente carece de capacidad para decidir de forma autónoma[43].

En esta línea interpretativa, algunas de las objeciones que se han formulado a la admisión de la validez o eficacia de la voluntad contenida en las instrucciones previas se refieren a que de un lado, dicha voluntad del otorgante es influenciable, puede variar con posterioridad[44], su contenido podría ser incompatible con los

---

[40]   V. DE MONTALVO JÄÄSKELÄINEN, F., "Límites a la autonomía de la voluntad e instrucciones previas: un análisis desde el derecho constitucional", *op. cit.*, págs. 141-145.

[41]   V. sobre el particular GARCÍA AMEZ, J., "Rechazo al tratamiento y riesgos para la vida del paciente", en *Derecho y Salud*, Vol. 21, Núm. 1, 2011, págs. 85-97.

[42]   V. SEOANE RODRÍGUEZ, J.A., "Derecho e instrucciones previas", *op. cit.*, pág. 16.

[43]   SEOANE RODRÍGUEZ, J.A., "Derecho e instrucciones previas", *op. cit.*, págs. 16-17.

[44]   ROMEO CASABONA, C.M., *op. cit.*, págs. 464-465, señala que con frecuencia la situación anímica y emocional del declarante cambia radicalmente cuando ha de enfrentarse al momento (peligro para su vida) que motivó la firma del escrito por el que renuncia a la continuación del tratamiento y observa que se trata de una declaración muy peculiar y dependiente de las variaciones subjetivas de diversa índole. Problema ciertamente delicado que afecta a la validez del consentimiento otorgado por medio de dicho documento y para el que han de adoptarse todo tipo de precauciones siendo preeminente en esta órbita el principio *in dubio pro vita*.

avances científicos y las nuevas tecnologías médicas y que podría deteriorar la relación médico-paciente[45].

## 2.2.2. Contenido que se contempla en la Ley de autonomía del paciente

De una forma más concreta, podemos decir que el documento de instrucciones previas puede versar sobre un triple contenido, según resulta de su artículo 11.1:

### A. *Manifestación anticipada de voluntad acerca de los cuidados y tratamientos de salud*

Como apuntábamos en líneas anteriores, la ley no parece relacionar explícitamente las instrucciones previas con los tratamientos y cuidados al final de la vida y habla *in genere* de cualquier tratamiento o cuidado, lo que parece inducirnos a pensar que estas instrucciones de índole sanitaria puedan tener un contenido prácticamente infinito y sobre cuantas cuestiones desee el otorgante, pudiendo incluir su renuncia a recibir determinados tratamientos o intervenciones y también su deseo de interrumpir o retirar tratamientos o intervenciones ya instaurados, así como decisiones sobre medidas paliativas, de analgesia, sedación, cuidados de confort y otras[46]. Ahora bien, a esta infinitud de contenido subyace la cuestión del alcance de tales decisiones, máxime respecto de la disponibilidad sobre la propia vida en determinadas circunstancias, caso del estado vegetativo permanente o la propia eutanasia, dilema que abordaremos con ocasión de los límites que el propio legislador ha impuesto a su eficacia.

### B. *Manifestación acerca del destino del cuerpo o de los órganos del mismo*

El documento de instrucciones previas contempla la posibilidad de que el otorgante manifieste en él su voluntad de convertirse en donante de sus órganos —todos o parte de sus órganos, piezas anatómicas y tejidos—, bien con fines terapéuticos, esto es destinados al trasplante, bien docentes o de investigación,

---

[45]   ALVENTOSA DEL RÍO, J., "Instrucciones previas", *op. cit.*, pág. 1010, complementa su exposición con unos argumentos a favor, tales como la salvaguarda de la dignidad de la persona y la garantía al respeto de la autonomía del sujeto y de sus derechos personalísimos.

[46]   V. SEOANE RODRÍGUEZ, J.A., "Derecho e instrucciones previas", *op. cit.*, pág. 21.

una vez se haya constatado su fallecimiento[47]. Es preciso matizar que si bien la legislación española[48] adopta el modelo del consentimiento presunto en el caso de donante fallecido (es decir, declara a toda persona fallecida donante excepto que haya dejado constancia expresa de su oposición), en la práctica la Organización Nacional de Trasplantes ha seguido el criterio de pedir autorización a los familiares del fallecido, cuya oposición llegaría a prevalecer. De tal manera que la previsión acerca de la donación (bien en clave de aceptación u bien oposición) contenida en el documento de instrucciones previas deviene fundamental de cara a un mayor poder de decisión y un refuerzo de la autonomía del otorgante, que puede dejar patente su voluntad y conseguir que ésta prevalezca.

## C. Designación de un representante

Las instrucciones previas contemplan la posible designación o nombramiento de un representante, que ha de ser preferiblemente una persona de confianza e intimidad, conocedora de la jerarquía de valores e ideales del otorgante, no en vano va a adquirir un acusado protagonismo en el proceso de planificación anticipada de la atención sanitaria. Así y tal y como dispone el artículo 11.1 el otorgante de un documento de instrucciones previas puede designar, además, un representante para que llegado el caso, actúe como interlocutor suyo con el médico o el equipo sanitario en aras de procurar el cumplimiento de las instrucciones previas. Constituye precisamente este compromiso, *procurar el cumplimiento de la voluntad del paciente*, la razón de ser de su designación, en otras palabras, garantizar el respeto de sus valores y preferencias y el cumplimiento de las instrucciones incluidas en el documento. De tal manera deducimos —ciñéndonos al tenor literal del citado precepto—, que el representante no ostenta facultad de decisión alguna sobre las situaciones previstas expresamente por el paciente en el documento de instrucciones previas ya que en otro caso esta figura jurídica quedaría diluida con la de las "decisiones de presentación", y se produciría un menoscabo en la autonomía del paciente, dejando sin efecto la voluntad manifestada por él en el documento de instrucciones previas, que ante todo ha de otorgársele preeminencia sobre la decisión del representante. Solamente respecto de aquellas situaciones clínicas muy específicas que no han sido previstas por el paciente sí procede la

---

[47]    GALLEGO RIESTRA, S., *El derecho del paciente a la autonomía personal y las instrucciones previas: una nueva realidad legal,* Ed. Aranzadi-Thomson Reuters, Pamplona, 2009, pág. 171.

[48]    Ley 30/1979, de 27 de octubre, de extracción y trasplante de órganos. V. ROMEO CASABONA, C.M., "Los principios jurídicos aplicables a los trasplantes de órganos y tejidos", en *El nuevo régimen jurídico de los trasplantes de órganos y tejidos,* Ed. Comares, Granada, 2004, págs. 1-80.

toma de decisiones de representación, dando en estos casos prioridad a la persona que el paciente haya designado como representante en el documento de instrucciones previas[49].

No obstante, una parte importante de la doctrina[50] considera que el nombramiento del representante tiene como principal finalidad la toma de decisiones en lugar del otorgante, cuando éste no puede hacerlo por sí mismo, identificándolo con una auténtica *sustitución del otorgante*, quien podría consentir o rechazar un tratamiento médico dentro de los márgenes preestablecidos por el paciente en dicho documento[51].

En cualquier caso, aún desde esta perspectiva en la que se defiende que el representante puede incluso sustituir el consentimiento del otorgante —cuando una concreta situación no está prevista en el documento y aquel no puede expresar por sí mismo su voluntad— lo que debe quedar patente es que resulta capital, conferir prioridad a la voluntad expresada por el paciente en el documento de instrucciones previas. En suma, ante un conflicto de valores entre paciente y representante prevalece, por ende, la voluntad del otorgante y en el evento de una posible discrepancia entre representante y médico responsable o equipo sanitario se podrá recabar el asesoramiento y, en su caso mediación, de un Comité de Ética.

---

[49]   Siguiendo esta línea argumental SEOANE RODRÍGUEZ, J.A., "Derecho e instrucciones previas", *op. cit.*, págs. 21-22 y DOMÍNGUEZ LUELMO, A., *Derecho sanitario y responsabilidad médica. Comentarios a la Ley 41/2002, de 14 de noviembre, sobre derechos del paciente, información y documentación clínica*, 2. ed., Ed. Lex Nova, Valladolid, 2007, págs. 430-434.

[50]   Se hace eco de ello, GALLEGO RIESTRA, S., *op. cit.*, pág. 172. En este sentido, GONZÁLEZ MORÁN, L., "La figura y función del `representante´ en la legislación sobre instrucciones previas (ley 41/2002 y legislación autonómica)", en *Los avances del derecho ante los avances de la medicina*, ADROHER BIOSCA, S./DE MONTALVO JÄÄSKELÄINEN, F. (Dir.), Ed. Aranzadi, Pamplona, 2008, págs. 635-651; BERROCAL LANZAROT, A.I./ABELLÁN SALORT, J.C., *Autonomía, libertad y testamentos vitales (Régimen jurídico y publicidad)*, Ed. Dykinson, Madrid, 2009, págs. 198-200 y LÓPEZ SÁNCHEZ, C., *op. cit.*, págs. 127-128, entre otros.

[51]   Algunos autores (v. FRANCINO I BATLLE, F.X., "El otorgamiento del documento de voluntades anticipadas. Cuestiones prácticas", en *Actas del VIII Congreso Nacional de Derecho Sanitario, I Reunión Iberoamericana del Derecho Sanitario*. Asociación española de Derecho sanitario. Fundación Mapfre Medicina, Madrid, 2002, pág. 224) van más allá y afirman que "no sólo va a aplicar, interpretar y resolver las posibles dudas que se planteen en relación con determinadas previsiones clínicas hechas por el paciente en el propio documento, sino que se le atribuye también la solución de cualesquiera otras cuestiones, delegándole en general la prestación del consentimiento informado que según la ley hay que prestar en todo caso", postura que a nuestro juicio excede del mandato previsto por el legislador y supone una interpretación extensiva que confunde esta institución con las decisiones de representación antes aludidas.

## 2.2.3. Contenido adicional

Esta triple dimensión en cuanto a contenidos que advierte la legislación estatal —aspectos asistenciales médicos, destino del cuerpo y nombramiento de representante— debe ser implementada con la previsión que hace al respecto tanto la legislación autonómica como la sectorial. De tal manera que seis apartados son los que actualmente engrosan las posibilidades legales de otorgamiento de instrucciones previas[52].

En la esfera autonómica[53] podemos aludir a las declaraciones que incluyen *valores personales, preferencias y expectativas sobre información, acompañamiento o cualquier otro asunto,* que implican la concretización de aquellas preferencias, valores y objetivos vitales referidos a posturas éticas, morales, sociales religiosas y filosóficas del paciente[54]. La finalidad de la expresión de dichos objetivos vitales es servir de ayuda —en pro de una interpretación adecuada de las instrucciones— y de orientación para la toma de decisiones clínicas una vez llegado el momento. Esta formulación se identifica con la llamada "historia de valores" que permite conocer la actitud general del paciente ante cuestiones de tal trascendencia como es la vida, la salud, la enfermedad, el dolor y la muerte y es por ello que sea recomendable que se transmita al equipo sanitario, al representante y a los familiares del paciente que presumiblemente le acompañarán a lo largo del proceso asistencial.

En lo que concierne a legislación sectorial, por una parte, la Ley de Reproducción Humana Asistida (artículo 9.2 LTRHA) abre una nuevo marco de expresión de la voluntad por vía del documento de instrucciones previa, permitiendo al marido de la mujer sometida a técnicas de fecundación asistida pronunciarse sobre la *utilización de su material reproductor* en los doce meses siguientes a su fallecimiento, por su parte la Ley de Investigación Biomédica (artículo 48.2, párrafo primero LIB) se refiere a la posibilidad de valerse del documento de instrucciones previas con el fin de prohibir la *obtención y el análisis de muestras biológicas* del otorgante una vez llegado su fallecimiento.

## 2.3. Límites

Otro de los asuntos cruciales que resulta apremiante resolver es la validez del alcance del contenido manifestado en dichos documentos de instrucciones pre-

---

[52]   V. SEOANE RODRÍGUEZ, J.A., "Derecho e instrucciones previas", *op. cit.,* págs. 21-23.

[53]   Concretamente en la normativa de varias Comunidades Autónomas tales como Andalucía, Aragón, Baleares, Canarias, Extremadura, La Rioja, Navarra y País Vasco.

[54]   V. BERROCAL LANZAROT, A.I./ABELLÁN SALORT, J.C., *op. cit.,* pág. 220.

vias, lo cual entronca claramente con el tema de su eficacia y límites. Pues bien, aún cuando se afirma que el contenido de las instrucciones previas recae sobre los más importantes derechos de la personalidad del sujeto, concretamente sobre el *derecho a la vida y a la integridad física y el derecho a su salud*, dichas declaraciones no pueden ser absolutas en cuanto a su contenido.

## 2.3.1. Limitaciones fijadas por la Ley de autonomía del paciente

El artículo 11, apartado 3, establece expresamente tres límites a la aplicación de las instrucciones previas. De esta forma dispone que no serán tenidas en cuenta las instrucciones previas que sean contrarias al ordenamiento jurídico, a la *lex artis*, ni las que no se correspondan con el supuesto de hecho que el interesado hubiera previsto cuando las emitió. De concurrir alguna de estas tres circunstancias, podría quedar anulada la efectividad del documento.

### A. *Ordenamiento jurídico*

La primera limitación la encontramos en la propia ley, de tal manera que la invalidez de las instrucciones vendrá condicionada en cada momento por las normas que regulan el supuesto de hecho sobre el cual se dictan en cada país y su correlativo ordenamiento.

El principal problema que se plantea en este ámbito se produce con respecto a las instrucciones adoptadas en situaciones de crisis vitales en pacientes terminales, cuyas disposiciones serán válidas o inválidas en función de que la legislación del país donde se emitan admita o no los distintos tipos de eutanasia. Es decir, con este proceder se pretende que un documento de instrucciones previas no se convierta sin más en el "cauce que dé cobijo"[55], fundamentalmente a la "eutanasia activa directa", es decir, aquella que, como veremos más adelante, se circunscribe a actos ejecutivos que causan deliberadamente la muerte de una persona que padece una enfermedad terminal o permanente con o sin consentimiento de la víctima, por medio de una conducta directamente encaminada a producir la muerte del enfermo[56].

En efecto, respecto del primer supuesto se trata de verificar que no contiene ninguna declaración que ampare soslayadamente la eutanasia, es decir, se permitirá a los pacientes rechazar un tratamiento que alargue su vida de forma artificial pero no se tolerará un solo atisbo de eutanasia. De ahí que se suela señalar que las instrucciones previas tienen fundamentalmente como limitación el propio

---

55     V. LÓPEZ SÁNCHEZ, C., *op. cit.*, págs. 121-122.
56     BERROCAL LANZAROT, A.I./ABELLÁN SALORT, J.C., *op. cit.*, pág. 236.

Código penal, tratándose de conductas tipificadas por el mismo como delito de homicidio (art. 143 CP) y sancionadas con una pena de privación de libertad, si bien de forma atenuada (art. 143.4 CP)[57]. No obstante, respecto de la solicitud de rechazo al tratamiento, tanto la renuncia inicial y el no inicio como la revocación del consentimiento y la interrupción o retirada de intervenciones o tratamientos de soporte vital (mal llamada eutanasia pasiva) es reconocida su licitud por la legislación española.

Cierto es que las instrucciones previas nunca pueden sobrepasar los límites del ordenamiento jurídico del país en el que se aplica —de tal manera que en el contexto jurídico español esto se traduce en que estos documentos no constituyen ningún paso legal a favor de la eutanasia[58]—, no obstante se ha llegado a plantear la posibilidad de incluir en el documento de instrucciones previas, la petición de eutanasia activa directa (aún a pesar de su tipificación como delito), quedando condicionada su efectividad a la potencial legalización de tal actuación, en tanto en cuanto el momento para establecer si lo manifestado en tales instrucciones es contrario al ordenamiento jurídico, es precisamente aquél en el que el paciente no tiene competencia para expresar por sí mismo la voluntad, en el evento de que llegado ese momento, la eutanasia se encontrase despenalizada[59]. En el ínterin, esto es, si las instrucciones previas tuviesen que aplicarse en un momento previo a su hipotética legalización, dicha petición obviamente no sería válida y en consecuencia las instrucciones previas se reputarían por no puestas[60].

---

[57]   V. más ampliamente sobre este tema desde una perspectiva de Derecho penal MENDES DE CARVALHO, G., *Suicidio, eutanasia y Derecho penal. Estudio del art. 143 del Código Penal español y propuesta de lege ferenda*, Ed. Comares, Granada, 2009.

[58]   Sin embargo, en una legislación donde la eutanasia activa sea legal y las instrucciones previas también, tal es el caso de Holanda y Bélgica, en palabras de RODRÍGUEZ-ARIAS VAILHEN, D., *Una muerte razonable. Testamento vital y eutanasia*, Ed. Desclée de Brouwer, Bilbao, 2005, págs. 72-74 y pág. 140 "Este tipo de ayuda a morir es solicitado a través de estos documentos que constituyen una forma de asegurar la perseverancia de un deseo de morir".

[59]   Al hilo de lo expuesto, el Tribunal Superior de Justicia de Asturias, en la ya célebre sentencia 385/12, notificada el 17 de abril de 2012, falla a favor de M.P. Fernández Felgueroso y anula la resolución del Consejero de Salud y Servicios Sanitarios en relación con el registro de instrucciones previas que la demandante emitió en su momento y que no se había aceptado. Exponía en su declaración de instrucciones previas el tenor literal siguiente: "que se me aplique cuantos tratamientos y medidas permita la legislación en el momento de precisarlo, en su caso eutanasia o suicidio asistido (…)". La administración entendía que, habida cuenta estas prácticas no están permitidas por la legislación vigente, no podían contemplarse en tal declaración. Frente a ello, esta pionera resolución concluye que la administración está obligada a respetar tal manifestación de voluntad, petición de eutanasia, condicionada a la legalidad de esas opciones en el momento de su aplicación.

[60]   V. BERROCAL LANZAROT, A.I./ABELLÁN SALORT, J.C., *op. cit.*, pág. 241 y GALLEGO RIESTRA, S., *op. cit.*, págs. 182-184. En contra de esta posible inclusión, SÁNCHEZ-CARO, J./ABELLÁN, F., *Derechos del médico en la relación clínica*, Colección de bioética y derecho sa-

## B. Lex artis

La *lex artis* médica o buena práctica clínica, se refiere a un concepto jurídico de importante elaboración por vía jurisprudencial que se nos antoja ciertamente indeterminado o difuso en la medida en que su significado varía con el tiempo —encontrándose condicionado al estado y consecuente progreso de la ciencia— y de una actuación a otra —teniendo en cuenta las circunstancias que lo rodean— lo que exige una ponderación caso por caso (de ahí que se denomine también *lex artis ad hoc* cuando la observancia del comportamiento profesional se determina en atención a las circunstancias específicas del caso). Para paliar la incertidumbre que genera la indeterminación de esta noción, se ha optado acertadamente por valerse del concepto de la *contraindicación*[61] como límite, es decir, aquella intervención que el profesional no debe indicar ni realizar, aunque sea por expresa petición del paciente, habida cuenta resulta contraindicada para su patología. De igual forma, el profesional sanitario ha de evitar cualquier tratamiento, procedimiento y terapias que resulten inútiles o sean fútiles en el propósito de prolongar la vida del paciente, en otras palabras, la *lex artis* tiene a su vez, un sub-límite tal es el encarnizamiento terapéutico[62].

## C. La falta de correspondencia con el supuesto de hecho previsto en el documento de instrucciones previas

El otorgante de un documento de instrucciones previas puede redactar dichas cláusulas bien de un modo genérico o bien de una forma más minuciosa o específica, esto último se nos antoja ciertamente ambicioso puesto que difícilmente las personas pueden tener una acertada previsión de cuáles serán sus preferencias en un supuesto hipotético de enfermedad grave ni vaticinar las líneas futuras del conocimiento científico. En consecuencia, late como obligación del profesional

---

nitario, Vol. 12, Fundación Salud 2000, Madrid, 2006, págs. 114 y 115, mencionan un caso en el que se rechazó la inscripción de las instrucciones previas que formuló un paciente para que fueran tenidas en cuenta en determinadas situaciones genéricas que había previsto (enfermedad incurable avanzada, enfermedad terminal y situación de agonía), en tanto en cuanto podían albergar una petición de eutanasia activa directa.

[61]    A nivel autonómico la Ley 7/2002 del País Vasco establece que "se tendrán por no puestas las instrucciones relativas a las intervenciones médicas que la persona otorgante desea recibir cuando resulten contraindicadas para su patología" y en el mismo sentido se pronuncia la Ley 3/2005 de la Comunidad madrileña "Tampoco serán aplicables, y en consecuencia se tendrán por no puestas, las instrucciones relativas a las intervenciones médicas que la persona otorgante haya manifestado que desee recibir cuando resulten contraindicadas para su patología". V. GALLEGO RIESTRA, S., *op. cit.*, pág. 186.

[62]    Así lo señalan BERROCAL LANZAROT, A.I./ABELLÁN SALORT, J.C., *op. cit.*, pág. 253.

sanitario la fijación de la correspondencia entre el supuesto de hecho previsto en tal documento con la situación clínica real en la que ha de ser aplicado y, en el evento de no estimar tal correspondencia, aparece en escena este límite a la aplicación de las instrucciones previas[63]. Ahora bien, la correspondencia entre el supuesto de hecho previsto y la situación actual que se dirime no ha de ser entendida como coincidencia exacta o identidad objetiva sino más bien como analogía, que ha de ser establecida con prudencia por el profesional tras la interpretación de la voluntad del sujeto otorgante, lo que desde luego no está exento de abrir una nueva línea de confrontación entre los intereses del paciente y los criterios interpretativos de los médicos responsables. Esta espinosa labor interpretativa, entiende la doctrina, ha de ser realizada bajo el principio *in dubio pro vita*[64] y evitando, por ende, la analogía *contra vita*.

Paralelamente y dada la dificultad que suscita la identidad entre la realidad surgida y lo previsto por el paciente, juega en esta órbita interpretativa un papel decisivo la figura antes aludida del representante, quien debe atender como criterio prioritario a la voluntad del sujeto otorgante formalizada en el documento.

## 2.3.2. Otras limitaciones. Especial referencia a la objeción de conciencia del personal sanitario

A nivel autonómico algunas comunidades se han decantado por la incorporación de dos límites adicionales a la aplicación de las instrucciones previas. En primer lugar, en el caso de Aragón y la Comunidad de Madrid han introducido las fórmulas de la *ética profesional* o *la ética médica*, opción que ha merecido la crítica de cierta doctrina[65] por considerarlas difusas e imprecisas y por el hecho de que pueden llevar a interpretar erróneamente que los dogmas éticos de la actuación sanitaria son fijados unilateralmente por el grupo profesional, prescindiendo de las normas (establecidas en la regulación de las instrucciones previas y los derechos de los pacientes) y los parámetros comúnmente compartidos.

De otro lado, la consideración de la *objeción de conciencia* como límite genérico a la aplicación de las instrucciones previas, tampoco aparece recogida en la normativa estatal —esto es en la Ley de autonomía del paciente— prestándose atención, sólo a nivel autonómico, a este particular. Destacan dentro de las Co-

[63]  V. SEOANE RODRÍGUEZ, J.A., "Derecho e instrucciones previas", *op. cit.*, pág. 24 y GALLE-
GO RIESTRA, S., *op. cit.*, págs. 187-188.
[64]  Es criterio defendido por ROMEO CASABONA, C.M., *op. cit.*, págs. 464-465 y ROMEO
MALANDA, S., "Un nuevo marco jurídico-sanitario: la Ley 41/2002, de 14 de noviembre,
sobre derechos de los pacientes" (I), en *La Ley*, Núm. 5703, 2003, pág. 3.
[65]  SEOANE RODRÍGUEZ, J.A., "Derecho e instrucciones previas", *op. cit.*, págs. 24-25.

munidades Autónomas que efectivamente reconocen de forma expresa esta posibilidad: Baleares, Extremadura, Madrid, Murcia, La Rioja y Valencia.

En consecuencia, una cuestión clave que hemos de dilucidar en este punto es si el derecho a la objeción de conciencia exige inexcusablemente que una *ley* autorice su ejercicio o si, por el contrario, con independencia de que existe una norma expresa, cabe su ejercicio por *imperativo constitucional*[66]. Al hilo de esto último resulta fundamental traer a colación la Sentencia del Tribunal Constitucional núm. 53/1985 (Pleno), de 11 de abril[67] en cuanto que declara respecto al derecho a la objeción de conciencia —y resulta trascendental subrayar que sólo en el contexto del aborto— "existe y puede ser ejercido con independencia de que se haya dictado o no tal regulación" subrayando que la objeción de conciencia "forma parte del contenido del derecho fundamental a la libertad ideológica y religiosa reconocido en el artículo 16.1 de la Constitución" y, como ha advertido el propio Tribunal Constitucional en distintas ocasiones, "la Constitución es directamente aplicable, especialmente en materia de derechos fundamentales".

Efectivamente, esta sentencia del constitucional desempeñaría (posteriormente el Tribunal se alejó de este parecer) un papel capital[68], erigida como soporte jurídico del derecho a la objeción de conciencia en el ámbito sanitario en general, y en el contexto de las instrucciones previas en particular, en la medida en que el cumplimento de la voluntad del paciente en ellas contenido puede ciertamente provocar un conflicto con las creencias y valores éticos del profesional que se ve abocado a aplicarlas[69].

Llegados a este punto, y aunque ya vislumbrado a grandes rasgos, conviene abordar de forma sucinta el concepto de objeción de conciencia del profesional

---

[66]   SÁNCHEZ-CARO, J./ABELLÁN, F., *Derechos y deberes de los pacientes (Ley 41/2002, de 14 de noviembre: consentimiento informado, historia clínica, intimidad e instrucciones previas)*, Ed. Comares, Granada, 2003, pág. 96, se decantan por reputar como límite a las instrucciones previas la objeción de conciencia entendiendo que aunque no esté prevista por la ley del paciente, desde el momento en que se trata de un derecho fundamental resulta aplicable directamente desde la Constitución.

[67]   En respuesta al recurso de inconstitucionalidad núm. 800/1983 planteado contra la Ley Orgánica de reforma del artículo 417 bis del anterior Código Penal, por el que se despenalizaba el aborto en determinados supuestos.

[68]   A tenor de la propia jurisprudencia, algunos autores, v. GONZÁLEZ SÁNCHEZ, M., "La objeción de conciencia del personal sanitario a las instrucciones previas por motivos religiosos", en *Algunas cuestiones controvertidas del ejercicio del derecho fundamental de libertad religiosa en España*, MARTÍN SÁNCHEZ, I./GONZÁLEZ SÁNCHEZ, M. (Coords.), Fundación Universitaria Española, Madrid, 2009, págs. 275-295, se muestran partidarios de la innecesaridad de una ley especial que admita la objeción de conciencia entendiendo que el artículo 16 de la Constitución supone suficiente cobertura legal.

[69]   Un exhaustivo recorrido sobre este asunto en GALLEGO RIESTRA, S., *op. cit.*, págs. 188-193.

sanitario. Se trata de una cuestión que ha generado copiosa doctrina[70] sintetizable en una idea: el conflicto entre dos deberes que se les puede suscitar a los profesionales sanitarios, por una lado, el respeto a las decisiones de los pacientes, o de sus superiores, dentro de un marco normativo, y el deber de fidelidad a sus propias creencias y jerarquía de valores, en definitiva a su conciencia.

Retomando el quid de la cuestión, es decir, el controvertido ejercicio del derecho a la objeción de conciencia sin que exista una ley que lo establezca y desarrolle, hemos de mencionar que tras la pionera sentencia de 1985, el Tribunal Constitucional cambió de parecer exigiendo un desarrollo normativo para que los ciudadanos pudiesen invocar su derecho a la objeción de conciencia, no aceptando su aplicación directa a partir del texto constitucional y en consecuencia considerando la objeción de conciencia como un derecho autónomo de carácter constitucional, *no fundamental*. Esta postura generó una controvertida discusión doctrinal[71] por el agravio comparativo que suponía para el ciudadano el hecho de que se aceptase la objeción para el caso del aborto —admitido por vía jurisprudencial pero no expresamente reconocido en norma alguna— pero no en cambio respecto de escenarios de análoga envergadura.

Con todos estos vaivenes jurídicos, se hacía perentoria la unificación de criterios. En este sentido, adquiere gran relevancia otra resolución del propio Tribunal Constitucional, el Auto núm. 135/2000[72] y en especial la matización que el Ministerio Fiscal hace al respecto de este asunto: "la invocación del artículo 16 de la Constitución no es por sí misma suficiente para eximir a los ciudadanos del cumplimiento de deberes constitucional o legalmente establecidos: Sólo cuando sea admitida la objeción de conciencia a un *deber concreto*[73] podrá invocarse

---

[70]  Por citar la más reciente CEBRIÁ GARCÍA, M.D., "Objeción de conciencia del personal sanitario y reformas legislativas en España", en *Revista General de Derecho Canónico y Derecho Eclesiástico del Estado*, Núm. 27, 2011, págs. 31-35 y FLORES MENDOZA, F., "Objeción de conciencia" (jurídico), en *Enciclopedia de Bioderecho y Bioética*, Tomo II, ROMEO CASABONA, C.M. (Dir.), Ed. Cátedra Interuniversitaria de Derecho y Genoma Humano-Comares y el Instituto Roche, Bilbao-Granada, 2011, págs. 1189-1196.

[71]  MARTÍN SÁNCHEZ, I., "Algunos supuestos controvertidos de objeción de conciencia", en *Algunas cuestiones controvertidas del ejercicio del derecho fundamental de libertad religiosa en España*, MARTÍN SÁNCHEZ, I./GONZÁLEZ SÁNCHEZ, M. (Coords.), Fundación Universitaria Española, Madrid, 2009, págs. 233-273, entiende que "tendría que aclarar satisfactoriamente la razón por la cual, en el caso del aborto, la objeción forma parte del contenido del derecho garantizado en el artículo 16,1 de la Constitución y no en otros supuestos".

[72]  De inadmisibilidad de un Recurso de amparo contra la Sentencia de 21 de junio de 1999 de la Sala de lo Contencioso-Administrativo de la Audiencia Nacional (Sección Séptima), que confirmaba una sanción disciplinaria impuesta por la Dirección General de Instituciones Penitenciarias, y contra esta última.

[73]  Cursivas añadidas.

válidamente el derecho a la libertad ideológica como causa de exención al cumplimiento de un deber".

Todo ello nos lleva a deducir que los argumentos en los que puede fundarse la objeción de conciencia para incumplir un deber son que esté admitida específicamente respecto a ese deber concreto[74], que estén en juego creencias religiosas o que la conducta médica o terapéutica implique un derecho fundamental de terceras personas. Así, y en lo que concierne a la posible objeción de conciencia del profesional sanitario respecto a lo manifestado por el paciente en el documento de instrucciones previas, hemos de subrayar que estamos ante situaciones de rechazo al tratamiento y omisión o retirada de tratamiento de soporte vital, aun cuando éste se revele fútil, contexto en el cual la objeción de conciencia resulta perfectamente incardinable, ya que previsiblemente estaremos hablando de la afectación del derecho a la vida, del derecho a la integridad física, de la prohibición de tratos inhumanos o degradantes o del derecho a la libertad ideológica[75].

# 3. LA CUESTIÓN DE LA EUTANASIA. DISTINCIÓN CON FIGURAS AFINES, CLASES Y RÉGIMEN JURÍDICO.

A las dificultades estudiadas, derivadas de la existencia de múltiples concepciones de lo que es o lo que puede ser la eutanasia y de la existencia de decenas de tipos o modalidades diferentes de la misma, superpuestas unas a otras, agrupadas en diferentes clasificaciones que dependen de los criterios de discriminación que se elijan, se han sumado las provenientes de la utilización, por parte de muchos autores, de varios nombres-concepto que se proponen como sinónimos o como tipos de la eutanasia y que, en realidad, hacen referencia a situaciones que tienen poco o muy poco que ver con los supuestos eutanásicos. Nos encontramos, por tanto, con una extensa maraña de términos y expresiones, que la convierten en verdaderamente dificultosa y necesitada de un gran esfuerzo de delimitación. Se intentará, en este momento de nuestro estudio, distinguir a la eutanasia de situaciones o figuras próximas o análogas, concretamente de las más relevantes que se conocen. A tal efecto, es oportuno, conveniente y, sin duda, de gran ayuda clarificadora realizar esta diferenciación, delimitando los contornos de la eutanasia respecto a figuras cercanas a ella para, de este modo, comprender en toda

---

[74]    SEOANE RODRÍGUEZ, J.A., "Derecho e instrucciones previas", op. cit., pág. 25, se muestra crítico respecto de la consideración de la objeción de conciencia como límite genérico a la aplicación de las instrucciones previas precisamente porque no cabe reconocer la objeción de conciencia de forma genérica, sino que se debe precisar a qué conducta concreta se quiere oponer tal objeción.

[75]    GALLEGO RIESTRA, S., op. cit., pág. 193.

su amplitud la situación analizada a través de sus límites materiales. Para ello, se abordará seguidamente la distinción de la figura de la eutanasia de otras figuras próximas como son: a) el suicidio y el auxilio ejecutivo al suicidio, b) el homicidio, c) el asesinato, d) el genocidio, e) la distanasia y, finalmente, f) la ortotanasia.

## 3.1. Suicidio y auxilio ejecutivo al suicidio

En un plano cercano al filosófico-jurídico, se ha acuñado el término "autonomotanasia", para significar el derecho inalienable del hombre, y no sólo del enfermo y del anciano, a elegir autónomamente las condiciones de su propia muerte[76]. Incluso, se ha llegado a hablar de "autoeutanasia", para referirse a aquella que se provoca a sí mismo el paciente[77], pero que, en opinión de MARCOS DEL CANO, coincide básicamente con el "suicidio", en tanto que no hay intervención de tercero en la producción de la muerte, por lo que sería preferible hablar de "suicidio eutanásico"[78]. Sin embargo, esta misma autora señala que "obviamente, entre la eutanasia y el suicidio existe una considerable distancia"[79].

Por lo que se refiere al "suicidio", lo primero que hay que dejar claro es la diferencia entre el concepto vulgar y el jurídico-penal. Desde este último punto de vista, "suicidio" no sería toda causación material de la propia muerte. En Derecho penal, la doctrina mayoritaria opina que, para que una conducta sea considerada como tal, se necesitan dos requisitos: 1) el dominio del hecho por parte del suicida; de no ser así se estaría ante otros tipos penales, y 2) el carácter imputable de la víctima, de lo contrario habría un caso de autoría mediata en un homicidio. Con referencia a la distancia que media entre estas dos figuras, cabe señalar que, desde un punto de vista subjetivo, en el "suicidio" la muerte es producida por la propia víctima (una especie de autoejecución), mientras que en la eutanasia, aun suponiendo la coincidencia de voluntades, quien realiza materialmente los

---

[76]     MARCOS DEL CANO, A.M., *op. cit.*, págs. 44-45.
[77]     ROMEO CASABONA, C.M., "El marco jurídico-penal de la eutanasia en el Derecho español", *op. cit.*, pág. 191.
[78]     Respecto de esta expresión, v. ÁLVAREZ GÁLVEZ, I., *La eutanasia voluntaria autónoma*, Ed. Dykinson, Madrid, 2002, págs. 46-47, que señala: "Hablar de eutanasia suicida no tiene sentido porque en la figura del suicidio no se admiten modalidades. Así como no existe el homicidio suicida ni el asesinato suicida, tampoco tiene sentido que exista la eutanasia suicida. El comportamiento del sujeto pasivo debe ser calificado siempre como suicidio, lo cual no parece ninguna incorrección. Ni siquiera penalmente, ya que es posible que un mismo comportamiento suponga una calificación distinta según los sujetos afectado, rompiéndose el título de imputación. En definitiva, si lo que se pretende es justificar un tipo de suicidio frente a otros, esto puede hacerse sin tener que recurrir al término `eutanasia´ que debe quedar reservado para calificar la conducta de un tercero, no la propia".
[79]     MARCOS DEL CANO, A.M., *op. cit.*, pág. 45.

hechos es un tercero. De todo lo dicho se deduce que "la posible conexión de la eutanasia con el suicidio es sólo parcial y aún en esa parte, no de identificación central y exacta"[80].

Sí se observa algo más de similitud, aunque nunca equiparación, entre la eutanasia y el "auxilio ejecutivo al suicidio"[81], en tanto en cuanto en ambas actuaciones es un tercero quien realiza materialmente los hechos y entre ellas "las diferencias casi se reducen a las especiales condiciones del sujeto pasivo (enfermedad irreversible, dolores insoportables...) y a la modalidad de la acción (que la muerte se produzca dulcemente)"[82]. También se observa en esta diferenciación el dato que hace especial a la eutanasia de la obligatoriedad de que sean los médicos quienes la apliquen, no imprescindible, sin embargo, en el "auxilio ejecutivo al suicidio". Por lo que se refiere al consentimiento, éste está implícito en el concepto de "suicidio" y la piedad puede perfectamente encuadrarse en el concepto de auxilio, término de importantes connotaciones de solidaridad, compasión... Para algunos autores, sin embargo, no hay sólo similitud entre ambas figuras sino que llegan a afirmar que, al abordar la cuestión de la eutanasia, es razonable, incluso, incluir el "auxilio médico al suicidio" como un elemento más de la propuesta eutanásica[83]. Otra parte de la doctrina, por el contrario, las ve como dos figuras completamente diferentes que no deben confundirse[84].

## 3.2. El homicidio

Desde un punto de vista jurídico-penal, se está ante un "homicidio" *stricto sensu*[85] cuando se produce la muerte de un hombre a manos de otro hombre que

---

[80]   MARCOS DEL CANO, A.M., *op. cit.*, pág. 46.

[81]   Tipificado, bajo nuestro punto de vista, siguiendo a la doctrina mayoritaria, en el art. 143.3 del Nuevo Código Penal español de 1995 —Ley Orgánica 10/1995, de 23 de noviembre— (heredado del art. 409. 2 del antiguo Código Penal): "Será castigado con la pena de prisión de seis a diez años si la cooperación llegara hasta el punto de ejecutar la muerte". V. sobre esta figura, entre otros: DÍAZ ARANDA, E., *Dogmática del suicidio y homicidio consentido*, Servicio de Publicaciones de la Facultad de Derecho de la Universidad Complutense de Madrid-Centro de Estudios Judiciales del Ministerio de Justicia, Madrid, 1995, págs. 149 y ss.

[82]   MARCOS DEL CANO, A.M., *op. cit.*, pág. 46. Gascón Abellán, M., "Problemas de la eutanasia", *op. cit.*, pág. 83 insiste en que la nota característica de la eutanasia estriba en que el sujeto pasivo se encuentra en una determinada situación.

[83]   V. SERRANO RUIZ-CALDERÓN, J.M., *op. cit.*, pág. 134: "Es, por tanto, razonable que al abordar la cuestión de la eutanasia desde una perspectiva jurídica, lo mismo que al hacerlo desde una propuesta de política legislativa, se incluya el auxilio médico al suicidio como un elemento más de la propuesta eutanásica".

[84]   En este sentido, v. ÁLVAREZ GÁLVEZ, I., *op. cit.*, págs. 18-19.

[85]   Tipificado en el art. 138 del Nuevo Código Penal español (Ley Orgánica 10/1995, de 23 de noviembre): "El que matare a otro será castigado, como reo de homicidio, con la pena de prisión

no constituya, a su vez, figura autónoma privilegiada por otro tipo específico. Es necesaria, pues, la intervención de dos sujetos, la relación de causalidad entre la acción y el resultado, y que éste sea de muerte[86]. Esta definición concordaría en su estructura con la que podría darse de eutanasia. Sin embargo, el hecho de que la muerte en la eutanasia sea por requerimiento de la víctima, según parte de la doctrina, junto con la piedad que motiva al sujeto activo transforma el tipo de injusto, diferenciándolo claramente del de "homicidio"[87]. Además, teniendo en cuenta que el fin que se persigue en la eutanasia es el de la "buena muerte", no encajaría cualquier modalidad de acción, sino sólo aquellas que hagan el "paso" más llevadero. A todo ello se añade que el sujeto pasivo tiene que encontrarse en unas circunstancias especiales, esto es, enfermedad terminal, dolores insoportables, etc. Estas especiales condiciones hacen necesaria la diferenciación de ambas figuras o conductas, a fin de conseguir una mayor precisión conceptual de las figuras analizadas.

## 3.3. El asesinato

En relación con el "asesinato"[88], y al igual que en los casos anteriores, las especiales condiciones que se dan en la eutanasia hacen que, desde el punto de vista jurídico, su calificación y su consideración tengan que ser diferenciadas[89],

---

[86]   de diez a quince años".
   V. MARCOS DEL CANO, A.M., *op. cit.*, pág. 46.

[87]   En ÁLVAREZ GÁLVEZ, I., *op. cit.*, pág. 47 se lee: "Por otro lado, la diferencia que existe entre la eutanasia y el homicidio radica en la especial consideración que tiene el sujeto activo hacia el sujeto pasivo y en el conocimiento que tiene aquel de la voluntad real o presunta de morir de éste. La eutanasia no es un homicidio porque concurren esas dos notas que fundamentan la ausencia del juicio de disvalor que merece el homicidio". La reciente Encíclica de Juan Pablo II, firmada el 25 de marzo de 1995 (*Encíclica Evangelium vitae* 66), ya mencionada con anterioridad, se refiere precisamente a esta circunstancia del homicidio, y su diferencia de la eutanasia porque en el primero no se observa el consentimiento de la víctima: "La opción de la eutanasia es más grave cuando se configura como un homicidio que otros practican en una persona que no lo pidió de ningún modo y que nunca dio su consentimiento. Se llega, además, al colmo del arbitrio y de la injusticia cuando algunos, médicos o legisladores, se arrogan el poder de decidir sobre quién debe vivir o morir".

[88]   Tipificado en el art. 139 del Nuevo Código Penal español (Ley Orgánica 10/1995, de 23 de noviembre): "Será castigado con la pena de prisión de quince a veinte años, como reo de asesinato, el que matare a otro concurriendo alguna de las circunstancias siguientes: 1ª. Con alevosía. 2ª. Por precio, recompensa o promesa. 3ª. Con ensañamiento, aumentando deliberada e inhumanamente el dolor del ofendido".

[89]   La individualización del asesinato como un tipo autónomo se debe principalmente a las especiales circunstancias de peligrosidad y maldad que en él se dan. La concurrencia de circunstancias especialmente graves hacen que una conducta, que objetivamente sería un homicidio (...), reciba una calificación jurídica distinta: MARCOS DEL CANO, A.M., *op. cit.*, pág. 47.

aunque parezca que la alevosía y la premeditación están también presentes en la eutanasia[90].

Como es bien sabido, "la muerte de una persona a consecuencia de la acción realizada por otra, valiéndose de medios especialmente peligrosos o revelando una especial maldad o peligrosidad, ha sido tradicionalmente castigada más severamente que el simple homicidio"[91]. De esto puede deducirse que con el nombre específico de "asesinato" existe una figura o tipo autónomo de delito consistente en la muerte de otra persona ejecutada con las circunstancias que menciona el artículo 139 del vigente Código Penal español[92]. Ciertamente, es opinión mayoritaria de la doctrina que el "asesinato" no es un mero homicidio cualificado, sino un delito distinto, independiente y autónomo del homicidio, que siempre ha tenido, a lo largo de la historia, un carácter autónomo frente a los demás delitos contra la vida[93].

---

[90]   Respecto a la primera (la alevosía), las concretas y específicas condiciones del sujeto pasivo (el enfermo) lo sitúan en una total indefensión, frente a la superioridad en todos los planos del sujeto activo que tiene libertad de movimiento. Además, dado que no concebimos la eutanasia sino como una acción llevada a cabo bajo el requerimiento insistente de la víctima, nos parece del todo incompatible con la presencia de la alevosía (BACIGALUPO, E., "El consentimiento en los delitos contra la vida y la integridad física", en *Jornadas de estudio sobre la nueva reforma del Código Penal. Poder Judicial*, Núm. Especial XII, 1989/1990, 1990, pág. 149). En este mismo sentido argumentamos en contra de la presencia de la premeditación pues, en un caso típico de eutanasia, la única "meditación" que puede realizar el sujeto activo es la de la indecisión o "sorpresa" ante semejante petición y nunca la premeditación en el sentido y con la finalidad que se recoge en los códigos.

[91]   V. MUÑOZ CONDE, F., "Especial consideración de la eutanasia", en *Derecho Penal. Parte Especial*, 14. ed., completamente revisada y puesta al día, Ed. Tirant lo Blanch, Valencia, 2002, págs. 75-80, en que seguidamente se explica: "Ya en la Lex Cornelia de Sicariis et veneficiis se encuentran especiales referencias a la muerte realizada por precio o mediante veneno; y en el Derecho germánico se distinguía la muerte cara a cara de la producida a traición. En la Edad Media para designar este tipo de delito se empieza a utilizar la palabra `asesinato´ que, al parecer, se deriva de la voz árabe `Haxxaxin´ o consumidores de `hachís´. Con esta palabra se denominaba en los tiempos de las Cruzadas a una secta de fanáticos musulmanes que bajo el efecto de la mencionada droga se dedicaban a asaltar y saquear los campamentos de los cristianos".

[92]   Según se especifica en MUÑOZ CONDE, F., "Especial consideración de la eutanasia", *op. cit.*, págs. 75-80, "(...) basta la concurrencia de una de ellas para elevar la muerte de una persona a la categoría de asesinato".

[93]   V. MUÑOZ CONDE, F., "Especial consideración de la eutanasia", *op. cit.*, págs. 75-80, en que puede leerse: "Una concepción del asesinato como mero homicidio cualificado puede chocar con el convencimiento social, bastante extendido, de que dentro de los delitos contra la vida, debe individualizarse algún tipo específico que recoja los atentados más graves y repugnantes a este importante bien jurídico. El problema se plantea al traducir en términos técnico-legislativos este sentimiento. Pues las exigencias de garantía y seguridad jurídicas obligan a configurar con claridad un tipo autónomo en base a unas circunstancias agravantes, cuya elección es siempre arbitraria y producto de valoraciones históricamente condicionadas (...). (...) el legislador ha reservado la calificación de asesinato para aquellos casos en los que la muerte se produce

## 3.4. El genocidio

Con el término "genocidio", se hace referencia a la utilización que de la eutanasia hicieron los nazis. Eso sí, vaya por delante que no existe equivalencia entre
esto y lo que se entiende por eutanasia, de forma que "se debe diferenciar la política eugenésica nazi de la práctica de la eutanasia"[94]. La historia ha desvelado que
el "genocidio"[95], o lo que el régimen nacional-socialista llamó "eutanasia" para
maquillar sus matanzas, fue sólo una clave que los nazis usaron como camuflaje
para un programa homicida a fin de eliminar a varias categorías de personas por
ser considerados racialmente inservibles: deformes, dementes, seniles o cualquier
combinación entre éstos. En definitiva, la palabra eutanasia "adquirió un uso
impropio con la pretensión de buscar una falsa humanización para la eliminación
de sujetos con minusvalías físicas y/o psíquicas, pues dicha pretendida deshuma-
nización haría más fácil el asesinato"[96].

## 3.5. La distanasia

En función del momento de la muerte del sujeto pasivo la doctrina ha confec-
cionado una interesante clasificación de modalidades eutanásicas que distingue
entre "distanasia" y "ortotanasia". Esta última modalidad se analizará seguidamente y comenzaremos ahora con la denominada "distanasia".

Con frecuencia se ha hablado de ésta, como término y como supuesto contrario a la eutanasia, para designar "la práctica que tiende a alejar lo más posible
la muerte utilizando no sólo los medios ordinarios, sino los extraordinarios muy
costosos en sí mismos o en relación con la situación económica del enfermo y
su familia"[97] o, lo que es lo mismo, "aquellos supuestos en que se propicia una

---

con empleo de determinadas circunstancias (las citadas en el art. 139 y no otras), manteniendo
además el nombre de `asesinato´, al que asigna un régimen punitivo agravatorio especial para el
caso en el que concurra más de una de las circunstancias previstas en el art. 139 (...)".

[94] V. MORA MOLINA, J.J., *Derecho a la vida y permiso para destruir "vidas sin valor"*, Acon-
cagua Libros, Cuadernos de Derecho, Política y Sociedad (Universidad Pablo de Olavide de
Sevilla), 2002, pág. 41.

[95] Que el *Diccionario de la Lengua Española, en su vigésima segunda edición*, Real Academia
Española, 2001, define como: "1. m. Exterminio o eliminación sistemática de un grupo social
por motivo de raza, de etnia, de religión, de política o de nacionalidad". Definición con la que
no podemos conformarnos y que nos lleva a apuntar aquí, también, la definición de la que
parte la Audiencia Nacional española, en sus respectivas Sentencias de 4 y 5 de noviembre de
1998 (fundamentos jurídicos quinto, respectivamente), en que se define el genocidio como "un
crimen consistente en el exterminio, total o parcial, de una raza o grupo humano, mediante la
muerte o la neutralización de sus miembros".

[96] V. MORA MOLINA, J.J., *op. cit.*, pág. 41.

[97] VIDAL, M., *Bioética. Estudios de bioética racional*, Ed. Tecnos, Madrid, 1989, pág. 79.

prolongación artificial de la vida de una persona, cuando las esperanzas de re-cuperación son nulas"[98]. En términos parecidos, se ha hablado de "distanasia" "cuando se prolonga la vida del sujeto pasivo más allá de lo que se denomina el momento natural de la muerte"[99], de forma que algunos autores han llegado a identificarla, incluso, como "la mala muerte"[100]. Lo que la realidad demuestra es que la práctica de la "distanasia" puede llevar a situaciones de extrema gravedad, desde todos los puntos de vista, en el sentido de llegar a utilizar al enfermo como un objeto para posibles experimentos científicos.

Esto último demuestra que la figura en cuestión coincide de hecho con el lla-mado "ensañamiento terapéutico"[101] (o "encarnizamiento terapéutico"), es decir, con "la reiteración de tratamientos que, siendo inútiles desde el punto de vista terapéutico, son aplicados con el fin de prolongar artificialmente la vida de un enfermo que se encuentra en fase terminal"[102]. Los problemas del "ensañamiento terapéutico" son muchos y de gran importancia sobre todo porque está en juego la dignidad de la persona. Resulta interesante destacar cómo algunos partidarios de la eutanasia han utilizado la oposición al "ensañamiento" como fundamento de la licitud de la eutanasia, postura a nuestro juicio totalmente desacertada, ya que el hecho de que no se posponga la muerte de un modo artificial y se luche, por tanto, por una muerte natural, no implica que ésta se deba anticipar también artificialmente. En nuestra opinión, es perfectamente compatible estar en contra de ambas medidas, la eutanasia (anticipar) y el "ensañamiento" (posponer).

## 3.6. La ortotanasia

Ya desde 1950 viene hablándose de la "ortotanasia" como tipo similar al de la eutanasia. Este término que recibe distintos significados, según los autores, fue creado, al parecer, para oponerse a dos extremos, a "eutanasia" (entendida como aceleración de la muerte) y a "distanasia" (entendida como prolongación innecesaria de la vida en agonía), y como defensa del principio de no desistir an-tes de tiempo, ni empeñarse en insistir. Se habla generalmente de "ortotanasia", "cuando se evita prolongar la vida del sujeto pasivo más allá de su momento

---

[98]   V. MARCOS DEL CANO, A.M., *op. cit.*, pág. 43.
[99]   ÁLVAREZ GÁLVEZ, I., *op. cit.*, pág. 39.
[100]  V. en este sentido, por ejemplo, ROMEO CASABONA, C.M., "El marco jurídico-penal de la eutanasia en el Derecho español", *op. cit.*, pág. 195.
[101]  "Se habla de `ensañamiento´ porque se ve como una pura y simple obstinación del médico en mantener la vida biológica, sin detenerse a reflexionar sobre la calidad de dicha vida, sobre si esa vida es verdaderamente humana": MARCOS DEL CANO, A.M., *op. cit.*, págs. 43-44.
[102]  MARCOS DEL CANO, A.M., *op. cit.*, pág. 43.

de muerte natural"[103]. Hay autores que identifican este término con la muerte digna o debida a toda persona coincidiendo con el significado etimológico (orto = recto, tanatos = muerte)[104]. Otros la equiparan, restringiendo su significado, a la eutanasia pasiva (u omisiva), es decir, a la interrupción de la terapia, con la finalidad de no prolongar los sufrimientos que produce la llegada de la muerte en los enfermos terminales o la vida puramente vegetativa inconsciente y carente de perspectivas terapéuticas de mejora[105]. En nuestra opinión, esta figura se podría identificar con el bien morir o el morir natural, en el sentido de no someter a la persona a tratamientos inútiles e innecesarios, no siendo necesaria la creación de un nuevo término para describir esta realidad de morir dignamente[106].

---

[103]   V. ÁLVAREZ GÁLVEZ, I., *op. cit.*, pág. 39; ZURITA MARTÍN, I./GARRIDO VALLS, F., "Consejos legales ante situaciones terminales", *op. cit.*, págs. 75-94: "(...) lo que parte de la doctrina llama ortotanasia —término tradicionalmente empleado por la moral católica—, que designaría lo que se conoce como la muerte a su tiempo, sin acortamiento o adelantamiento de ella por una parte o sin prolongaciones de la vida ni retraso de la muerte por otra. En suma, lo que se viene haciendo en la práctica sanitaria cuando se intenta evitar el vulgarmente denominado 'ensañamiento terapéutico'".

[104]   Se correspondería, pues, con el neologismo latino "benemortasia", en el sentido de bien morir. Así la ha denominado HIGUERA, G., "Eutanasia, precisiones terminológicas", en GAFO, J. (Ed.) y AAVV, "La eutanasia (II)", en *Dilemas éticos de la medicina actual*, Ed. Universidad Pontificia Comillas, Madrid, 1986, pág. 144. Se le ha llamado también "antidistanasia": FLECHA, J.R., "La eutanasia: aspectos morales", en GAFO, J. (Ed.) y AAVV, "La eutanasia (II)", *op. cit.*, pág. 208.

[105]   V. en este sentido, ZUGALDÍA ESPINAR, J.M., "Eutanasia y homicidio a petición: situación legislativa y perspectivas político-criminales", en *Revista de la Facultad de Derecho de la Universidad de Granada. Homenaje al Profesor José Antonio Sainz Cantero (II)*, Núm. 13, 1987 —2º cuatrimestre— Publicado en 1989, pág. 283.

[106]   MARCOS DEL CANO, A.M., *op. cit.*, pág. 43.

# PROTECCIÓN DE DATOS, BIOTECNOLOGÍA Y RESPONSABILIDAD CIVIL Y PENAL EN EL ÁMBITO SANITARIO

# PROTECCIÓN DE LOS DATOS CLÍNICOS RELATIVOS A LA PROPIA SALUD

Joaquín Sarrión Esteve
*PDI. UNED*

Cristina Benlloch Domènech
*FPI, Universidad de Valencia*

## 1. PLANTEAMIENTO

El objetivo de nuestra participación en esta obra colectiva, *La protección de la salud en tiempos de crisis*, se centra en estudiar la protección de datos clínicos relativos a la propia salud, para tratar de extraer diferentes puntos de vista y problemáticas que pueden coadyuvar a entender los principales retos a los que se enfrenta la protección de la salud en tiempos de crisis, particularmente en la protección de los datos clínicos relativos a la propia salud.

En primer lugar debemos identificar de qué hablamos cuando nos referimos a los datos, y particularmente cuando hablamos de datos clínicos y relativos a la propia salud. Los datos personales están formados por la información referida a personas físicas identificadas o identificables (persona concernida), y dentro de los mismos hay dos tipos de datos en función de su naturaleza: datos no sensibles, y datos "sensibles" o "especialmente protegidos" conforme al *Convenio 108 del Consejo de Europa, de 28 de enero de 1981 para la protección de las personas con respecto al tratamiento automatizado de datos de carácter personal (Tol 554957)*, en adelante Convenio 108[1].

Los datos sensibles o especialmente protegidos son aquellos referidos a las características personales y de origen (origen racial y étnico), datos ideológicos y

---

[1]  Conforme al art. 6 del mismo "Los datos de carácter personal que revelen el origen racial, las opiniones políticas, las convicciones religiosas u otras convicciones, así como los datos de carácter personal relativos a la salud o a la vida sexual, no podrán tratarse automáticamente a menos que el derecho interno prevea garantías apropiadas. La misma norma regirá en el caso de datos de carácter personal referentes a condenas penales".
El Convenio fue ratificado en España el 31 de enero de 1984, y entró en vigor el 1 de octubre de 1985, conforme al art. 22.2 del mismo, publicándose para conocimiento general en el Boletín Oficial del Estado el 15 de noviembre de 1985. Por otro lado, hay que tener en consideración el Protocolo Adicional al mismo de 8 de noviembre de 2001.

religiosos (opiniones políticas, convicciones religiosas, filosóficas o morales, filiación sindical), y la información relativa a la salud y la vida sexual.

Por tanto, cuando hablamos de los datos clínicos referidos a la propia salud nos estamos refiriendo a datos de carácter personal y específicamente a unos datos que gozan del carácter de sensibles, y dentro de los mismos, a la información relativa a la salud de la persona, que será recogida e incorporada en la "historia clínica".

A este respecto se puede decir que se entiende como historia clínica el relato escrito de la enfermedad del paciente, y por tanto, el documento en el que dicho relato queda recogido con el fin de ser guardado o conservado[2]. O en otras palabras, el instrumento donde se incorpora cronológicamente toda la información relativa a la práctica clínica y asistencial de un paciente.

El art. 3 de la *Ley 41/2002, de 14 de noviembre, básica reguladora de la autonomía del paciente y de derechos y obligaciones en materia de información y documentación clínica (Tol 215624)*, en adelante LAP, define la historia clínica como "el conjunto de documentos que contienen los datos, valoraciones e informaciones de cualquier índole sobre la situación y la evolución clínica de un paciente a lo largo del proceso asistencial."

Así, la historia clínica se confecciona con "los datos de identificación del paciente, el informe del examen físico, las órdenes de diagnóstico con el paso del tiempo, las órdenes de diagnóstico y tratamiento, las observaciones clínicas, el informe sobre los procedimientos, pruebas y resultados y la epicrisis así como la anamnesis", por lo que podría ser calificarla como "archivo, registro, base o banco de datos", lo que lleva a encuadrarla dentro de la protección de datos[3].

Precisamente, al tratarse de datos sensibles, se requiere que gocen de una especial protección a la hora de su recogida y tratamiento. No podemos obviar que estamos ante datos cuya publicidad o conocimiento por terceras personas podría traer repercusiones familiares, sociales y profesionales no deseadas por el paciente titular de los mismos. De ahí la relevancia de proteger estos datos.

No obstante, la protección de los datos de salud requiere superar ciertas dificultades que no se encuentran a la hora de proteger otro tipo de datos sensibles. Así, por ejemplo, las diferentes estadísticas que se llevan a cabo, muestran un

---

2    Para una información más detallada sobre la historia clínica se puede acudir a SÁNCHEZ CARO, J., ABELLÁN F., *La historia clínica*, Fundación Salud, 2000; SÁNCHEZ CARO, J. y J., *El médico y la intimidad*, Díaz de Santos, Madrid, 2001; LAÍN ENTRALGO, P., *La historia clínica (historia y teoría del relato patográfico)*, 3ª ed., Triacastela, Madrid, 1998. Laín identifica el contenido de la historia clínica con un relato biográfico y la propia enfermedad padecida como un reflejo de la forma de vida de una persona.

3    SÁNCHEZ REYERO, D., "El tratamiento de los datos personales y de salud y la protección de datos", *Diario La Ley*, n° 7043, 28 de octubre de 2008.

momento puntual de la persona, y por tanto, unos datos concretos y específicos de la misma, que si bien pueden ser datos sensibles, nada tiene que ver con los datos médicos que se recogen e integran la historia clínica, pues abarcan toda la vida de la persona.

Así, los datos relativos a la salud se van acumulando a lo largo de la vida, es un itinerario vital en el que aparece todo lo que hemos vivido, los tratamientos y sus consecuencias.

Por un lado, estos datos son especialmente importantes por su utilidad para el tratamiento presente y futuro del paciente, y los médicos deben utilizarlos precisamente para diagnosticar y tratar las enfermedades que el titular de los mismos pueda padecer.

En cierta medida, la relación como el médico es como la que se tiene con el confesor, porque conoce nuestra salud íntima, y le contamos datos de carácter muy personal y delicado que no se le cuentan a otras personas, y que tenemos que confiar en que nadie los conozca a parte de ellos. De ahí la importancia de regular y proteger este tipo de información por las consecuencias que puede tener para uno mismo[4].

No obstante, cada vez, ante la digitalización de la sociedad se hace más complicada la protección de datos de los historiales médicos, precisamente porque paulatinamente va desapareciendo lo material que está dando paso cada vez más a lo digital y los datos circulan por la red. Esto hace que las situaciones sean más complicadas. Antes se cerraba el cajón con una llave y se podía saber si se había accedido forzando, pero la digitalización hace que en ocasiones no podamos saber quién ha accedido a esos datos[5].

Por tanto, la protección de estos datos es de suma importancia, no sólo porque su publicación y vulneración afecta a un derecho fundamental, sino porque su no protección puede traer dificultades para las personas a las que se les ha vulnerado el derecho fundamental.

Así, desde un punto de vista social, si no se protegen los datos médicos de las personas, existen diversas enfermedades que no son detectables a simple vista y por las que se puede sufrir un estigma social, sobre todo aquellas que están vinculadas con la transmisión sexual, estas personas viven bajo determinados estigmas sociales, todas las enfermedades que padecemos no se perciben igual

---

[4]   No se puede olvidar que con el médico se establece una relación especial de confianza y confidencialidad en la que el paciente se siente seguro a la hora de informar de todos sus males y dolencias, así como para pedir consejo y someterse a las pruebas que se le aconsejen.

[5]   SAQUERO RODRÍGUEZ, A, DE LA TORRE, I, DURANGO PASCUAL, A., "Análisis de Aspectos de Interés sobre Privacidad y Seguridad en la Historia Clínica Electrónica, *PrevistaeSalud.com*, nº 27, 2011, disponible el 14 de diciembre de 2012 en *http://www.revistaesalud.com/index.php/revistaesalud/article/view/71/130*.

por la sociedad[6]; porque algunas se entiende que van vinculadas a determinadas prácticas sociales que no son aceptadas por la comunidad[7].

Además de los problemas vinculados a la exclusión y al estigma social que acabamos de mencionar, si estos datos fueran de acceso público y no estuvieran protegidos, podrían hacer que las empresas seleccionaran a su personal según su estado de salud, una vez más discriminando a las personas portadoras de determinadas enfermedades o aquellas que son más propensas a padecer cierto tipo de males vinculados con la salud[8].

Desde un punto de vista jurídico es necesaria una aproximación al contenido del la protección de datos como derecho fundamental, y los eventuales límites que se pueden establecer al mismo.

Nunca debemos olvidar que el reconocimiento de la dignidad humana y de los derechos tiene una larga historia, y a pesar de que solemos hablar de derechos en un sentido universal, no es menos cierto que el reconocimiento de los mismos está unido al propio desarrollo de los Estados nacionales, y que su universalidad o no ha dependido en gran medida del reconocimiento que han disfrutado en el ámbito internacional[9].

El fundamento de la tutela de los datos de carácter personal debemos buscarlo en la intimidad y la vida privada. El avance crecientemente progresivo de las nuevas tecnologías ha requerido de una respuesta de los ordenamientos jurídicos para tutelar precisamente la intimidad y la vida privada de las personas, de tal forma que se garantice la protección de los datos de carácter personal.

Pues si bien es cierto que las tecnologías constituyen un instrumento de progreso con muchas cosas positivas, ya que ofrecen importantes ventajas y posibilidades[10]; y que la información facilitada por las mismas es necesaria para el Esta-

---

[6]   Aunque no todas las personas que las padecen son tratadas igual, según algunos autores, existen personas más vulnerables por las que no se vela tanto por el secreto, como por ejemplo el caso de las trabajadoras sexuales. Por ello, las leyes de protección de datos tienen que velar por que todas las personas tengan el mismo derecho a la protección de datos independientemente de su clase o condición social.

[7]   ESTRADA URROZ, R. "Las enfermedades contagiosas: vergüenza y secreto médico", *Horizontes, Bragança Paulista*, v. 21, 2003, págs. , 49-59.

[8]   A futuro puede plantearse un problema si en los historiales médicos se guardan las cadenas de ADN o se almacenan células madre de las personas, pues en estas cadenas es posible conocer algunas enfermedades a las que somos más propensos de padecer por nuestras herencias genéticas.

[9]   GÓMEZ SÁNCHEZ, Y., *Derecho Constitucional Europeo: Derechos y libertades,* Sanz y Torres, Madrid, 2008, pág. 114.

[10]  GÓMEZ SÁNCHEZ, Y., *Constitucionalismo Multinivel: Derechos fundamentales,* Sanz y Torres, Madrid, 2011, pág. 433.

do en orden a cumplir sus fines, una utilización abusiva de dicha información, no controlada o poco cuidadosa puede afectar los derechos de las personas[11].

Por ello, la aparición y avance de las nuevas tecnologías han hecho necesaria una especialización, una singularización de la tutela de la intimidad y de la vida privada respecto a los datos de carácter personal, para garantizar una mayor protección del individuo. Por eso el derecho a la protección de datos "ha evolucionado de forma muy significativa, incluso podríamos decir que adquiere autonomía, se independiza del derecho originario, como ha ocurrido en la historia de los derechos humanos en muchas ocasiones"[12].

Ahora bien, en el estadio jurídico actual del proceso de integración europea del que España forma parte, se hace más necesario que nunca para el estudio del contenido de la protección de datos, partir de la perspectiva del constitucionalismo multinivel o *multilevel constitutionalism*, en lo referente a la tutela de los derechos fundamentales en la Unión Europea[13].

## 2. LA PROTECCIÓN DE DATOS CLÍNICOS EN EL SISTEMA MULTINIVEL DE LA UNIÓN EUROPEA

Los datos clínicos constituyen datos de carácter personal con ciertas peculiaridades al tratarse de datos sensibles. Pero en todo caso, requieren, como hemos apuntado anteriormente, que partamos de la perspectiva del constitucionalismo multinivel, puesto que nos lo exige "la extraordinaria complejidad de los ordenamientos jurídicos actuales"[14].

Vivimos en un sistema de diferentes niveles u ordenamientos (multinivel); y por tanto en un contexto de relaciones entre ordenamientos de diferentes niveles

---

[11]   REBOLLO DELGADO, L., *El derecho fundamental a la intimidad*, Dykinson, Madrid, 2000, pág. 188.

[12]   REBOLLO DELGADO, L., *Vida Privada y Protección de datos en la Unión Europea*, Dykinson, Madrid, 2008, pág. 102.

[13]   Sobre la necesidad de aplicar la perspectiva de *multilevel constitutionalism* a los derechos fundamentales, vid. BILANCIA, P., MARCO, E. de, (coord.), *La tutela multilivello dei diritti. Punti di crisi, problema apperti, momento di stabilizzazione*, Giufrè, Milán, 2004. Sobre esta cuestión en lo referente a la protección de datos, vid. FREIXES, T., "Protección de datos y globalización. La Convención de Prüm", *Revista de Derecho Constitucional Europeo*, núm. 7, 2007 y mi anterior trabajo: SARRIÓN ESTEVE, J., "Los límites de la protección de datos de carácter personal en la era digital: una aproximación al conflicto con la libertad de información", en *Las nuevas exigencias de tutela de los derechos de la persona: Libertad y derechos de la persona en internet*, Arazandi, (en prensa).

[14]   GÓMEZ SÁNCHEZ, Y., *Constitucionalismo Multinivel: Derechos fundamentales*, cit. pág. 55.

cada vez más entrelazados[15]; y es precisamente este contexto el que hace necesaria "una interpretación específica de las relaciones entre ordenamientos"[16].

Así, desde el punto de vista del ordenamiento español, que se constituye como un ordenamiento complejo e integrado, diferentes niveles, tanto en el plano interno, como en el plano externo, y esa integración afecta no sólo al ámbito legislativo, sino también a "la ejecución normativa y la interpretación jurisprudencial"[17].

Siguiendo esta aproximación habría que distinguir dentro del plano externo o de "producción supranacional": el nivel internacional y el de la Unión Europea; y dentro del plano interno, o de "producción interna", la Constitución, y el Derecho de los órganos centrales del Estado, órganos y otros entes territoriales[18].

Por supuesto, desde la perspectiva de los derechos fundamentales en la Unión Europea, serán aplicables de forma sustancial, las garantías establecidas en las respectivas Constituciones nacionales, la *Carta de los Derechos Fundamentales de la Unión Europea (Tol 131225)*, en adelante la Carta, y el *Convenio Europeo de Derechos Humanos (Tol 164153)*, en adelante CEDH[19]; aunque en este caso vamos a centrarnos en el ordenamiento español y, por tanto, será necesario tener en cuenta también las garantías establecidas en el Derecho Autonómico.

En todo caso, necesitamos asumir una posición respecto a la relación entre las garantías de los derechos fundamentales previstas en los diferentes niveles que integran un ordenamiento complejo e integrado[20].

Con antelación incluso a la adquisición de fuerza jurídica equivalente a Tratado de la Carta, alguna doctrina ya consideraba que había que buscar en el art. 53 de la Carta la cláusula transversal que "obliga a ponderar entre el Derecho comunitario, los tratados o convenios internacionales de los que sean parte la Unión o los Estados miembros, el Convenio Europeo de Derechos Humanos y las Constituciones de los Estados miembros, para aplicar el estándar más elevado"[21].

Entendemos que tras la entrada en vigor del Tratado de Lisboa, la Carta ha adquirido fuerza jurídica equivalente a los Tratados, conforme al art. 6.1 del Tratado de la Unión Europea *(Tol 301482)*, en adelante TUE, y conforme a los

---

[15]   BILANCIA, P., MARCO, E. de (coord.), *La tutela multilivello dei diritti. Punti di crisi, problema apperti, momento di stabilizzacione*, cit.

[16]   GÓMEZ SÁNCHEZ, Y., *Constitucionalismo Multinivel: Derechos fundamentales*, cit., pág. 20.

[17]   Ídem, págs. 55 y 56.

[18]   Ídem, pág. 57.

[19]   SARRIÓN ESTEVE, J., "Los límites de la protección de datos de carácter personal en la era digital: una aproximación al conflicto con la libertad de información", cit.

[20]   Tal y como ya hemos planteado en anteriores trabajos, vid. supra.

[21]   Así lo razonaba la Prof. Freixes. Vid. FREIXES, T., "Protección de datos y globalización. La Convención de Prüm", cit., págs. 16 y 18.

apartados 3 y 4 del art. 52 de la misma, en relación al art. 53, tanto los derechos contenidos en el CEDH como los contenidos en las Constituciones nacionales constituyen un mínimo estándar de protección, por lo que la Carta consagra un principio de no regresión, que debería conllevar a asumir el criterio del nivel más alto de protección, optando por aquel de los tres que sea más garantista[22].

Si bien es cierto que en los supuestos de conflicto entre derechos fundamentales, la solución requeriría de una adecuada ponderación, careciendo de virtualidad en este caso el criterio de nivel de protección; pero en los supuestos de conflictos entre derechos fundamentales individuales y el poder público, el criterio a adoptar debería ser *pro individuo*, esto es, la asunción del estándar más elevado de protección: "el principio de una mayor protección del ciudadano"[23].

## 2.1. *Protección en el Derecho del Consejo de Europa*

Respecto a la protección de datos de carácter personal como derecho fundamental, y comenzando por el Consejo de Europa, como bien sabemos, el art. 8 del CEDH reconoce el derecho a la vida privada y familiar[24], que conforme a la doctrina del Tribunal Europeo de Derechos Humanos (TEDH), incluye el derecho la protección de datos personales es decir, una protección de la libertad del individuo frente a las amenazas derivadas del conocimiento de informaciones relativas a su persona sin su conocimiento.[25]

Como ya hemos indicado anteriormente, es necesario tener en consideración el Convenio 108, y el Protocolo Adicional al mismo de 8 de noviembre de 2001.

El Convenio establece una diferenciación entre los datos de carácter personal, introducción la categoría de datos sensibles, entre los que están los datos relativos

---

[22]    En este sentido, planteo esta cuestión en mi trabajo "El nuevo horizonte constitucional para la Unión Europea: a propósito de la entrada en vigor del Tratado de Lisboa y la Carta de Derechos Fundamentales", *CefLegal: Revista Práctica de Derecho*, núm. 121, 2011, pág. 79; para después desarrollarla en "En búsqueda de los límites constitucionales a la integración europea", *CefLegal: Revista Práctica de Derecho*, núm. 131, 2011, pág. 142; y en *El Tribunal de Justicia de Luxemburgo como garante de los derechos fundamentales*, Dykinson, 2012 (en prensa).

[23]    Vid. ALONSO GARCÍA, R., *Sistema Jurídico de la Unión Europea*, Civitas-Thomsom Reuters, 2ª edición, 2010, págs. 327-328.

[24]    Art. 8 CEDH: "1. Toda persona tiene derecho al respeto de su vida privada y familiar de su domicilio y de su correspondencia.
2. No podrá haber injerencia de la autoridad pública en el ejercicio de este derecho sino en tanto en cuanto esta injerencia esté prevista por la ley y constituya una medida que, en una sociedad democrática, sea necesaria para la seguridad nacional, la seguridad pública, el bienestar económico del país, la defensa del orden y la prevención del delito, la protección de la salud o de la moral, o la protección de los derechos y las libertades de los demás.".

[25]    SSTEDH de 26 de marzo de 1987, asunto *Leander c. Suecia*, y 4 de mayo de 2000, asunto *Rotaru c. Rumanía*.

a la salud, estableciendo que "no podrán tratarse automáticamente a menos que el derecho interno prevea garantías apropiadas" (art. 6 Convenio 108).

Además, establece también como principios básicos para la protección de datos:

En primer lugar la calidad de los datos (art. 5 Convenio 108)

a) Obtención y tratamiento leal y legítimo

b) Registro para finalidades determinadas y legítimas sin utilización incompatible con dichas finalidades

c) Serán adecuados, pertinente y no excesivos en relación con las finalidades para las que hayan sido registrados

d) Serán exactos y si fuera necesario puestos al día

e) Se conservarán bajo una forma que permita la identificación de las personas concernidas durante un tiempo que no exceda del necesario para las finalidades con las que se registró

En segundo lugar, la seguridad de los datos, estableciendo que se tomarán aquellas medidas de seguridad que sean apropiadas para la protección de los datos de carácter personal registrados en ficheros automatizados contra la destrucción accidental o no autorizada, o también contra la pérdida accidental, y el acceso, modificación o difusión no autorizados (art. 7 Convenio 108).

Y en tercer lugar una serie de garantías complementarias, que disponen que cualquier persona deberá poder conocer la existencia de un fichero automatizado de datos de carácter personal, sus finalidades principales; obtener la confirmación de la existencia o no en el fichero automatizado de datos que le conciernan sin demora ni gastos excesivos; obtener la rectificación de dichos datos cuando se hayan tratado con infracción de disposiciones de derecho interno; y disponer de un recurso respecto a las peticiones de confirmación, de comunicación, de ratificación o de borrado (art. 8 del Convenio)

Además, cada parte se compromete a establecer sanciones y recursos contra las infracciones de la normativa interna que hagan efectivos estos principios básicos (art. 10 Convenio 108); y se establece que no se pueden interpretar las disposiciones del Convenio en el sentido de limitar o afectar a la facultad de cada Parte de conceder una protección más amplia (art. 11 Convenio 108)

## 2.2. Protección en el Derecho de la Unión Europea

En el ámbito de la Unión Europea, la protección de datos constituye un derecho fundamental que, si bien vinculado a la esfera privada de los individuos goza de entidad propia. De hecho, si bien en principio también el Tribunal de Justicia de la Unión Europea (TJ) consideró que el derecho a la protección de datos de carácter personal formaba parte del derecho a la vida privada y familiar, los avances tecnológicos obligaron a regularlo como un derecho autónomo sin vinculación a la vida privada y familiar.

Y así se hizo a nivel legislativo, fundamentalmente a partir de la *Directiva 95/46/CE, del Parlamento Europeo y del Consejo, de 24 de octubre de 1995, relativa a la protección de las personas físicas en lo que respecta al tratamiento de datos personales y a la libre circulación de estos datos (Tol 173289)*, en adelante Directiva 95/46/CE.

Por otro lado, a partir de la adquisición de fuerza jurídica de la Carta, estamos ante un derecho fundamental del ordenamiento de la UE reconocido en el art. 8 de la Carta, lo que obligará al adoptar normas de Derecho UE a respetar su contenido esencial[26].

Bajo la rúbrica precisamente de la "Protección de datos de carácter personal" encontramos una adecuada precisión de este derecho en el art. 8 de la Carta[27], que goza de valor jurídico de Tratado conforme a lo previsto en el art. 6.1 TUE[28].

Además, como ha indicado el propio TJ, estamos ante una reproducción en esencia del art. 8 del CEDH, que proclama expresamente "el derecho a la protección de los datos personales"[29].

Nos interesa destacar la aplicabilidad de este derecho fundamental al ámbito del Derecho UE, pero teniendo en consideración que éste ámbito no se circunscribe, de forma exclusiva, como podría pensarse a priori a las materias propias de la competencia europea, con independencia de que la regulación, ejecución y aplicación corresponda a las instituciones de la UE o a los Estados miembros, sino que va mucho más allá. Así, tal y como ha afirmado el Tribunal de Justicia, que una materia sea competencia exclusiva de los Estados miembros no comporta de forma automática su exclusión *ratione materiae* del Derecho UE, sino que los Estados miembros, también en el ejercicio de sus competencias exclusivas, deberían respetar el Derecho de la Unión salvo que se trate de una situación interna sin

---

[26]   NIETO GARRIDO, E., "Los derechos a una buena administración, de acceso a los documentos y a la protección de datos de carácter personal (arts. 8, 41, y 42 CDFUE)", en GARCÍA ROCA, J., FERNÁNDEZ SÁNCHEZ, P.A. (coords.), *Integración europea a través de los derechos fundamentales: de un sistema binario a otro integrado*, CEPC, Madrid, 2009, pág. 438.

[27]   Art. 8 Carta: "1.Toda persona tiene derecho a la protección de datos de carácter personal que le conciernan.
2. Estos datos se tratarán de modo leal, para fines concretos y sobre la base del consentimiento de la persona afectada o en virtud de otro fundamento legítimo previsto por la Ley. Toda persona tiene derecho a acceder a los datos recogidos que le conciernan y a obtener su rectificación.
3. El respeto de estas normas estará sujeto al control de una autoridad independiente."

[28]   Sobre el particular, permítaseme remitir a Sarrión Esteve, J., "El nuevo horizonte constitucional para la Unión Europea: a propósito de la entrada en vigor del Tratado de Lisboa y la Carta de Derechos Fundamentales", cit. págs. 70-73.

[29]   *STJ 29 de enero de 2008, Promusicae, C-275/06, apartado 63 (Tol 1093119).*

conexión con el mismo. Por lo que cuando existe una conexión o vinculación con el Derecho de la Unión nos encontraríamos ante supuestos en los que hay que respetar el Derecho de la Unión[30].

En todo caso, a nivel normativo de la Unión Europea nos interesa la Directiva antes mencionada, 95/46/CE; el *Reglamento (CE) n° 45/2001 del Parlamento Europeo y del Consejo, de 18 de diciembre de 2000 relativo a la protección de las personas físicas en lo que respecta al tratamiento de datos personales por las instituciones y los organismos comunitarios y a la libre circulación de estos datos (Tol 1160868);* y finalmente la *Directiva 2011/24/UE del Parlamento Europeo y del Consejo de 9 de marzo de 2011 relativa a la aplicación de los derechos de los pacientes en la asistencia sanitaria transfronteriza (Tol 22060204)*

El Reglamento trata de establecer las condiciones para que el tratamiento necesario de datos personales por parte de las instituciones y organismos comunitarios se haga con una tutela adecuada de los derechos relacionados con la protección de datos de carácter personal, por lo que sería aplicable cuando las instituciones europeas y sus organismos traten datos sanitarios; y esta Directiva 2011/24/UE habrá de tenerse en consideración para la asistencia sanitaria transfronteriza. Por razones de espacio no nos vamos a detener en su estudio, y pasamos directamente a un análisis de la Directiva 95/46/CE.

Esta Directiva pretende regular la protección de personas físicas en el tratamiento de datos personales y a su libre circulación, teniendo como características fundamentales:

a) Amplia el ámbito delimitado en el Convenio de 1981.

b) Tiene como eje central el derecho a la intimidad.

Hay que tener presente también que la Directiva comienza con 72 considerandos que constituyen toda una exposición de motivos donde se encuentran los principios que inspiran esta Directiva.

Conforme al art. 1 de la Directiva, los Estados miembros garantizarán la protección de las libertades y de los derechos fundamentales de las personas físicas, y en concreto de la intimidad en lo que respecta al tratamiento de los datos personales, conforme a las disposiciones de la Directiva (apartado primero del art. 1 de la Directiva); y además no podrán restringir ni prohibir la libre circulación de datos personales entre los Estados miembros por motivos relacionados con la protección que se garantiza.

En otras palabras, vemos como se pretende crean un sistema más homogéneo de protección de datos de carácter personal que a la vez permita una cesión de los datos entre los Estados miembros en base a una mutua confianza de tutela de los

---

30    Vid. SARRIÓN ESTEVE, J., "Los límites de la protección de datos de carácter personal en la era digital: una aproximación al conflicto con la libertad de información", cit.

derechos fundamentales desde la perspectiva o en lo que atañe al tratamiento de datos de carácter personal.

El art. 4 se refiere al Derecho nacional aplicable, estableciendo que los Estados miembros aplicarán las disposiciones nacionales que haya aprobado para la aplicación de la presente Directiva a todo tratamiento cuando sea efectuado en el marco de las actividades de un establecimiento del responsable del tratamiento en territorio del Estado miembro; el responsable del tratamiento esté establecido en un lugar en que se aplica la legislación nacional del Estado miembro; o bien el responsable del tratamiento no esté en la Comunidad, pero recurra para el tratamiento de datos personales a medios, automatizados o no, situados en territorio del Estado miembro.

El Capítulo II se dedica a las condiciones para la licitud del tratamiento de los datos personales. Conforme al art. 5 "(l)os Estados miembros precisarán, dentro de los límites de las disposiciones del presente capítulo, las condiciones en que son lícitos los tratamientos de datos personales."

La Sección Primera del Capítulo 1 establece los llamados *Principios relativos a la calidad de los datos*. Efectivamente el art. 6 establece que los Estados miembros dispondrán que los datos personales sean: tratados de una manera leal y lícita; recogidos con fines determinados, explícitos y legítimos, sin ser tratados de forma incompatible con esos fines; adecuados, pertinentes y no excesivos con relación a los fines para los que se recaben y para los que se traten posteriormente; exactos, y cuando sea necesario, actualizados; conservado en una forma que permita la identificación de los interesados durante un tiempo no superior al necesario para los fines. Además, según el apartado segundo de dicho artículo, corresponde a los responsables del tratamiento garantizar el cumplimiento de lo anterior.

El art. 7 se refiere a los *principios relativos a la legitimización del tratamiento de datos*: Consentimiento inequívoco; sólo si es necesario para la ejecución de un contrato o para la aplicación de medidas precontractuales pedidas por el interesado; si el tratamiento es necesario para el cumplimiento de una obligación jurídica; si es necesario para proteger el interés vital del interesado; que sea para el cumplimiento de una misión de interés público; y si es necesario para la satisfacción del interés legítimo.

No obstante, cabría añadir que podemos encontrar otros principios aplicables al tratamiento de datos de carácter personal y que estarían dentro de los 72 considerandos de la directiva sobre aplicación: tratamiento lícito cuando se efectúa con el fin de proteger un interés esencial para la vida (c. 31); consentimiento explícito para tratar datos que puedan afectar libertades fundamentales o intimidad (c. 33); el tratamiento es leal cuando el interesado conozca su existencia y está completamente informado (c. 38); derecho de acceso para comprobar la licitud y exactitud del tratamiento (c. 42); derecho de oposición (c. 45); la obligación de seguridad (c. 46). El ámbito de aplicación de la Directiva lo encontramos en el art. 3.1, que dispone que con carácter general se aplicará al tratamiento total o parcialmente automatizado, o no automatizado de datos personales contenidos o destinados a ser incluidos en un fichero. Pero excluye de su ámbito de aplicación (art. 3.2): el tratamiento efectuado por una persona física en el ejercicio de sus actividades exclusivamente personales o domésticas; y cuando el tratamiento tenga por objeto la seguridad pública, la defensa, la seguridad del Estado y las actividades del Estado en materia penal. [31]

Por otro lado, el art. 2 se complementa acudiendo al Considerando 24 que establece que se entiende dentro del ámbito de aplicación de la Directiva todos los datos considerados tradicionalmente como datos personales. Se está haciendo una clara remisión al Convenio de 1981[32].

El art. 8 regula el tratamiento de categorías especiales de datos, y en virtud del mismo, los Estados miembros prohibirán el tratamiento de datos personales que revelen los datos sensibles, entendiendo como tales aquellos que revelen el origen racial o étnico, las opiniones políticas, las convicciones religiosas, la pertenencia a sindicatos, y los datos relativos a la salud o la sexualidad.

Sin embargo, en el apartado segundo se establece una serie de excepciones:

a) cuando el interesado haya dado su consentimiento explícito al tratamiento, salvo prohibición en contrario del Estado miembro;

b) cuando el tratamiento sea necesario para respetar las obligaciones y derechos específicos del responsable del tratamiento en materia de Derecho laboral;

c) cuando el tratamiento sea efectuado por una fundación, asociación o cualquier organismo sin ánimo de lucro en el curso de sus actividades legítimas y con las debidas garantías;

d) cuando el tratamiento se refiera a datos que el interesado haya hecho manifiestamente públicos o sea necesario para el reconocimiento, ejercicio o defensa de un derecho en un procedimiento judicial;

El apartado tercero añade otra excepción adicional, que nos interesa para este trabajo, pues precisamente se refiere a cuando el tratamiento de datos resulte necesario para la prevención o para el diagnóstico médicos, la prestación de asistencia sanitaria o tratamientos médicos, o la gestión de servicios sanitarios

---

[31]   Los problemas que plantea el art. 3.2 apartado primero deberá solucionarse por la vía de la interpretación judicial. Estos problemas tienen relación con el concepto que se dé a la seguridad pública, la defensa de la seguridad del Estado, etc., que deberían tener sus límites y ser controladas de alguna manera.

[32]   REBOLLO DELGADO, L., *Vida privada y protección de datos en la Unión Europea*, cit. pág. 113.

siempre que sea realizado por médico o persona sujeta a obligación equivalente de secreto profesional. [33]

Por tanto, el tratamiento de datos relativos a la propia salud está recogido como una excepción a la prohibición genérica de tratamiento de datos sensibles que dispone el art. 8 de la Directiva.

Además, la Directiva, establece la garantía de una serie de derechos a los interesados:

– libertad de expresión (art. 9)[34].
– información del interesado (arts. 10 y 11)[35].
– el derecho de acceso (art. 12)[36].
– derecho de oposición (art. 14)[37].

---

[33] En este sentido en relación a persona sujeta a obligación equivalente de secreto profesional a los médicos estarían los farmacéuticos. Sobre esto véase BOMBILLAR SÁENZ, F.M., "El secreto profesional como principio básico de la profesión farmacéutica ante el tratamiento informático de datos de carácter personal en la oficina de farmacia", en *IV Congreso Mundial de Bioética*, 2005, págs. 529-537.

[34] El art. 9 se refiere al tratamiento de datos personales con fines periodísticos o de expresión, en cuyo caso los Estados miembros establecerán exenciones y excepciones sólo en la medida en que resulten necesarias para conciliar el derecho a la intimidad con las normas que rigen la libertad de expresión.

[35] Conforme al art. 10, los Estados miembros dispondrán que el responsable del tratamiento o su representante comunique al titular de los datos una información básica que se concreta en el propio art. 10 de la Directiva: la identidad del responsable del tratamiento o de su representante; los fines del tratamiento; otra información: los destinatarios o categorías de destinatarios de los datos; el carácter obligatorio o no de la respuestas; existencia de derechos de acceso y rectificación.

Para el caso de que los datos no sean recabados del propio interesado, el art. 11 prevé que se disponga que el responsable o su representante comunique al interesado una información básica sobre los datos que le conciernen y que han sido recogidos: la identidad del responsable del tratamiento o de su representante; los fines del tratamiento de que van a ser objeto de los datos; y las categorías de los datos de que se trate; los destinatarios o categorías de destinatarios; la existencia de derechos de acceso o rectificación.

Sin embargo establece a su vez una excepción para el tratamiento con fines estadísticos o de investigación histórica o científica, cuando la transmisión al interesado resulte imposible.

[36] Los Estados miembros deben garantizar el derecho a un acceso por parte del interesado que sea:
a) libre, sin restricciones y con una periodicidad razonable, sin retrasos ni gastos excesivos.
b) La rectificación, supresión o bloqueo de los datos cuyo tratamiento no se ajuste a las disposiciones de la Directiva, o bien tenga un contenido incompleto o inexacto.
c) La notificación a los terceros de quienes se hayan comunicado los datos de toda rectificación, supresión o bloqueo efectuado.

[37] Los Estados miembros deben reconocer al interesado el derecho de oposición en determinados casos y siempre que la legislación nacional no disponga otra cosa.
También se debe garantizar a toda persona el derecho a no verse sometida a una decisión con efectos jurídicos sobre ella o que les afecte de manera significativa, que se base únicamente en

– decisiones individuales automatizadas (art. 15).

No obstante, el art. 13 prevé una vía de escape para tutelar los intereses de los Estados permitiendo que se adopten medidas restrictivas de los derechos y garantías establecidas en la Directiva en los casos de: seguridad del Estado; defensa; seguridad pública; prevención, investigación, detección y represión de infracciones penales o de deontología profesional; interés económico y financiero importante; función de control, inspección o reglamentaria de la autoridad pública; y la protección del interesado o de los derechos y libertades de terceros.

No obstante, el art. 13 ha dejado una vía de escape para tutelar los intereses de los Estados permitiendo que se adopten medidas restrictivas de los derechos y garantías establecidas en la Directiva en los casos de:

a) Seguridad del Estado

b) defensa

c) seguridad pública

d) prevención, investigación, detección y represión de infracciones penales o de deontología profesional

e) interés económico y financiero importante

f) función de control, inspección o reglamentaria de la autoridad pública

la protección del interesado o de los derechos y libertades de terceros.

Se exige el establecimiento de un sistema de control y seguridad del tratamiento de tal forma que se establezcan medidas técnicas y de organización adecuadas para la protección de los datos personales (arts. 16 y 17).

La directiva también prevé el establecimiento de una o más autoridades públicas de control que goce de independencia (art. 28)[38]. Así como que los Estados fijarán los tratamientos con riesgo para proceder a un control previo de los mismos antes de que se efectúe el tratamiento (art. 20).

Es interesante tener en consideración la previsión de una eventual cesión internacional de datos de carácter personal. En efecto, el art. 25 viene a fijar unos principios que rigen el sistema de cesión de datos a terceros países. La cesión debe

---

un tratamiento automatizado de datos, salvo que se haya adoptado en el marco de ejecución de un contrato o esté autorizada por una ley que establezca medidas de garantía del interés legítimo del interesado (art. 15 de la Directiva).

[38]   Deben ser los Estados miembros los que fijen que una o más autoridades públicas se encarguen de controlar en el Estado nacional el cumplimiento de la directiva, con garantía de independencia. Además esta Autoridad dispondrá de: poderes de investigación; poderes efectivos de intervención; capacidad procesal. Estas Autoridades de control entenderán de las solicitudes que las personas o asociaciones les presenten en relación con la protección de datos, y además presentará un informe sobre sus actividades que será publicado.

ser acorde con el derecho nacional y únicamente se puede realizar en caso de que el país tercero tenga un nivel de garantía de los mismos[39].

El art. 27 prevé que los Estados miembros y la Comisión promoverán la elaboración de códigos de conducta para contribuir a la correcta aplicación de las disposiciones nacionales adoptadas en aplicación de la Directiva.

Y finalmente, se crea un grupo de protección de las personas en lo que respecta al tratamiento de datos personales que se denominará, con un carácter consultivo e independiente (art. 29). Está compuesto por un representante de la autoridad o autoridades de control designadas por cada Estado, por un representante de la autoridad o autoridades creadas por las instituciones y organismos comunitarios y por un representante de la Comisión[40].

## 2.3. *Protección en el Derecho de producción interna*

Atendiendo al nivel de producción interna, en España, el origen de la protección de datos lo podemos encontrar en el derecho a la intimidad, derecho contemplado en el art. 18.1 de la *Constitución Española (Tol 173304)*, en adelante CE, que partiendo de un derecho de defensa y de no intromisión se ha desarrollado hacia un control de "aquello que al individuo afecta y debe ser controlado y modulado por él"[41].

Como ha puesto de manifiesto la mejor doctrina, muy pronto nuestro Tribunal Constitucional consideró que el art. 18.4 CE contenía un instituto de garantía del derecho a la intimidad y del derecho al honor frente a las potenciales agresiones

---

[39] Con las excepciones previstas en el art. 26: Se puede ceder aún sin garantía de un nivel de protección si se ofrece garantía suficiente de la protección de la vida privada, los derechos fundamentales; también se puede ceder sin garantía cuando: consentimiento inequívoco del interesado; transferencia necesaria o legalmente exigida; salvaguardia del interés vital del interesado; transferencia desde un registro público y esté para informar al público y abierto a la consulta pública.

[40] Las funciones del Grupo serían de conformidad con el art. 30 de la Directiva: a)estudiar toda cuestión relativa a la aplicación de las disposiciones nacionales tomadas para la aplicación de la Directiva; b)emitir un dictamen destinado a la Comisión sobre el nivel de protección existente en la Comunidad y países terceros; c)asesorar a la Comisión sobre cualquier proyecto de modificación de la directiva, y de las medidas adicionales o específicas; y d)emitir un dictamen sobre los códigos de conducta elaborados a escala comunitaria.

[41] Así Rebollo Delgado razona que "ha ido ensanchando sus límites y su configuración partiendo del núcleo de ser un derecho de defensa y de exclusión o no intromisión, hasta convertirse en un derecho que posibilita el control de aquello que al individuo afecta y debe ser controlado y modulado por él. El derecho a la intimidad hace referencia primariamente a un espacio restringido de libre disposición por parte del individuo. Pero su pleno desarrollo se da en relación a los demás, tanto para hacerlo valer, como para compartirlo". Vid. REBOLLO DELGADO, L., *Vida Privada y Protección de datos en la Unión Europea*, cit. pág. 100

provenientes del tratamiento mecanizado de datos que se ha venido en llamar libertad informática; confirmando su existencia como derecho fundamental en la *STC 292/2000, de 30 de noviembre (Tol 2770)*, que se traduciría en un derecho de control sobre los datos de la propia persona, implicando un haz de facultades con el poder de disposición de los datos, esto es, "el derecho a que se requiera el previo consentimiento para la recogida y uso de los datos y el derecho a acceder, rectificar y cancelar dichos datos", que es lo que recogería la protección de datos[42].

A nivel legislativo interno, es de destacar la *Ley Orgánica 15/1999, de 13 de diciembre de Protección de datos de carácter personal (Tol 11223)*, en adelante LOPD, que constituye la trasposición en España de la Directiva 95/46/CE; el *RD 1720/2007, por el que se aprueba el Reglamento de desarrollo la Ley Orgánica 15/1999, de 13 de diciembre de protección de datos de carácter personal (Tol 1228602)*. Así como en materia específicamente sanitaria la *Ley Orgánica 3/1986, de 14 de abril, de Medidas en materia de Salud Pública (Tol 168812)*; la *Ley General de Sanidad 14/1986 (Tol 56876)* en adelante LGS; y fundamentalmente la LAP, ya citada, la *Ley 41/2002, de 14 de noviembre, de 14 de noviembre, básica reguladora de la autonomía del paciente y de derechos y obligaciones en materia de información y documentación clínica (Tol 215624)*.

En primer lugar vamos a hacer mención a la LOPD, que como hemos comentado, es el instrumento de trasposición de la Directiva 95/46/CE por lo que viene inspirada por sus principios.

Esta Ley establece en art. 7.3 refiriéndose a los datos especialmente protegidos, que "los datos de carácter personal que hagan referencia al origen racial, a la salud y a la vida sexual sólo podrán ser recabados, tratados y cedidos cuando, por razones de interés general, así lo disponga la ley o el afectado consiente expresamente".

Y el art. 8, que se refiere específicamente a los datos relativos a la salud, dispone que "las instituciones y los centros sanitarios públicos y privados y los profesionales correspondientes podrán proceder al tratamiento de los datos de carácter personal relativos a la salud de las personas que a ellos acudan o hayan de ser tratados en los mismos, de acuerdo con lo dispuesto en la legislación estatal o autonómica sobre sanidad".

Si bien la LOPD no delimita los datos relativos a la salud, sí lo hace su Reglamento de desarrollo, que conforme al art. 5.1 g) dispone que se entiende como tales los "datos de carácter personal relacionados con la salud: las informaciones concernientes a la salud pasada, presente y futura, física o mental, de un individuo. En particular, se consideran datos relacionados con la salud de las personas los referidos a su porcentaje de discapacidad y a su información genética".

---

[42]   GÓMEZ SÁNCHEZ, Y., *Derecho constitucional europeo. Derechos y libertades*, cit. pág. 307 y ss.

Eso sí, el art. 9 LOPD establece la seguridad de los datos de carácter personal, correspondiendo al responsable del fichero y al encargado del tratamiento la adopción de "las medidas de índole técnica y organizativas necesarias que garanticen la seguridad de los datos... y eviten su alteración, pérdida, tratamiento o acceso no autorizado, habida cuenta del estado de la tecnología, la naturaleza de los datos almacenados y los riesgos a que están expuestos...".

Además, el art. 10 LOPD establece un deber de secreto, disponiendo que "(e)l responsable del fichero y quienes intervengan en cualquier fase del tratamiento de los datos de carácter personal están obligados al secreto profesional respecto de los mismos y al deber de guardarlos, obligaciones que subsistirán aun después de finalizar sus relaciones con el titular del fichero o, en su caso, con el responsable del mismo".

Y por regla general, de conformidad con el art. 11.1 LOPD, los datos de carácter personal objeto de tratamiento no pueden ser comunicados a un tercero, salvo para el cumplimiento de fines directamente relacionados con las funciones legítimas del cedente y del cesionario con el previo consentimiento del interesado.

Por otro lado es importante destacar que el Título III se refiere a los derechos de las personas en relación a los datos de carácter personal, regulando así el derecho de consulta al Registro General de Protección de datos (art. 13), el derecho de acceso (art. 15), el derecho de rectificación y cancelación (art. 16).

También regula un procedimiento de oposición, acceso, rectificación o cancelación; la tutela de los derechos (art. 18) y un derecho a la indemnización (art. 19).

Es muy importante la función en materia de tutela de derechos así como de control del cumplimiento de la legislación sobre protección de datos la función de la Agencia Española de Protección de Datos, regulada por el *Real Decreto 428/1993, de 26 de marzo, por el que se aprueba el Estatuto de la Agencia Española de Protección de Datos (Tol 1385500)*

La LGS recogía el derecho a la intimidad en los arts. 61 y 10. Ahora bien, el art. 61 ha sido derogado por la LAP que desarrolla el régimen jurídico de la información y documentación clínica, así como algunos apartados del art. 10[43]. Este artículo 10, en los apartados aún vigentes, establece como derechos frente a las distintas administraciones sanitarias[44]:

---

[43]   La Disposición derogatoria única de la Ley de Autonomía del Paciente deroga concretamente los apartados 5, 6,8,9 y 11 del artículo 10, el apartado 4 del artículo 11 y el artículo 61 de la Ley 14/1986, General de Sanidad.

[44]   Conforme a las modificaciones llevadas a cabo por la *Ley 26/2011, de 1 de agosto, de adaptación normativa a la Convención Internacional sobre los Derechos de las Personas con Discapacidad (Tol 2183996)*, y que afecta a los apartados 1 y 2 del art. 10.

a) el respeto a su personalidad, dignidad humana e intimidad, sin que pueda discriminado por su origen racional o étnico, por razón de género y orientación sexual, de discapacidad o de cualquier otra circunstancia personal o social (apartado1);

b) a la información sobre los servicios sanitarios a que puede acceder y sobre los requisitos necesarios para su uso (apartado segundo);

c) a la confidencialidad de toda la información relacionada con su proceso y con su estancia en instituciones sanitarias públicas y privadas que colaboren con el sistema público (apartado 3);

d) a ser advertido de si los procedimientos de pronóstico, diagnóstico y terapéuticos que se le apliquen pueden ser utilizados en función de un proyecto docente o de investigación, que, en ningún caso, podrá comportar peligro adicional para su salud. En todo caso será imprescindible la previa autorización y por escrito del paciente y la aceptación por parte del médico y de la Dirección del correspondiente Centro Sanitario.

En cuanto al apartado tercero que dispone expresamente el derecho a la confidencialidad de toda la información relacionada con el proceso y estancia en las instituciones sanitarias, es obvio que se trata de una garantía de reserva muy relevante.

Quizá es interesante posteriormente acudir al art. 11 de la LGS que es el que establece las obligaciones de los ciudadanos con las instituciones y organismos del sistema sanitario. De conformidad con el mismo, estas obligaciones serían: cumplir con las prescripciones generales de naturaleza sanitaria comunes a toda población, así como las específicas determinadas por los Servicios Sanitarios; Cuidar las instalaciones y colaborar en el mantenimiento de la habitabilidad de las Instituciones Sanitarias; y responsabilizarse del uso adecuado de las prestaciones ofrecidas por el sistema sanitario, fundamentalmente en lo que se refiere a la utilización de servicios, procedimientos de baja laboral o incapacidad permanente y prestaciones terapéuticas y sociales.

Por su parte, la LAP, conforme a su art. 1, tiene por objeto la regulación de los derechos y obligaciones de los pacientes, usuarios y profesionales, así como de los centros y servicios sanitarios, públicos y privados, en materia de autonomía del paciente y de información y documentación clínica."

Son muy importantes algunos de los principios consagrados en el artículo 2 de la norma, en lo que respecta a este tema, en particular:

1) La dignidad de la persona humana, el respeto a la autonomía de su voluntad y a su intimidad orientarán toda la actividad encaminada a obtener, utilizar, archivar, custodiar y transmitir la información y la documentación clínica;

2) Toda actuación en el ámbito de la sanidad requiere, con carácter general, el previo consentimiento de los pacientes o usuarios. El consentimiento, que debe

obtenerse después de que el paciente reciba una información adecuada, se hará por escrito en los supuestos previstos en la Ley;

3) La persona que elabore o tenga acceso a la información y la documentación clínica está obligada a guardar la reserva debida.

Evidentemente son fundamentalmente relevantes los principios primero y segundo que consagran la autonomía del paciente.

El art. 3 de la Ley establece la definición legal de una serie de conceptos que nos interesan, en particular, entiende como "Información clínica" lo que sería "todo dato, cualquiera que sea su forma, clase o tipo, que permite adquirir o ampliar conocimientos sobre el estado físico y la salud de una persona, o la forma de preservarla, cuidarla, mejorarla o recuperarla."

También define "historia clínica" como "el conjunto de documentos que contienen los datos, valoraciones e informaciones de cualquier índole sobre la situación y la evolución clínica de un paciente a lo largo del proceso asistencial."

El art. 7 de la Ley que se regula el derecho a la intimidad, estableciendo que toda persona tiene derecho a que se respete el carácter confidencial de los datos referentes a su salud, y a que nadie pueda acceder a ellos sin previa autorización amparada por la Ley. El apartado segundo de dicho artículo añade que los centros sanitarios adoptarán las medidas oportunas para garantizar los derechos referidos en el apartado anterior, elaborando cuando proceda las normas y procedimientos protocolizados que garanticen el acceso legal a los datos de los pacientes.

El régimen jurídico de la historia clínica lo encontramos particularmente en los arts. 14 a 19. El artículo 14 se refiere al contenido de la historia clínica; el art. 15 se refiere en cambio a su contenido; el 16 al uso de la misma; el art. 17 a la conservación de la documentación clínica; el art. 18 a los derechos de acceso a la historia clínica; y finalmente el art 19 se refiere a los derechos relacionados con la custodia de la historia.

El art. 15.4 dispone que la historia clínica "se llevará con criterios de unidad y de integración, en cada institución asistencial como mínimo, para facilitar el mejor y más oportuno conocimiento por los facultativos de los datos de un determinado paciente en cada proceso asistencial."[45]

Historia clínica, cuya finalidad, al amparo del art. 16.1 de la misma ley, sería fundamentalmente "garantizar una asistencia adecuada al paciente".

Los datos serán recabados informando al paciente de la finalidad y la utilización posible de los datos almacenados, regulándose dicho almacenamiento y su gestión en virtud de *Real Decreto 994/1999 que aprueba el Reglamento de*

---

[45]    Efectivamente, estamos viendo que la finalidad de la historia clínica es un conocimiento por parte de los profesionales especialistas de los dados de un paciente para poder atender mejor una situación de asistencia médica.

*medidas de seguridad de los ficheros automatizados de datos de carácter personal (Tol 136359)*, y que viene a exigir: la elaboración de un documento de seguridad especificando los documentos protegidos, funciones y procedimientos de gestión de incidencias; la designación de un responsable de seguridad; y la especificación de las funciones de las personas autorizadas para el acceso; registro de anomalías que puedan afectar a los datos nominativos; control de acceso e identificación de los usuarios que accedan al sistema verificando la autorización para la utilización de la información; regularización de auditorías informáticas periódicas para evaluar la adecuación a los niveles de seguridad identificando posibles deficiencias del sistema.

Los profesionales sanitarios tienen el deber de cooperar en la creación y el mantenimiento de una documentación clínica ordenada y secuencial del proceso asistencial de los pacientes (art. 17.3) y serán responsables de la gestión y custodia de la documentación asistencial que generen (art. 17.5).

No obstante lo cual, la gestión de la historia clínica se llevará a cabo por los centros con pacientes hospitalizados (art. 17.4), y se realizará a través de la unidad de admisión y documentación clínica, encargada de integrar en un solo archivo las historias clínicas. La custodia de dichas historias clínicas estará bajo la responsabilidad de la dirección del centro sanitario.

No podemos dejar de lado la normativa autonómica, que es de producción interna, pero a nivel regional y que es importante. De hecho, art. 14.4 recoge que las CCAA aprobarán las disposiciones necesarias para que los centros sanitarios puedan adoptar medidas técnicas y organizativas adecuadas para el archivo y protección de las historias clínicas.

La LAP, tiene conforme a su Disposición adicional primera la condición de básica, de conformidad con lo dispuesto en el art. 149.1.1ª y 16ª CE lo que implica que el Estado y las CCAA en el ámbito de sus competencias deben dictar normativa de desarrollo que haga efectivo lo dispuesto por esta ley.

Así, las CCAA han desarrollado normativa a nivel regional, y si bien por razones de espacio y tiempo no podemos detenernos a estudiarla, lo que sería necesario desde la perspectiva multinivel, no queremos dejar de mencionar alguna normativa en lo que respecta a la materia de datos sanitarios habría que destacar:

En el País Vasco, el *Decreto 38/2012, de 13 de marzo, sobre historia clínica y derechos y obligaciones de pacientes y profesionales de la salud en materia de documentación clínica (Tol 2492663)*

En Cataluña, la *Ley 21/2000, de 29 de diciembre, sobre los derechos de información concerniente a la salud y la autonomía del paciente, y la documentación clínica de Cataluña (Tol 210799)* modificada por la *Ley 16/2010, de 3 de junio (Tol 1859359)*

En Galicia, la *Ley 3/2001, de 28 de mayo, reguladora del consentimiento informado y de la historia clínica de los pacientes de Galicia (Tol 76855)*, modificada por la *Ley 3/2005, de 7 de marzo.*

En Navarra, *Ley Foral 11/2002, de 6 de mayo, sobre los derechos del paciente a las voluntades anticipadas, a la información y a la documentación clínica (Tol 157170)*, modificada por la *Ley Foral 29/2003, de 4 de abril.*

En la Comunidad Valenciana, *Ley 1/2003, de 28 de enero, de la Generalitat, de Derechos e Información al Paciente de la Comunidad Valenciana (Tol 238477)*

En Canarias, *Decreto 178/2005, de 26 de julio, por el que se aprueba el Reglamento que regula la historia clínica en los centros y establecimientos hospitalarios y establece el contenido, conservación y expurgo de sus documentos (Tol 675842)*

En Castilla y León, *Decreto 101/2005, de 22 de diciembre, por el que se regula la historia clínica (Tol 775850)*

Por otro lado, en el ámbito de protección de datos en general habría que destacar la creación de algunas agencias regionales de protección de datos que tienen competencias de control y tutela de los derechos en protección de datos en su ámbito regional, como la Agencia de Protección de Datos de la Comunidad de Madrid[46]; la Agencia Vasca de Protección de Datos[47], y la Autoridad Catalana de Protección de Datos[48].

Como se puede deducir de lo que acabamos de considerar, constituyen elementos muy relevantes respecto a los datos clínicos relativos a la salud los derechos de acceso, rectificación, conservación y cancelación de los datos clínicos que pasamos a estudiar en el apartado siguiente.

---

[46]   *Ley 8/2001, de 13 de julio, de Protección de Datos de Carácter Personal en la Comunidad de Madrid (Tol 145221), Decreto 67/2003, de 22 de mayo, por el que se aprueba el Reglamento de desarrollo de las funciones de la Agencia de Protección de Datos de la Comunidad de Madrid de tutela de derechos y de control de ficheros de datos de carácter personal (Tol 268676) y el Decreto 40/2004, de 18 de marzo, por el que se aprueba el Estatuto de la Agencia de Protección de Datos de la Comunidad de Madrid (Tol 355154).*

[47]   *Ley 2/2004 del Parlamento Vasco, de 25 de febrero, de Ficheros de Datos de Carácter Personal de Titularidad Pública y de Creación de la Agencia Vasca de Protección de Datos (Tol 354547).*

[48]   *Ley 32/2010, de 1 de octubre, de la Autoridad Catalana de Protección de Datos (Tol 1948207); y Decreto 48/2003, de 20 de febrero, por el que se aprueba el Estatuto de la Agencia Catalana de Protección de Datos (Tol 232689).*

## 3. LOS DERECHOS DE ACCESO, RECTIFICACIÓN, CONSERVACIÓN Y CANCELACIÓN DE DATOS CLÍNICOS

Lo que pretendemos en este apartado es aproximarnos a la regulación del acceso, rectificación, conservación y cancelación de los datos clínicos, esto es, de los datos relativos a la salud incorporados en la historia clínica de un paciente.

Para ello, en primer lugar veremos la normativa y posteriormente trataremos de ver algunos problemas prácticos que se han planteado.

Como hemos visto antes, la normativa de protección de datos, en concreto la LOPD regula, el derecho de acceso (art. 15), el derecho de rectificación y cancelación (art. 16), un procedimiento de oposición, acceso, rectificación o cancelación; la tutela de los derechos (art. 18) y un derecho a la indemnización (art. 19)[49].

No obstante, y de forma específica para los datos relativos a la salud, la Ley 41/2002 prevé específicamente los derechos relativos a la historia clínica.

### 3.1. Acceso a la historia clínica

Como hemos comentado, el derecho de acceso a los datos está previsto en el art. 15 LOPD que regula "el derecho a solicitar y obtener gratuitamente información de sus datos de carácter personal sometidos a tratamiento, el origen de dichos datos, así como las comunicaciones realizadas o que se prevén hacer de los mismos" (art. 15.1 LOPD), que sólo podrá ser ejercitado a intervalos no inferiores a doce meses salvo interés legítimo (art. 15.3 LOPD).

Y específicamente respecto a los datos clínicos es el art. 18 LAP, que regula el derecho de acceso a la historia clínica del paciente. Estamos ante un derecho del paciente, pero no exclusivo.

En efecto, conforme al art. 18.1 el paciente tiene el derecho de acceso a la documentación de la historia clínica, así como a obtener copia de los datos que figuran en ella[50], con las limitaciones que señala el 18.3, esto es, "no puede ejercitarse en perjuicio del derecho de terceras personas a la confidencialidad de los datos que constan en ella recogidos en interés terapéutico del paciente, ni en perjuicio del derecho de los profesionales participantes en su elaboración, los cuales pueden oponer al derecho de acceso la reserva de sus anotaciones subjetivas".

---

49    Y podríamos encontrar también estos derechos en la legislación autonómica de Madrid, País Vasco y Cataluña, donde como hemos comentado, han creado Agencias de Protección de Datos de carácter autonómico.

50    Este derecho implica el conocimiento de la información sometida al tratamiento, no abarca el conocimiento de las personas concretas que han podido tener acceso al historial clínico. Vid. Informe 167/05 de la Agencia Española de Protección de Datos.

Además, el derecho de acceso del paciente puede ejercitarse por representación debidamente acreditada (art. 18.3).

En todo caso, corresponde a los centros sanitarios regular el procedimiento que garantice la observancia del derecho de acceso y obtención de copia de los datos obrantes en la historia clínica (art. 18.1 *in fine*).

En caso de pacientes fallecidos, los centros sanitarios y los facultativos sólo facilitarán el acceso a su historia clínica a las personas vinculadas a él, por razones familiares o de hecho, salvo prohibición expresa del fallecido que debe estar acreditada. No obstante, el acceso de un tercero a la historia clínica por motivos de riesgo para la salud estará limitado a los datos pertinentes. Y en ningún caso se facilitará "información que afecte a la intimidad del fallecido ni a las anotaciones subjetivas de los profesionales, ni que perjudique a terceros" (art. 18.4 LAP)[51]

También se prevé el acceso al historial clínico por parte de los profesionales asistenciales, puesto que la finalidad de la historia clínica es precisamente "garantizar una asistencia adecuada al paciente", por ello "los profesionales asistenciales del centro que realizan el diagnóstico o el tratamiento del paciente tienen acceso a la historia clínica de éste como instrumento fundamental para su adecuada asistencia" (art. 16.1 LAP).

En este sentido, será cada centro sanitario el encargado de establecer "los métodos que posibiliten en todo momento el acceso a la historia clínica de cada paciente por los profesionales que le asisten"[52].

Por su parte, el art. 16.3 prevé el acceso a la historia clínica con fines judiciales, epidemiológicos, de salud pública, de investigación o de docencia, que se rige por lo dispuesto en la LOPD y la LGS. En dicho caso, sería necesario preservar de forma separada los datos de identificación personal de los clínicos, salvo consentimiento del informado del paciente[53].

---

[51]  Sobre esta cuestión se puede ver el Informe de la Agencia Española de Protección de Datos 171/08, que indica que pueden acceder el designado en el testamento, cónyuge, descendientes, ascendientes y hermanos, así como al Ministerio Fiscal.

[52]  Entendemos que esta referencia al establecimiento de métodos que posibiliten el acceso a la historia clínica de los profesionales que asisten al paciente se debe referir no sólo a los profesionales que le asisten del mismo centro sanitario, sino de cualquier centro sanitario del sistema nacional de salud.
A este respecto, se ha entendido que los Servicios de Salud Penitenciarios son establecimientos sanitarios incluidos en el Servicio Nacional de Salud. Véase Informes de la Agencia Española de Protección de Datos 367/09, y 18/06. Pero incluso cabría hacer una interpretación más extensiva, y entender que a cualquier profesional sanitario que situado en España, aunque no formara parte del Sistema Nacional de Salud, que acreditara atender al paciente, debería poder acceder al historial puesto que el acceso a la mismo facilitaría la asistencia.

[53]  A estos efectos, sobre si los Tribunales Eclesiásticos podían ejercer este tipo de acceso, se ha entendido que no forman parte de la planta judicial contemplada en el art. 11.2 de la LOPJ, y

A este respecto, y en relación al acceso con fines de investigación o docencia, no podemos olvidar que el art. 8.4 LAP dispone en relación al consentimiento informado que todo paciente o usuario tiene derecho a ser advertido sobre la posibilidad de utilizar los procedimientos de pronóstico, diagnóstico y terapéutico aplicados en un proyecto docente o de investigación, "que en ningún caso podrá comportar riesgo adicional para la salud".

También queda previsto el acceso a la historia clínica por parte del personal de administración y gestión de los centros sanitarios, pero sólo "a los datos de la historia clínica relacionados con sus propias funciones" (art. 16.4 LAP); así como para el personal sanitario que ejerza funciones de inspección, evaluación, acreditación y planificación (art. 16.5 LAP)

En todo caso, y para garantizar la protección de los datos, se establece el deber de secreto del personal que accede a los datos (art. 16.6 LAP) y se introduce un mandato a las CCAA para regular el procedimiento para que quede constancia del acceso a la historia clínica y su uso (art. 16.4 LAP).

Por su parte, respecto a la Agencia de Protección de Datos resultan interesantes en relación al acceso dos resoluciones:

– *Resolución de 29 de julio de 2011del Director de la Agencia Española de Protección de Datos (Expediente E/02617/2010, Tol 2460706)* sobre la cuestión de si el derecho de acceso comprende a la totalidad de la historia clínica. En este caso, los denunciantes habían solicitado la historia clínica de su hijo fallecido que les fue denegada, tras lo que interpusieron una denuncia ante la Agencia de Protección de Datos que resolvió a su favor. Sin embargo, el centro sanitario les facilitó un acceso a la historia clínica que consideraron incompleto, por lo que volvieron a denunciar. La Agencia requirió al Hospital para que dieran acceso completo al historial clínico, y ante nuevas quejas de los denunciantes por contener fotocopias ilegibles, falta de numeración y falta de pruebas diagnósticas, junto con la alegación del Hospital de que sí se había hecho, se decidió realizar una inspección.

En la inspección quedó acreditado que el historial clínico constaba de 285 folios numerados, que correspondían con copia enviada a los denunciantes; una serie de fotografías no entregadas por respeto a la familia relativas al órgano extirpado del hijo fallecido pero que fueron enviadas al juzgado que investiga una presunta negligencia médica; y unas placas, de las que había diferencias en cuanto al número de placas entregadas, que el Hospital alegó fue porque una prueba diagnóstica tiene entre 100 y 200 imágenes y que no se imprimen todas

---

que por lo tanto no pueden ser atendidas sus peticiones sobre datos de salud. Véase Informe jurídico 611/2008 de la Agencia Española de Protección de Datos.

sino las que el profesional médico estima relevantes, por lo que al realizarse varias peticiones de impresión, resultan impresiones distintas.

En este caso, y tras la inspección, la Agencia de Protección de Datos no encontró que por parte del Hospital se hubiera limitado el acceso completo a la historia clínica.

– *Resolución de 28 de abril de 2008, del Director de la Agencia Española de Protección de Datos (E/00752/2005, Tol 1504349)* sobre una denuncia planteada contra el Servicio Andaluz de Salud en relación a las medidas de seguridad en relación al acceso a las historias clínicas de los pacientes mediante un programa informático denominado "DIRAYA".

Parece ser que el problema se planteaba porque todo el personal sanitario tiene acceso a los datos de salud de cualquier paciente que tenga historia clínica en el sistema, pero dichos procesos son incluidos en los registros de auditoría del sistema, y no consta incidencia respecto al acceso a datos personales de los pacientes al no existir reclamaciones de pacientes, ni de personal sanitario ni en el registro de incidencias.

## 3.2. *Archivo y conservación del historial clínico.*

Para poder garantizar el acceso al historial clínico esté debe estar guardado y protegido.

Por ello, el art. 14.2 establece que cada centro archivará las historias clínicas de sus pacientes, de manera que queden garantizadas su seguridad, su correcta conservación y la recuperación de la información. El 14.3 establece que las Administraciones sanitarias establecerán los mecanismos que garanticen la autenticidad del contenido de la historia clínica y los cambios operados, así como la posibilidad de su reproducción futura. Y el 14.4 recoge que las CCAA aprobarán las disposiciones necesarias para que los centros sanitarios puedan adoptar medidas técnicas y organizativas adecuadas para el archivo y protección de las historias clínicas.

Así, el art. 17.1 se encarga de prescribir la obligación por parte de los centros sanitarios de conservar la documentación clínica "en condiciones que garanticen su correcto mantenimiento y seguridad, aunque no necesariamente en el soporte original para la debida asistencia al paciente durante el tiempo adecuado a cada caso, y como mínimo cinco años contados desde la fecha de alta de cada proceso asistencial". Y el art. 17.3 de la misma ley dispone que los profesionales sanitarios tienen el deber de cooperar en la creación y el mantenimiento de una documentación clínica ordenada y secuencial del proceso de asistencia de los pacientes.

Se prevé una conservación de la documentación clínica a efectos judiciales conforme a la legislación vigente, y también una conservación "cuando existan razones epidemiológicas, de investigación o de organización y funcionamiento del Sistema Nacional de Salud" si bien su tratamiento se hará de forma que evite la identificación de los afectados en lo que sea posible (art. 17.2).

En cuanto a la gestión de la historia clínica, de conformidad con lo previsto en el art. 17.4 de la misma ley, se lleva a cabo por la unidad de admisión y documentación clínica, encargada de integrar en un solo archivo las historias clínicas; correspondiendo la responsabilidad de la custodia de dichas historias clínicas a la dirección del centro sanitario. Pero los profesionales sanitarios serán responsables de la gestión y de la custodia de la documentación asistencial que generen (art. 17.5)

En todo caso, se otorga al paciente el derecho de que los centros sanitarios "establezcan un mecanismo de custodia activa y diligente de las historias clínicas" (art. 19); y hay una remisión a la LOPD en relación a las medidas técnicas de seguridad (art. 17.6).

A efectos prácticos nos parece interesante traer aquí a colación una *resolución del Director de la Agencia de Protección de Datos de 28 de junio de 2011 (Nº AP/00001/2011, Tol 2254327)* por la que declara que el Servicio Andaluz de Salud y el Hospital Virgen de la Victoria han infringido el principio de seguridad de los datos que tuvo como consecuencia que los datos personales de una paciente, los informes clínicos de la asistencia en el servicio de Urgencias del Hospital se hayan pedido, considerándolo como una infracción grave.

## 3.3. Los derecho de oposición, rectificación, y cancelación

El derecho de oposición está previsto en el art. 6.4 LOPD, para los supuestos en los que no sea necesario el consentimiento del afectado para el tratamiento de los datos, y siempre que no se prevea legalmente otra cosa, entonces se podrá oponer al tratamiento existiendo motivos fundados y relativos a su situación personal.

La LAP a la hora de regular el consentimiento informado en el art. 8 pero referido a las actuaciones médicas, no a la recogida de los datos. Está la salvedad de que el art. 8.4 sí prevé que se le informe de la posibilidad de utilizar los procedimientos de pronóstico, diagnóstico y terapéuticos que se le apliquen en un proyecto docente o de investigación que en ningún caso podrá comportar riesgo adicional para la salud; y lo previsto en el art. 16.3 respecto a la posibilidad de dar consentimiento en no separar los datos de identificación personal del paciente de los clínicoasistenciales respecto al acceso con fines judiciales, epidemiológicos, de salud pública, de investigación o de docencia.

Entendemos, sin embargo, que sí cabría la oposición respecto al tratamiento de los datos precisamente no clínicoasistenciales referidos a la identificación personal, como datos relativos a circunstancias sociales o personales (situación familiar, etc.) que por la situación personal del sujeto podría legitimarle a oponerse a su tratamiento.

Los derechos de rectificación y cancelación está previsto en el art. 16 LOPD estableciendo que el responsable del tratamiento tiene la obligación de hacerlos efectivo en el plazo de diez días (art. 16l.1 LOPD), siendo rectificados o cancelados cuando su tratamiento no se ajuste a lo dispuesto en la LOPD o bien resulten inexactos o incompletos (art. 16.2 LOPD).

La Ley de Autonomía del Paciente no prevé un derecho de rectificación y cancelación, pero lógicamente, sería aplicable la LOPD en el sentido de que los datos inexactos deberían poder rectificarse y cancelarse, y esto tanto respecto a los datos de identificación personal como respecto de los clínicoasistenciales cuando su tratamiento no se haya ajustado a la legislación o bien resulten inexactos[54].

Salvo estas circunstancias muy específicas, el deber de conservación de la historia clínica que establece el art. 17.1 LAP, chocaría con los derechos de rectificación y cancelación, pero debemos entender que prevalece la finalidad de la salvaguardia de la salud del paciente que su voluntad; así como el derecho de custodia que establece el art. 19 LAP.

# 4. CONCLUSIONES

El objetivo de nuestra participación en esta obra colectiva, *La protección de la salud en tiempos de crisis*, se centraba en estudiar la protección de datos clínicos relativos a la propia salud.

A partir del estudio llevado a cabo podemos extraer una serie de conclusiones relativas a las problemáticas que pueden coadyuvar a entender los principales retos a los que se enfrenta la protección de la salud en tiempos de crisis, en particular en la protección de los datos clínicos relativos a la propia salud:

Primero hay que partir de que cuando hablamos de los datos clínicos referidos a la propia salud nos estamos refiriendo a datos de carácter personal y específicamente a unos datos que gozan del carácter de sensibles, y dentro de los

---

[54] A este respecto, el Informe de la AEPD 173/08 entendió procedente cancelar de una historia clínica un dato referida al hecho de si la paciente llevaba puesto el cinturón de seguridad, puesto que no incluyéndose necesariamente en el contenido de la hoja de anamnesis su inclusión en la historia clínica podría exceder el juicio de proporcionalidad.

mismos, a la información relativa a la salud de la persona que será recogida e incorporada en la "historia clínica".

Pues bien, estos datos, afectan de tal manera a la persona que su publicidad o conocimiento por terceras personas podría traer repercusiones familiares, sociales y profesionales no deseadas por el paciente. De ahí la relevancia de proteger los mismos, máxime en una sociedad digitalizada donde los medios técnicos para garantizar su seguridad y control en el acceso de los mismos requiere de una continua actualización y revisión.

El fundamento de la tutela de los datos de carácter personal debemos buscarlo en la intimidad y la vida privada, pero está plenamente justificada la configuración de la protección de datos como un derecho fundamental.

Ahora bien, vivimos en un sistema multinivel que requiere una interpretación de la conexión entre diferentes niveles. Por ello consideramos imprescindible partir de la perspectiva del constitucionalismo multinivel. Así, el ordenamiento español, se constituye como un ordenamiento complejo e integrado, diferentes niveles, con normativa de producción externa e interna, que sería aplicable a la materia objeto de estudio.

En efecto, en relación a la protección de los datos clínicos relativos a la propia salud, debemos acudir tanto al Derecho de producción supranacional o de plano externo, como al Derecho del plano interno.

Dentro de la normativa producida en el plano externo tenemos en el Consejo de Europa, el Convenio 108 y el art. 8 del CEDH. Y en la UE, la Carta de Derechos de la UE, y fundamentalmente la Directiva 95/46/CE, junto con el Reglamento (CE) nº 45/2001 del Parlamento Europeo y del Consejo, de 18 de diciembre de 2000, éste último relativo a la en lo que respecta al tratamiento de datos personales por las instituciones y los organismos comunitarios y a la libre circulación de estos datos; y Directiva 2011/24/UE relativa a la aplicación de los derechos de los pacientes en la asistencia sanitaria transfronteriza.

En el plano interno, en España debemos atender al art. 18.1 y 4 CE y a la jurisprudencia del TC que ha configurado la protección de datos sobre el 18.4 como un auténtico haz de facultades de su titular a disponer de los propios datos. También hay que destacar la LOPD que traspone la Directiva 95/46/CE, y en lo que respecta a los datos relativos a la sanidad, la LAP.

A la vista de lo anterior para aproximarnos a los derechos de acceso, conservación, rectificación, oposición y cancelación de los datos clínicos hemos tenido que manejar muchas normas, quizá demasiadas.

Los mayores problemas en la era digitalizada se refieren, sin duda, al archivo y conservación del historial clínico que es interés del paciente, así como garantizar su acceso tanto al paciente interesado como a sus familiares tras su fallecimiento, y a los profesionales que en algún momento estén asistiéndole; y sobre todo el control y seguridad en el tratamiento de los datos en relación a quien accede y con qué finalidad a la historia clínica del paciente.

Por lo que hemos visto, la conservación de la historia clínica, su conservación y control de su acceso es lo que puede plantear mas cuestiones relevantes. Creemos que el acceso al historial clínico de todo aquel profesional sanitario que atienda al paciente debe ser garantizado de la forma más sencilla posible, en aras de buscar el mejor tratamiento al paciente. Claro que esto debe complementarse con las debidas garantías de su acreditación como tales profesionales que atienden al paciente titular de los datos.

El acceso del paciente a la historia clínica debe también estar tutelado, y debe ser informado debidamente de su derecho a acceder a la misma, y a obtener copia de su historial, también los familiares del mismo en caso de fallecimiento.

También consideramos muy importante, a nuestro parecer, clarificar la aplicación de la normativa, para lo que la función de la Agencia Española de Protección de Datos y las Agencias de ámbito regional es importantísima. Máxime teniendo en consideración que puede la normativa autonómica regula muchas cuestiones en relación con el ejercicio de algunos derechos y con la garantía del archivo y custodia del historial clínico.

Quizá, *de lege ferenda*, propondríamos una normativa única de producción interna aplicable el ejercicio del derecho de acceso, conservación, rectificación y cancelación de los datos clínicos relativos a la propia salud que unificara lo previsto en la LOPD y la LAP.

# AVANCES Y EXPECTATIVAS DE LAS NUEVAS BIOTECNOLOGÍAS APLICADAS AL ÁMBITO DE LA SALUD

Salvador Pérez Álvarez
*Profesor Contratado Doctor de Derecho (Acreditado como Profesor Titular de Universidad)*

María Lage Cotelo
*Doctoranda en Derechos Fundamentales*
*UNED*[1]

## 1. INFLUENCIA DEL DESARROLLO BIOTECNOLÓGICO EN EL DERECHO A DECIDIR SOBRE LA PROPIA SALUD

"La salud como bien (individual y colectivo) relevante y apreciado por las sociedades, define nuestro modelo constitucional; así el artículo 43 de la Constitución Española (CE) reconoce el derecho a la protección de la salud"[2]. La salud, entendida de este modo, comprende el derecho general al bienestar físico y psíquico del individuo. Desde la aprobación del texto constitucional, los avances en materia sanitaria han sido cuantiosos y constatables, favoreciendo desde un punto de vista médico la posibilidad de nuevos tratamientos; y desde el punto de vista del paciente, la paulatina adquisición de una autonomía sanitaria que se ve reflejada en la superación del paternalismo y una participación activa del sujeto mediante la toma de decisiones sanitarias que repercuten de suyo en sus expectativas vitales. En este derecho genérico a la salud encontramos una cohesión sustancial entre la titularidad de los derechos que ostenta el sujeto para con su corporeidad, y la autodeterminación que éste puede ejercer respecto a la misma. Si bien, el derecho a la salud se presume como un derecho básico e inherente a todo ser humano, el desarrollo biotecnológico que ha tenido lugar en la última mitad del siglo pasado, evidencia problemáticas de parca resolución respecto a

---

[1] SALVADOR PÉREZ ÁLVAREZ es el autor de los epígrafes 3 y 4 y MARÍA LAGE COTELO es la autora de los epígrafes 1 y 2 de este trabajo.

[2] Cfr. ANTEQUERA, JM. *Derecho Sanitario y Sociedad*, Tirant lo Blanch, Valencia,, 2006, pág. 5.

la autonomía que el paciente ha ido adquiriendo y los límites legales coercitivos respecto de determinadas prácticas biotecnológicas.

En una acepción general, "la Biotecnología es toda aplicación tecnológica que utilice sistemas biológicos y organismos vivos o derivados para la creación o modificación de productos o procesos para usos específicos"[3]. La Biotecnología aplicada al ser humano se centra principalmente en las estructuras genéticas y sus posibles modificaciones; como es de suponer, los intereses sociales y particulares ante el desarrollo de la genética son contrapuestos. Por ello, al tratar la Biotecnología en el campo concreto de la salud humana, se presumen un amplio elenco de oportunidades médicas que comportan algo más que la simple viabilidad legislativa y la protección de la salud como bien jurídico, a pesar de la existencia de un cierto asociacionismo ideológico en el que tienen cabida concesiones ontológicas y morales que repercuten directamente en la regulación jurídica de estas cuestiones. Por ello, el tratamiento biotecnológico del ser humano obliga a dejar de pensarlo en clave humanista, así como a desvirtualizar los roles tradicionales bajo los cuales ser humano es equiparado al sujeto en su univocidad.

A nivel social, el concepto de interés general es el que rige la viabilidad de las prácticas biotecnológicas en seres humanos; en este sentido "la apelación al interés público puede ser muy atractiva, en particular en la esfera de la Biotecnología moderna, donde las reivindicaciones y esperanzas de beneficios obtenidos de la investigación serían extraordinarias si pudieran hacerse realidad. Es en la forma en que se permite poner en práctica esta apelación donde se aprecia la amenaza a la que se ve sometida la legitimidad de la ley. La dificultad surge porque el beneficio obtenido por el público en general puede obtenerse a expensas de los derechos y libertades fundamentales del sujeto individual"[4]. Sin embargo, a nivel particular, no existe un derecho absoluto sobre el propio cuerpo en relación con el uso de las Biotecnologías, ni tan siquiera un derecho absoluto sobre sus expectativas; es decir, la noción de autonomía[5] en derecho sanitario se extiende

3       OLSSON, A., SANDOE P., "La Biotecnología y la cuestión de los animales," en ROMEO CA-
        SABONA, CM., DE MIGUEL BERIAIN, I., (Eds.) *Ética de la Biotecnología*, Comares, Grana-
        da, 2010, pág. 74
4       Cfr, TOWNEND, DMR, "La legitimidad del derecho relativo a la Biotecnología moderna: una
        introducción", en ROMEO CASABONA, C.M., DE MIGUEL BERIAIN, I., (Eds.), *op. cit.* pág.
        173.
5       "El primer derecho trascendental de las personas es el derecho a la autodeterminación, es decir,
        el derecho a ser "yo", o lo que es lo mismo, el derecho a "ser" y "pensar" de forma distinta a co-
        mo lo hacen los demás (...) El principio de autonomía ha tenido su origen, fundamentalmente,
        en medios ético-jurídicos, en los que la capacidad de autodeterminación de las personas tienen
        hondo arraigo y tradición. Este principio considera que los sujetos tienen soberanía sobre sus
        propias decisiones, gozando del derecho a controlar su propia vida y sus bienes, la autonomía
        parte del presupuesto de la libertad." Cfr. GALLEGO RIESTRA, S., *El derecho del paciente a la*

a aquellos ámbitos de actuación clínica que no alteren la noción jurídica de ser humano. En sentido estricto, la autonomía se encuentra limitada por la libertad jurídica que pueda tener el sujeto en función del derecho que esté ejerciendo; es por tanto limitada[6]. La autonomía que actualmente tiene un sujeto frente al tratamiento que debe, puede o quiere recibir su persona no es más que el reconocimiento que el sujeto debe tener como poseedor de su corporeidad. Pero en el tratamiento biotecnológico del ser humano, la noción de autonomía sanitaria varía ostensiblemente.

En este nivel particular, la decisión de someterse a terapias génicas no proviene del agente que desee someterse a ellas voluntaria y conscientemente, "la consecuencia es clara. Podemos modificar el ADN de un organismo. Podemos, al mismo tiempo, transferir ADN de un organismo a otro. Y podemos, finalmente, modificar las llamadas "células germinales", que son las que afectan directamente a la reproducción"[7] y en el mismo sentido, afectan directamente a la especie. "En el primer caso, la ingeniería genética se hace dentro de un individuo. En el segundo, de un individuo a otro. En el tercero, el más grave y delicado, se puede actuar en toda la línea de la herencia"[8]. Si un sujeto tuviese una autonomía plena sobre su derecho a la salud, y sobre su derecho a tomar decisiones sobre su material genético, nos encontraríamos posiblemente con alteraciones genéticas transmitidas intergeneracionalmente; es decir, individuos genéticamente modificados, mejorados. ¿Supondría un problema desde el punto de vista del interés general la libre disposición sobre la biotecnológica aplicada al ser humano? Ello dependería del concepto de salud que el ser humano individualmente posea, y la

---

autonomía personal y las instrucciones previas: una nueva realidad lega, Aranzadi, Pamplona, 2009, pág. 64.

[6]  "La jurisprudencia normalmente trata de compensar los derechos fundamentales afectados en cada caso con una serie de valores e ideas morales que les sirven de contrapeso, con lo cual, el resultado es que aquella deja a las leyes discrecionalidad casi absoluta para establecer el régimen jurídico de este tipo de fenómenos. En efecto, en una situación en la que a derechos que apuntan a ampliar el ámbito de las facultades que pueden ejercer las personas en relación con nuevos fenómenos de la técnica que afecta a su vida, intimidad y a su salud se contraponen valores objetivos que operan en una dirección contraria, la jurisprudencia termina dejando al legislador discrecionalidad para optar, a la hora de cada momento en torno a qué elemento, derechos o límites, debe primar en la regulación, lo que hace que la jurisprudencia constitucional admita tanto regulaciones que permiten de manera abierta tales prácticas, como regulaciones que las prohíben o las limitan drásticamente, pasando por otras regulaciones intermedias". Cfr. CARRASCO DURÁN, M., "Interpretación constitucional y Bioderecho", en RUIZ DE LA CUESTA, A., (Coord.) Ética de la vida y la salud, su problemática biojurídica, Secretariado D Publicaciones, Sevilla, 2008, págs. 21-22.

[7]  Cfr. SÁBADA, J., VELÁZQUEZ, J.L., Hombres a la carta, los dilemas de la bioética, Temas de Hoy, Madrid, 1998, pág. 149.

[8]  Cfr. Ibídem, pág. 149.

manifestación del deseo de mejora presente en todo ser humano. Así "la cirugía estética, la industria de la belleza, la aplicación al deporte profesional de drogas prohibidas para mejorar el rendimiento, como la EPO esteroides o la hormona del crecimiento, así como el consumo de algunas mejoras permitidas como la cafeína, la glutamina y la creatina en la dieta, etc. Muchas personas intentan mejorar sus capacidades cognitivas a través de la nicotina, la cafeína o fármacos como Ritalin y Mogavigil. Las personas acuden a la "autoayuda psicológica" utilizando productos como prozac, alcohol, para sentirse más relajados, establecer mejores relaciones sociales y ser más feliz. También para mejorar las relaciones sexuales, con la utilización, p.e. de la viagra"[9], lo que, al igual que posibles intervenciones genéticas, proporciona seres humanos mejorados, que, a costa de su salud, han decidido libremente el empleo de las sustancias anteriores sobre su corporeidad. Por tanto, cabe pensar en un concepto social de salud al margen del legal bajo prisma de la instrumentalización; es decir, "la salud no es valiosa intrínsecamente"[10], lo que radicaliza categóricamente al concepto jurídico de salud, "sino solo instrumentalmente, como medio o recurso que nos permite hacer lo que queremos"[11], y en tanto medio, el derecho a la salud comporta mucho más que el simple derecho a decidir sobre tratamientos terapéuticos, ya que en el concepto genérico de derecho a la salud, se incluye como se ha indicado al inicio de estas líneas, el bienestar físico y psíquico del individuo, teniendo presente por tanto derecho a mejorar la propia salud, lo que no altera sustancialmente la naturaleza de "lo humano".

## 1.1. El futuro del desarrollo biotecnológico y el derecho a decidir sobre la propia salud

Las descodificación del ADN en 2001 abrió paso a las primeras especulaciones sobre la idea de una mejora de la especie en sentido real, que fusionase ciencia y tecnología para facilitar la vida humana. Arbitrariamente y desde diversos ámbitos del conocimiento se comenzó a reflexionar a cerca de la viabilidad potencial que tendría el ámbito genético y cómo estas intervenciones transgredirían en la sociedad; así "los científicos esperan aislar e identificar el gen o genes responsables de las más de cuatro mil enfermedades genéticas que aquejan a los seres humanos. Esperan también obtener un mejor conocimiento de cómo actúan

---

[9]    Cfr. GONZÁLEZ MORÁN, L., "Implicaciones éticas y jurídicas de las intervenciones de mejora en humanos. Reflexión general", en ROMEO CASABONA, CM. *Más allá de la salud. Intervenciones de mejora en humanos*, Comares, Bilbao-Granada, 2012, págs. 12-13.

[10]   Cfr. Ibídem, GONZÁLEZ MORÁN, L., *op. cit.*, págs. 12.

[11]   Cfr. Ibídem.

los genes, como se "encienden" y "apagan" e interaccionan con su entorno para causar una enfermedad. Ya se dispone de pruebas de chequeo genético para muchas de las enfermedades genéticas más comunes. (...) Se están investigando además desórdenes poligénicos más complejos —en los que intervienen grupos de genes— que afectan al temperamento, la conducta y la personalidad.

Con una nueva y revolucionaria técnica, los chips de ADN, los médicos podrán rastrear la constitución genética de un individuo y ofrecer una lectura detallada de sus predisposiciones genéticas. (...) Los chips de ADN están hechos de miles de diferentes fragmentos de ADN colocados en un chip de sicilio. Los chips marcan las diferencias genéticias y dan a los médicos un mapa que muestra las enfermedades existentes y potenciales de un individuo"[12]. Por otra parte, ya a mediados del siglo pasado, los estudios epigenéticos comenzaban a dar sus primeros frutos basados en relación con la "la existencia de un nivel de regulación de la expresión génica que no está relacionado con la secuencia de bases nitrogenadas sino con la organización estructural que ésta adopta en un momento determinado dentro del núcleo celular. Esta ciencia se define como el estudio de los cambios de expresión génica que son potencialmente heredables y que no implican cambios en la secuencia del ADN"[13]; esto es, la incidencia de los factores ambientales en la composición genética de los seres vivos, y por ende, los seres humanos. Sin embargo este campo de conocimiento ha tenido menor calado a pesar de que a partir de las conclusiones de sus investigaciones podrían ponerse en entredicho las limitaciones legales que sufre la Biotecnología aplicada a los orígenes de la vida humana; por tanto, y en el sentido anterior, cabe considerar el enorme perspectivismo con el que tanto jurídicamente como humanísticamente se ha afrontado el desarrollo biotecnológico, puesto que el ser humano desde la Biotecnología ha sido analizado en términos jurídicos mayormente desde los preceptos de la identidad y la dignidad[14] y las acepciones terminológicas en ambos casos provienen de una vertiente jurídica que ha caracterizado a los Derechos Humanos desde la

---

[12]    Cfr. RIFKIN, J., *El siglo de la Biotecnología. El comercio genético y el nacimiento de un mundo feliz*, Paidós, Barcelona, 2009, pág. 56

[13]    Cfr. SÁNCHEZ-SERRANO, S.L., LAMAS, M., "Epigenética: un nuevo lenguaje, un nuevo destino", en *El Residente*, (6) 2011, pág. 107.

[14]    "La idea de dignidad humana, a la que se considera un valor que debe respetarse de manera inexcusable, puesto que la persona humana no tiene precio (Kant), es el fundamento de todos los otros valores morales propios de la condición humana y de los valores que sirven para fundamentar cada tipo de derechos humanos o universales (seguridad, autonomía, libertad e igualdad) (...) Reconocer la dignidad del ser humano es pues, reconocer ese valor igual y supremo a todos y cada uno de los seres humanos. Como si cada ser humano fuera el ser único en el mundo. Y por encima de cualquier dato particular que tenga que ver con su sexo, su religión, su inteligencia, su nacionalidad, las ideas políticas, su raza o su sabiduría" Cfr. PECES-BARBA, G., *Educación para la ciudadanía*, Espasa, Madrid, 2007, pág. 123

moralidad y los ha transformado en articulado. La dificultad de la posibilidad legal se centra en la cesión y adaptación literal de estas designaciones conceptuales a un proceso científico no finalizado. Así, desde la corporeidad, es decir, desde los derechos como cuerpo, el tratamiento jurídico que se le infiere a las modificaciones genéticas es mayoritariamente ontológico; o lo que es lo mismo, se realiza una ontología del ser humano como cuerpo desde lo colectivo, desde las repercusiones socio-morales que puedan tener las prácticas biotecnológicas en el mismo.

Sin embargo, el salto cualitativo que en la última década ha dado la teoría tanto humanística como jurídica respecto de la ciencia favorece la superación de la crítica unitaria a la identidad genética y a la preservación de la dignidad humana. En un primer momento, el sentido figurativo con que ha sido tratado el material genético humano restringe, jurídicamente hablando, el concepto que se tiene de la constitución del ser humano. Se trata al sujeto humano como sujeto genético sin tener presentes las mutaciones naturales que se producen en el genotipo a lo largo del devenir vital, que, por otra parte, son consustanciales a la identidad personal del sujeto, y consecuentemente a su identidad genética. Estas modificaciones ambientales, que pueden ser asimismo heredadas, no poseen control legal al carecer de la manipulación del hombre para conseguir una mejora, ejemplo de ello son "las mutaciones que, a lo largo de la historia se han ido produciendo en el desarrollo de la persona y de la vida humana: nuestros fenotipos son marcadamente diferentes a los de nuestros antepasados recolectores-cazadores"[15]. Si existen mutaciones naturales del genotipo que son transmitidas, y no alteran el concepto sustancial de lo humano tratado con anterioridad, las modificaciones biotecnológicas, inclusive aquellas heredables, tampoco modifican la esencia de lo humano desde el punto de vista de planteamientos posthumanistas; esto es, "no hay necesidad de comportarse como si hubiera una profunda diferencia moral entre la mejora tecnológica y otras formas de mejorar la vida humana"[16], planteamiento que, por otra parte es perfectamente compatible desde un punto de vista legal con el uso de la nanogenética, tal y como se analiza en el apartado dedicado a los avances y expectativas de la Nanomedicina.

Pero a pesar de todo lo anterior, la realidad de la Biotecnología ha superado con creces todas las expectativas iniciales. Actualmente la Biotecnología forma parte de las Tecnologías de Convergencia (NBIC) que junto con la Nanotecnología, las Tecnologías de la Información y la Ciencia Cognitiva, aplicadas al ámbito de la salud, culminan todas las pretensiones habidas al respecto de la mejora de la especie. Esta convergencia ha cobrado sentido en esta última década y se presenta

---

[15]   Cfr. GONZÁLEZ MORÁN, L., *op. cit.*, págs. 16-17.
[16]   Ibídem, pág. 17.

como el gran objetivo científico de la humanidad, posibilitando nuevas ramas de conocimiento y especialización.

Con la presencia de un posible nuevo marco normativo que estipule un límite en el empleo de las Tecnologías de Convergencia, es factible que muchos de los planteamientos jurídicos que actualmente limitan el uso de las Biotecnologías en el ser humano sean modificados. Sin embargo ¿el que se modifiquen límites de actuación en el ámbito sanitario ante la convergencia NBIC, modificará también el derecho a decidir sobre nuestra propia salud?

Si el derecho a la salud y a decidir sobre la misma está circunscrito a la permisividad legislativa, el derecho a una mejora humana bien desde un punto de vista in Vitro (véase el caso de las TRA) o in Vivo (véase el caso de la Nanomedicina) o un posible uso totalitario de las Tecnologías de Convergencia en Salud, transcurriría por una suerte de derroteros similares; es decir, comportará análogas restricciones para ejercer un derecho autónomo a nuestra salud.

Tratar lo anterior desde un punto de vista normativo, obliga a situar a la ciencia y a la tecnología en el mismo plano valorativo que a lo esencialmente humano, y por tanto, a considerar, como es lógico, al humano mejorado, como simplemente humano. Parece por el contrario plausible que la articulación normativa llegue a concluir, como ha sucedido hasta el momento, que las mejoras que puedan realizarse a través de las Tecnologías Convergentes aplicadas a la salud del ser humano sean legales en tanto su fin sea terapéutico. Pero aún así, es probable como veremos en el caso de la Nanomedicina, que las Tecnologías Convergentes en Salud muestren, una posibilidad real y aplicabilidad mayor que las que la legislación actual ha admitido hasta el momento en favor del uso de las Biotecnologías; de este modo, "el siglo de la Biotecnología acabará finalmente perteneciendo a los pensadores sistémicos, los que ven la biología más como un proceso que como un montaje de piezas y para quienes el gen, el organismo, el ecosistema y la biosfera son un superorganismo integral en el que la salud de cada parte depende de la salud y bienestar del sistema entero"[17].

## 2. INVESTIGACIÓN CIENTÍFICA CON EMBRIONES HUMANOS E INGENIERÍA GENÉTICA DE MEJORA

Las consideraciones sobre la investigación con seres humanos pueden agruparse en dos grandes bloques: por una parte aquellos que mantienen la certeza de que la experimentación en genética es beneficiosa para la humanidad en general. Es decir, el ser humano como conjunto de seres portadores de idénticas caracte-

---

[17]    Cfr. RIFKIN, J., *op. cit.* pág. 321

rísticas se beneficia, en el caso de ser necesario, de los avances de la ciencia. Y por el contrario, otro grupo mayoritario que, a pesar de que consideran que el avance de la ciencia es y puede ser favorable para la naturaleza humana, pretende evitar en la medida de lo posible la pérdida de la esencia del mismo por medio del uso de la ingeniería genética y las implicaciones ético-morales que ello comporta. A pesar de lo anterior, legalmente el dilema se extiende más allá que la mera doxa y se encuentra profundamente politizado, a saber, lo cambiante de la legislación en función de la ideología preponderante. Desde este punto de vista, "se introducen en el escenario jurídico dos clases de principios de aproximación a la vida prenatal: el gradualista, conforme al cual se valora la vida prenatal en atención a diversos momentos característicos de su desarrollo, y el de la potencialidad como complemento del anterior, que permite distinguir en la vida humana las posibilidades de diversa intensidad de llegar a nacer por las que puede atravesar el concebido, piénsese que este factor puede ser decisivo para la valoración jurídica de la vida del embrión in Vitro, en tanto no ha sido transferido a una mujer"[18].

Un hecho reciente y de notoria repercusión ha sido la Sentencia n. C-34/10 de Tribunal de Justicia de la Comunidad Europea, 18 de octubre de 2011, en la que al margen de resolver sobre las patentes biotecnológicas, se hace una definición explícita de lo que el Alto Tribunal considera embrión, entendiéndose por tal lo que sigue: "Constituye un «embrión humano» todo óvulo humano a partir del estadio de la fecundación, todo óvulo humano no fecundado en el que se haya implantado el núcleo de una célula humana madura y todo óvulo humano no fecundado estimulado para dividirse y desarrollarse mediante partenogénesis"[19]; se establece por tanto, un marco de referencia superestatal a la hora de determinar la investigación genética en seres humanos, dejando la consiguiente arbitrariedad a los jueces nacionales de lo que es o no es embrión humano, así pues: "Corresponde al juez nacional determinar, a la luz de los avances de la ciencia, si una célula madre obtenida a partir de un embrión humano en el estadio de blastocisto constituye un «embrión humano»"[20].

Cuando se intenta definir al ser humano en su origen, cualquier connotación axiológica que escape a lo científico debe ser evitada, para precisamente conservar la categoría jurídica de lo digno; en este sentido, se pronuncia la Declaración

---

[18]     Cfr. ROMEO CASABONA, CM. "El estatuto jurídico del embrión humano", en VV. AA. *Investigación con células troncales*, Barcelona, 2004, pág. 115.

[19]     Sentencia del Tribunal de Justicia (Gran Sala) de 18 de octubre de 2011 (petición de decisión prejudicial planteada por Bundesgerichtshof-Alemania)-Oliver Brüstle/Greenpeace eV (Asunto C-34/10). En DOUE C/362/5 10.12.2011.

[20]     Sentencia del Tribunal de Justicia (Gran Sala) de 18 de octubre de 2011 (petición de decisión prejudicial planteada por Bundesgerichtshof-Alemania)-Oliver Brüstle/Greenpeace eV (Asunto C-34/10). Vid. DOUE C/362/5 10.12.2011.

Universal sobre el Genoma Humano y los Derechos Humanos en sus artículos 2: "Cada individuo tiene derecho al respeto de su dignidad y derechos, cualesquiera que sean sus características genéticas" y 10: "Ninguna investigación relativa al genoma humano ni ninguna de sus aplicaciones, en particular en las esferas de la biología, la genética y la medicina, podrá prevalecer sobre el respeto de los derechos humanos, de las libertades fundamentales y de la dignidad humana de los individuos o, si procede, de grupos de individuos". Así entendida la lectura de la noción jurídica de lo digno puede ser doble; esto es, como premisa básica para la experimentación con embriones humanos, y como creación de un ser humano modificado genéticamente. De este modo, cualquier modificación genética que pudiese materializarse sería digna por el hecho de ser humana, es decir, el material genético humano es digno por el hecho pertenecer a ésta y no a otra categoría.

A pesar de lo anterior, la experimentación con embriones humanos no deja de ser un tipo de ingeniería genética que no destruye seres humanos, sino que trabaja sobre su material genético no constituido en humano[21]; lo que supone una diferencia cualitativa importante de cara a los enfoques restrictivos que defienden el constituyente de la esencia de lo humano en su material genético, de donde resulta que "cuando el legislador castiga la manipulación de genes humanos de manera que se altere el genotipo, lo que quiere evitar es precisamente modificaciones en la esencia del ser humano, modificaciones que podrán alterar la especie humana, puesto que aún cuando la especie humana ha evolucionado a lo largo de los tiempos, desde los primeros homínidos hasta el hombre actual, no puede dejarse al arbitrio de quien puede tener acceso a los genes, modificaciones que afecten a las características esenciales del ser humano"[22].

---

[21]    "En la sentencia 53/1985 el TC no llegó a reconocer que el nasciturus fuera titular del derecho fundamental a la vida proclamado en el art. 15 CE, sino que lo calificó como un bien jurídico constitucionalmente protegido a través del art. 15 CE, razonamiento que habría de tener como presupuesto que el nasciturus no es titular del derecho a la vida, pues de lo contrario sería a través de la titularidad de dicho derecho de donde se obtendría la protección constitucional de la vida de aquél y no por medio de la configuración de un bien jurídico. Esta calificación se ha visto confirmada posteriormente por las sentencias 212/1996 y 116/1999 del mismo órgano. En estas dos últimas sentencias el TC añade con mayor claridad: "cumple recordar que ni los preembriones no implantados ni, con mayor razón, los simples gametos son, a estos efectos, persona humana." Cfr. ROMEO CASABONA, CM. "El estatuto jurídico", ob.cit., pág. 113.

[22]    Cfr. CASTELLÓ, N. "La manipulación de genes humanos (art. 159 del Código Penal Español)", en BENÍTEZ ORTÚZAR, I., MORILLAS CUEVA, L., PERIS RIERA, J. (Coor.) Estudios jurídico-penales sobre genérica y biomedicina, Dykinson, Madrid, 2005, pág. 172.

## 2.1. Presupuestos onto-jurídicos de la investigación científica con embriones humanos

La investigación con embriones en la actualidad de nuestro país es heredera de las críticas que ha comportado el progresivo empleo y acceso a las técnicas de reproducción asistida desde los inicios de su permisividad legal. Es obvio que se ha producido una cuantiosa expansión en esta materia, no obstante como veremos, no se acerca a las previsiones ideales que en el lapso de un período de tiempo tan prolongado hubieren podido darse[23]. La norma básica en esta materia es la Ley 14/2006, de 26 de mayo, sobre Técnicas de Reproducción Humana Asistida[24] que, a tenor de su art. 1, tiene por objeto regular la asistencia en la reproducción humana, la ayuda en casos en los que existan enfermedades de origen genético así como la disposición en el uso de la utilización de gametos y preembriones humanos crioconservados. Dicho precepto contiene una definición legal estatal de preembrión[25] que lo concibe como "el embrión in Vitro constituido por el grupo de células resultantes de la división progresiva del ovocito desde que es fecundado hasta 14 días más tarde" que es el que, precisamente, puede ser sometido a proyectos de investigación científica. Bajo el paradigma onto-jurídico de la ingeniería genética de mejora practicada sobre embriones "in Vitro", esta limitación puede ser enjuiciada desde tres puntos de vista diferenciados. A saber:

### 2.1.1. El sentido moralizante de la especie humana en función de su temporalidad

Uno de los argumentos más comunes en contra de la experimentación con embriones humanos se sitúa en torno a la consideración humana de las etapas embrionarias basadas en estudios empíricos sobre el desarrollo sensorial. El legislador español, situando la temporalidad del embrión en 14 días después de la fecundación establece un límite bajo el que la experimentación en preembriones

---

[23]  Como dato anecdótico, "la primera inseminación artificial con éxito se efectuó en 1884, en la Escuela de Medicina Jefferson de Filadelpia. Una mujer casada fue inseminada con el esperma de un estudiante de medicina. Esta práctica no se extendió, sin embargo, sino en los años setenta, cuando la crioconservación del esperma hizo posible la inseminación artificial con esperma almacenado, eliminándose así el inconveniente de que tuviesen que coincidir los ciclos de ovulación y las donaciones de esperma". Cfr. RIFKIN, J., *El siglo de la Biotecnología. El comercio genético y el nacimiento de un mundo feliz*, Paidós, Barcelona, 2009, pág. 59.

[24]  BOE 126 de 27 de mayo de 2006.

[25]  "El preembrión no puede ser considerado nasciturus aunque cuente, conforme a las SSTS 212/1996 Y 116/1999, con una cierta proyección del principio de dignidad humana constitucionalizado" Cfr. RODRÍGUEZ-DRINCOURT, J., Genoma humano y Constitución, Cuadernos Civitas, Madrid, 2002, pág. 43.

es loable, regulándolo así en el artículo 15 de la citada ley[26]. Exponencialmente el embrión humano no es un ser humano ni una persona humana, "la distinción entre ambos conceptos consiste, por consiguiente, en que la noción de ser humano se basa en una circunstancia biológica, perfectamente comprobable con la tecnología actual, la pertenencia de un ser a la especie humana; por el contrario, el término persona humana se basa en circunstancias morales, de imposible comprobación empírica"[27]. Pero, jurídicamente hablando, esta distinción no se muestra aislada sino que se vincula al hecho de la trascendencia de las aplicaciones biotecnológicas positivas en función de un resultado presumible, no constatable. Las obligaciones *ex lege* a este respecto no finalizan en la acotación temporal, sino que trascienden este aspecto para limitar, entiéndase en el mismo sentido, la dignidad humana del feto, del embrión humano y del ser humano en sí mismo considerado.

Al igual que plantearse los derechos de salud y la determinación que poseemos en relación con los mismos, la experimentación en embriones es tasada e irremediablemente nos remite a una gradación de etapas en la creación, de un futuro ser humano[28], cuestiones que en la misma tesitura no dejan de ser residuales de planteamientos dualistas.

Pero obviando lo anterior, el interrogante presente más allá de las disquisiciones que se puedan realizar tanto de la vertiente jurídica como de la sociológica o científica, el estatuto jurídico del embrión humano no resuelve cual es la naturaleza del ser gestante. A pesar de ello, la crítica a la ingeniería genética de mejora se extiende más allá de la resolución de esta cuestión. Y, en el caso de que dicha cuestión fuese resuelta, seguirían existiendo detracciones a este tipo de prácticas

---

[26]    En concreto, el art. 15 de la Ley 14//2006 de 26 de mayo, sobre Técnicas de Reproducción Humana Asistida condiciona la investigación o experimentación con preembriones sobrantes procedentes de la aplicación de las técnicas de reproducción asistida que, en todo caso, sólo será autorizada si: "a) Que se cuente con el consentimiento escrito de la pareja o, en su caso, de la mujer, previa explicación pormenorizada de los fines que se persiguen con la investigación y sus implicaciones. Dichos consentimientos especificarán en todo caso la renuncia de la pareja o de la mujer, en su caso, a cualquier derecho de naturaleza dispositiva, económica o patrimonial sobre los resultados que pudieran derivarse de manera directa o indirecta de las investigaciones que se lleven a cabo. b) Que el preembrión no se haya desarrollado in vitro más allá de 14 días después de la fecundación del ovocito, descontando el tiempo en el que pueda haberestado crioconservado".

[27]    Cfr. DE MIGUEL BERIAIN, I. *El embrión y la Biotecnología un análisis ético-jurídico*, Comares, Granada, 2004, pág. 70.

[28]    "El embrión sería, si, un ser humano desde la concepción, pero devendría en persona tan sólo en una fase posterior. Persona, se dice, es quien tiene la capacidad actual de conciencia, de presencia psicológica, de reflexión. El embrión evidentemente no ha desarrollado todavía todas estas capacidades, por lo que no es propiamente persona." Cfr. CARRASCO DE PAULA, J et. al. *Identidad y estatuto del embrión humano*. EUNSA, Pamplona, 2000, pág. 171.

a partir las conciencias individuales objetivadas por creencias aprehendidas y fundamentadas en planteamientos restrictivos ulteriores a la esencia biológica del ser humano. Por otra parte, cabe también pensar en el sentido que tendría una concepción unitaria de la esencia del embrión humano más allá de su estatuto jurídico; esto es, cuál sería el cambio o en qué afectaría al respecto de la ingeniería genética desde el punto de vista moral si con total certeza se atestiguase la fundamentación misma de la vida humana en sus orígenes.

## 2.1.2. El establecimiento de un marco ético-jurídico gravativo de la capacidad de ser del ser humano

En los diversos intentos de precisión del estatuto jurídico del embrión humano desde marcos ético-jurídicos variados e inconciliables en apariencia, existe un planteamiento común al margen del la vacua respuesta que se puede dar a la cuestión ¿qué es un ser humano? Todos los intentos explicativos de la existencia de lo humano separan tajantemente lo corpóreo de lo que consideran humanidad. Bajo lo anterior, las tasaciones que el legislador puede imponer se basan en una presunta adquisición de la humanidad del ser humano que no se consolida en el proceso de socialización[29].Por otra parte, el constatado determinismo genético puede ser evitado si se supera el prisma de sacralización que se atribuye a la especie humana. Con ello, no se debe tender a una desmedida experimentación con el material genético humano, sino que la legislación acompasada con la ciencia debe superar las limitaciones gradativas que se le atribuyen al ser humano en función de la adquisición o suposición de la atribución de la personalidad. "Todas estas consideraciones se basan en la destrucción de la idea de continuidad entre el concebido y el niño ya nacido. La continuidad que existe entre un niño de dos años y una persona de veintidós años no es la misma que la que se da entre un embrión o un feto y un niño ya nacido. Por poner un ejemplo clásico, no es lo mismo destruir una bellota que talar un roble, a pesar de que un roble procede de la bellota. No es lo mismo "provenir de" que "estar en"; un roble proviene de una bellota pero no está en esa bellota. Una bellota es un roble potencial, no un roble. Del mismo modo, un óvulo fecundado dará lugar a un niño, pero no es cierto que

---

[29]   Así con las TRA daba comienzo "un nuevo marco empírico que va a modificar nuestra comprensión y valoración de la vida humana en las primeras fases de su desarrollo al tiempo que nos proporciona una nueva concepción más gradual de su evolución biológica. Esto tiene que ver son la constatación de que ni la fertilización ni la concepción pueden identificarse sin más con el origen de una vida humana." Cfr. SÁBADA, J., VELÁZQUEZ, J.L.,, op. cit., pág. 88.

el niño esté en el óvulo fecundado"[30], y por consiguiente, un embrión no es un ser humano, sólo material genético del mismo.

## 2.1.3. Homogeneización de los derechos del ser humano respecto de su material genético no constituido en humano

La temporalidad del estadio intrauterino del ser humano acapara el interés desde otro punto de vista igual de importante, a saber, el derecho a la interrupción voluntaria del embarazo y lo que ello comporta. Con el objeto de la Ley Orgánica 2/2010, de 3 de marzo, de salud sexual y reproductiva y de la interrupción voluntaria del embarazo, el tema de los plazos gestacionales está de nuevo presente. Obviamente existe una distancia abismal entre la regulación que establecen ambos tipos de leyes; sin embargo, sí que invita a reflexionar el tratamiento de la temporalidad de los mismos y la fundamentación que, es de suponer, biológicamente ha querido dar el legislador a la humanización del gestante. En los artículos 14 (supuesto general) y 15 (supuestos excepcionales) se establece respectivamente que podrá interrumpirse el embarazo dentro de las primeras catorce semanas a petición de la embarazada[31] y se determinan los tres supuestos en los que se podrá interrumpir la gestación más allá de éstas, concretamente a las veintidós semanas[32].

Al margen de las apreciaciones temporales, existe una colisión de derechos entre la moralidad y derechos de la mujer, y la carencia de autonomía con la consiguiente preservación jurídica de derechos del gestante. No obstante, lo que nos interesa resaltar del aspecto temporal regulado por la ley es que, salvadas las distancias entre ambos casos como se ha indicado, se está adaptando la preservación de la vida y derechos de lo que se presume un futuro ser humano de modo diverso, cuando, a tenor de la legislación tanto estatal como superestatal al respeto, debe primar la preservación de la dignidad y la identidad de ese ser carente de autonomía. Aparentemente puede parecer contradictorio el enfoque anteriormente esgrimido, pero a pesar de que en el supuesto sobre la interrupción voluntaria del embarazo el enfoque legal sea aquel en el que se primen los derechos tanto morales como físicos de la gestante, deja entrever una falta de sistemática para la consolidación del estatuto jurídico del embrión humano, puesto que a pesar de todo ello "se nos escapa completamente cuál ha de ser la norma

---

30    Cfr. DE MIGUEL BEIRAIN, I., *op. cit.*, pág. 110.

31    Art. 14 de Ley Orgánica 2/2010, de 3 de marzo, de salud sexual y reproductiva y de la interrupción voluntaria del embarazo. (BOE n 55 de 4 de marzo de 2010).

32    Vid. Supra, el Capítulo *El derecho a decidir sobre la propia salud sexual y reproductiva.*

de conducta que nos imponga el respeto que merece la dignidad humana"[33]. Y, "a este respecto, junto a las nuevas suspicacias sobre los avances científicos, ha sido el desarrollo de las ideas de "derechos del hombre", "dignidad personal" y "autonomía individual", en un contexto político y jurídico de preocupación por el sujeto concreto, por la persona individual, muy propio de democracias liberales occidentales, lo que ha contribuido decisivamente a colocar los intereses de los sujetos potenciales de la experimentación por delante de las necesidades de la investigación y del progreso científico"[34].

Bien es sabido que la preservación de la dignidad humana y la identidad genética son dos aspectos críticos y determinantes para posibilitar la experimentación tanto con seres humanos como a la hora de establecer los límites en la experimentación con embriones humanos. Pero no sólo ello, existe como se ha apuntado, la impronta de una seña bajo la que la experimentación se encuentra fuertemente convenida; es decir, muchas de las limitaciones existentes en cuando a la experimentación con embriones humanos no provienen simplemente de la preservación de la dignidad[35] o la identidad[36], sino de determinar desde el punto de vista jurídico el "hasta cuando" se puede investigar sobre el embrión. Con ello, se está reduciendo de modo drástico no sólo aquellos preceptos o bienes jurídicos que entran en conflicto ante la investigación genética, sino que, se elimina la problemática sujeto-objeto, consecuentemente la naturaleza del embrión, y de este modo se determina jurídicamente qué es o puede ser humano y qué no, pero a diferencia del material genético humano.

---

[33]    Cfr. DE MIGUEL BEIRAIN, I., *op. cit.*, pág. 374.

[34]    Cfr. GONZÁLEZ-TORRE, AP, *Bioética y experimentación con seres humanos*, Comares, Granada, 2002, pág. 11.

[35]    "Conviene precisar que tradicionalmente el principio de dignidad humana, no ha sido definido en términos taxativos e inequívocos. Tampoco ha sido precisado en el ámbito del derecho internacional. Podríamos decir que hasta el momento, ha sido más bien interpretado y de ahí la singular ambigüedad conceptual y vaguedad terminológica que a veces le acompaña. Claro que una vez más, hemos de ser conscientes también aquí que el peligro inherente a este modo de proceder, es adoptar tácita o subrepticiamente como válido, sin revisión ni análisis o crítica, el legado histórico que arrastra. Legado que en gran medida tiene que ver con una determinada acepción, y más en concreto con la concepción del derecho natural." Cfr. BLÁZQUEZ RUÍZ, F. *Derechos Humanos*, *op. cit.*, pág. 53.

[36]    "Es indudable que en los artículos 159 y ss CP. se reconocen implícitamente la existencia de un bien jurídico colectivo como es la identidad genética. El reconocimiento constitucional de un bien jurídico sirve de criterio para determinar su posición como interés fundamental para la vida social que reclama especial protección. En la Constitución se hallan los objetos de tutela fundamental que componen las bases de una estructura social en un momento determinado." Cfr. RODRÍGUEZ-DRINCOURT ÁLVAREZ, J. *Genoma humano y Constitución*, Cuadernos Civitas, Madrid, 2002, págs. 60-61.

Un reduccionismo importante, que no solventa la máxima de la investigación en nuestros días, a saber, el dilema entre la persona con sus supuestas atribuciones psíquicas, sociales, científicas y jurídicas entre otras, y la personalidad del ser humano en tanto a su constitución. Así, a partir de las prácticas permitidas, se está haciendo una doble mejora: en primer lugar, en términos jurídicos se están preservando a través de las restricciones los valores atribuidos al ser humano por el hecho de ser humano[37]; es decir, ser preserva una dignidad humana que es transferida al patrimonio genético con pretensiones universalistas. Y, por otra parte, se está mejorando el patrón hereditario del sujeto/s que acceden a las terapias genéticas consentidas, bien sean estas para salvar la vida de otro ser humano, bien sean para concebir un descendiente que naturalmente no podría ser concebido.

## 2.2. Presupuestos onto-jurídicos de la ingeniería genética de mejora

Bajo la especial consideración a una posible unificación criterial del estatuto jurídico del embrión humano, la noción de mejora podría ubicarse en lo que pueden ser todas y cada una de las técnicas de reproducción asistida respecto de las distintos niveles valorativos en la vida del embrión (en los posibles actualmente y en los pensables); a saber: "se puede reconocer en primer lugar especial importancia (aspecto valorativo) que tiene la vida que posee la potencialidad por sí misma de dar lugar a un ser humano (aspecto ontológico) (...); el momento de la anidación o implantación del embrión en el endometrio materno representa también un punto decisivo en las primeras fases desde la culminación de la concepción, en cuanto se han superado ya determinados fenómenos biológicos (fisiológicos, genéticos y hormonales) que asientan su individualidad y que denotan hasta entonces cierta inestabilidad biológica del embrión. En tercer nivel valorativo se puede situar al embrión viable (inestable y todavía pendiente de asegurar su individualidad), al estar en condiciones de continuar el proceso de desarrollo biológico de forma natural"[38].

Otro aspecto de sumo interés que parece resultar menos "inmoral" en las técnicas de reproducción asistida es la preservación de la identidad genética del futuro gestante "cimentado" al arbitrio de la ciencia; no encontramos referencia expresa a este hecho que debiere de ser de igual importancia cuando, precisamente,

---

[37]    "La respuesta ante estas grandes decisiones humanas a las que hace frente el legislador, suelen buscar el camino intermedio de soluciones legislativas que no satisfacen pero tampoco descontentan a los sectores sociales enfrentados." Cfr. TUR AUSINA, R. "Cuerpo humano y persona ante las Biotecnologías: implicaciones constitucionales", en SILVEIRA, HC. (Coord.) El derecho ante la Biotecnología, Icaria, Barcelona, 2008, págs. 266-267.

[38]    Cfr. ROMEO CASABONA, CM. "El estatuto jurídico", ob.cit., págs. 120-121.

uno de los impedimentos para la experimentación e investigación con embriones humanos se basa en la salvaguardia de la dignidad e identidad del ser gestante; el que, en el caso de sufrir manipulaciones genéticas más allá de las permitidas y trascender éstas genealógicamente ¿podría dejar de ser digno? ¿en qué grado se estaría vulnerando su dignidad desde la manipulación de su identidad genética? Suponemos, que el planteamiento para una respuesta coherente a este tipo de cuestiones proviene de la posible irresponsabilidad científica y desviaciones en la experimentación como lo puede ser considerada la hibridación, o mismamente en su justa medida la clonación no terapéutica[39].

Ahora bien, la Ley 14/2006, de 26 de mayo, sobre Técnicas de Reproducción Humana Asistida en su anexo deja abierta una hipotética posibilidad para aquellas prácticas que suficientemente constatadas redunden en beneficio de la humanidad, puedan ser actualizadas[40], para así su "aplicación generalizada"; lo anterior contrasta de modo tajante con la suerte de prohibiciones a las que desde un primer momento alude la ley. Es improbable que de manera nomológica se avance, por ejemplo, científicamente en la clonación humana (tajantemente prohibida en el artículo primero sino es con finalidad terapéutica) sino se permite la experimentación con embriones mayores de 14 días, o bien, de ser el caso, se pueda investigar y experimentar libremente pero no se pueda ver el resultado completo del proceso de creación científica de un ser humano que ha sido intervenido en la línea germinal erradicando una patología que, fruto del avance de la ciencia, no heredarían sus descendientes. En este sentido, la propia ley es la que limita la ciencia y favorece consecuentemente una experimentación clandestina (como se ha visto con multitud de casos a lo largo de la historia) que será la que en efecto, por muy restrictivas que pudieren ser posibles leyes venideras, brinde la oportunidad a la humanidad de beneficiarse de la experimentación con embriones humanos que no dejan de ser una representación del ser humano determinable pero no de la esencia determinada de éste.

Sin embargo, la reflexión científica en la materia que se centra, básicamente, en constatar la eficacia o ineficacia respecto a posibles problemas de salud derivados de tratamientos viables jurídicamente de reproducción asistida. Actualmente

---

[39] Para entender los distintos tipos de clonación y sus finalidades vid. PÉREZ ÁLVAREZ, S., *La libertad ideológica ante los orígenes de la vida y la clonación en el marco de la UE.*, Comares, Granada, 2009, págs. 23 y ss.

[40] En este sentido, el art. 2.3 de la Ley 14 2006 de 26 de mayo, sobre Técnicas de Reproducción Humana Asistida establece que: "El Gobierno, mediante real decreto y previo informe de la Comisión Nacional de Reproducción Humana Asistida, podrá actualizar el anexo para su adaptación a los avances científicos y técnicos y para incorporar aquellas técnicas experimentales que hayan demostrado, mediante experiencia suficiente, reunir las condiciones de acreditación científica y clínica precisas para su aplicación generalizada".

se ha constatado que "los nacidos únicos tras el empleo de la FIV/ICSI tienen más altos riesgos de sufrir complicaciones perinatales en comparación de los engendrados espontáneamente. Y se plantea la urgencia de determinar qué aspecto de las técnicas causan más riesgo y cómo podrían ser minimizados. La aplicación de las TRA generan síndromes raros, y aparecen casos recientes que muestran alteraciones no cuantificadas aún. Conocemos que hay alteraciones que aparecen a largo plazo, como la enfermedad sistémica pulmonar y cardiovascular, causadas por la exposición del embrión en los primeros días —en los que es especialmente vulnerable—, a un entorno adverso y a la estimulación ovárica. Todo ello nos habla de que, aún después de más de 30 años de investigación retrospectiva, las TRA no se controlan suficientemente. Los motivos son muy claros: como no se cura la esterilidad, el hijo podrá padecer las consecuencias de las deficiencias de los gametos de sus padres"[41]. Según lo anterior, y evitando la restricción de las intervenciones genéticas a las líneas germinales, podría realizarse una intervención que paliase las deficiencias heredables de los gametos de los padres, pero claro ¿Cómo permitir dicha intervención sino existe todavía seguridad en el empleo de las técnicas viables? Teorizar por tanto de la situación actual de la ingeniería genética de mejora, entendiéndose ésta como todo medio para mejorar las deficiencias o carencias que el ser humano creado posee respecto del ser humano potencial, no deja de ser parte de una especulación bien en sentido moralizante, o por el contrario, negador de una moral consensuada, en función de la asunción del grado de determinismo que posea el sujeto que teoriza.

A pesar de las detracciones que pueda encontrar el avance de las ciencias biomédicas, el problema no finaliza aquí. De hecho, el debate público que se ha originado los últimos años como consecuencia de la permisividad o restricción de lo científico ante lo humano acaba de comenzar. Los planteamientos previos e ingenuos, es decir, discutir qué es humano o qué no y cómo tratar el origen de la vida humana, pueden extrapolarse ahora a situaciones en las que un sujeto posthumano reclame la atención de la legislación. ¿Cómo poder regular y restringir lo pensable? ¿Cómo anticiparse jurídicamente a lo que todavía no es? Si las Ciencias de la Vida en relación con su origen, presentaban una serie de rasgos comunes desde el punto de vista del debate, las Ciencias de la Vida en relación con la constitución de un ser humano que pueda modificarse a si mismo desde su constitución ontológica como humano exigen un nuevo tipo de regulación y el enfoque de los problemas vitales actuales desde su lado opuesto: la existencia inferida de autonomía como exponente y garante de derechos de mejora de lo

---

[41]    Cfr. LÓPEZ MORATALLA, N., HUERTA ZEPEDA, A., y BUENO LÓPEZ, MD. "Riesgos para la salud de los nacidos por las técnicas de fecundación asistida. La punta de un iceberg", en *Cuadernos de Bioética*, (78) 2012, pág. 8.

humano. Posibilidades teóricas pero que, a corto o medio plazo, podrían materializarse en la práctica a la luz de los avances y expectativas que la Nanomedicina está produciendo en el ámbito del derecho a decidir sobre la propia salud.

## 3. AVANCES Y EXPECTATIVAS DE LA NANOMEDICINA

El desarrollo de las nuevas aplicaciones biotecnológicas comienza a producir sus primeros logros inimaginables en el campo de la medicina como acontece, actualmente, con la nanotecnología. Pero, ¿en qué consiste la nanotecnología? ¿Cuáles son sus potencialidades en el campo de la medicina? "Los orígenes de la Nanotecnología se remontan al 29 de diciembre de 1959, cuando el físico estadounidense Richard Feynman dio una conferencia ante la American Physical Society titulada "Hay mucho sitio en el fondo". En aquella conferencia Feynman expuso los beneficios que supondría para la sociedad el que fuéramos capaces de manipular la sustancia y fabricar artefactos con una precisión de unos pocos átomos, lo que corresponde a una dimensión de 1 nanometro[42], aproximadamente"[43]. Sin embargo, la expresión "nanotecnología" fue acuñada por el científico Taniguchi en su intervención en el Congreso Internacional sobre Ingeniería de Producción celebrado en Tokio en 1974, definiéndola como tecnología de gran precisión producida a través componentes de dimensiones inferiores a la milmillonésima parte (nano[44]) de un metro de longitud[45]. Las conjeturas de Feynman y Taniguchi abrieron las puertas al despertar de esta ciencia a principios de los años 80, como consecuencia del desarrollo de una amplia gama de microscopios de barrido de sonido que captan imágenes a escala atómica y del desarrollo de nanotubos de carbono, nanobiosensores con excelentes propiedades mecánicas y eléctricas[46].

---

[42]    Una hebra de cabello humano posee, aproximadamente, 80.000 nanómetros de diámetro y un glóbulo 7.000 nanómetros. Vid. STOKES, E. "Regulating nanotechnologies: sizing up options", en *Legal Studies* 27 (2) 2009, pág. 281.

[43]    SÁNCHEZ, T. et al. "Nanociencia y nanotecnología: la tecnología Fundamental del Siglo XXI", en *RUISF*, enero 2005, pág. 19.

[44]    Según el Diccionario de la Real Academia Española de la Lengua el término "nano" procede del término latino "nanus" o enano y se aplica a para designar el submúltiplo que representa una milmillonésima (10-9) parte de una unidad de medición.

[45]    Taniguchi había centrado su investigación en el análisis de cómo en el ámbito industrial se había reducido cuantitativamente el tamaño de los diferentes componentes empleados en la producción industrial entre 1940 y 1970. Dicho estudio le permitió formular la hipótesis de que en la década de los ochenta se desarrollarían componentes industriales de dimensiones inferiores a la milmillonésima parte de un metro de longitud. Vid. WHATMORE, RW. "Nanotechnology-should be worried?", en *Nanotechnology Perceptions*, vol. I, 2005, pág. 69.

[46]    MEJÍAS SÁNCHEZ, Y. et. al. "La nanotecnología y sus posibilidades de aplicación en el campo científico-tecnológico", en *Revista Cubana de Salud Pública*, n. 35 (3), 2005, pág. 3.

Como ha constatado Stokes, estos descubrimientos científicos sirvieron de base para acuñar el término Nanotecnología que se utiliza para describir, actualmente, todas aquellas actividades que comprenden el diseño, la producción y la elaboración de materiales atómicos y moleculares a muy pequeña escala[47]. La producción y elaboración de materiales a escala manométrica también han repercutido sobre los procesos biológicos, debido a que permite introducir nano-materiales o, incluso, componentes micro-electro-mecánicos[48] en tejidos celulares que interactúen con los procesos naturales de auto organización de los seres vivos[49]. Este tipo de estructuras "sistemas micro-electro-mecánicas" están siendo aplicadas, entre otros ámbitos, en el campo de la medicina en orden al descubrimiento de nuevos tratamientos diagnóstico-terapéuticos o para reforzar la eficacia de otros métodos más tradicionales[50].

La irrupción de la Nanotecnología en las Ciencias de la Salud en general, y en el campo de la Medicina en particular, ha dado lugar al nacimiento de una nueva disciplina científica, la Nanomedicina que puede ser definida, entre otras acepciones posibles, como "la monitorización, reparación, construcción y control de sistemas biológicos humanos a nivel molecular, utilizando nanodispositivos y nanoestructuras creadas por ingeniería"[51]. Así entendida, este campo sanitario incluye un amplio abanico de tecnologías aplicadas a dispositivos, materiales, procedimientos médicos y modalidades terapéuticas[52] desarrolladas, en algunos casos, mediante la convergencia de materiales vivos e inertes, dando lugar al descubrimiento de nuevos tratamientos médicos beneficiosos para la salud y la mejora de la calidad de vida de nuestra especie[53].

La nanotecnología aplicada a las Ciencias Sanitarias está siendo actualmente desarrollada con fines diagnósticos, terapéuticos y regenerativos.

---

[47]    "You are what you eat: market citizens and the right to know about nano foods", en *Journal of Human Rights and the Environment* vol. 2 (2), 2011, pág. 181.
[48]    WHATMORE, RW. "Nanotechnology", *op. cit.*, pág. 69.
[49]    SÁNCHEZ, T. et al. "Nanociencia y nanotecnología", *op. cit.*, pág. 20.
[50]    STOKES, E. "Regulating nanotechnologies", *op. cit.*, pág. 282.
[51]    Cfr. ZUO, L. et. al. "Nuevas tecnologías y aplicaciones clínicas de la nanomedicina", en *Medical Clinics of North América*, n. 91, 2007, pág. 845.
[52]    BAWA, R. y JJHONSON, "Dimensiones éticas de la nanomedicina", en *Medical Clinics of North America*, n. 91, 2007, pág. 881.
[53]    COZAR ESCALANTE, JM, *Nanotecnología, salud y bioética. (Entre la esperanza y el riesgo)*, Junta General del Principado de Asturias - SIBI, Oviedo-España, 2011, pág. 21.

## 3.1. Sistemas de Nanodiagnóstico

El nanodiagnóstico consiste en el desarrollo de sistemas de análisis y de imagen para la detección de enfermedades en los estadios más tempranos posibles, tanto in vivo como in vitro[54]. Los nanosistemas de diagnóstico se pueden utilizar in vitro o in vivo. El diagnóstico in vivo requiere que los dispositivos puedan penetrar en el cuerpo humano, para poder así identificar y, teóricamente hablando, cuantificar la presencia de un determinado patógeno o de células que han padecido mutaciones congénitas. Por su parte, el nanodiagnóstico in vitro ofrece una mayor flexibilidad de diseño, ya que se puede aplicar a muestras muy reducidas de fluidos corporales o de tejidos, a partir de los cuales se puede detectar la presencia en las muestras que han sido objeto de análisis de patógenos o defectos genéticos[55]. Actualmente, esta rama de la Nanomedicina está siendo desarrollada a través de diferentes nanoestructuras[56]:

Los nanobiosensores que son dispositivos compuestos por dos elementos fundamentales: un receptor biológico preparado para detectar específicamente una sustancia y un sensor que es capaz de interpretar la reacción de reconocimiento biológico que produce el receptor y traducirla en una señal cuantificable. En la actualidad cabe destacar el desarrollo de destacar de nanobiosensores fotónicos y los nanobiosensores basados en nanopartículas de oro, magnéticas o en nanotubos de carbono entre otros[57].

Los biochips de proteínas son nanoestruturas que incorporan anticuerpos con la finalidad de buscar los niveles de afinidad, unión, afinidad y cantidad de sustancias proteicas en una muestra compleja. También es posible el anclaje de proteínas funcionalmente activas para la observación global de actividades bioquímicas de miles de proteínas, así como su interacción con otros materiales orgánicos: proteínas, ADN y moléculas pequeñas. En el ámbito sanitario el uso de este tipo de nanomateriales se convertirá, a corto plazo, en un método rápido y sencillo para identificar el grado de infección de un determinado tejido orgánico y/o celular, así como para contrastar los niveles de eficacia de anticuerpos contra

54    LECHUGA GÓMEZ, LM. "La revolución", op. cit., pág. 39.
55    LECHUGA GÓMEZ, LM. "Nanomedicina: aplicación de la nanotecnología a la salud", en Motellón, JL. y Bueren, J. (Dir.) Curso de Biotecnología Aplicada a la Salud Humana, 9ª Ed., Edikamed, Barcelona, 2011, pág. 100.
56    GONZÁLEZ, JM. et. al. Informe de Vigilancia Tecnológica: Nanomedicina, Madrid+D, Madrid, 2006, pág. 18.
57    LECHUGA GÓMEZ, L. y MARTÍNEZ-ALONSO, C. "Nanobiotecnología: Avances Diagnósticos y Terapéuticos", en Revista de Investigación en Gestión de la Innovación y Tecnología, n. 35, 2006, pág. 5.

una amplia gama de antígenos víricos potenciando, de este modo, sus potencialidades clínicas y/o terapéuticas[58].

Los nanosistemas de imagen que son estructuras basadas en el uso de nanopartículas, generalmente, semiconductoras, metálicas o magnéticas, como agentes de contraste para marcaje in vivo que permiten aumentar la sensibilidad y dan mayor contraste en las técnicas de imagen. Uno de los sistemas de imagen que pueden aportar una gran utilidad en el ámbito biomédico para identificar pequeños tumores son las nanopartículas de semiconductores que permiten identificar cual es complejo celular que se encuentra afectado por este tipo de patologías para poder proceder a la extirpación inmediata del mismo. Otra posibilidad consiste en utilizar nanopartículas metálicas, ya que su frecuencia de resonancia o color es muy sensible a su tamaño y a su forma, lo cual permite diseñarlas para que absorban o dispersen luz en el tejido orgánico o celular que interese. Y, finalmente, nanopartículas magnéticas que permitirían aumentar el contraste en resonancias magnéticas reduciendo, eso sí, los niveles de toxidad que presentan actualmente la práctica de este tipo de ensayos, pues este tipo de nanopartículas podrían sustituir a los marcadores que se emplean actualmente para su puesta en funcionamiento basados en metales pesados[59].

En la actualidad, estos y similares sistemas de Nanodiagnóstico están ofreciendo una gran expectativa para la prevención precoz de enfermedades cancerígenas, debido a su capacidad para localizar específicamente células diana individuales asociadas a diferentes tipos de mutaciones genéticas[60] reduciendo, de este modo, los riesgos derivados del retraso en el diagnostico y tratamiento de este tipo de enfermedades congénitas.

## 3.2. Sistemas de Nanoterapia

La Nanoterapia persigue como finalidad esencial dirigir nanosistemas activos que contengan estructuras de reconocimiento para transportar y liberar medicamentos exclusivamente en las células o zonas afectadas por la patología de que se trate, a fin de conseguir un tratamiento más efectivo, minimizando los efectos secundarios[61]. Las nanopartículas que contienen el fármaco de que se trate, al ser liberadas de forma específica sólo en los órganos, tejidos o células dañadas, disminuyen la toxicidad asociada al fármaco. Al ser posible la liberación paulatina

[58]    PITARCH, A. et. al. "La proteómica, un nuevo reto para la microbiología clínica", en *Enfermedades Infecciosas y Microbiología Clínica*, vol. 28 (8), 2010, pág. 400.
[59]    LECHUGA GÓMEZ, LM. "Nanomedicina", *op. cit.*, pág. 101.
[60]    GONZÁLEZ, JM. et. al. *Informe de Vigilancia Tecnológica: Nanomedicina, op. cit.*, pág. 20.
[61]    LECHUGA GÓMEZ, LM. "La revolución", *op. cit.*, pág. 39.

del medicamento de acuerdo con las necesidades del paciente, se consiguen disminuir los posibles efectos adversos que puedan producirse como consecuencia de la ingesta o aplicación masiva del medicamento[62]. Por ello precisamente, equipos de investigación de diferentes partes del mundo se están sirviendo de la nanotecnología para obtener tratamientos eficaces contra enfermedades cancerígenas, debido a que al tratarse de nanoestrcutras dirigidas a las células afectadas por este tipo de patologías reducen, cuantitativamente, el número de células sanas que son destruidas con tratamientos tradicionales como la radio o la quimioterapia[63].

Dentro de la Nanoterapia también debemos referirnos a las potencialidades terapéuticas de algunas nanopartículas, pues una vez que se han unido a tejidos orgánicos dañados o a células cancerosas, se puede inducir su calentamiento mediante aplicación de un campo magnético de baja intensidad (para nanopartículas magnéticas) o por irradiación con luz infrarroja (para nanopartículas metálicas) destruyendo las células tumorales por hipertermia, sin afectar a las células o tejidos sanos que las rodean. La utilización de esta biotecnología para el tratamiento de enfermedades de carácter congénito como el cáncer redundaría en beneficio de la salud del paciente debido a que disminuirían, en mucho, los efectos secundarios de los tratamientos más invasivos como la químio o la radioterapia[64].

Junto a este tipo de nanoestructuras que ya están siendo desarrolladas para ser aplicadas en el ámbito sanitario con seres humanos, algunos equipos de investigación ya han diseñado Nanorobots construidos con carbono, hidrógeno, oxigeno, flúor o sílice con formas de virus para realizar tareas muy especificas en el interior del cuerpo humano. Teóricamente hablando, este tipo de nanoestructuras serían controladas desde el exterior por personal especializado, aunque también podrían desplazarse autónomamente si estuviesen dotados de un sistema de inteligencia artificial[65]. La Nanorobótica está siendo desarrollada con fines terapéuticos para hacer frente a enfermedades infecciosas graves como el SIDA o a patologías de carácter congénito como el cáncer. A pesar de que aún hablamos de simples modelos teóricos, lo cierto es que, a corto o medio plazo, los Nanobots podrían ser empleados con estos fines en el ámbito sanitario[66].

[62]   GONZÁLEZ, JM. et. al. *Informe de Vigilancia Tecnológica: Nanomedicina, op. cit.*, pág. 23.
[63]   *Informe Cancer Nanotechnology* elaborado por el Cancer National Institute del Departamento de Sanidad y Recursos Humanos de Estados Unidos, 2004, págs. 12 y ss.
[64]   LECHUGA GÓMEZ, LM. "Nanomedicina", *op. cit.*, pág. 109.
[65]   VALDIVIA URÍA, JG. "Nanotecnologia, medicina y cirugía mínimamente invasiva", en *Archivos Españoles de Urología*, vol. 58 (9). 2005, pág. 849.
[66]   HARIHARAN, R. y MANOHAR, J. "Nanorobotics as medicament", en VV. AA. *Emerging Trends in Robotics and Communication Technologies (INTERACT)*, Ed. Institute of Electrical and Electronics Engineers, Nueva York, 2010, págs. 4-7.

## 3.3. Sistemas de Nanomedicina Genética

La Nonomecicina Génetica (en adelante Nanogenética) puede ser definida como el diseño, la producción y la elaboración de materiales atómicos y moleculares a muy pequeña escala para la manipulación y transferencia del ADN de unos organismos a otros, en orden a la corrección de defectos génicos y a la mejora de la especie. Así entendia, ya desde principios del siglo XX, algunos equipos de investigación han diseñado el desarrollo de nanoestructuras combinadas con material genético, con el fin de prevenir o curar patologías de carácter genético o, incluso, regenerar tejidos orgánicos humanos in vivo.

Los primeros logros alcanzados en la Nanogenética desarrollada con fines diagnósticos, consisten en fragmentos de ADN anclados a nanobiochips con una alta densidad espacial que permite llevar a cabo análisis simultáneos de diferentes frecuencias del genoma humano. Esta nanotecnología aplicada al ámbito de la salud humana permitirá, a corto plazo, delimitar los niveles de expresión genética de un terminado tejido celular u orgánico[67] proporcionando, de este modo, información genómica individualizada de cada paciente facilitando la selección del tratamiento diagnóstico-terapéutico más idóneo para su propia salud o, incluso, tratar con carácter preventivo patologías de carácter congénito antes de que aparezcan los primeros síntomas de las mismas[68].

Desde el punto de vista terapéutico, cabe destacar el desarrollo, aún en fase experimental, de nanoestructuras para la liberación de materiales genéticos (ADN, ARN y oligonucleótidos) en tipos celulares específicos que servirían para inhibir la expresión de genes causantes de patologías de carácter congénito o para emitir, en el supuesto de que ya se hubieran expresado, componentes proteínicos para el tratamiento terapéutico de este tipo de enfermedades[69]. Hasta hace unos

---

Esta obra colectiva puede ser consultada on line a través del link: *http://ieeexplore.ieee.org/xpl/mostRecentIssue.jsp?punumber=5701570.*

[67]   LÓPEZ, M. et. al. *Informe de Vigilancia Tecnológica*: Aplicaciones *de los Microrrays y Biochips en Salud Humana*, Ed. Genoma Humana, Madrid, 2005, págs. 9 y ss.

[68]   TORRADES, S. "Biochips, herramienta del futuro en el mundo de la salud", en *OFFARM*, vol. 21 (9) 2002, pág. 128.

[69]   Existen también protocolos experimentales desarrollados por algunos equipos de investigación basados en la transferencia de cadenas de ARN, tanto desnudas como modificadas genéticamente, en la corriente circulatoria que culmina en el tejido orgánico afectado por la patología que trata de ser prevenida. Sin embargo, los primeros ensayos clínicos que se han llevado a cabo con sujetos pertenecientes a la raza de los primates han dado como resultado alteraciones en las características genéticas de los ácidos nucleicos inyectados disminuyendo, cuantitativamente, las potencialidades terapéuticas de este tipo de terapias génicas in vivo. Vid. Sandberg, JA. et. al. "Acute Toxicology and Pharmacokinetic Assessment of a Ribozyme (ANGIOZYME™) Targeting Vascular Endothelial Growth Factor Receptor mRNA in the Cynomolgus Monkey", en Antisense & Nicleic Acid drug development, n. 10, 2006, págs. 154-157.

años, la práctica mayoría de estos sistemas de terapia génica se han basado en la transferencia, mediante micro-inyección de vectores víricos portadores de un gen específico o una frecuencia de ADN en las partes del cuerpo humano donde deben producir sus efectos terapéuticos. La utilización de este tipo de nanomateriales presenta, como contrapartida, la integración indeseada de genoma vírico en el genoma del huésped provocando, de este modo, la incorporación del virus en el sistema inmunológico del paciente[70]. Ante estos resultados perjudiciales para la salud de los pacientes, algunos equipos de investigación han comenzado a estudiar las potencialidades de los "dendrímeros" como nanovectores para la liberación de genes[71] o de los "nanotubos de carbono" que contengan en su interior núcleos de ARN que sean liberados de manera específica en los complejos celulares que adolecen malformaciones de carácter genético[72]. A pesar de que se trata de protocolos que actualmente están siendo desarrollados en fase experimental, la constatación de que este tipo de nanomateriales pueden liberar eficazmente genes en algunos tipos celulares específicos, sin la toxificación asociada a vectores víricos, está provocando grandes expectativas en este campo concreto de las Nanogenética[73].

Por otra parte, la combinación de la ingeniera genética con la nanotecnología también va a tener, a corto o medio plazo, un impacto muy significativo en el campo de la Medicina regenerativa, gracias a la creación de trasplantes híbridos (nanomateriales desarrollados con fracciones de ADN humano) para curar e, incluso, mejorar las capacidades funcionales de diferentes partes del cuerpo huma-

---

[70]    ZUO, L. et. al. "Nuevas tecnologías", *op. cit.*, pág. 851.

[71]    Los dendrímeros son macromoléculas con muchas ramificaciones que están siendo desarrollados para el transporte de productos farmacológicos o materiales microbiológicos insertados en los extremos libres de este tipo de nanomateriales que, posteriormente, son liberados de forma precisa en los complejos celulares afectados por la patología de que se trate. Vid. CLAVIJO GRIMALDI, D. et. al. "La frontera entre la Biología molecular y la nanotecnología", en *IATREIA*, vol. 20 (3), 2007, págs. 299-300.

[72]    Los "nanotubos de carbono" son estructuras cilíndricas compuestas por una o varias capas de grafito u otro material de carbono, enrolladas sobre sí mismas que pueden incorporar en su interior péptidos bioactivos, proteínas, ácidos nucléicos o medicamentos que, posteriormente, son liberados de forma precisa en el interior de las células de tejidos orgánicos afectados por pataologías de carácter congénito o adquirido. GONZÁLEZ, JM. et. al. *Informe de Vigilancia Tecnológica: Nanomedicina, op. cit.*, pág. 25.

[73]    Así acontece, por citar un ejemplo, con las nanopartículas autoensambladas recubiertas con biomeléculas que poseen un alto grado de eficacia como vectores para la liberación de genes en las células cerebrales para reparar, a medio plazo, los efectos neurológicos secundarios de enfermedades como el ictus u otras patologías similares. Vid. ZUO, L. et. al. "Nuevas tecnologías", *op. cit.*, pág. 852.

no[74]. Los primeros logros que están teniendo lugar en este campo se basan en el desarrollo de Biomateriales dotados con la capacidad de imitar, idénticamente, la matriz extracelular propia de los complejos celulares dañados, donde puedan crecer células progenitoras que servirían para reparar o, en su caso, sustituir, el órgano dañado del tejido orgánico de que se trate[75]. Pero sobre todo, la tecnología que está ofreciendo mejores resultados en el ámbito de la salud en la actualidad, se basa en la construcción de neurochips a escala nanométrica[76]. "El Neurochip graba la actividad de las células de la corteza motora. Es capaz de convertir esta actividad en un estímulo que puede enviarse de vuelta al cerebro, a la médula espinal o a un músculo, y por lo tanto establece una conexión artificial que opera continuamente durante el comportamiento normal. Esta interfaz recurrente cerebro-ordenador crea una senda motora artificial que el cerebro puede aprender a usar para compensar las sendas dañadas"[77]. Algunos equipos de investigación están profundizando en las potencialidades terapéuticas de esta nanotecnología con la finalidad de que pacientes que padecen deficiencias locomotoras por motivos neuronales, puedan manipular, mentalmente, componentes biónicos implantados en el cuerpo humanos que podrían ser controlados mentalmente mediante nano-neurochips implantados en la corteza cerebral[78].

## 4. RÉGIMEN JURÍDICO DE LANANOMEDICINA

Los descubrimientos científicos que se están produciendo en el campo de la Nanomedicina son muy incipientes[79], el vertiginoso avance de estas y otras potencialidades diagnóstico-terapéuticas de este tipo de biotecnologías vaticina que,

---

[74]    BAUZON, S. "Nanotecnología y trasplante de órganos", en LÓPEZ DE LA VIEJA, MT. y VELAYOS, C. (Dirs.) *Educación en Bioética. Donación y trasplante de órganos*, Aquilafuente, 2008, Salamanca, pág. 99.

[75]    LECHUGA GÓMEZ, LM. "Nanomedicina", *op. cit.*, págs. 110-111.

[76]    ITURRATE, I. *Dispositivos robóticos de rehabilitación basados en Interfaces cerebro-ordenador: sillas de ruedas y robot para teleoperación*. Conferencia presentada al Simposio CEA de Bioingeniería, II Seminario de técnicas de BCI y de análisis de la actividad cerebral celebrado en junio de 2009 en Elche. Este trabajo puede ser consultado on line en la web oficial del Comité Español de Automática a través del link: *http://www.isa.umh.es/vr2/simposiobio09/programa.htm*.

[77]    *Chip que interactúa con el cerebro y modifica vías para el control de movimientos*. Trabajo de divulgación científico que puede ser consultado on line en la Web oficial Solo es Ciencia a través del link: *http://www.solociencia.com/medicina/06113006.htm*.

[78]    Un ejemplo de este tipo de prototipos experimentales es el caso de primates a los que se han implantado brazos mecánicos que están sido controlados mediante nano-pulgas implantadas en su corteza cerebral. BAUZON, S. "Nanotecnología", *op. cit.*, pág. 101.

[79]    ZUO, L. et. al. "Nuevas tecnologías", *op. cit.*, pág. 846.

en pocos años, constituirá una herramienta fundamental para la prevención y/o la promoción de la salud de los usuarios de los servicios sanitarios y farmacológicos[80]. Más si tenemos en consideración que son bajos los cotes derivados de la producción de la mayoría de las nanoestructuras que están siendo aplicadas en el descubrimiento de este tipo de tratamientos médicos[81].

En España, sin embargo, no existe actualmente ninguna normativa específica que regule la Nanomedicina. Ante el vacío normativo en esta materia, los sistemas de nanotecnología que están siendo desarrollados para su uso en el ámbito de la salud deben ser considerados jurídicamente como medicamentos o, en su caso, productos sanitarios[82]. Así, los nanomateriales destinados al diagnóstico o prevención de enfermedades en el organismo humano no son más "medicamentos de uso humano" que, por definición legal, hacen referencia a "toda sustancia o combinación de sustancias que se presente como poseedora de propiedades para el tratamiento o prevención de enfermedades en seres humanos o que pueda usarse en seres humanos o administrarse a seres humanos con el fin de restaurar, corregir o modificar las funciones fisiológicas ejerciendo una acción farmacológica, inmunológica o metabólica, o de establecer un diagnóstico médico"[83]. Mientras que las aplicaciones sanitarias de nanotecnologías como, por ejemplo, los nanorobots, nanoneurochips etc.… son "productos sanitarios" que, en términos legales, hace referencia a "cualquier instrumento, dispositivo, equipo, material u otro artículo, utilizado solo o en combinación, incluidos los programas informáticos que intervengan en su buen funcionamiento, destinado por el fabricante a ser utilizado en seres humanos"[84]; y su implante en el organismo humano también se encuentra sometido a la legislación vigente sobre medicamentos[85].

---

[80]    DE SILVA, MN. "Nanotecnología y nanomedicina: Un nuevo horizonte para el diagnóstico y tratamiento médico", en *Archivo de la Sociedad Española de Oftalmología*, n. 82, 2007, pág. 331.

[81]    WHATMORE, RW. "Nanotechnology", *op. cit.*, pág. 73.

[82]    En este sentido, el art. 7.2 de la Ley 29/2006, de 26 de julio, de garantías y uso racional de los medicamentos y productos sanitarios. dispone con carácter general que "Tendrán el tratamiento legal de medicamentos a efectos de la aplicación de esta Ley y de su control general las sustancias o combinaciones de sustancias autorizadas para su empleo en ensayos clínicos".
        Sobre la Ley 29/2006, de 26 de julio, de garantías y uso racional de los medicamentos y productos sanitarios vid. BOE 178 de 26 de julio de 2006.

[83]    Apartado a) de la Ley 29/2006, de 26 de julio, de garantías y uso racional de los medicamentos y productos sanitarios.

[84]    Id. Apartado l).

[85]    En este sentido, como ha advertido Romeo Casabona, los implantes de carácter no biológicos en seres humanos se encuentran sometidos a la legislación vigente aplicable a lo productos sanitarios. Vid. "La Ley de investigación Biomédica: Un nuevo mapa normativo para la investigación científica en el Sistema Nacional de Salud", en *DS*, vol. 16, 2008, pág. 71.

Junto a esta normativa, en la medida en que los sistemas de Nanogenética[86] constituyen tecnologías genéticas "in vivo" de nueva generación[87], su desarrollo para su uso con seres humanos debe ajustarse a los límites impuestos por la normativa, vigente en materia de manipulación genética[88]. Y, en sentido similar, la utilización en instituciones sanitarias de modelos de Nanogenética con fines diagnósticos como, por ejemplo, los biochips que permiten llevar a cabo análisis simultáneos de diferentes frecuencias del genoma humano debe acomodarse a los términos y condiciones contemplados a tal efecto en la legislación española sobre investigación biomédica[89].

## 4.1. Presupuestos jurídicos de la Nanomedicina genética

### 4.1.1. Límites al desarrollo de sistemas de Nanogenética de mejora

El desarrollo de sistemas de Nanomedicina basados en la liberación localizada de material genético en tejidos tisulares humanos debe ajustarse a las exigencias derivadas del debido respeto al derecho a la integridad de la persona consagrado en el art. 3 de la Carta de Derechos Fundamentales de la Unión Europea[90]. En el marco de la medicina y de la Biología la realización efectiva de aquel derecho comporta la prohibición de que se desarrollen sistemas de Nanogenética cuyo uso con seres humanos se traduzca, directa o indirectamente, en "prácticas eugenésicas". Si interpretamos este precepto con arreglo a lo dispuesto en el art. 13 del Convenio de Oviedo, el alcance de dicha prohibición implica que "únicamen-

---

[86]   En este sentido, el art. 29.5 del Real Decreto 1301/2006, de 10 de noviembre, por el que se establecen las normas de calidad y seguridad para la donación, la obtención, la evaluación, el procesamiento, la preservación, el almacenamiento y la distribución de células y tejidos humanos y se aprueban las normas de coordinación y funcionamiento para su uso en humanos prevé que la investigación clínica con células o tejidos para su aplicación "en investigación en terapia celular, que se regularán según lo dispuesto en el Real Decreto 223/2004, de 6 de febrero, por el que se regulan los ensayos clínicos con medicamentos".

[87]   Pues se trata, en suma, de biotecnologías emergentes que comportan "intervenciones en el genoma, por su potencialidad modificadora de ciertas características biológicas de los individuos, modificaciones que, a su vez, pueden ser transmitidas por los mecanismos de la herencia biológica". Cfr. ROMEO CASABONA, CM. "La Genética y la Biotecnología. En la frontera del Derecho", en *Acta Bioethica*, n. 2, 2002, pág. 287.

[88]   DE MIGUEL BERIAIN, I. "Las terapias génicas: Expectativas y problemática. La intervención del Derecho", en JUNQUERA DE ESTEFANI, R. (Coord.) *Algunas cuestiones de Bioética y su regulación jurídica*, GNE, Sevilla, 2004, págs. 326-328.

[89]   En la medida en que se trata de sistemas de análisis genético que se rigen, como ha aclarado la doctrina, por las disposiciones contenidas en la Ley 14/2007, de 3 de julio, de Investigación biomédica. Vid. Romeo Casabona, CM. "La Ley de investigación Biomédica", *op. cit.*, pág. 72.

[90]   DOUE C 83/392 de 30 de marzo de 2010.

te podrá efectuarse una intervención que tenga por objeto modificar el genoma humano por razones preventivas, diagnósticas o terapéuticas y sólo cuando no tenga por finalidad la introducción de una modificación en el genoma de la descendencia". De la dicción literal de la interpretación conjunta de ambos preceptos, resulta que sólo pueden desarrollarse este tipo específico de nanotecnologías que vayan a ser empleadas en la línea somática con fines diagnóstico-terapéuticos quedando, por el contrario, prohibidas: 1) Aquellas que van a ser aplicadas a la línea germinal, esto es, sobre las células reproductoras; y 2) Aquellas que tengan por objeto modificar el genoma humano con fines eugenésicos o de de mejora de las características biológicas de la especie humana.

En relación, en primer orden de ideas, con la interdicción de cualquier tipo de manipulación genética practicada sobre las líenos germinales, ya hemos defendido con anterioridad la licitud ética de cualquier tipo de intervenciones genéticas practicadas sobre los complejos tisulares que conforman esta línea, en orden a corregir la transmisión de patologías de carácter congénito o adquirido a la futura descendencia del sujeto que se ha beneficiado del tratamiento de que se trate[91]. En este sentido, el Informe Explicativo elaborado por la Secretaria General del Consejo de Europa acerca el alcance y significado de las disposiciones contenidas en el Convenio aclara que el art. 13 no excluye la práctica de intervenciones realizadas sobre tejidos tisulares con dichos fines que puedan tener efectos secundarios no deseados en células germinales como, por ejemplo, algunos tratamientos de cáncer que puede afectar el sistema reproductivo del paciente[92].

Y, de hecho, la principal traba técnica que presenta, actualmente, la manipulación genética en esta línea celular reside la sustitución exacta del gen en cuestión, para mantener intactas las funciones de regulación y control de la expresión del mismo, de modo que nos produzcan mutaciones indeseadas que redunden en perjuicios para la salud del individuo y de su descendencia[93]. Dificultad que, por el contrario, no se plantea en relación con los sistemas de Nanomedicina genética pues es, precisamente, su diseño a escala nanométrica facilitarían la suplantación, exacta, del gen o genes defectuosos causantes de la enfermedad que se trata de corregir en los tejidos tisulares que conforman la línea germinal del ser humano. Mas cuando este tipo de intervenciones preventivas podrían ser practicadas

[91]   Todo ello bajo la consideración de las intervenciones de este tipo realizadas tanto en línea somática como en la línea germinal persigue el mismo fin instrumental: la prevención, el diagnóstico o, en su caso, la cura de una determinada enfermedad de carácter hereditario. Vid. LAGE COTELO, M. "Presupuestos onto-jurídicos de la biotecnología eugenésica aplicada a seres humanos", en Laicidad y libertades. Escritos jurídicos, vol. 11 (I), págs. 195-196.

[92]   N. 92 del Informe Explicativo del Convenio relativo a los derechos humanos y la biomedicina de 17 de diciembre de 1996.

[93]   TEJADA MÍNGUEZ, MI. "Genética médica", op. cit., pág. 184.

mediante componentes micro-electro-mecánicos controlados mediante interfaces conectados a equipos informáticos externos[94].

En segundo término, el respeto en el campo de la biomedicina del derecho a la integridad de la persona interpretado con arreglo a lo dispuesto en el art. 13 del Convenio de Oviedo prohíbe la práctica de cualquier tipo de manipulación realizada con fines eugenésicos que tenga por objeto modificar el genoma humano. Ambas normas contemplan, en suma, la máxima compartida por quienes se han alzado en contra de las prácticas genéticas eugenésicas o de mejora las capacidades físicas o las facultades intelectuales de las personas, en aras a mantener inalterada "la identidad e integridad biológica de la especie, de proteger al genoma humano de manipulaciones y considerarlo patrimonio de la humanidad"[95]. Planteamiento que, como he visto con profundidad, parte del presupuesto de que se trata de intervenciones eugenésicas que van a ser practicadas sobre el ARN de gametos o el ADN de embriones fecundados "in vitro"[96] en su primer estadio de desarrollo, cuya manipulación genética daría lugar a una manipulación de la identidad genética del futuro ser humano[97].

Sin embargo, no cabe afirmar lo mismo cuando se trata de manipulaciones genéticas llevadas a cabo gracias a biotecnologías emergentes como los sistemas de Nanogenética pues sólo afectarían al genotipo de las células que componen los diferentes tejidos orgánicos del cuerpo humano. A este respecto, cabe recordar que el genotipo humano, como el de cualquier ser vivo, es cambiante a lo largo del devenir vital. A pesar de que la mayoría de las alteraciones del genoma humano que se producen de forma natural son perjudiciales para la salud, existen otras beneficiosas para nuestra especie facilitando una evolución molecular en las características biológicas de los individuos que se benefician de las mismas[98]. Nos

---

[94]    WHATMORE, RW. "Nanotechnology", *op. cit.*, pág. 69.

[95]    Cfr. ROMEO CASABONA, CM. "Las prácticas eugenésicas: nuevas perspectivas", en ROMEO CASABONA, CM. (Ed.) *La eugenesia, op. cit.*, pág. 21.

[96]    Desde esta perspectiva tradicional, las técnicas de reproducción humana asistida han sido consideradas como "un eficaz instrumento de eugenesia positiva, pues por medio de ellas es posible la selección de gametos o cigotos exentos de anomalías y portadores de las características deseadas". Cfr. ROMEO CASABONA, CM, *Los genes y sus leyes. El derecho ante el genoma humano*, Comares, Granada 2002, pág. 143.

[97]    TEJADA MÍNGUEZ, MI. "Genética médica y eugenesia", en ROMEO CASABONA, CM. (Ed.) *La eugenesia hoy*, Diputación Foral de Vizcaya-Comares, Bilbao-Granada, 1999, pág. 184.

[98]    En este sentido, el científico Richard Harter ha constatado que el código de ADN de algunas personas se han beneficiado de mutaciones espontáneas y naturales frente a algunas patologías víricas o de carácter congénito como la malaria, la intolerancia a la lactosa, la ateroesclerosis o el virus del SIDA. Vid. *Are Mutations Harmful?* Trabajo publicado on line que puede ser consultado a través del link: *http://www.talkorigins.org/faqs/mutations.html*

referimos a "mutaciones naturales" del genotipo que favorecen o mejoran, ocasionalmente y de forma natural, la expresión de sus características biológicas[99],
sin que ello comporte una alteración de la identidad genética del sujeto que permanece inalterada en el genotipo del resto de tejidos tisulares de su organismo[100].
Así pues, el dinamismo interno del proceso natural de organización del genoma humano produce, espontánea y ocasionalmente, unos resultados idénticos a
los que pueden tener lugar gracias a intervenciones eugenésicas de mejora con-
sistentes en la sustitución de un gen o de una frecuencia de ADN de una célula
o un complejo celular mediante aplicaciones nanotecnológicas. La utilización de
la Nanogenética con tales fines sólo daría lugar a "mutaciones artificiales" del
genotipo de las células que componen uno o algunos órganos del cuerpo humano
semejantes a las que se producen de forma natural, mejorando sus características
biológicas, sin que se produjera, a nuestro juicio, una alteración de la identidad
genética del sujeto que, por su naturaleza evolutiva, está sometido a mutaciones a
lo largo del devenir vital de cada individuo[101]. De ahí que el desarrollo y práctica
de sistemas de Nanomedecina genética con fines eugenésicos es compatible con
la finalidad de preservar la integridad genética de nuestra especie que persiguen

---

[99]     "La célula sabe a lo largo de la vida del viviente del que forma parte, «quien es», como célula
        de tal organismo unitario; sabe la historia, su linaje, «de dónde» procede; y con ello «a dónde»
        se dirige... Un saber molecular en tanto en cuanto está formando parte de esa unidad orgánica
        que es cada cuerpo, en cada etapa de la vida. Sacada de su contexto natural cada célula queda
        a merced de la información del medio en que se sitúe; pero aún así, su respuesta depende de
        la memoria acumulada en la existencia del organismo al que pertenecía". Cfr. LÓPEZ MO-
        RATALLA, N. "El problema de la investigación con embriones y células madre y la dignidad
        humana", en MARTÍNEZ MORÁN, N. (Coord.) *Biotecnología, Derecho y dignidad humana*,
        Comares, Granada, 2003, pág. 172.

[100]    El genotipo se encuentra diseminado en todas y cada una de las células que conforman los di-
        ferentes tejidos orgánicos del cuerpo humano. Vid. ROMEO CASABONA, CM. "Los llamados
        delitos relativos a la manipulación genética", en ROMEO CASABONA, CM. (Dir.) *Genética y
        Derecho*, CGPJ, Madrid, 2001, pág. 341. Las mutaciones genéticas como, por ejemplo, el cán-
        cer... afecten, en este caso afortunadamente, a los complejos celulares de uno o varios tejidos
        orgánicos sin que, en estos casos, se produzca una modificación global, esto es, que afecte a
        todas y cada una de las células de nuestro organismo; de la identidad genética del sujeto que
        padece este u otro tipo de patologías de carácter congénito o adquirido. Dinamismo evolutivo
        natural del ADN que ha sido reconocido en el contexto internacional, en el art. 3 de la Decla-
        ración Universal de la UNESCO sobre el Genoma Humano y los Derechos Humanos de 11
        de noviembre de 1997 que afirma que: "El genoma humano, por naturaleza evolutivo, está
        sometido a mutaciones. Entraña posibilidades que se expresan de distintos modos en función
        del entorno natural y social de cada persona, que comprende su estado de salud individual, sus
        condiciones de vida, su alimentación y su educación".

[101]    Pues, como ha afirmado TEJADA MÍNGUEZ, "las mutaciones son muy frecuentes e incontro-
        lables por el hombre... aparecen de forma espontánea... y su frecuencia depende de parámetros
        genéticos y de factores ambientales". Cfr. "Genética médica", *op. cit.*, pág. 156.

los art. 3 y 13 de la Carta de Derechos Fundamentales de la Unión Europea y del Convenio de Oviedo respectivamente.

Frente a estas consideraciones, la práctica de terapias génicas mediante aplicaciones nanotecnológicas realizadas con fines eugenésicos, preceptivos o de mejora sí quedarían incluidas en el objeto material del delito tipificado en el art. 159.1 del Código Penal que sanciona, con pena privativa de libertad, a quienes "con finalidad distinta a la eliminación o disminución de taras o enfermedades graves, manipulen genes humanos de manera que se altere el genotipo". Pues, combo advierte Romeo Casabona, "al no haber distinguido la clase de terapia que está al margen del tipo penal... han sido excluidas tanto la terapia génica en línea somática (sobre células madre diferenciadas del organismo) como la terapia génica en las línea germinal (fundamentalmente: gametos, el cigoto y células totipotentes del embrión), pero no han sido excluidas del tipo las intervenciones génicas no curativas en ambas líneas" [102]. Pero ¿cuál es la delgada línea roja que separa a la práctica de nanoterapias genéticas con fines eugenésicos o con fines terapéuticos?"¿Qué diferencia hay entre que a un individuo se le vacune o se le inyecten genes de resistencia a infecciones? ¿Qué diferencia hay entre un trasplante de corazón y otro de médula con algún gen incorporado de producción de anticuerpos?"[103].

Si tratamos de responder a estas cuestiones conforme al elenco de taras y trastornos que se encuentran catalogadas en la versión en vigor de la "Clasificación internacional de Enfermedades" (ICD-10)[104] elaborada por la Organización Mundial de la Salud para constatar que, en la praxis sanitaria contemporánea, la gran mayoría de intervenciones eugenésicas o de mejora que, a corto o medio plazo, podrán llevarse a cabo a través de sistemas de Nanomedicina genética persiguen, en esencia, las finalidades terapéuticas[105] de eliminar o disminuir "taras o enfermedades graves" quedando, por tanto, excluidas de la figura delictiva tipificada en el art. 159 del Código Penal[106].

---

[102]   Cfr. "Los llamados delitos relativos", *op. cit.*, pág. 345.

[103]   Cfr. TEJADA MÍNGUEZ, MI. "Genética médica", *op. cit.*, pág. 183.

[104]   La versión vigente del Clasificación Internacional de Enfermedades" (ICD-10) elaborada por la Organización Mundial de la Salud puede ser consultada en la Web oficial de esta organización a través del link: *http://apps.who.int/classifications/icd10/browse/2010/en.*

[105]   Y, en este sentido, ya desde comienzos del siglo XX, el movimiento eugenésico siempre ha centrados sus inquietudes científicas en mejorar la salud de la población mediante la ingeniería genética. Vid. LAGE COTELO, M. "Presupuestos onto-jurídicos", *op. cit.*, pág. 171.

[106]   ROMEO CASABONA, CM. "Los llamados delitos relativos", *op. cit.*, pág. 345.

## 4.1.2. Límites jurídicos al uso con seres humanos de nanosistemas de cribado genético

Los cribados genéticos realizados mediante nanotecnologías como, por ejemplo, los nanobiochips persiguen como finalidad primordial identificar "en individuos de determinantes genéticos, para los cuales una intervención médica precoz pudiera conducir a la eliminación o reducción de la mortalidad, morbilidad o discapacidades asociadas a tales determinantes"[107]. Dicha información "es de sumo interés, no sólo para el sujeto de quien proviene, es decir, para quien ha sido sometido a los análisis genéticos, sino también para terceros, como son, en primer lugar, sus familiares biológicos; pero también para otras personas o entidades, en cuanto se propugne la garantía de un organismo potencialmente sano como presupuesto para participar en ciertas actividades, incluso para el Estado en su acción política de prevenir enfermedades y promover una población más sana"[108].

Por ello precisamente, el art. 49 de Ley 14/2007, de 3 de julio, de Investigación Biomédica reconoce al sujeto participante tanto el derecho a ser informado de los datos personales que se obtengan del análisis genético según los términos en que manifestó su voluntad, como a no ser informado de los resultados obtenidos salvo que dicha información que sea necesaria para el seguimiento del tratamiento prescrito por el médico y aceptado por el paciente. Cuando esta información sea necesaria para evitar un grave perjuicio para la salud de sus familiares biológicos, se podrá informar a los afectados o, en su caso, a sus representantes legales de aquellos datos genéticos que sean estrictamente necesarios para el tratamiento diagnóstico-terapéutico de la enfermedad de carácter congénito de que se trate. E, incluso, "en casos excepcionales y de interés sanitario general, la autoridad competente, previo informe favorable de la autoridad en materia de protección de datos, podrá autorizar la utilización de datos genéticos codificados, siempre asegurando que no puedan relacionarse o asociarse con el sujeto fuente por parte de terceros"[109].

Atendiendo a la relevancia de este tipo de datos personales, los apartados 2-4 del art. 54 de la Ley 14/2007 de Investigación Biomédica establecen que la puesta en práctica de estos sistemas de Nanogenética debe ser previamente autorizada por las autoridades sanitarias de la institución sanitaria de que se trate que determinarán, basándose en criterios objetivos, la pertinencia de su puesta en funcionamiento en atención a las enfermedades a prevenir o tratar. Velarán, asimismo, por que se garantice el acceso universal y equitativo de la población

---

[107]　Cfr. Apartado g del art. 3 de la Ley 14/2007, de 3 de julio, de Investigación Biomédica.
[108]　Cfr. ROMEO CASABONA, CM. "La Genética y la Biotecnología", *op. cit.*, pág. 287.
[109]　Art. 51.3 de la Ley 14/2007, de 3 de julio, de Investigación Biomédica.

para la cual está indicado, así como por la calidad de las pruebas de cribado y de las prestaciones preventivas y terapéuticas que se ofrezcan.

## 4.2. *Ensayo clínico de medicamentos y de productos sanitarios desarrollados mediante sistemas de Nanomedicina*

Los sistemas de Nanomedicina desarrollados para su uso con seres humanos se rigen, como norma general, por lo dispuesto en la Ley 29/2006, de 26 de julio, de garantías y uso racional de los medicamentos y productos sanitarios (en adelante Ley 29/2006) y su normativa reglamentaria de desarrollo. Su distribución en el ámbito sanitario debe ser autorizado por la Agencia Española de Medicamentos y Productos Sanitarios que verificará, previamente, sí es segura, no produciendo en condiciones normales de utilización efectos negativos sobre la salud del paciente desproporcionados al beneficio esperable, así como eficaz atendiendo a las indicaciones terapéuticas para las que ha sido desarrollado[110]. La constatación de ambos extremos requiere que la eficacia diagnóstico-terapéutica de la nanoestrucutra de que se trate con seres humanos haya sido constatada, previamente, mediante su ensayo clínico[111].

A tenor de lo dispuesto en el segundo inciso del art. 58.1 de la Ley 29/2006, los ensayos clínicos de las aplicaciones sanitarias desarrollas mediante nanotecnologías "serán diseñados, realizados y comunicados de acuerdo con las normas de buena práctica clínica y con respeto a los derechos, la seguridad y el bienestar de los sujetos del ensayo, que prevalecerán sobre los intereses de la ciencia y la sociedad". Dichos postulados meta-jurídicos se encuentran definidos, a modo de principio general, en el Real Decreto 223/2004, de 6 de febrero, por el que se regulan los ensayos clínicos con medicamentos (en adelante Real Decreto 223/2004)[112].

Así, por una parte, "sólo se podrá iniciar un ensayo clínico cuando el Comité Ético de Investigación Clínica que corresponda y la Agencia Española de Medicamentos y Productos Sanitarios hayan considerado que los beneficios esperados

---

[110] Arts. 9.1 y 10.1 de la Ley 29/2006, de 26 de julio, de garantías y uso racional de los medicamentos y productos sanitarios.

[111] En este sentido, el término ensayo clínico comprende cualquier "clase de investigación en el sector de la biomedicina que comporte la participación de seres humanos, consista dicha investigación en la experimentación con nuevos o potencialmente nuevos fármacos, productos sanitarios, implante de células o tejidos de origen humano o animal, o cualquier otra técnica o procedimiento que requiera el acceso al cuerpo humano o pueda afectar a éste o a la mente del sujeto de la experimentación". Cfr. ROMEO CASABONA, CM. "La Ley de investigación Biomédica", *op. cit.*, pág. 71.

[112] BOE 13 de 7 de febrero de 2004.

para el sujeto del ensayo y para la sociedad justifican los riesgos". Ambas instituciones garantizaran que el test clínico del medicamento o producto sanitario
garanticen la integridad física y mental del sujeto que va a someterse al mismo,
debiendo "estar diseñado para reducir al mínimo posible el dolor, la incomodidad, el miedo y cualquier otro riesgo previsible en relación con la enfermedad y
edad o grado de desarrollo del sujeto; tanto el umbral de riesgo como el grado
de incomodidad deben ser definidos de forma específica y monitorizados durante
el ensayo"[113].

Las personas mayores de edad pueden participar en el ensayo clínico de sistemas de Nanomedicina no invasivos independientemente de que padezcan o no, la
enfermedad o patología que se trata de diagnosticar o, en su caso, curar mediante
la biotecnología de que se trate[114]. Sólo podrá constatarse empíricamente su eficacia con sujetos que así lo hayan consentido expresamente, "después de haber
entendido, mediante una entrevista previa con el investigador o un miembro del
equipo de investigación, los objetivos del ensayo, sus riesgos e inconvenientes,
así como las condiciones en las que se llevará a cabo, y después de haber sido
informado de su derecho a retirarse del ensayo en cualquier momento sin que ello
le ocasione perjuicio alguno"[115]. El deber de informar al sujeto constituye, pues,
un presupuesto del ejercicio efectivo de aquel derecho[116], ya que el contenido de
aquella información es un requisito imprescindible para que pueda adoptar la
decisión que estime más conveniente con respecto a su propia salud[117]. En este

---

[113]  Apartados 1, 2 y 5 del art. 3 del Real Decreto 223/2004, de 6 de febrero, por el que se regulan
los ensayos clínicos con medicamentos.

[114]  En este sentido, el art. 6.1 del Real Decreto 223/2004, de 6 de febrero, por el que se regulan los
ensayos clínicos con medicamentos establece que: "En los ensayos clínicos sin beneficio potencial directo para la salud de los sujetos participantes, el riesgo que estos sujetos asuman estará
justificado en razón del beneficio esperado para la colectividad". En estos supuestos, el segundo
inciso del art. 3.7 del Real Decreto 223/2004 matiza que los sujetos participantes "recibirán del
promotor la compensación pactada por las molestias sufridas. La cuantía de la compensación
económica estará en relación con las características del ensayo, pero en ningún caso será tan
elevada como para inducir a un sujeto a participar por motivos distintos del interés por el
avance científico".

[115]  Art. 7.2 del Real Decreto 223/2004, de 6 de febrero, por el que se regulan los ensayos clínicos
con medicamentos.

[116]  PALMER, M. *Moral problems in medicine*, Lutterworth Press, Cambridge, 1999 pág. 83.

[117]  En este sentido, el TC ha dejado claro que: "Para que esa facultad de consentir, de decidir sobre
los actos médicos que afectan al sujeto pueda ejercerse con plena libertad, es imprescindible que
el paciente cuente con la información médica adecuada sobre las medidas terapéuticas, pues
sólo si dispone de dicha información podrá prestar libremente su consentimiento, eligiendo
entre las opciones que se le presenten, o decidir, también con plena libertad, no autorizar los
tratamientos o las intervenciones que se le propongan por los facultativos. De esta manera, el
consentimiento y la información se manifiestan como dos derechos tan estrechamente imbrica-
dos que el ejercicio de uno depende de la previa correcta atención del otro, razón por la cual la

sentido, asumimos la opinión de Tarodo Soria de que el cumplimiento de esta obligación es, en realidad, una exigencia derivada de la promoción efectiva del derecho a la libre formación de la conciencia de los ciudadanos[118] en relación con los avances y expectativas de la Nanomedicina en el ámbito sanitario. El "consentimiento se documentará mediante una hoja de información para el sujeto y el documento de consentimiento. La hoja de información contendrá únicamente información relevante, expresada en términos claros y comprensibles, que estará redactada en la lengua propia de quien, voluntariamente, va a someterse al ensayo del medicamento o del producto sanitario[119].

Si el ensayo del tratamiento o producto sanitario desarrollado en base a aplicaciones nanotecnológicas va a ser practicado sobre personas mayores de edad incapacitadas, la decisión será consentida por su representante legal que "deberá reflejar la presunta voluntad del sujeto y podrá ser retirado en cualquier momento sin perjuicio para éste". "Cuando las condiciones del sujeto lo permitan, este deberá prestar además su consentimiento para participar en el ensayo, después de haber recibido toda la información pertinente adaptada a su nivel de entendimiento. En este caso, el investigador deberá tener en cuenta la voluntad de la persona incapaz de retirarse del ensayo"[120]. Lo mismo sucede con el ensayo clínico de este tipo de productos sanitarios con menores de edad[121] que, como norma general, se encuentra supeditado a la obtención del consentimiento informado previo de sus padres o representantes legales que deberá reflejar, en todo caso, la presunta voluntad del menor[122] que podrá retirarse del mismo, en cualquier

---

[118]  privación de información no justificada equivale a la limitación o privación del propio derecho a decidir y consentir la actuación médica, afectando así al derecho a la integridad física del que ese consentimiento es manifestación". Cfr. FJ. 5 de la STC 37/2011, de 28 de marzo.
      TARODO SORIA, *op. cit.*, pág. 311.

[119]  Segundo inciso del art. 7.2 del Real Decreto 223/2004, de 6 de febrero, por el que se regulan los ensayos clínicos con medicamentos.

[120]  Art. 7.3.b) del Real Decreto 223/2004, de 6 de febrero, por el que se regulan los ensayos clínicos con medicamentos.

[121]  Adviértase que tanto las personas menores de edad como las incapacitadas pueden participar, incluso, en el ensayo de nuevos sistemas de Nanomedicina que no redunden en un beneficio potencial directo para su propia salud si el Comité Ético de Investigación Clínica competente verifica que el riesgo sea mínimo y que del ensayo se pueden obtener conocimientos relevantes sobre la enfermedad o situación objeto de investigación que no pueden ser obtenidos de otro modo. Vid. Art. 6.2 del Real Decreto 223/2004, de 6 de febrero, por el que se regulan los ensayos clínicos con medicamentos.

[122]  En este sentido, los padres o el representante legal deben actuar en interés del menor respetando, en todo caso, sus propias convicciones, de modo que contribuya a su desarrollo integral de conformidad con lo establecido en el art. 6.3 de la Ley Orgánica 1/1996, de 15 de enero de Protección Jurídica del Menor (BOE 15 de 17 de enero de 1996).

momento, sin perjuicio alguno para él[123]. En estos supuestos, el promotor del medicamento o producto sanitario pondrá en conocimiento del Ministerio Fiscal que va a ser ensayado clínicamente con menores de edad que, en su caso, podrá oponerse a la práctica del mismo si considera que pueden derivarse perjuicios relevantes para la salud de los mismos[124].

Como excepción a la regla general, el art. 7.3.a) del Real Decreto 223/2004 establece que "cuando el menor tenga 12 o más años, deberá prestar además su consentimiento para participar en el ensayo". Este precepto consagra la presunción jurídica de que los infantes mayores de 12 años ostentan plena capacidad de obrar para decidir si se someten o no al ensayo experimental de este tipo de productos sanitarios que prevalece, en todo caso, sobre la voluntad al respecto de sus padres o representantes legales[125]; pues, como ha advertido el Tribunal Constitucional, "debe respetarse su derecho de autodeterminación que tiene por objeto el propio sustrato corporal —como distinto del derecho a la salud o a la vida— y que se traduce en el marco constitucional como un derecho fundamental a la integridad física (art. 15 CE)"[126].

En cualquier caso, los arts. 4 y 5 del Real Decreto 223/2004 establece que sólo se podrán realizar ensayos clínicos con adultos incapacitados o menores de edad cuando se cumplan, además, las condiciones siguientes: 1) "Que los ensayos sean de interés específico para la población que se investiga, y dicha investigación sea esencial para validar datos procedentes de ensayos clínicos efectuados en personas capaces de otorgar su consentimiento informado u obtenidos por otros medios de investigación. Además, la investigación deberá guardar relación directa con alguna enfermedad que padezca el adulto incapaz, y que ésta le debilite o

---

A este respecto, el Tribunal Constitucional ha dejado claro que: "los menores de edad son titulares plenos de sus derechos fundamentales, en este caso, de sus derechos a la libertad de creencias y a su integridad moral, sin que el ejercicio de los mismos y la facultad de disponer sobre ellos se abandonen por entero a lo que al respecto puedan decidir aquéllos que tengan atribuida su guarda y custodia o, como en este caso, su patria potestad, cuya incidencia sobre el disfrute del menor de sus derechos fundamentales se modulará en función de la madurez del niño y los distintos estadios en que la legislación gradúa su capacidad de obrar". Cfr. FJ 15 de la STC 141/2000 de 19 de mayo.

[123]     Primer apartado del art. 7.3.a) del Real Decreto 223/2004, de 6 de febrero, por el que se regulan los ensayos clínicos con medicamentos.

[124]     La intervención del Ministerio Fiscal en estos supuestos puede deberse "a que dicha intervención, pese a tener como regla general una finalidad terapéutica, es de carácter experimental y no está ausente de riesgos para la persona del menor, riesgos que, evidentemente, son mayores que un tratamiento curativo habitual". Cfr. Romeo Casabona, CM. et. al. *La ética y el derecho*, *op. cit.*, pág. 306.

[125]     ASENSIO SÁNCHEZ, MA. *La patria potestad y la libertad de conciencia del menor*, Tecnos, Madrid, 2006, pág. 123.

[126]     Cfr. FJ. 9 de la STC 154/2002, de 18 de julio.

ponga en peligro su vida"; 2) "Que el bienestar del sujeto prevalezca sobre los intereses de la ciencia y de la sociedad, y existan datos que permitan prever que reporta algún beneficio al paciente que prevalezca sobre los riesgos o no produzca ningún riesgo"; y 3) "Que el protocolo sea aprobado por un Comité Ético de Investigación Clínica que cuente con expertos en la enfermedad en cuestión o que haya recabado asesoramiento de este tipo de expertos sobre las cuestiones clínicas, éticas y psicosociales en el ámbito de la enfermedad y del grupo de pacientes afectado".

Finalmente, cabe destacar que el art. 7.4 del Real Decreto 223/2004 prevé, como excepción a la norma general, que las personas mayores de edad, capaces o no, podrán someterse a un ensayo clínico sin que se haya obtenido previamente su consentimiento, cuando exista un riesgo inmediato grave para su integridad física o psíquica, se carece de una alternativa terapéutica apropiada en la práctica clínica y no es posible obtener su consentimiento o el de su representante legal. En este caso, siempre que las circunstancias lo permitan, se consultará previamente a las personas vinculadas a él por razones familiares o de hecho. Ante la ambigüedad del precepto, algunos autores consideran que, en estos supuestos, la práctica del ensayo clínico "únicamente procederá cuando tenga un específico interés terapéutico particular para el paciente, éste interés habrá de poder cuantificarlo ya sea para compararlo con otra alternativa terapéutica al objeto de poder demostrar esta notable mejora que justifique su aplicación sin contar con el consentimiento del paciente"[127].

Aunque la legislación vigente en España no especifica si los menores de edad que padecen una enfermedad grave y terminal puedan ser sometidos a este tipo de ensayos clínicos sin su consentimiento, entendemos, como señala Harris, que en estas circunstancias sí deberían poder ser sometidos al ensayo de aquellos medicamentos que pudiera redundar en beneficio suyo[128] sin que apenas se deriven riesgos adicionales para su propia salud[129]. Siempre que las circunstancias del hecho lo permitan, deberá consultarse previamente a las personas vinculadas a

---

[127]    Cfr. LAMAS MEILÁN, MM y PITA FERNÁNDEZ, S. "El consentimiento informado en los ensayos clínicos con medicamentos", en *Cad Aten Primaria*, n. 16, 2009, pág. 245.

[128]    La salvaguardia de la vida y la protección de la salud del menor que adolece una enfermedad grave e incurable mediante otra alternativa terapéutica al sistema de Nanomedicina objeto de ensayo clínico en estos casos constituye, a nuestro juicio, el interés objetivo y razonable que justificaría la práctica del ensayo clínico del producto sanitario en estos casos. Sobre el interés del menor en el ámbito de la salud vid. ASENSIO SÁNCHEZ, MA. *La patria potestad, op. cit.*, págs. 125-126.

[129]    "Professional responsability and consent to treatment", en HIRSCH, SR. y HARRIS, J. (Ed.) *Consent and the incompetent patient. Ethics, law and medicine*, Gaskell, London, 1988, págs. 44-45.

él por razones familiares o de hecho y al Ministerio Fiscal la práctica del ensayo, de modo que no se opongan a ello[130] y, si por la urgencia del caso ello no fuera posible, la aplicación del medicamento en fase experimental al menor debería ser autorizada, en todo caso, por el Comité de Ética de Investigación Clínica pertinente[131].

### 4.3. *Justicia y equidad en el acceso a tratamientos y productos sanitarios desarrollados mediante sistemas de Nanomedicina en tiempos de crisis.*

Una vez constatada en estos términos la eficacia diagnóstico-terapéutica del medicamento o, en su caso, producto sanitario desarrollado mediante aplicaciones nanotecnológicas su distribución y comercialización en el ámbito sanitario para su uso con seres debe ser aprobado por la Agencia Española de Medicamentos y Productos Sanitarios[132], en los términos y condiciones previstos a tal efecto en el Real Decreto 1591/2009, de 16 de octubre, por el que se regulan los productos sanitarios[133] o, en el caso de nanonueurchips o nanotecnologías similares, en el Real Decreto 1616/2009, de 26 de octubre, por el que se regulan los productos

---

[130]   Siguiendo la doctrina del Tribunal Supremo, el Ministerio Fiscal debería autorizar la práctica del ensayo clínico del medicamento o producto sanitario de que se trate, en orden a promover el derecho fundamental a la vida del menor. Vid. FJ. 2 de la STS de 27 de junio de 1997.

[131]   ROMEO CASABONA, CM. et. al. *La ética y el derecho*, op. cit., pág. 306.

[132]   Art. 7.3 de la Ley 29/2006, de 26 de julio, de garantías y uso racional de los medicamentos y productos sanitarios.

[133]   De conformidad con lo establecido en el apartado I del ANEXO I del Real Decreto 1591/2009, de 16 de octubre, por el que se regulan los productos sanitarios, la Agencia verificará que:
"1. Los productos deberán diseñarse y fabricarse de forma tal que su utilización no comprometa el estado clínico o la seguridad de los pacientes ni la seguridad y la salud de los usuarios, y en su caso, de otras personas cuando se utilizan en las condiciones y con las finalidades previstas. Los posibles riesgos asociados a la finalidad prevista deberán ser aceptables en relación con el beneficio que proporcionen al paciente y compatibles con un nivel elevado de protección de la salud y de la seguridad. Esto implicará:
– La reducción, dentro de lo posible, del riesgo derivado de errores de utilización debidos a las características ergonómicas del producto y al entorno en el que está previsto utilizar el producto (diseño que tenga en cuenta la seguridad del paciente), y
– Tener en cuenta los conocimientos técnicos, la experiencia, la formación, el adiestramiento y, en su caso, las condiciones médicas y físicas de los usuarios previstos (diseño para usuarios no profesionales, profesionales, con discapacidad u otros).
2. Las soluciones adoptadas por el fabricante en el diseño y la construcción de los productos deberán ajustarse a los principios de integración de la seguridad teniendo en cuenta el estado generalmente reconocido de la técnica.
Al seleccionar las soluciones más adecuadas el fabricante aplicará los siguientes principios, en el orden que se indica:

sanitarios implantables activos[134]. El acceso por parte de los usuarios de los servicios sanitarios de los tratamientos médicos o productos sanitarios que han sido aprobados por la Agencia depende, en última instancia, de su derecho a decidir sobre la propia salud, en los términos y dentro de los límites contemplados en la legislación vigente sobre autonomía del paciente.

---

– Eliminar o reducir los riesgos en la medida de lo posible (seguridad inherente al diseño y a la fabricación).

– Adoptar las oportunas medidas de protección incluso alarmas, en caso de que fuesen necesarias, frente a los riesgos que no puedan eliminarse.

– Informar a los usuarios de los riesgos residuales debidos a la incompleta eficacia de las medidas de protección adoptadas.

3. Los productos deberán ofrecer las prestaciones que les haya atribuido el fabricante y estarán diseñados, fabricados y acondicionados de forma que puedan desempeñar una o varias de las funciones contempladas en las letras a o b, del apartado 1, del artículo 2, y tal y como el fabricante las haya especificado.

4. Las características y prestaciones referidas en los apartados 1, 2 y 3 no deberán alterarse en un grado tal que se vean comprometidos el estado clínico y la seguridad de los pacientes ni en su caso, de terceros, mientras dure el período de validez previsto por el fabricante, cuando el producto se vea sometido a las situaciones que puedan derivarse de las condiciones normales de utilización.

5. Los productos deberán diseñarse, fabricarse y acondicionarse de forma tal que sus características y prestaciones, según su utilización prevista, no se vean alteradas durante el almacenamiento y transporte, teniendo en cuenta las instrucciones y datos facilitados por el fabricante.

6. Cualquier efecto secundario no deseado deberá constituir un riesgo aceptable en relación con las prestaciones atribuidas".

Sobre el Real Decreto 1591/2009, de 16 de octubre vid. BOE 268 de 6 de noviembre de 2009.

[134]  De conformidad con lo establecido en el apartado I del ANEXO I del Real Decreto 1616/2009, de 26 de octubre, por el que se regulan los productos sanitarios implantables activos, la Agencia verificará que:

"1. Los productos deberán diseñarse y fabricarse de forma tal que su utilización no comprometa el estado clínico ni la seguridad de los pacientes cuando se implanten en las condiciones y con las finalidades previstas.

No deberán presentar riesgos para las personas que los implanten ni, en su caso, para terceros.

2. Los productos deberán ofrecer las prestaciones que les haya atribuido el fabricante, es decir, estar diseñados y fabricados de forma tal que puedan desempeñar una o varias de las funciones contempladas en la letra a del artículo 2, y tal como el fabricante las haya especificado.

3. Los requisitos generales referidos en los apartados 1 y 2, no deberán alterarse en un grado tal que se vean comprometidos el estado clínico y la seguridad de los pacientes y, en su caso, de terceros, mientras dure el período de validez previsto por el fabricante para los productos, y aun cuando el producto se vea sometido a las situaciones límite que se deriven de las condiciones normales de utilización.

4. Los productos deberán diseñarse, fabricarse y acondicionarse de tal forma que sus características y prestaciones no se vean alteradas por las condiciones de almacenamiento y transporte que haya previsto el fabricante (temperatura, humedad, etcétera).

5. Los posibles efectos secundarios no deseados deberán constituir riesgos aceptables en relación con las prestaciones atribuidas".

Sobre el Real Decreto 1616/2009, de 26 de octubre vid. BOE 268 de 6 de noviembre de 2009.

En orden a garantizar el acceso, en condiciones reales de igualdad real y efectiva, por parte de todos los ciudadanos a los vertiginosos y, en algunos casos, esperanzadores avances que están aconteciendo en el campo de la Nanomedicina, es necesario que el Ministerio de Sanidad, Servicios Sociales e Igualdad, previo acuerdo del Consejo Interterritorial del Sistema Nacional de Salud, apruebe la introducción sistemática de este tipo de medicamentos o productos sanitarios en la cartera común de servicios del Sistema Nacional de Salud. Las nuevas técnicas, tecnologías o procedimientos serán sometidas a evaluación, con carácter preceptivo y previo a su utilización en las instituciones sanitarias adscritas al INGESA, por la Red Española de Agencias de Evaluación de Tecnologías Sanitarias y Prestaciones del Sistema Nacional de Salud que deberá verificar, en todo caso, que el producto sanitario: 1) Contribuye de forma eficaz a la prevención, al diagnóstico o al tratamiento de enfermedades, a la conservación o mejora de la esperanza de vida o a la eliminación o disminución del dolor y el sufrimiento; 2) Aporta una mejora, en términos de seguridad, eficacia, efectividad, eficiencia o utilidad demostrada respecto a otras alternativas facilitadas actualmente; y 3) Cumple las exigencias establecidas, a tal efecto, en el Real Decreto 1591/2009 o, en el caso de nanoneurochips o nanotecnologías similares, en el Real Decreto 1616/2009[135].

Hoy por hoy, desgraciadamente, sólo los pacientes que ostentan suficiente poder adquisitivo tratamientos médicos desarrollados en base a aplicaciones sanitarias de la Nanotecnología que ya han sido avalados por las autoridades sanitarias naciones o extranjeras[136]. Ante la situación coyuntural de crisis económica que afecta a la economía española en general y al ámbito sanitario en particular, este tipo de productos sanitarios están siendo desarrollados con recursos procedentes del sector financiero privado tienen actualmente un coste económico cuantitativo e inaccesible para una gran mayoría de ciudadanos. El establecimiento de este tipo de precios es una de las causas pos las que el Ministerio de Sanidad, Servicios Sociales e Igualdad puede excluir su exclusión en la lista de medicamentos o productos sanitarios dispensados por los centros sanitarios adscritos al INGESA[137].

---

[135]  Art. 21 de la Ley 16/2003, de 28 de mayo, de cohesión y calidad del Sistema Nacional de Salud. (BOE 128 de 29 de mayo de 2003).

[136]  Como, por ejemplo, la "NanoTherm® therapy" desarrollada por la multinacional "Magforce" que ya ha sido avalada por la Unión Europea como un tratamiento eficaz para la prevención de tumores de próstata, páncreas y cerebro, mediante nanopartículas que, una vez ensambladas en células cancerígenas dianas, son calentadas mediante campos magnéticos externos que producen la destrucción de las mismas, dejando intactas el resto de complejos celulares de estos tejidos orgánicos.
Los productos sanitarios desarrollados por Magforce pueden ser consultados on line a través del link: *http://www.magforce.de/*.

[137]  Todo ello de conformidad con la reforma de la Ley 29/2006, de 26 de julio, de garantías y uso racional de los medicamentos y productos sanitario llevada a cabo por obra del art. 4.3 del Real

En orden a paliar que se produzcan este tipo de discriminaciones en relación con el pleno disfrute del derecho protección de la salud e, incluso, del derecho fundamental a la vida en el caso de enfermedades graves e incurables con otros medicamentos alternativos tradicionales, la Administración General del Estado o, en su caso, la Administración Autonómica competente debería financiar, con cargo a los Presupuestos Generales, proyectos experimentales de desarrollo de Nanomedicina, de modo que los avances que se produzcan en este ámbito sean difundidos, en el término máximo de 12 meses, al sector público[138] abaratándose, consecuentemente, los costes de producción y de distribución de los mismos. Sólo así, los poderes públicos darían cumplimiento efectivo al mandato contemplado en el art. 23 de la Ley 16/2003, de 28 de mayo, de cohesión y calidad del Sistema Nacional de Salud de que: "Todos los usuarios del Sistema Nacional de Salud tendrán acceso a las prestaciones sanitarias... en condiciones de igualdad efectiva". La adopción de este conjunto de medidas de política sanitaria constituyen, como ha apreciado el Tribunal Constitucional, "instrumentos esenciales para hacer realidad el modelo de "Estado social y democrático de Derecho" que nuestra Constitución impone (art. 1.1 CE)"[139]; más cuando afectan negativamente sobre el derecho a la salud y el derecho a la integridad física de las personas afectadas que, como ha apreciado más recientemente, poseen una importancia singular en el marco constitucional, que no puede verse desvirtuada por la mera consideración de un eventual ahorro económico[140].

---

Decreto-ley 16/2012, de 20 de abril, de medidas urgentes para garantizar la sostenibilidad del Sistema Nacional de Salud y mejorar la calidad y seguridad de sus prestaciones (BOE 98 de 24 de abril de 2012).

[138] Para lo cual bastaría dar cumplimiento efectivo a lo dispuesto en el art. 37 de la Ley 14/2011, de 1 de junio, de la Ciencia, la Tecnología y la Innovación (BOE 131 de 2 de junio de 2011).

[139] Cfr. FJ. 7 de la STC 62/2008, de 26 de mayo de 2008.

[140] FJ. 5 del ATC 239/2012, de 13 de diciembre de 2012.

# LEX ARTIS AD HOC. RESPONSABILIDAD CIVIL Y PENAL EN EL ÁMBITO SANITARIO

SONIA CALAZA LÓPEZ
*Profesora Titular de Derecho procesal de la UNED*

MARTA LOZANO EIROA
*Profesora Doctora de Derecho Procesal de la UNED*

## 1. LEX ARTIS. CONCEPTO Y FUNDAMENTO

El paciente no puede exigir del médico la garantía de su curación[1]. Lo único que puede pretender y requerir es que, conforme a las circunstancias del momento, sus conocimientos técnicos y las posibilidades a su alcance, haga todo lo que objetivamente sea posible para alcanzar su curación. Si, pese a su actuación diligente y cuidadosa y tras haber agotado todos los medios y posibilidades terapéuticas a su alcance, no se logra la recuperación del paciente o incluso empeora, no existirá posibilidad de formular pretensión jurídica de responsabilidad contra el médico.

De lo dicho se infiere, pues, que como no podía ser de otra manera, el ámbito de responsabilidad del médico en caso de resultado negativo del tratamiento, queda circunscrito a aquellos supuestos en los que la conducta ejecutada por el profesional sanitario no se ajusta a las pautas mínimas de actuación que le son exigibles, esto es, a las reglas de la *lex artis*.

La *lex artis* es definida por Romeo Casabona[2] como un conjunto de reglas, técnicas o procedimientos aplicables a situaciones semejantes pero a pesar de esto

---

[1] Sin embargo, tal y como establece SOTO NIETO, «*ante cualquier desenlace negativo cunde de modo generalizado una reacción reivindicativa de afectados y familiares*». Por tal razón, continúa señalando el citado autor, ante el temor a las implicaciones jurídicas, el personal sanitario tratará de «*protegerse a sí mismo por todos los medios, uno de los cuales consiste en la práctica de la «medicina defensiva» que le aparte al máximo de los riesgos más usuales. Tal mostrarse reticente ante los avances científicos y técnicos, multiplicar las cautelas preventivas, lo que intensifica las dilaciones que caracterizan la atención en Centros y Hospitales, abstención de intervenciones que conlleven algún riesgo, etc.*» Cfr. SOTO NIETO, F., "Principios básicos de la responsabilidad civil y penal del médico", en Actualidad Penal, Sección Doctrina, tomo II, 1995, Ref. XLVII, págs. 895-896.

[2] Cfr. ROMEO CASABONA, C.M., *El médico ante el Derecho*, Ministerio de Sanidad y Consumo-Secretaría General Técnica (Servicio de Publicaciones), Madrid, 1985, págs. 70 y ss.

siempre ha de ir referida al caso concreto por las variedades que puede presentar con la situación típica prevista por las ciencias médicas[3]. Así pues, el contenido de la lex artis es variable, según las diversas circunstancias con que se encuentre el facultativo (material, lugar, personal ayudante, etc.). Esta especificidad (aplicación al caso concreto) nos conduce a otro concepto ampliamente utilizado por la jurisprudencia, *lex artis ad hoc.*

La clave para el enjuiciamiento, tanto civil como penal, de toda actividad médica, lo constituye la denominada "lex artis ad hoc", que, según establecía el Tribunal Supremo en su Sentencia de 11 de marzo de 1991 puede definirse como *«aquel criterio valorativo de la corrección del concreto acto médico ejecutado por el profesional de la medicina —ciencia o arte médico— que tiene en cuenta las específicas características de su autor, de la profesión, la complejidad del acto y la trascendencia vital para el paciente y, en su caso, la influencia de factores endógenos —estado e intervención del enfermo, de sus familiares o de la misma organización sanitaria— para calificar dicho acto conforme o no a la técnica normal empleada».*

Así, pues, la jurisprudencia ha introducido en nuestro sistema grandes dosis de racionalidad a la hora de determinar la responsabilidad médico-sanitaria a través del concepto de *lex artis,* de tal forma que la decisión de si ha sido o no adecuado el empleo de la técnica por parte del facultativo cobra especial relevancia a la hora de establecer si existe o no una relación de causalidad entre el funcionamiento del servicio y el daño producido. La *lex artis* se convierte así en el criterio de normalidad que ha de infringirse en la realización del servicio sanitario y que permite valorar la corrección de los actos médicos, pues impone al profesional el deber de actuar con arreglo a la diligencia debida.

Como advierte Portero Lazcano[4], en los casos de responsabilidad profesional médica, es claro, que el Juez no posee los conocimientos técnicos necesarios para

---

[3]    En parecidos términos GÓMEZ PAVÓN señala que la *lex artis* cumple el papel de norma o regla general de cuidado. *«En la práctica profesional, existen unas normas o reglas que se consideran necesarias para el desarrollo de la actividad, tales como la realización de pruebas, adopción de tratamientos, cuidados y pautas, científicamente consideradas adecuadas o necesarias. Su finalidad es conseguir la meta deseada: la curación o mejoramiento del paciente con el menor riesgo derivado posible. Son fruto tanto de la experiencia, como de las innovaciones y avances científicos».* Cfr. GÓMEZ PAVÓN, P., *Tratamientos médicos: su responsabilidad penal y civil,* Bosch, Barcelona, 1997, pág. 328.

[4]    Cfr. PORTERO LAZCANO, G., *Responsabilidad penal culposa del médico: fundamentos para el establecimiento de la negligencia o impericia.* Rev. Latinoam. Der. Méd. Medic. Leg. 6 (2), Dic. 2001-7 (1), junio 2002, págs. 89-96. Pág. 93.

enjuiciar el caso. Para ello, se ha de valer de peritos médicos, cuya función será la de valorar si se siguió la Lex artis o no[5].

En consecuencia, la lex artis, en tanto conjunto de criterios de buena praxis, se erige en el más importante nexo de unión entre medicina y derecho y constituye un tema de particular relevancia tanto para jueces como para médicos, motivo por el cual, la positivización de su contenido cada vez se hace más necesaria.

## 2. LA RESPONSABILIDAD PENAL DEL MEDICO POR MALA PRAXIS PROFESIONAL

### 2.1. *Introducción*

Las denuncias contra médicos por errores de diagnóstico, imprudencia o negligencia han experimentado en nuestro país una interesante evolución a lo largo de los años, en el sentido de que el incremento de este tipo de reclamaciones ha sido, a todas luces, progresivo con una clara tendencia a arrastrar hacia el ámbito de la jurisdicción penal los supuestos de imprudencia médica[6].

Con todo, tal y como apunta De Urbano Castrillo[7], en los últimos tiempos, han disminuido las reclamaciones por responsabilidad penal y en la actualidad puede afirmarse que la gran mayoría de casos se canalizan por la vía contencioso-administrativa y la civil, que se centran en la reparación indemnizatoria antes que en la penal, que añade una responsabilidad personal del autor responsable del hecho.

Sentado lo anterior, resulta incuestionable que de los diferentes tipos de responsabilidad en las que puede incurrir el personal sanitario, sin lugar a dudas, la que más inquieta es la penal, pues en caso de culpabilidad, además de la sanción económica, puede acompañarse la inhabilitación y, aunque en contadas ocasiones, la pena de prisión.

---

[5] En idéntico sentido, Cfr., ROMEO CASABONA, C.M., *El médico ante el Derecho, op. cit.,* pág. 70.

[6] Razones de índole procesal han contribuido al notable incremento de las reclamaciones en el orden penal, toda vez que la vía penal, pos su rapidez, comodidad y eficacia, es utiliza, con más frecuencia de la deseable, como medio para conseguir la reclamación resarcitoria que se pretende. No obstante, tal y como puntualiza GÓMEZ RIVERO, la reconducción al orden jurídico penal de las negligencias médicas halla, asimismo, su justificación en «*la progresiva toma de conciencia social y la sensibilización en torno a la gravedad de los defectos o fallos en el ejercicio de la profesión*». Cfr. GÓMEZ RIVERO, M.C., *La responsabilidad penal del médico. Doctrina y jurisprudencia.* Ed. Tirant lo Blanch, Valencia, 2003, pág. 331.

[7] Cfr. DE URBANO CASTRILLO, "La responsabilidad penal médica: Estado actual de la cuestión", http://www.tirantonline.com.

Por ello, en lo que sigue, el presente trabajo tiene por objeto delimitar los requisitos que deben concurrir en la praxis médica para poder apreciar la imprudencia médica en el ámbito penal.

## 2.2. *La imprudencia profesional. La infracción de la lex artis*

La imprudencia profesional se encuadra como un supuesto agravado de la imprudencia, caracterizada por la inobservancia de las reglas de actuación que vienen marcadas por la "Lex Artis", lo que conlleva un plus de antijuridicidad que explica la elevación penológica. El profesional que se aparta de estas normas específicas que le obligan a un especial cuidado merece un mayor reproche en forma de sanción punitiva. Ahora bien, tal y como matiza Gómez Pavón[8], dentro del campo de la medicina, la inobservancia de la *lex artis* no puede llevar sin más, a imputar el resultado producido, para ello habrá que tener en cuenta todas las circunstancias concurrentes en el caso, así como las capacidades del sujeto.

Dentro de esta imprudencia profesional, sobre la imprudencia médica existe un extenso cuerpo de jurisprudencia[9] que ha precisado que se caracteriza por *«la inobservancia de las reglas de actuación que vienen marcadas por lo que en términos jurídicos se conoce como la lex artis, lo que conlleva un plus de antijuridicidad que explica la elevación penológica. El profesional que se aparta de estas normas específicas que le obligan a un especial cuidado, merece un mayor reproche en forma de sanción punitiva. Al profesional se le debe exigir un plus de atención y cuidado en la observancia de las reglas de su arte que no es exigible al que no es profesional. La imprudencia profesional aparece claramente definida en aquellos casos en que se han omitido los conocimientos específicos que sólo tiene el sujeto por su especial formación, de tal manera que, como ya se ha dicho, los particulares no tienen este deber especial porque carecen de los debidos conocimientos para actuar en el ámbito de los profesionales».*

Salvedad hecha de la referencia específica relativa a la pena a imponer en los casos de imprudencia profesional, el Código Penal no contempla reglas que puntualicen en qué supuestos y bajo qué presupuestos surge la responsabilidad penal del médico por su actuación negligente.

Por tal razón, la jurisprudencia reconduce las premisas de su exigencia a las establecidas con carácter general para la imprudencia, adaptando éstas a las pe-

---

8    Cfr. GÓMEZ PAVÓN, P., *Tratamientos médicos: su responsabilidad penal y civil, op. cit.,* pág. 327.

9    Cfr., entre otras muchas, SSTS 1 de diciembre de 1989, de 29 de octubre de 1994, de 8 de mayo y de 3 de octubre de 1997, 23 de octubre de 2001 y de 27 de marzo de 2002.

culiaridades propias de la praxis médica[10]. Conforme a lo anterior, para que la imprudencia médica tenga relevancia jurídico-penal, requiere de los siguientes requisitos:

a) Una acción u omisión voluntaria, no intencional o maliciosa, o sea, que se halle ausente en ella todo dolo directo o eventual. Huelga decir que, en caso de intención en la causación del resultado lesivo estaríamos ante infracciones dolosas o intencionadas. Con todo, el fin de la actividad médica, esto es, la búsqueda del beneficio del paciente, excluye, con carácter general, el dolo en la conducta[11], ya que la intención en el resultado dañoso resulta difícilmente imaginable en la praxis médica[12].

b) Infracción del deber de cuidado exigible. En el caso de la imprudencia médica la determinación de la infracción del referido requisito viene en gran parte determinado por la lex artis profesional que, como ya se indicó, son las reglas generales que rigen el ejercicio de determinadas profesiones u oficios.

El Juez habrá de utilizar, por tanto, la lex artis como guía o patrón orientador a través del cual poder comparar la conducta debida con la efectivamente realizada en el caso concreto. Por ello, en aras a que el Juez pueda determinar si el re-

---

[10] A la hora de abordar la problemática de la imprudencia médica la Sala Segunda del Tribunal Supremo tiene declarado que *«la exigencia de responsabilidad al médico presenta siempre graves dificultades porque la ciencia que profesan es inexacta por definición, confluyen en ella factores y variables totalmente imprevisibles que provocan serias dudas sobre la causa determinante del daño, y a ello se añade la necesaria libertad del médico que nunca debe caer en audacia o aventura. La relatividad científica del arte médico (los criterios inamovibles dejan de serlo mañana), la libertad en la medida expuesta y el escaso papel que juega la previsibilidad, son notas que caracterizan la actuación de esos profesionales. La profesión en sí misma no constituye en materia de imprudencia un elemento agravatorio ni cualitativo —no quita ni pone imprudencia, se ha dicho—, pero sí puede influir, y de hecho influye, para determinar no pocas veces la culpa o para graduar su intensidad. La primera modalidad surge cuando se produjere muerte o lesiones a consecuencia de impericia o negligencia profesional, equivalente al desconocimiento inadmisible de aquello que profesionalmente ha de saberse; esta "imprudencia profesional", caracterizada por la transgresión de deberes de la técnica médica, por evidente inepcia, constituye un subtipo agravado caracterizado por un "plus" de culpa y no una cualificación por la condición profesional del sujeto»* (SSTS de 8 de junio de 1994, 29 de febrero de 1996 y 3 de octubre de 1997).

[11] Sin embargo, existen delitos dolosos cometidos por los médicos, como por ejemplo, la eutanasia activa —art. 143 de CP— Código Penal 3, la práctica de abortos fuera de los supuestos de exculpación —art. 144 al 146 del CP— la omisión del deber de socorro —art. 196—. Los delitos relativos a la manipulación genética —art. 159 al 162—. Delitos contra la salud pública, contemplados en el C.P. en los art. 359 al 398, delito de la revelación del secreto profesional —art. 199.2—. Pero quizás, los más frecuentes delitos con dolo realizados por los médicos, son aquellos relacionados con actividades de carácter "administrativo" y que entrarían en el capítulo de las falsedades: certificación falsa —art. 397 y 398 del CP—, de la suposición de parto —art. 222 del CP—, etc.

[12] Cfr., ROMEO CASABONA, C.M., *El médico ante el Derecho, op. cit.,* pág. 61.

Sonia Calaza López - Marta Lozano Eiroa

sultado lesivo es consecuencia de una mala praxis, son necesarios los protocolos en los que se plasman normas técnicas actualizadas y recomendadas para obtener una correcta praxis médica[13].

Sin perjuicio de lo anterior, tanto la doctrina[14] como la jurisprudencia[15] han matizado que la constatación de si se ha infringido el deber objetivo de cuidado no puede venir determinada de manera decisiva por la inobservancia de reglas técnicas e incluso de protocolos médicos de actuación, pues los referidos criterios deberán ser conjugados con las específicas circunstancias concurrentes en cada caso concreto. Por tal razón, la adecuada información al paciente y el subsiguiente consentimiento constituyen para el personal sanitario una importante garantía frente a ulteriores reclamaciones judiciales.

c) Que se origine un resultado dañoso que el sujeto debía conocer como previsible y prevenible, y desde luego evitable, caso de haberse observado el deber objetivo de cuidado que tenía impuesto y que, por serle exigible, debiera haber observado puntual e ineludiblemente. Como apunta Soto Nieto[16], el resultado dañoso se produce involuntariamente, pero el agente ha de encararse con la imputación de falta de diligencia, cuando los efectos nocivos eran previsibles, cuando pudieron adoptarse medidas para su prevención, cuando en la descripción de la conducta del facultativo pueden encontrarse esos fallos o vacíos que la presentan como tachable e inadecuado para el fin propuesto.

d) Adecuada relación de causalidad entre el proceder descuidado o acto inicial infractor del deber objetivo de cuidado y el daño producido. Dado que el daño es fácil de evaluar, los problemas se plantean a la hora de determinar si la

---

Tal y como establece HERNÁNDEZ GIL, «*ello no supone que sea el propio estamento médico el que determina el deber de cuidado a través de sus propias normas técnicas pero sí parece conveniente que se señalen las normas técnicas que los profesionales consideran idóneas para la práctica correcta de la conducta enjuiciada, aunque será el Juez, finalmente, quien dirima, auxiliado por los peritos, cuál es el cuidado a observar en el caso concreto y, en definitiva, si la conducta del profesional se ha ajustado o no a la diligencia y cuidado exigibles*». Cfr. HERNÁNDEZ GIL, A., *Responsabilidad por malpraxis médica. Análisis del problema a través de encuestas a colegios oficiales de médicos y abogados*. Córdoba, 2002, pág. 39. http://helvia.uco.es/xmlui/bitstream/handle/10396/281/13209401.pdf?sequence=1

ROMEO CASABONA puntualiza, que «*lex artis y cuidado objetivamente debido no son conceptos coincidentes y, si bien su estrecha relación permite mantener la anterior afirmación (actuación conforme a la lex artis supone la observancia del cuidado objetivamente debido), no puede ser siempre cierta a la inversa: la no sujeción a la lex artis no implica necesariamente la inobservancia del cuidado objetivamente debido*» Cfr. ROMEO CASABONA, *El médico ante el derecho, op. cit.*, pág. 70; GÓMEZ RIVERO, M.C., *La responsabilidad penal del médico. Doctrina y jurisprudencia, op. cit.*, pág. 334.

Cfr., por todas, STS de 18 de noviembre de 1991.

Cfr. SOTO NIETO, F., "Principios básicos de la responsabilidad civil y penal del médico", en *Actualidad Penal*, Sección Doctrina, tomo II, 1995, Ref. XLVII, págs. 898-899.

conducta del profesional fue imprudente y establecida la imprudencia, comprobar relación de causalidad entre ésta y el resultado.

La jurisprudencia del Tribunal Supremo[17] ha ido acuñando a lo largo de los
años un extenso y pormenorizado cuerpo de doctrina en relación con la llamada
imprudencia médica, basado en los siguientes principios básicos:

a) El error en el diagnostico o en el tratamiento, por regla general, no es tipifi-
cable como infracción penal[18], salvo que por su entidad y dimensiones constituya
una equivocación inexcusable[19]. En este sentido, Ruiz Vadillo[20] pone de manifiesto igualmente que los errores de diagnóstico o de terapia no constituyen delito
salvo que la equivocación sea burda e inexplicable, es decir, absurda en el sentido
de que ningún profesional hubiera actuado así. Conforme a lo anterior, Silva
Sánchez[21] procede oportunamente a establecer que el error en el diagnóstico, en
sí mismo, puede ser punible si se trata de un error vencible. Entiende el referido
autor que no puede ser hecho responsable el médico por un diagnóstico fallido,

---

[17]   Por ejemplo, SSTS de 1 de diciembre de 1989, 29 de febrero de 1996, 3 de octubre de 1997, 25
de mayo de 1999, 2.252/2001, de 29 de noviembre, 782/2006, de 6 de julio.

[18]   Señala Romeo Casabona que *«el diagnóstico implica un aspecto muy delicado y difícil a la
hora de determinación de la responsabilidad penal, puesto que se ha apoyado tradicionalmente
además de en criterios científicos, en verdaderos juicios intuitivos (el llamado «ojo clínico»); es,
por tanto, una materia compleja, conjetural, y que comporta mayores riesgos de error, error que
puede mantenerse en ciertos casos dentro de los límites de lo tolerable. Esta forma de peculiar
de proceder no puede llevarnos, sin embargo, a querer apartar del ámbito de la responsabilidad
penal (culposa) la realización defectuosa de un diagnóstico, si bien se acepta el amplio margen
con que ha de valorarse por la dificultad e inseguridad que entraña acertar con el diagnóstico
correcto, a pesar de haber utilizado para su consecución todos los medios de exploración y
análisis disponibles. Si aun así se demuestra posteriormente que emitió un juicio equivocado,
no podrá ya decirse que infringió los deberes de cuidado exigidos, y, por tanto, no podrá fun-
damentarse responsabilidad».* Cfr. ROMEO CASABONA, *El médico ante el derecho, op. cit.,*
pág. 73.

[19]   La STS de 13 de noviembre de 1992 establece que *«los simples errores científicos o de diagnóstico no pueden ser objeto de sanción penal, a no ser que sean de magnitud tal que de modo
evidente se aparten de lo que hubiera detectado cualquier médico de nivel y preparación similar
y con semejantes medios a su alcance».* Así, por ejemplo, la STS de 20 de diciembre de 1990
confirma la absolución de un médico de prisiones por un error de diagnóstico que produjo la
muerte del paciente, *«al haber detectado sólo un catarro que afectaba a las vías respiratorias
bajas, cuando, además, existía en el paciente un proceso tuberculoso, del cual no sospechó,
sin que (...) en atención a los medios de que disponía en su consulta de la prisión (...), pueda
entenderse que hubo negligencia en su comportamiento profesional».*

[20]   ENRIQUE RUIZ VADILLO, «La responsabilidad civil y penal de los médicos (especial referencia a los anestesistas)» en, Derecho y Salud, Vol. 3, Nº 1, enero-diciembre 1995, págs. 87-92,
pág. 90.

[21]   Cfr. SILVA SÁNCHEZ, J.M., *«Aspectos de la responsabilidad penal por imprudencia del médico anestesista. La perspectiva del Tribunal Supremo»,* Derecho y Salud, vol. 2, núm. 1, julio-
diciembre 1994, págs. 39-58.

esto es, por un mero resultado de error, por muy grave que este resultado sea. Por contra, el análisis ha de centrarse en la conducta que debe ser valorada para dilucidar si ha de conducir a responsabilidad o no[22].

b) Queda también fuera del ámbito penal, por la misma razón la falta de pericia cuando esta sea de naturaleza extraordinaria o excepcional.

c) La determinación de la responsabilidad médica ha de hacerse en contemplación de las situaciones concretas y específicas sometidas a enjuiciamiento penal, huyendo de todo tipo de generalizaciones. Por tanto, como apunta Romeo Casabona[23], tiene importancia también en qué condiciones se ejercita la profesión, sea en un medio rural o en un medio urbano, pues el médico rural carece por lo general de medios suficientes, así como la facilidad de acceso de sus pacientes a centros hospitalarios en casos urgentes (dificultad de comunicaciones, etc.).

Así, la responsabilidad médica procederá, a efectos de calificar su conducta como imprudencia penalmente reprochable— cuando en el tratamiento médico o quirúrgico efectuado al paciente se incida en conductas descuidadas de las que resulte una actuación irreflexiva, con falta de adopción de cautelas de generalizado uso; es decir, cuando se infrinja el deber objetivo de cuidado que recae sobre todo profesional de la medicina.

En consecuencia, si el profesional sanitario ha actuado con la suficiente cautela y diligencia, cualquier intento de atribuirle la responsabilidad del resultado infructuoso de una intervención médica, tiene pocos visos de prosperar judicialmente, toda vez que no ha de olvidarse que la obligación de estos profesionales, con carácter general, no es una obligación de resultados, sino de medios[24]: El médico se compromete, de un lado, a utilizar todos los conocimientos, técnicas

---

22    En parecidos términos, Cfr. SOTO NIETO, F., "Principios básicos de la responsabilidad civil y penal del médico", en Actualidad Penal, Sección Doctrina, tomo II, 1995, Ref. XLVII, pág. 899.

23    Cfr. ROMEO CASABONA, *El médico ante el derecho, op. cit.,* págs. 74 y 75.

24    Citar cirugía satisfactiva y odontológica en las que existe por parte del médico una obligación de resultados. En este sentido, advierte MARÍA GÓMEZ que *«toda norma tiene su excepción y así resulta que, en la medicina de tipo voluntario, de finalidad estética o innecesaria para la evidente mejora de la calidad de vida, en su aspecto fisiológico la obtención del resultado pactado, en estos concretos contratos médicos, sí que es lo que determina el cumplimiento o incumplimiento del contrato. La deducción más importante de este tipo de relación contractual médico-paciente es que, en esta estructura jurídica se hace presumir la culpa en caso de que el contrato no satisfaga lo pactado. Mientras que, por el contrario, en la actividad médica general y ordinaria que se constituye como una relación contractual de arrendamiento de servicios y como una pura obligación de actividad, es precisa la comprobación de una negligencia para apreciar la culpa».* Cfr. MARÍA GÓMEZ, R., "La previsible evolución de la jurisprudencia sobre responsabilidad legal en la profesión médica", en *Revista jurídica española La Ley,* Sección Tribuna, tomo 4, 2008, Ref. D-237, págs. 1779. Vid., MARTÍNEZ-CALCERRADA, L., "Responsabilidad médica en la dualidad funcional: cirugía asistencial, cirugía satisfactiva", en *Revista jurídica española La Ley,* tomo 3, 1995, págs. 698-712; DE URBANO CASTRILLO,

y recursos a su alcance para la obtención de la curación del paciente y, de otro, a no empeorar la salud del paciente. Así, el objeto del contrato entre médico y paciente no puede ser el compromiso del médico de curar al enfermo, porque no hay posibilidad de asegurar en ningún caso el resultado, máxime si se repara en la existencia de múltiples factores que implican un margen de error.

## 2.3. *Supuestos en los que el paciente rechaza el tratamiento médico: Especial referencia a los testigos de Jehová*

El rechazo de tratamientos sanitarios por parte de los pacientes con fundamento en el ejercicio de los derechos fundamentales a la libertad ideológica y religiosa consagrados en el art. 16.1 de nuestra Constitución, genera frecuentes conflictos en la práctica clínica diaria, especialmente en aquellos supuestos en los que el referido rechazo pone en peligro la salud o supone un riesgo para la vida.

Tal y como ha puesto de manifiesto el Tribunal Constitucional, en un modelo asistencial como el derivado de la Constitución española, los problemas surgen a la hora de armonizar las exigencias dimanantes del art. 16.1 CE con la norma jurídica que obliga al médico a llevar a cabo su labor con arreglo a las pautas establecidas.

Un claro ejemplo del precitado conflicto de derechos del paciente y obligaciones del personal sanitario lo componen los supuestos de transfusiones de sangre a los Testigos de Jehová. En tales casos, si el médico actúa conforme a los criterios establecidos por la *lex artis* (transfunde sangre), incurriría en un delito de coacciones por vulneración de la libertad de creencias del paciente. Si, por el contrario, y pese a comportar un grave riesgo para la salud del enfermo, se decantara por el incumplimiento de su obligación profesional en aras a respetar el derecho a la libertad religiosa del paciente, podría ser condenado como autor de un delito de omisión del deber de socorro[25].

La jurisprudencia existente sobre este particular pone de manifiesto que ha habido una evolución en el papel desempeñado por el paciente en la toma de sus decisiones respecto de su salud:

La STC 166/1996, de 28 de octubre, otorgaba primacía a la protección de la vida del paciente testigo de Jehová y justificaba la imposición del tratamiento (transfusión de sangre) en el criterio de la *lex artis* como límite de la libertad religiosa. Argumentaba el Alto Tribunal que la transfusión de sangre es «*un remedio*

---

E., "La responsabilidad médica por el resultado: el caso de los odontólogos", en <u>La ley penal: revista de derecho penal, procesal y penitenciario</u>, N°. 43, 2007, págs. 5-17.

25   Cfr. RODRÍGUEZ GARCÍA, J.A., *Derecho eclesiástico del estado*, Tecnos, Madrid, 2011, pág. 352.

*cuya utilización, por pertenecer a la lex artis del ejercicio de la profesión médica, sólo puede decidirse por quienes la ejercen y de acuerdo con las exigencias técnicas que en cada caso se presenten y se consideren necesarias para solventarlo. Las causas ajenas a la medicina, por respetables que sean —como lo son en este caso— no pueden interferir o condicionar las exigencias técnicas de la actuación médica».*

Con posterioridad, en su célebre STC 154/2002, de 18 de julio, referida a la solicitud de amparo de unos padres de un menor fallecido como consecuencia de su negativa a aceptar ser transfundido por ser Testigo de Jehová, señalaba, que *«más allá de las razones religiosas que motivaban la oposición del menor, y sin perjuicio de su especial trascendencia (en cuanto asentadas en una libertad pública reconocida por la Constitución), cobra especial interés el hecho de que, al oponerse el menor a la injerencia ajena sobre su propio cuerpo, estaba ejercitando un derecho de autodeterminación que tiene por objeto el propio sustrato corporal —como distinto del derecho a la salud o a la vida— y que se traduce en el marco constitucional como un derecho fundamental a la integridad física (art. 15 CE)»*, por lo que, en definitiva, *«la decisión de arrastrar la propia muerte no es un derecho fundamental sino únicamente una manifestación del principio general de libertad que informa nuestro texto constitucional»*[26].

Desde luego, la problemática expuesta no es baladí, toda vez que constituye un desafío ético moral y/o religioso por la confrontación de dos derechos fundamentales: el recogido en el art. 15 CE que protege el derecho a la vida y a la integridad física; y el contenido en el art. 16 CE donde se declara el derecho a la libertad religiosa. En cualquier caso, convenimos con Triviño Caballero[27] que la libre disposición de la salud y la vida de acuerdo con las propias creencias, como elemento sustancial para la autodeterminación del individuo, resulta menos conflictivo, más razonable desde un punto de vista social, en el caso de una persona adulta y capacitada. Más cuestionable resulta, sin embargo, en el caso de los menores, toda vez que la capacidad del menor para tomar una decisión de semejante índole con base en un consentimiento válido es, cuando menos, discutible.

Cabe concluir, pues, la complejidad de la cuestión planteada impide ofrecer una respuesta unívoca por lo que habrá que atender a las circunstancias y peculiaridades de cada caso concreto y, en todo caso, tal y como establece el art. 9.3

---

[26]   *Vid.*, entre otros muchos comentarios de la referida Sentencia, CORRAL GARCÍA, R., "STC 154/2002: La negativa a una transfusión sanguínea a un menor de edad con el resultado de su muerte", en Anuario de la Facultad de Derecho de la Universidad de La Coruña, nº 8, 2004, págs. 987-994.

[27]   Cfr. TRIVIÑO CABALLERO, R., "Autonomía del paciente y rechazo del tratamiento por motivos religiosos", en InDret, Revista para el análisis del Derecho, Barcelona, julio-2010, pág. 25.

apartado c) de la Ley 41/ 2002 de Autonomía del Paciente, «*cuando el paciente menor de edad no sea capaz intelectual ni emocionalmente de comprender el alcance de la intervención. En este caso, el consentimiento lo dará el representante legal del menor después de haber escuchado su opinión si tiene doce años cumplidos*»[28].

# 3. LA RESPONSABILIDAD CIVIL DEL MEDICO POR MALA PRAXIS PROFESIONAL

## 3.1. Introducción

A la hora de abordar la responsabilidad civil de los médicos por su "mala arte" profesional, hemos de convenir, tal y como lo hacíamos al comienzo del presente ensayo, en que la normal asunción de la enfermedad y la muerte, característica de nuestros antepasados, se ha tornado, en no pocos casos, en una nueva concepción de tales males como algo evitable, de haberse adoptado, por parte de los facultativos, los medios necesarios. Si a esta nueva concepción de las técnicas sanitarias, unimos la "clinificación" de la sociedad, generalmente obsesionada con la relación directa entre el empeoramiento o el fatal desenlace con la mala praxis sanitaria, en lugar de con el normal devenir de la enfermedad y la vida, habremos de concluir, necesariamente, con la aceptación de un remedio "defensivo", por parte de los profesionales de la Medicina, frente al "ataque social" descrito.

Al objeto de minimizar los supuestos de "responsabilidad" a los casos de notoria y evidente mala praxis, los profesionales de la Medicina adoptan cautelas tales como el establecimiento, de un lado, de inflexibles protocolos de actuación —en lugar de permitirse cierto margen de improvisación en función de las características propias del caso concreto— y la generalizada obtención, de otro, de un consentimiento expreso, a cargo del paciente, de la asunción de ciertos riesgos, con carácter previo al comienzo de la intervención sanitaria solicitada.

Si definimos la "*lex artis ad hoc*" como la regla, el criterio o la medida de baremación o ponderación de la actuación médica en el caso concreto, tomando en consideración factores tales como la complejidad, la gravedad, la preparación, la formación, la especialización, los medios, el momento y el entorno, habremos de

---

[28]    En parecido sentido la STC 154/2002, de 18 de julio afirmaba que «*la respuesta constitucional a la situación crítica resultante de la pretendida dispensa o exención del cumplimiento de deberes jurídicos, el intento de adecuar y conformar la propia conducta a la guía ética o plan de vida que resulte de sus creencias religiosas, sólo puede resultar de un juicio ponderado que atienda a las peculiaridades de cada caso*».

concluir que los supuestos de responsabilidad, una vez verificados el seguimiento del "protocolo de actuación" y el "consentimiento médico informado", quedarán reducidos a los supuestos de notoria, evidente o flagrante "mala arte en la específica actuación sanitaria".

Y esta reflexión ha de constituir el punto de partida de nuestro estudio sobre la responsabilidad civil, toda vez que los Tribunales de Justicia, ante la preexistencia de "protocolos de actuación", aprobados por técnicos sanitarios especializados, no podrán cuestionar la adecuación, corrección o conveniencia del tratamiento adoptado, por evidentes razones de discrecionalidad técnica, que muy bien podríamos transbordar del orden contencioso-administrativo, en este punto, al civil.

La asunción expresa, por parte del paciente, de los riesgos inherentes a la intervención o el tratamiento, impedirá, asimismo, cuando alguno de tales potenciales riesgos se hubiere materializado, que el afectado pueda instar ulteriormente, de nuestros Tribunales de Justicia, la depuración de responsabilidad alguna.

La obtención del consentimiento informado es, según han puesto de manifiesto algunos autores[29], con base en el estudio jurisprudencial correspondiente[30], uno de los deberes propios de la *"lex artis"*, y su incumplimiento, como cualquier otra infracción de esta ley, puede generar responsabilidad no sólo hacia el médico, sino incluso frente a la compañía aseguradora de asistencia sanitaria.

Ahora bien, la pretendida minimización de los supuestos de responsabilidad médica, merced a estas cautelas previas, no ha de suponer, como es lógico, la exclusión de dicha responsabilidad civil, ni mucho menos de su correlativa responsabilidad moral, toda vez que la vida, una vez perdida, tal y como ha apuntado un sector de la doctrina, es "irrecuperable"[31]. De ahí que se haya elaborado una

---

[29]    Vid., al respecto, ELIZALDE REDÍN, G., "Incumplimiento del deber de información médico: legitimación pasiva de aseguradora", Revista Aranzadi Doctrinal núm. 1/2012.

[30]    Vid., entre otras, las SSTS de 29 de mayo de 2003, r. 3916; de 23 de julio de 2003, r. 5462; de 21 de diciembre de 2005, r. 10149; 10 de mayo de 2006, r. 2399; de 15 de noviembre de 2006, r. 8059 y de 23 de mayo de 2007, r. 4667, dónde se advierte que el consentimiento informado es presupuesto y elemento esencial de la lex artis y como tal forma parte de toda actuación asistencial y constituye una exigencia ética y legalmente exigible a los miembros de la profesión médica.

[31]    Vid., en este sentido, SANTOS BRIZ, cuando afirma que: "en el ejercicio profesional del médico un fallo puede tener consecuencias irremediables, porque la vida que se pierde es irrecuperable. De aquí la responsabilidad moral del médico o de aquellos que cooperan a su labor. Por respeto a la dignidad del cuerpo humano, sobre el que tiene que actuar el sanitario, los deberes de justicia nunca podrán medirse solo por los términos estrictos del contrato por los que quedan ligados el enfermo y el profesional, sino que, en atención a esta singular relación, las puras relaciones contractuales deberán ir siempre impregnadas de consideración humana hacia el semejante y a los valores espirituales que encierra. En esta dirección, la función médica es, más que acto de justicia social, un deber que impone fraternidad universal con el fin de hacer más llevaderos el dolor y la muerte", en Derecho médico, Ed. Tecnos, Madrid, 1986, citado en

excelsa literatura jurídica, entre la doctrina y la jurisprudencia, sobre el "plus" de atención, de cuidado, de lealtad, de diligencia, de respeto, de ética, de moralidad y, en definitiva, de responsabilidad, que cabe esperar de la profesión sanitaria.

La responsabilidad civil de los profesionales médicos se canaliza, pues, a través de dos vías: la responsabilidad contractual —artículo 1.101 del Código Civil— y la extracontractual —artículo 1902 del Código Civil—.

## 3.2. *Responsabilidad contractual*

El artículo 1.101 del Código Civil establece que "quedan sujetos a indemnización de los daños y perjuicios causados los que, en cumplimiento de sus obligaciones, incurrieren en dolo, negligencia o morosidad y los que de cualquier modo contravinieren el tenor de aquellas".

Esta responsabilidad deriva, tal y como ya ha tenido ocasión de matizar la doctrina[32], del incumplimiento de un contrato por parte del médico, que le vincula al paciente, y presupone, por tanto, que aquél acudió al médico como cliente particular, o bien como miembro de una organización pública o privada.

Ahora bien, la peculiar relación entre el médico y el paciente no siempre —salvo supuestos excepcionales de cirugía plástica, implantación de prótesis o pruebas clínicas— participa de las coordenadas del contrato de arrendamiento de servicios, al que se le pretende equiparar[33], toda vez que el objeto del contrato

---

MARTÍNEZ-CALCERRADA Y GÓMEZ, L., "La responsabilidad civil médico-sanitaria", Ed. Tecnos, Madrid, 1992, págs. 16 y 17.

[32]  MARTÍNEZ-CALCERRADA Y GÓMEZ, L., "La responsabilidad civil médico-sanitaria", cit., pág. 17.

[33]  Como decimos constituye una doctrina consolidada, y sucintamente expresada, entre otras, en las SSTS de 11 de febrero de 1997, r. 940; de 23 de mayo de 2007, r. 4667 y de 25 de abril de 1994, r. 3073, aquella que califica el contrato que une al paciente con el médico a cuyo cuidado o intervención se somete como de *arrendamiento de servicios* y no arrendamiento de obra, en razón, tanto a la naturaleza mortal del hombre, como a los niveles a que llega la ciencia médica, y finalmente, a la circunstancia de que no todos los individuos reaccionan de igual manera ante los tratamientos de que dispone la medicina actual, lo que hace que algunos de ellos, aun resultando eficaces para la generalidad de los pacientes, puedan no serlo para otros, lo que impide reputar el aludido contrato como de arrendamiento de obra que obliga a la consecución de un resultado, y al tratase de un arrendamiento de servicios, el facultativo viene únicamente obligado a poner los medios tendentes a la curación del paciente, atribuyéndosele por tanto, la llamada obligación de medios que en definitiva comporta:
a) Realizar su actuación conforme a la *"lex artis ad hoc"*.
b) Llevar a cabo la necesaria información al paciente o sus familiares, tanto en cuanto al diagnóstico como en lo atinente al pronóstico y medidas curativas que se van a adoptar.
c) Continuar el tratamiento del enfermo hasta que pueda ser dado de alta, advirtiéndole de los riesgos que el abandono del tratamiento pueda comportar.

no puede asegurarse anticipadamente dado que, lamentablemente, no depende de la voluntad de las partes. Es por ello por lo que tanto la doctrina, como la jurisprudencia han advertido, en multitud de ocasiones, que la responsabilidad del médico, en el cumplimiento de este contrato, con la excepción de la medicina voluntaria —como el caso, entre otros, de la cirugía estética, en el que, como es sabido, la diligencia de la intervención comprende el éxito del resultado— lo es de medios o de actividad, pero no de fines o resultados.

En este sentido, la jurisprudencia define la *"lex artis"* como el "criterio valorativo para calibrar la diligencia exigible en todo acto o tratamiento médico"[34], esto es, para estimar acertada, oportuna, diligente y conveniente la actuación sanitaria en el concreto acto o tratamiento ofrecido al paciente, y ello con independencia del resultado.

Así, pues, al igual que el Juez aplica la norma al caso concreto, con base en los principios *"iura novit curia"* o *"da mihi factum, dabo tibi ius"*, con independencia de que haya sido oportunamente alegada o no por las partes, el facultativo ofrece la pauta que estima conveniente, en su intervención o tratamiento, dentro del "protocolo médico", con la pericia, cuidado, diligencia técnica, precisión y

---

d) En los supuestos de enfermedades recidivas, crónicas o evolutivas, informar al paciente de la necesidad de someterse a los análisis y cuidados preventivos que sean precisos.
Estas consideraciones, de estricta aplicación a la denominada medicina curativa, precisan de algunas precisiones cuando se refieren a la medicina voluntaria, entendiendo por tal aquella en el que el interesado acude al médico, no para ser tratado de una patología previa, sino con otros propósitos, como ocurre en el supuesto presente, en el que lo pretendido es la esterilización a través de una práctica quirúrgica, pues en estos casos, como indica la sentencia antes citada, la mencionada relación arrendaticia, sin perder la conceptuación de arrendamiento de servicios, se aproxima de manera notoria al de obra, propiciando la exigencia de una mayor garantía en la obtención del resultado que se persigue, pues de no existir una seria expectativa de lograr la mejora que se pretende —expectativa que obviamente es asumida por el facultativo que protagoniza el acto médico, quien lógicamente ha de ver plenamente viable la obtención del fin pretendido, pues en otro caso debería abstenerse de realizarlo— el paciente-cliente en modo alguno se sometería voluntariamente a un tratamiento tan agresivo como es el quirúrgico. Esta potenciación del resultado, entendido el mismo no como garantía de la consecución de un fin sino como elemento determinante del consentimiento del cliente, futuro paciente, necesariamente ha de proyectarse e incidir sustancialmente sobre la fase previa al acto médico en el sentido de exigir al facultativo un escrupuloso, amplio y detallado deber de información a quien se va a someter a la intervención, a fin de que el consentimiento sea prestado sobre unas premisas que excluyan cualquier posibilidad de error, lo que a su vez conlleva un estudio previo del caso con igual meticulosidad, máxime cuando en esta parcela de la medicina, la urgencia es atípica; pudiendo establecerse que mientras en la medicina de urgencia las obligaciones antedichas se difuminan, en la medicina curativa se potencian y en la voluntaria se exacerban, sin que, como ya se ha apuntado, pueda llegarse al extremo de garantizar el resultado, pues nunca puede excluirse la posibilidad de no obtener el fin pretendido, al no ser la disciplina médica, en cualquiera de sus variantes, una ciencia exacta".
34    STS de 18 de diciembre de 2006, r. 9172.

profesionalidad requeridas por la *"lex artis"*[35], pero ello no compromete el resultado, ni en el primer caso, dónde el derecho a la tutela judicial efectiva no conlleva el derecho al acierto, ni en el segundo, dónde el derecho a la buena praxis médica no comporta, lamentablemente, la curación o mejoría.

La responsabilidad del profesional médico lo es, por tanto, de medios[36] y como tal no puede garantizar un resultado concreto[37]. Constituye una obligación médica, eso sí, la de poner a disposición del paciente los medios adecuados, comprometiéndose no solo a cumplimentar las técnicas previstas para la patología en cuestión, con arreglo a la ciencia médica adecuada a una buena praxis, sino también a aplicar estas técnicas con el cuidado y precisión exigible de acuerdo con las circunstancias y los riesgos inherentes a cada intervención.

La *"lex artis"* comprende, pues, de un lado, la obligación de realizar todas las comprobaciones, medios o pruebas requeridas para realizar, a la mayor brevedad posible[38], un diagnóstico ajustado al más exacto estado del paciente y, de otro, la obligación de ofrecerle una actuación o tratamiento con celeridad, diligencia y pericia.

---

[35]  El TS, en su sentencia de 23 de mayo de 2006, r. 3535, afirma, en este sentido, que "la *lex artis* comporta no solo el cumplimiento formal y protocolar de las técnicas previstas con arreglo a la ciencia médica adecuadas a una buena praxis, sino la aplicación de tales técnicas con el cuidado y precisión exigible de acuerdo con las circunstancias y los riesgos inherentes a cada intervención según su naturaleza y circunstancias".

[36]  El TS ha afirmado en reiteradísimas ocasiones —véase, entre tantas otras, la STS de 20 de noviembre de 2010, r. 138— que "lo que se conoce como la *lex artis* o lo que es lo mismo un supuesto y elemento esencial para llevar a cabo la actividad médica y obtener de una forma diligente la curación o la mejoría de la salud del enfermo, a la que es ajena el resultado obtenido puesto que no asegura o garantiza el interés final perseguido por el paciente".

[37]  Los médicos, tal y como señala el TS, entre otras en las SSTS de 12 de marzo 2008, r. 4045 y de 30 de junio 2009, r. 4323, actúan sobre personas, con o sin alteraciones de la salud, y la intervención médica está sujeta, como todas, al componente aleatorio propio de la misma, por lo que los riesgos o complicaciones que se pueden derivar de las distintas técnicas de cirugía utilizadas son similares en todos los casos y el fracaso de la intervención puede no estar tanto en una mala praxis cuanto en las simples alteraciones biológicas. Lo contrario supondría prescindir de la idea subjetiva de culpa, propia de nuestro sistema, para poner a su cargo una responsabilidad de naturaleza objetiva derivada del simple resultado alcanzado en la realización del acto médico, al margen de cualquier otra valoración sobre culpabilidad y relación de causalidad y de la prueba de una actuación médica ajustada a la *lex artis*, cuando está reconocido científicamente que la seguridad de un resultado no es posible pues no todos los individuos reaccionan de igual manera ante los tratamientos de que dispone la medicina actual.

[38]  La *lex artis*, entendida de esa forma, supone, tal y como detalla la STS de 7 de mayo de 2007, r. 3553, que "la toma de decisiones clínicas está generalmente basada en el diagnóstico que se establece a través de una serie de pruebas encaminadas a demostrar o rechazar una sospecha o hipótesis de partida, pruebas que serán de mayor utilidad cuanto más precozmente puedan identificar o descartar la presencia de una alteración, sin que ninguna presente una seguridad plena".

La jurisprudencia ha estimado, en relación con la primera de las proyecciones antes descritas, esto es, la atinente a la obligación médica, de realizar las comprobaciones requeridas por el caso concreto, que tan solo el diagnostico que presente un error de notoria gravedad o unas conclusiones absolutamente erróneas, así como la ausencia de las comprobaciones o exámenes exigidos o exigibles, pueden servir de base para declarar la responsabilidad[39].

La *"lex artis"* viene, al propio tiempo, integrada, dentro del marco de actuación material de los profesionales sanitarios, por deberes tales como el de informar al paciente, ofrecerle una total confidencialidad, recabar su consentimiento y no abandonar al enfermo, entre otros tantos que la jurisprudencia[40] viene, ante la indeterminación de este concepto, concretando a lo largo del tiempo.

La falta de información o, en su caso, la emisión de una información errónea o incompleta[41] constituye, sin lugar a dudas, una "mala praxis", toda vez que tan sólo el paciente debidamente informado podrá ejercitar con cabal conocimiento (consciente, libre y completo) el derecho a la autonomía decisoria más conveniente a sus intereses, que tiene su fundamento, según ha tenido ocasión de afirmar el TS[42], en la dignidad de la persona que, con los derechos inviolables que le son inherentes, es fundamento del orden político y de la paz social (art. 10.1 CE).

La decisión última sobre el tratamiento y/o la intervención corresponde, en exclusiva, al enfermo[43], si bien esta decisión sobre la propia salud estará fundada,

---

[39]  STS de 23 de septiembre de 2004, r. 5890.

[40]  Aún cuando la jurisprudencia ha añadido una dimensión ética al afirmar que forman parte de la *lex artis* los deberes descritos en el texto, debe concretarse, tal y como sostiene BELTRÁN AGUIRRE, J. L., que "las normas morales que conforman los códigos de deontología médica no constituyen deberes jurídicos exigibles al médico, es decir, no forman parte de la *"lex artis"*, en "La relación médico-paciente en situaciones de riesgo grave, de enfermedad invalidante e irreversible, y en el proceso del final de la vida: supuestos y respuestas bioéticas y jurídicas", Revista Aranzadi Doctrinal núm. 6/2011.

[41]  La información errónea o incompleta equivale, tal y como señala la STS de 31 de mayo de 2011, r. 4000, a la falta de información y conforma una actuación médica deficiente que resulta especialmente grave.

[42]  Vid., entre otras, las SSTS de 2 de julio de 2002, r 5514; de 10 de mayo 2006, r. 2399 y de 4 de mayo de 2011, r. 2633.

[43]  La actuación decisoria, tal y como sostiene la STS 8 de septiembre 2003, r. 6065, pertenece al enfermo y afecta a su salud y como tal no es quien le informa sino él quien a través de la información que recibe, adopta la solución más favorable a sus intereses, incluso en aquellos supuestos en los que se actúa de forma necesaria sobre el enfermo para evitar ulteriores consecuencias. Lo contrario sería tanto como admitir que las enfermedades o intervenciones que tengan un único tratamiento, según el estado de la ciencia, no demandan "consentimiento informado".

como es lógico, en la información previamente recibida por el médico correspondiente[44].

La responsabilidad está forzosamente ligada al resultado dañoso, de suerte que sin daño, tal y como ha secundado de modo reiterado nuestra jurisprudencia[45], no hay responsabilidad. De esta afirmación inicial puede desprenderse que la ausencia de información no es *per se* una causa de resarcimiento pecuniario, siendo imprescindible, para que la ausencia o deficiencia de dicha información genere responsabilidad[46], la producción de un daño que, de haber sido previsto o conocido por el enfermo, podría haberse evitado.

La responsabilidad del profesional sanitario tan solo surge, pues, cuando, una vez constatada la producción del resultado dañoso, puede, al propio tiempo acre-

---

[44]   El TS tiene una jurisprudencia consolidada en relación con el deber de información del médico y el consentimiento informado del paciente, que puede sintetizarse en los siguientes términos: "La Jurisprudencia de esta Sala ha puesto de relieve la importancia de cumplir este deber de información del paciente en cuanto integra una de las obligaciones asumidas por los médicos, y es requisito previo a todo consentimiento, constituyendo un presupuesto y elemento esencial de la *lex artis* para llevar a cabo la actividad médica" (SSTS de 2 de octubre de 1997, r. 7405; de 29 de mayo de 2003, r. 3916; de 23 de julio de 2003, r. 5462); de 21 de diciembre de 2005, r. 10149; de 10 de mayo de 2006, r. 2399; de 15 de noviembre de 2006, r. 8059)."Como tal, forma parte de toda actuación asistencial y está incluido dentro de la obligación de medios asumida por el médico" (vid., las SSTS 25 de abril de 1994, r. 3073; de 2 de octubre de 1997, r. 7405 y de 24 de mayo de 1999, r. 3359). Se trata de que el paciente participe en la toma de decisiones que afectan a su salud y de que a través de la información que se le proporciona pueda ponderar la posibilidad de sustraerse a una determinada intervención quirúrgica, de contrastar el pronóstico con otros facultativos y de ponerla en su caso a cargo de un Centro o especialistas distintos de quienes le informan de las circunstancias relacionadas con la misma.

[45]   La falta de información, según las SSTS de 27 de septiembre de 2001, r. 7130; de 10 de mayo de 2006, r. 2399 y de 23 de octubre de 2008, r. 5789), no es *per se* una causa de resarcimiento pecuniario, lo que parece lógico cuando el resultado no es distinto del que esperaba una persona al someterse a un determinado tratamiento médico o intervención quirúrgica; doctrina que se reitera en la Jurisdicción Contencioso Administrativa para la que la falta de información no es *per se* una causa de resarcimiento pecuniario, salvo que haya originado un daño derivado de la operación quirúrgica, evitable de haberse producido (STS 9 de marzo de 2010, r. 3788).

[46]   Los efectos que origina la falta de información están especialmente vinculados a la clase de intervención: necesaria o asistencial, voluntaria o satisfactiva, teniendo en cuenta las evidentes distinciones que la jurisprudencia del TS —entre otras, en las SSTS de 12 de febrero de 2007; de 23 de mayo; de 29 de junio, r. 3871; de 28 de noviembre de 2007, r. 8428; de 23 de octubre 2008, r. 5789— ha introducido en orden a la información que se debe procurar al paciente, más rigurosa en la segunda que en la primera dada la necesidad de evitar que se silencien los riesgos excepcionales ante cuyo conocimiento el paciente podría sustraerse a una intervención innecesaria o de una necesidad relativa.

ditarse, merced a la práctica de la prueba[47], como norma a cargo del paciente[48], que dicho resultado no se habría producido, de haber actuado aquel profesional sin culpa o negligencia, nexo causal del daño acontecido[49].

Por consiguiente, tan solo se puede declarar judicialmente la responsabilidad civil médico-sanitaria cuando se haya realizado un acto culpable o negligente contrario a la *lex artis* y se establezca un nexo causal entre el daño producido y el acto tachado de culpable o negligente.

El criterio para determinar si la actuación del médico ha sido cuidadosa, tal y como ha tenido ocasión de advertir el TS[50], no es el ordinario, esto es, el de la persona normalmente diligente, sino otro técnico, el del buen profesional, o sea, el relativo a la diligencia empleada por el buen especialista, que se deriva de su específica preparación científica y práctica, siempre desde la óptica del estado actual de la ciencia. Por tanto, se descarta toda clase de responsabilidad más o menos

---

[47]   El TS ha señalado, entre otras, en la STS, lo siguiente: "nuestra jurisprudencia se mantiene hoy, en líneas generales, fiel a la concepción tradicional de la responsabilidad de los profesionales sanitarios, fundamentada en la exigencia de una conducta u omisión culpable sobre la base de que su obligación no es de resultado sino de actividad, por lo que consiste en desplegar todos los medios disponibles tanto en el diagnóstico como en el tratamiento para tratar de curar al enfermo, sin que se responda en absoluto por el simple hecho de que tal objetivo no se alcance. Además, lejos de admitir las modernas corrientes que mediante la inversión de la carga de la prueba tienden a objetivar la responsabilidad civil en otros sectores, se afirma con rigor, salvo supuestos especiales, que es el paciente quien ha de probar además del nexo causal entre la conducta u omisión y el resultado dañoso que el facultativo no cumplió las exigencias de la «lex artis ad hoc» y no aquel que su comportamiento fue diligente.

[48]   Asimismo es doctrina jurisprudencia reiterada (Vid. SSTS de 7 de febrero, r. 668 y 6 de noviembre de 1990, r. 8528), entre otras muchas) que en la conducta de los profesionales sanitarios queda, en general descartada todo clase de responsabilidad más o menos objetiva, sin que opere la inversión de la carga de la prueba, estando por tanto a cargo del cliente-paciente la demostración de la relación o nexo de causalidad y la de la culpa, precisando la primera de las sentencias citadas que la diligencia exigible al médico en su actuar será la profesional, tal y como se desprende del primer párrafo del artículo 1104 del Código Civil, atendiendo a su cualificación y especialización.

[49]   La STS de 23 de octubre de 2000, r. 9197 sintetiza perfectamente la doctrina reiterada del TS, en este punto, según la cual "para que pueda surgir la responsabilidad del personal sanitario o del centro de que aquél depende como consecuencia del tratamiento aplicable a un enfermo, se requiere ineludiblemente que haya intervenido culpa o negligencia por parte del facultativo que realizó el acto médico o clínico enjuiciado, ya que queda descartada toda responsabilidad más o menos objetiva sin que opere la inversión de la carga de la prueba admitida para los daños de otro origen, pues es imprescindible que a la relación causal, material o física se sume el reproche culpabilístico que puede manifestarse a través de una negligencia omisiva en la aplicación de un medio curativo o, más generalmente, en la existencia de una acción culposa o negligente en tal aplicación, imponiéndose en el paciente o en quien alegue la responsabilidad la exigencia de la prueba de la relación o nexo causal y de la culpa (vid., asimismo, las SSTS 24 de septiembre de 1994, r. 7313 y de 20 de febrero de 1992, r. 1326).

[50]   Vid., en este sentido, la STS de 7 de mayo de 2007, r. 3553.

objetiva, sin que opere la inversión de la carga de la prueba y no habiendo responsabilidad médica cuando no es posible establecer la relación de causalidad culposa[51]. Únicamente quiebra este principio de obligación del paciente, de probar la
culpa del sanitario, cuando existan "indicios muy cualificados, por anormales"[52]
y en los casos en que se obstaculice la práctica de la prueba o no se coopere de
buena fe, desplazando en tal supuesto la carga de la prueba a quien se halle en
mejor posición probatoria, por su libertad de acceso a los medios de prueba[53].

La carga de la prueba, tal y como ha reiterado nuestro TS[54], en numerosas
resoluciones incumbe, pues, al paciente, que habrá de acreditar, suficientemente
la relación o nexo de causalidad entre la culpa o negligencia del profesional sanitario —cuya actuación fue realizada con infracción o no-sujeción a las técnicas
médicas o científicas exigibles— y el resultado dañoso.

Conviene, finalmente, tal y como ha apuntado la propia doctrina sanitaria[55],
diferenciar las consecuencias negativas e inevitables, producidas por la propia
enfermedad del paciente y su evolución (no ligadas a una práctica clínica inco-
rrecta), de los efectos negativos derivados de la práctica de la medicina, que son
evitables y, por ende, susceptibles de generar responsabilidad, siendo los propios
profesionales de la medicina quiénes mejor pueden diferenciar ambos supuestos.

---

[51]   Vid., al respecto, las SSTS de 5 de diciembre de1994, r. 9409 y de10 de noviembre de1999, r
       8057.
[52]   Vid., STS 31 de julio de1996, r. 6084.
[53]   Vid., STS de 2 de diciembre 1996, r. 8938.
[54]   Vid., por todas, la STS de 10 de junio de 2008, r. 4246, cuando afirma que "en el ámbito de
       la responsabilidad del profesional médico debe descartarse la responsabilidad objetiva y una
       aplicación sistemática de la técnica de la inversión de la carga de la prueba, desaparecida en la
       actualidad de la LECiv, salvo para supuestos debidamente tasados. El criterio de imputación del
       art. 1902 CC se funda en la culpabilidad y exige del paciente la demostración de la relación o
       nexo de causalidad y la de la culpa en el sentido de que ha quedar plenamente acreditado en el
       proceso que el acto médico o quirúrgico enjuiciado fue realizado con infracción o no-sujeción a
       las técnicas médicas o científicas exigibles para el mismo (STS 24 de noviembre de 2005, r. 554).
       Especialmente en los casos de resultado desproporcionado o medicina voluntaria, se modula
       la valoración del elemento subjetivo de la culpa para garantizar la efectividad del derecho al
       resarcimiento del perjudicado. En virtud del principio de facilidad y proximidad probatoria, el
       profesional médico puede estar obligado a probar las circunstancias en que se produjo el daño
       si se presenta un resultado dañoso generado en la esfera de acción del demandado de los que
       habitualmente no se producen sino por razón de una conducta negligente, dado que entonces
       el enjuiciamiento de la conducta del agente debe realizarse teniendo en cuenta, como máxima
       de experiencia, la necesidad de dar una explicación que recae sobre el que causa un daño no
       previsto ni explicable en su esfera de actuación profesional (SSTS de 23 de mayo de 2007, de 8
       de noviembre 2007).
[55]   Vid., al respecto, SARRATO MARTÍNEZ, L., "Delimitación jurídica y contenido de la denomi-
       nada Lex artis médica", Actualidad Jurídica Aranzadi núm. 728/2007.

## 3.3. Responsabilidad extracontractual

El artículo 1902 del Código Civil establece que "el que por acción u omisión causa daño a otro interviniendo culpa o negligencia está obligado a reparar el daño causado".

Aún cuando la responsabilidad contractual cobra carta de especial naturaleza, en esta materia, frente a la extracontractual, la doctrina[56] nos habla, con acierto, de la existencia, en un buen número de casos, de un concurso de responsabilidades, ya que el médico, como cualquier otro profesional, además de cumplir las obligaciones derivadas del contrato, ha de observar la obligación genérica de no dañar a otro (alterum non laedere).

La acumulación de ambos tipos de pretensiones —contractual y extracontractual— no ha sido un tema pacífico entre la jurisprudencia, en ocasiones oscilante, y generalmente decantada por su "compatibilidad" [57], y la doctrina que se ha ocupado de esta cuestión[58], partidaria de la acumulación sin límite ni reserva de ambas clases de responsabilidades.

Por nuestra parte entendemos que, siendo el resultado dañoso el mismo, ninguna virtualidad ofrece, al justiciable, la unión, conexión o yuxtaposición de pretensiones, contractual y extracontractual, toda vez que el Juez habrá de analizar, principalmente, el perjuicio ocasionado al paciente y este perjuicio es idéntico con independencia de la relación consentida o involuntaria con el facultativo que le atendió. Obviamente, la relación contractual facultativo— paciente está dotada de un "plus" de responsabilidad que no puede exigirse a la relación extracontractual entre un médico y un enfermo que han establecido una relación ocasional o accidental, pero lo cierto es que el actor, a la hora de encauzar debidamente su pretensión, habrá de optar entre una y otra opción, no pudiendo, en modo alguno, exponer, ante el Juez, que su relación con el médico fue establecida con-

---

[56]   MARTÍNEZ-CALCERRADA Y GÓMEZ, L., "La responsabilidad civil médico-sanitaria", cit., pág. 22.

[57]   Vid., a favor, las SSTS de19 de junio de1984; de 3de febrero de1989; de 2 de enero de1990 y de 23 de febrero de 2010, r. 4341, dónde la acción se enmarca en el campo mixto de la culpa contractual y extracontractual, concurriendo ambos yuxtapuestos, función que expresamente admite la jurisprudencia.

[58]   Vid., al respecto, FERNÁNDEZ HIERRO, J. M., quién mantiene esta posición favorable a la acumulación, con base, entre otras, en la argumentación que sigue: "la responsabilidad médica puede, en ocasiones, provenir de ambas hipótesis: (...) la responsabilidad tendría una causa solo en la práctica, cuando una actuación extracontractual (actuación en caso de peligro inminente o en estado de inconsciencia del enfermo) es seguida por otra libremente convenida, se puede hacer muy difícil, de hecho, deslindar dónde ha nacido el hecho culposo", en "Responsabilidad civil médico-sanitaria", Ed. Aranzadi, Pamplona, 1984, págs. 197 y 198.

tractual y, al propio tiempo, extracontractualmente, puesto que ambas hipótesis parecen excluirse recíprocamente.

La Ley ofrece, pues, una doble opción, que, en principio, parece alternativa, entre la pretensión contractual —fruto de una relación tácita o expresamente consentida— y la extracontractual —fruto de una relación circunstancial—, con independencia de que, ocasionalmente pueda tornarse acumulativa por el tracto sucesivo del tiempo (casos en los que inicialmente no era consentida, por el estado de inconsciencia del paciente, y luego fue consentida o casos en los que fue, en su comienzo, expresamente autorizada y posteriormente, debido a la pérdida de consciencia, dejó de serlo), pero incluso en tales supuestos, no parece que pueda hablarse de una acumulación de pretensiones, sino, a lo sumo, de una sucesión temporal de relaciones contractuales y extracontractuales que el Juez, al objeto de no dejar imprejuzgado algún tramo espacial y temporal de la enfermedad, habrá de valorar subsidiariamente.

La elección de una pretensión u otra —contractual o extracontractual— no conlleva, por lo demás, grandes diferencias en el marco procesal, dónde, con la sola excepción de la prescripción —un año para el ejercicio de la extracontractual (ex.art. 1968.2º CCiv.) frente a quince para el ejercicio de la contractual (ex.art. 1964 CCiv.)— las normas generales establecidas en la LEC para la jurisdicción, competencia, legitimación, procedimiento, recursos y costas son idénticas.

Apuesta por Tirant Online, la base de datos jurídica de la editorial más prestigiosa de España.*

# www.tirantonline.com

Suscríbete a nuestro servicio de base de datos jurídica y tendrás acceso a todos los documentos de Legislación, Doctrina, Jurisprudencia, Formularios, Esquemas, Consultas o Voces, y a muchas herramientas útiles para el jurista:

* Biblioteca Virtual
* Herramientas Salariales
* Calculadoras de tasas y pensiones
* Tirant TV
* Personalización

* Foros y Consultoría
* Revistas Jurídicas
* Gestión de despachos
* Biblioteca GPS
* Ayudas y subvenciones
* Novedades

* Según ranking del CSIC

 96 369 17 28
 96 369 41 51

 atencionalcliente@tirantonline.com
 www.tirantonline.com